A-Z HERTFORD

CONTENTS

Key to Map Pages   2-3

Map Pages   4-165

Index to Streets, Towns, Villages
and selected Places of Interest   166-221

Index to Hospitals and Hospices   222-223

Index to Stations   224

REFERENCE

Motorway	M1
A Road	A5
Under Construction	
Proposed	
B Road	B1368
Dual Carriageway	
One-Way Street	➡
Traffic flow on A Roads is indicated by a heavy line on the driver's left.	
Restricted Access	
Pedestrianized Road	
Track	
Footpath	
Residential Walkway	
Railway	Station Heritage Sta. Level Crossing Tunnel
Underground Station	Is the registered trade mark of Transport for London ⊖
Built-Up Area	CHURCH STREET
Local Authority Boundary	
Posttown Boundary	
Postcode Boundary	
Map Continuation	90
Car Park (Selected)	P
Park and Ride	P+
Church or Chapel	†
Cycle Route (Selected)	⊶
Fire Station	■
Hospital	H
House Numbers (A & B Roads only)	13 8
Information Centre	i
National Grid Reference	525
Police Station	▲
Post Office	★
Toilet	▽
with facilities for the Disabled	♿
Viewpoint	✳ ✴
Educational Establishment	◰
Hospital or Hospice	◰
Industrial Building	◰
Leisure or Recreational Facility	◰
Place of Interest	◰
Public Building	◰
Shopping Centre or Market	◰
Other Selected Buildings	◰

SCALE

1:20,267

0   ¼   ½   ¾ Mile
0   250   500   750 Metres   1 Kilometre

approx. 3 Inches (7.94 cm) to 1 Mile
or 4.93 cm to 1km

Copyright of Geographers' A-Z Map Company Ltd.

Head Office:
Fairfield Road, Borough Green, Sevenoaks, Kent, TN15 8PP
Telephone 01732 781000 (General Enquiries & Trade Sales)

Showrooms:
44 Gray's Inn Road, London, WC1X 8HX
Telephone 020 7440 9500 (Retail Sales)

www.a-zmaps.co.uk

Ordnance Survey® This product includes mapping data licensed from Ordnance Survey® with the permission of the controller of Her Majesty's Stationery Office.

© Crown Copyright 2002. Licence number 100017302

Edition 2 2002
Copyright © Geographers' A-Z Map Co. Ltd. 2002

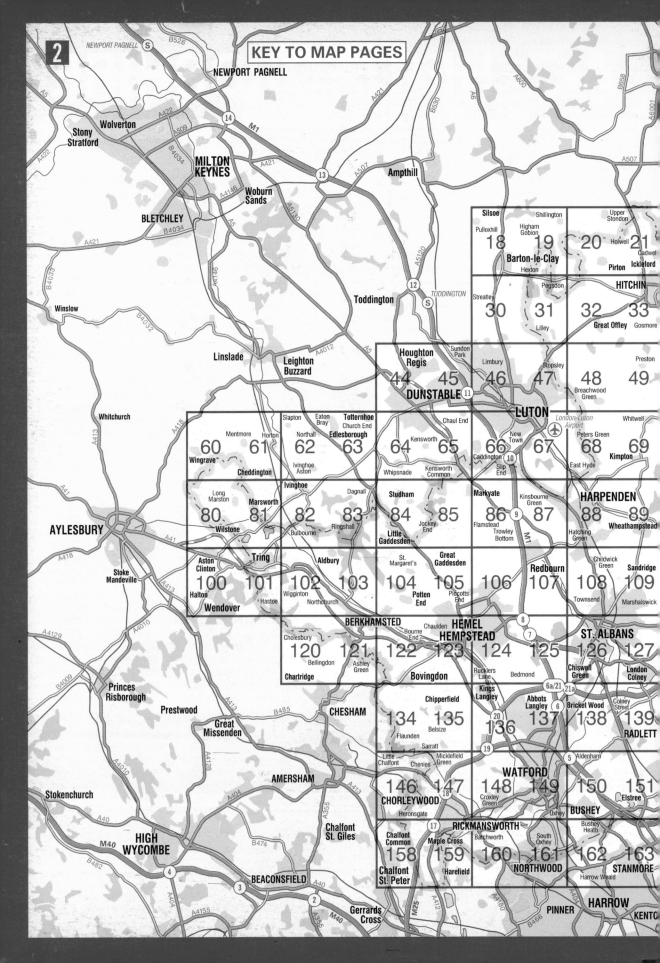

KEY TO MAP PAGES

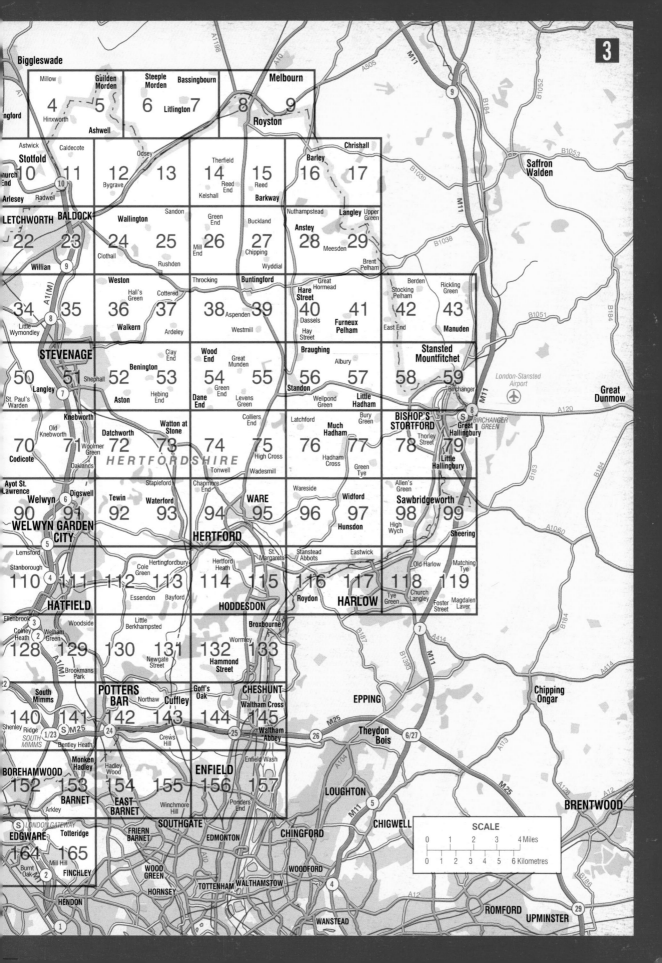

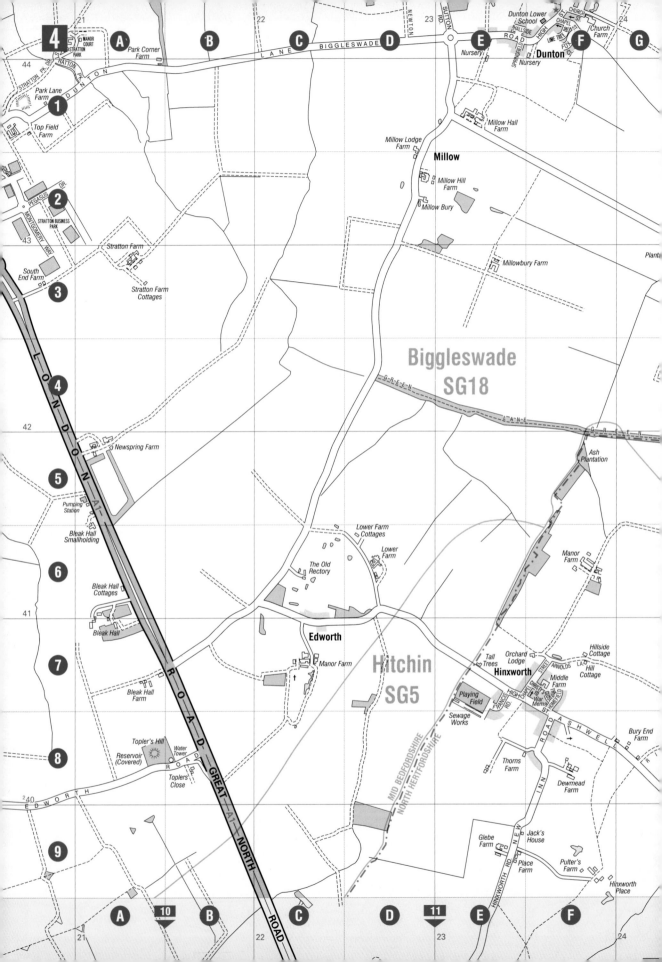

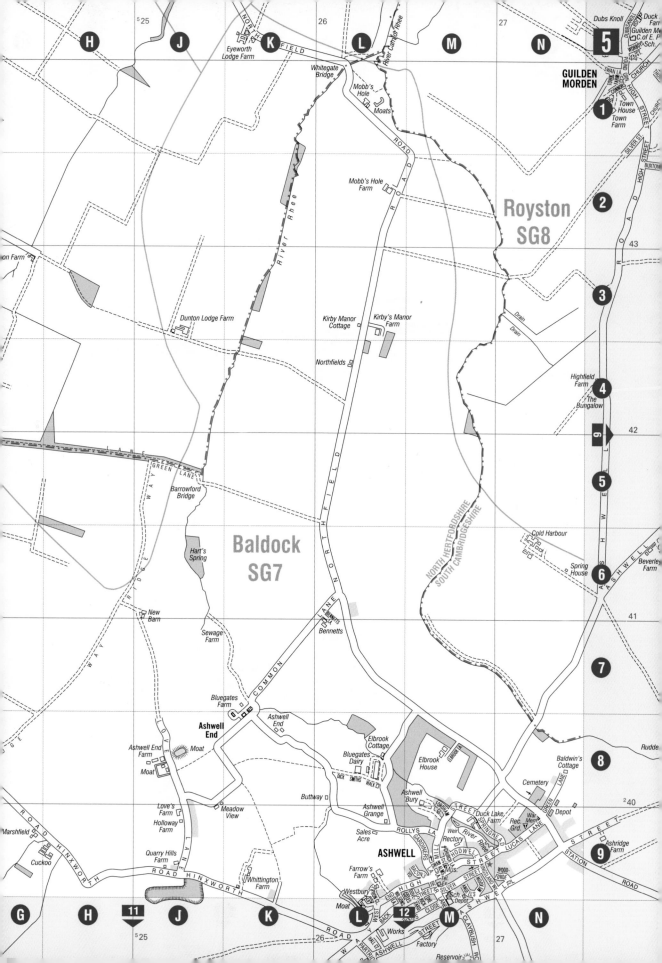

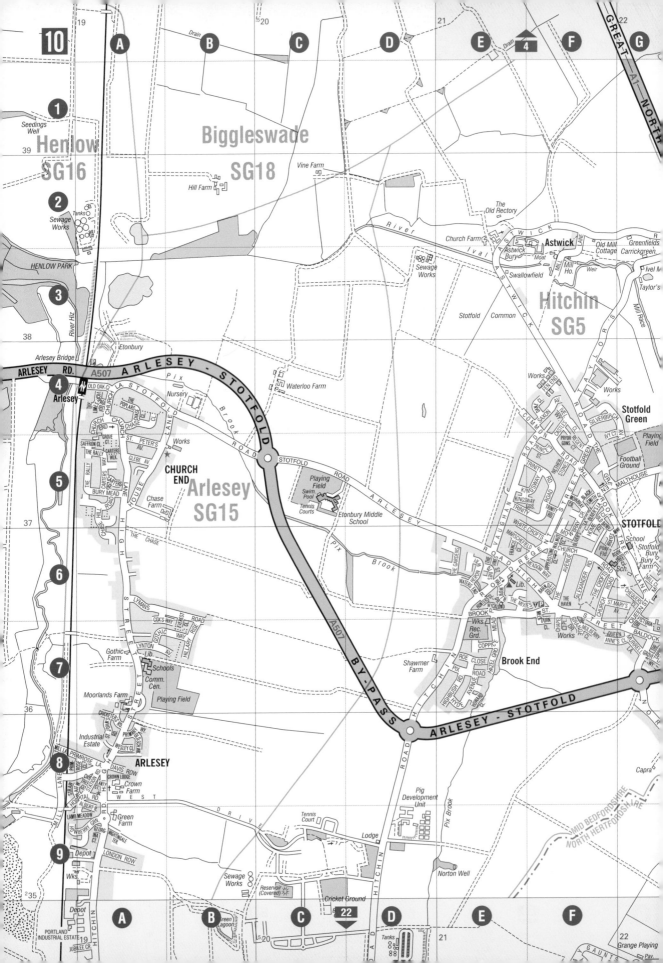

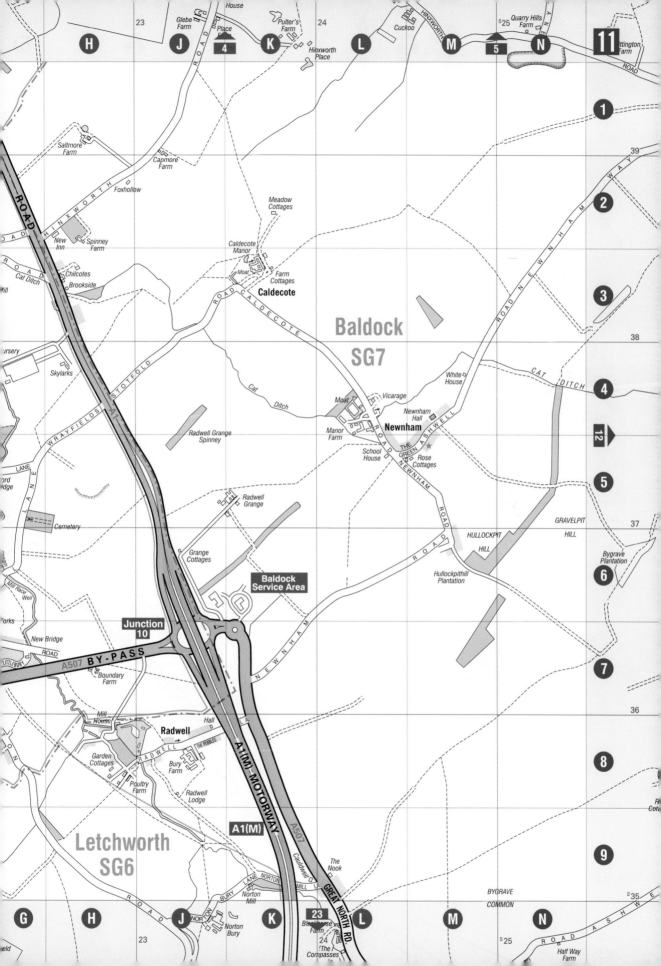

H   J   6   K   L   M   7   N

Gallop

New Part

Thrift Lodge

Thrift Cottages

Kings Ride

Next Odsey

Cheyneys Lodge Farm

The Thrift

1

Thrift Farm

Cheyneys Lodge

Jockey House Cottages

39

Hill Farm

R O A D

Lower Coombe Farm

A505

2

Railway Cottages

Penny Loaf Hill Plantation

Burial Ground

Thrift Hill

Ashwell & Morden

SOUTH CAMBRIDGESHIRE

NORTH HERTFORDSHIRE

3

C O O M B E

Odsey Corner

38

Odsey House Cottage

Coombe Farm

Odsey Meadows

Odsey

Gallows Hill

Heath Barn

Odsey

The Lodge

Royston SG8

4

14

N E T H E R F I E L D

Heath Farm

Gatleyway Farm

Chesara

5

Slip Inn Hill

Works

Poultry Houses

R O A D

37

Crouch Hill

Stump Cross

DEADMAN'S HILL

Mount Hill

6

B A L D O C K

Pott's Hill

7

Tresillian

Ash Pollard

Lodge Farm

36

Bury Barns

Rain Hill

Buntingford SG9

8

WHEAT HILL

Gannock Farm

9

DRIFT WAY

Gannock Green

Mount Eagle

Wheathill

Cat Ditch

Mill Hill

²35

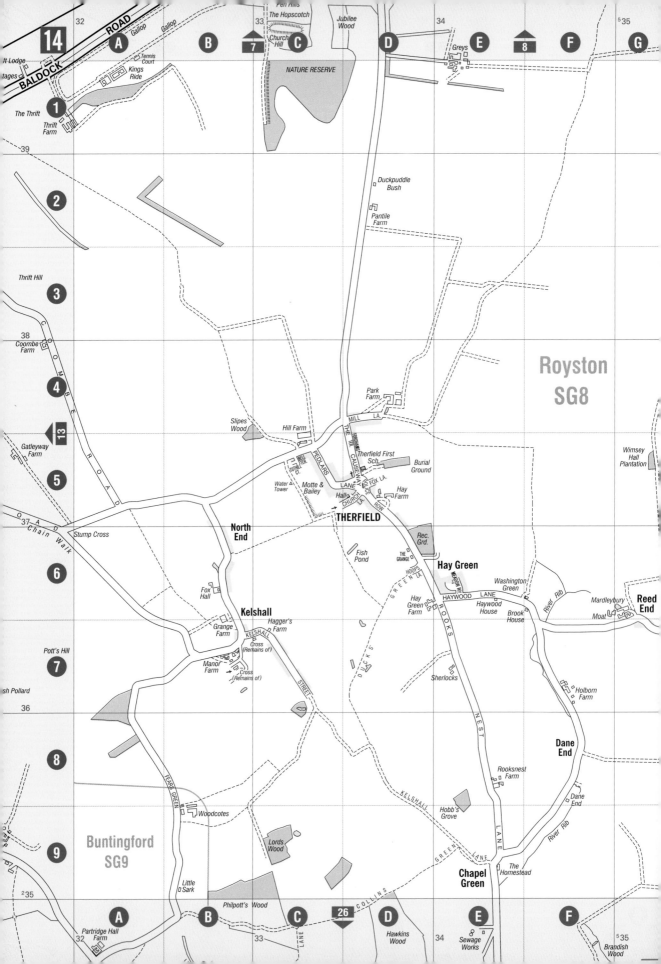

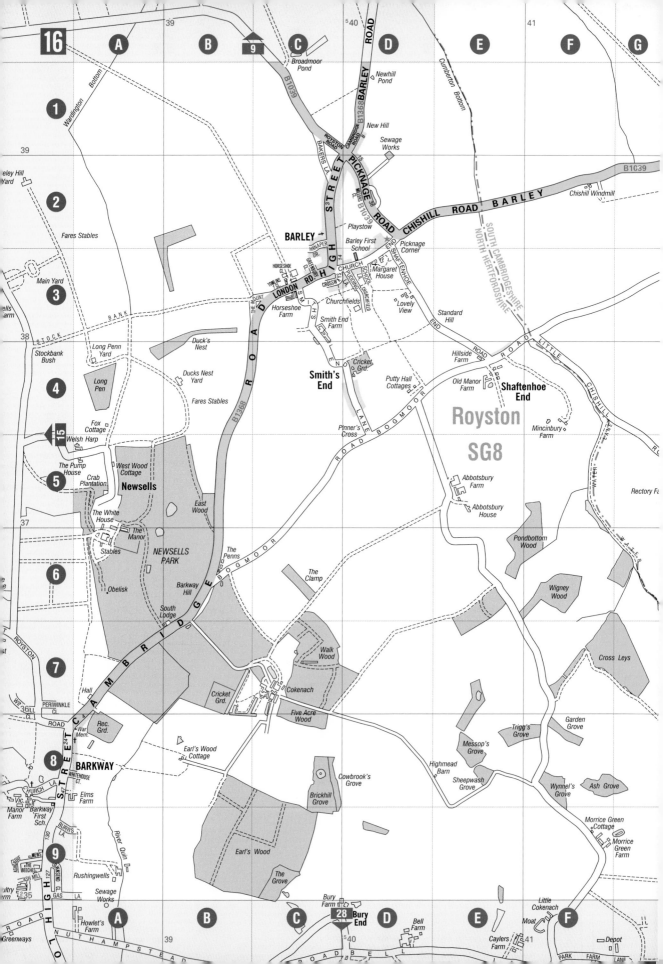

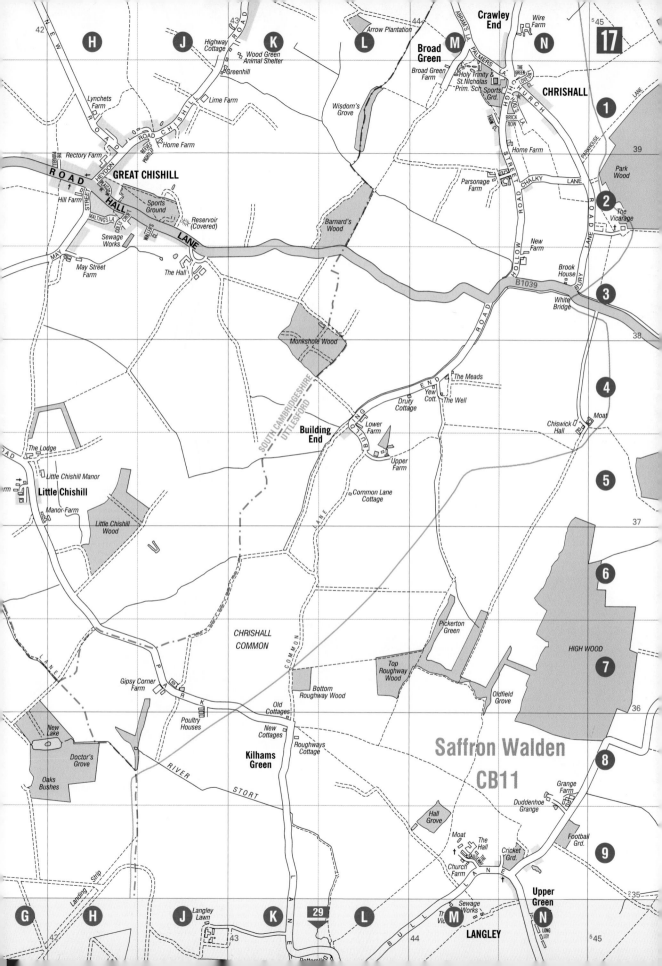

Hitchin
SG5

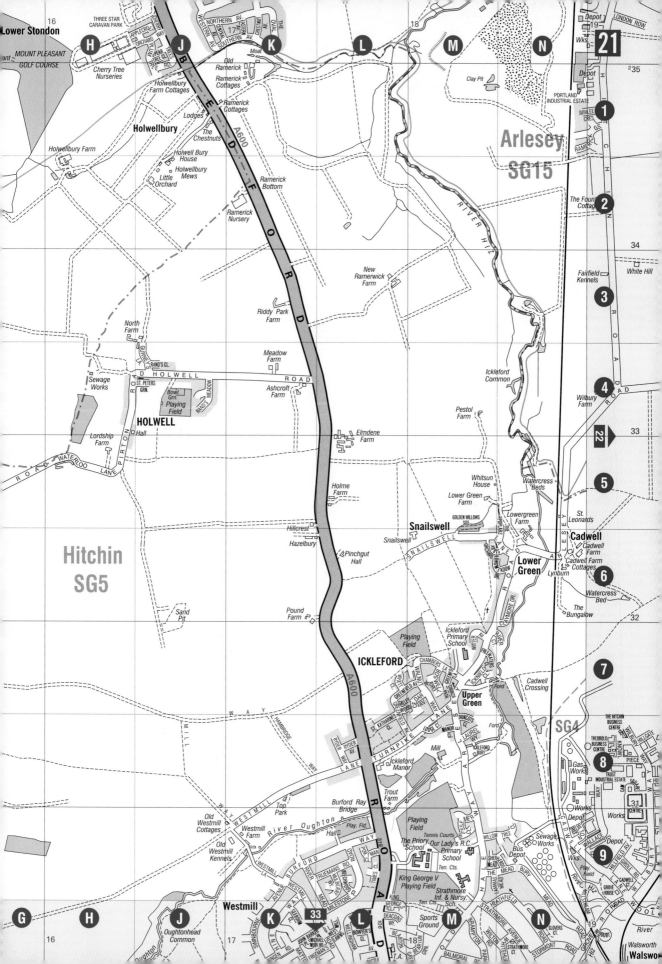

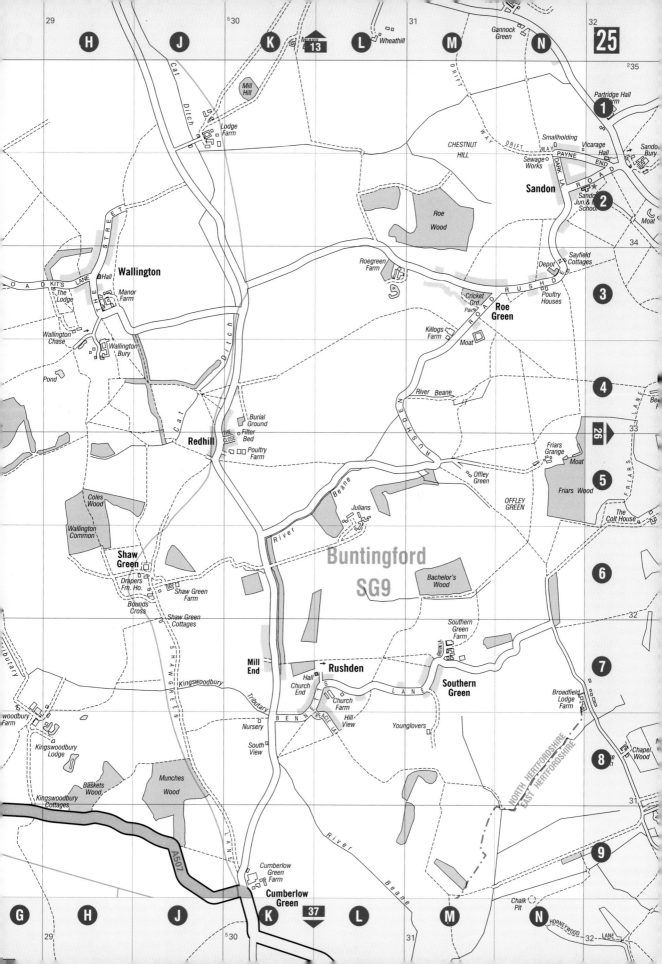

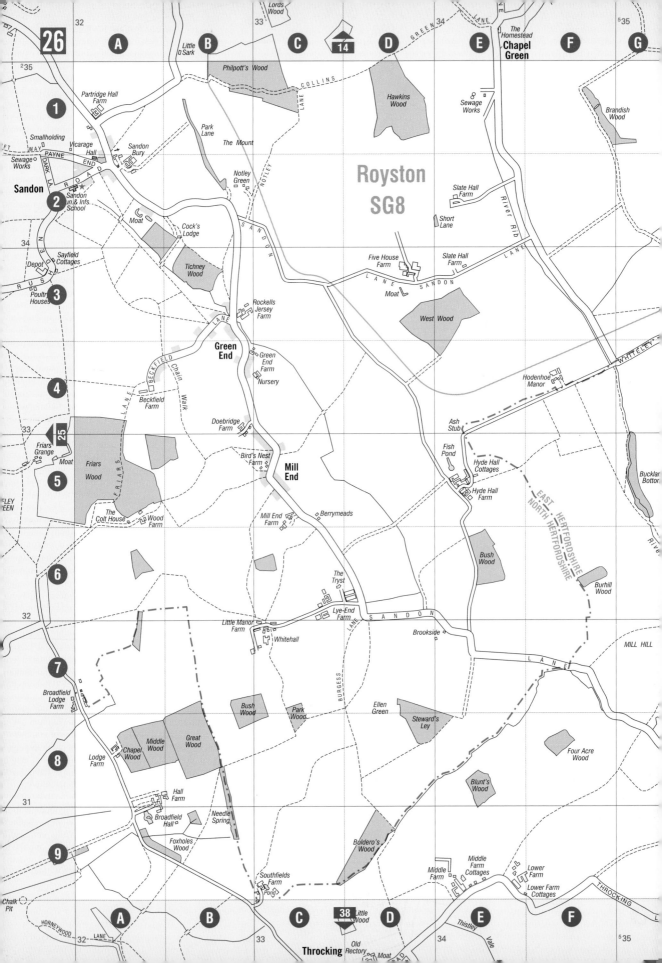

32   33   34   5 35

A   **B**   **14**   **D**   **E**   **F**   **G**

Lords Wood

Little Sark

Philpott's Wood

The Homestead

Chapel Green

Collins Lane

235

Partridge Hall Farm

Park Lane

The Mount

Hawkins Wood

Sewage Works

Brandish Wood

1

Smallholding

Vicarage Hall

Sandon Bury

Notley Green

Slate Hall Farm

River Rib

Royston SG8

Croft Way

Payne End

Dark La

Road

Sandon

Sandon Jun & Infs. School

Moat

Cock's Lodge

Notley Lane

Short Lane

Slate Hall Farm

2

34

Sayfield Cottages

Tichney Wood

Sandon Lane

Five House Farm

Slate Hall Lane

Depot

Rush Green

Poultry Houses

Rockells Jersey Farm

Moat

West Wood

3

Beckfield Lane

Chain Walk

Green End

Green End Farm

Nursery

Hodenhoe Manor

Whiteley

4

Beckfield Farm

Doebridge Farm

Ash Stub

33

Friars Grange

25

Moat

Friars Wood

Bird's Nest Farm

Mill End

Fish Pond

Hyde Hall Cottages

Bucklar Bottor

5

Friars

The Colt House

Wood Farm

Mill End Farm

Berrymeads

Hyde Hall Farm

East Hertfordshire

North Hertfordshire

River

ntley Green

6

The Tryst

Bush Wood

Burhill Wood

32

Lye-End Farm

Sandon Lane

MILL HILL

Little Manor Farm

Whitehall

Brookside

Burgess Lane

Lane

7

Broadfield Lodge Farm

Bush Wood

Park Wood

Ellen Green

Steward's Ley

Four Acre Wood

Chapel Wood

Middle Wood

Great Wood

8

Lodge Farm

Blunt's Wood

31

Hall Farm

Broadfield Hall

Needle Spring

Foxholes Wood

Boldero's Wood

Middle Farm

Middle Farm Cottages

Lower Farm

9

Southfields Farm

Pond

Little Wood

38

Lower Farm Cottages

Throcking

Chalk Pit

Thistley Vale

Horneywood Lane

A   **B**   **C**   **38**   **D**   **E**   **F**

32   **Throcking**   Old Rectory   Moat   34   5 35

33

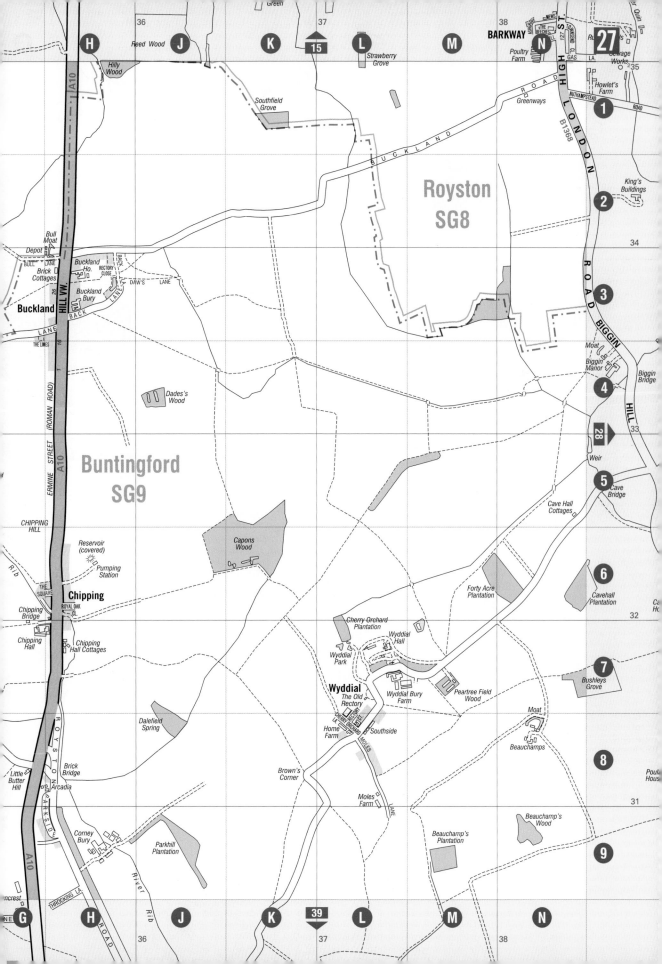

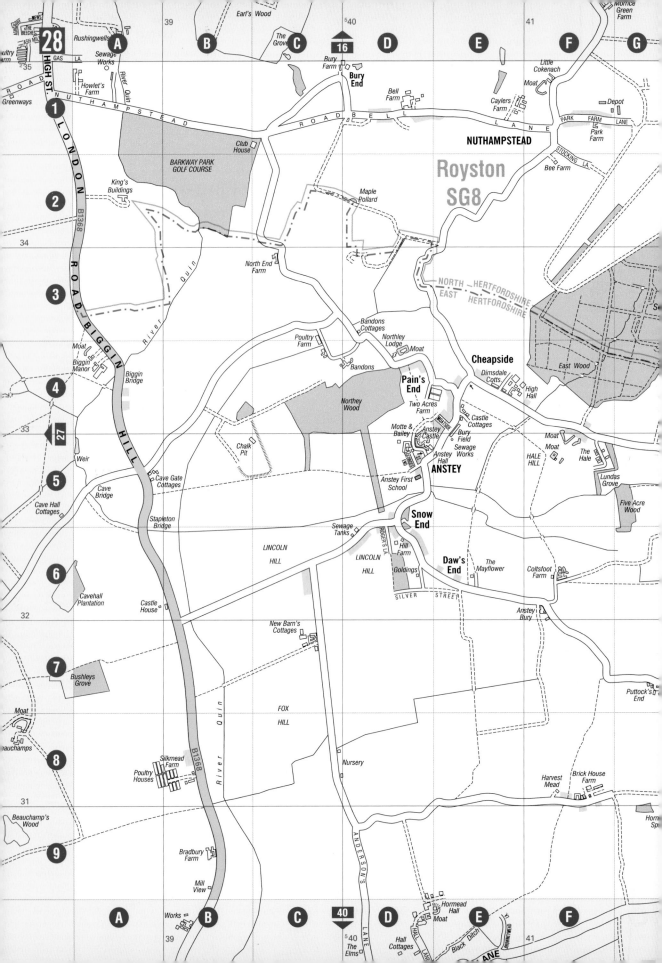

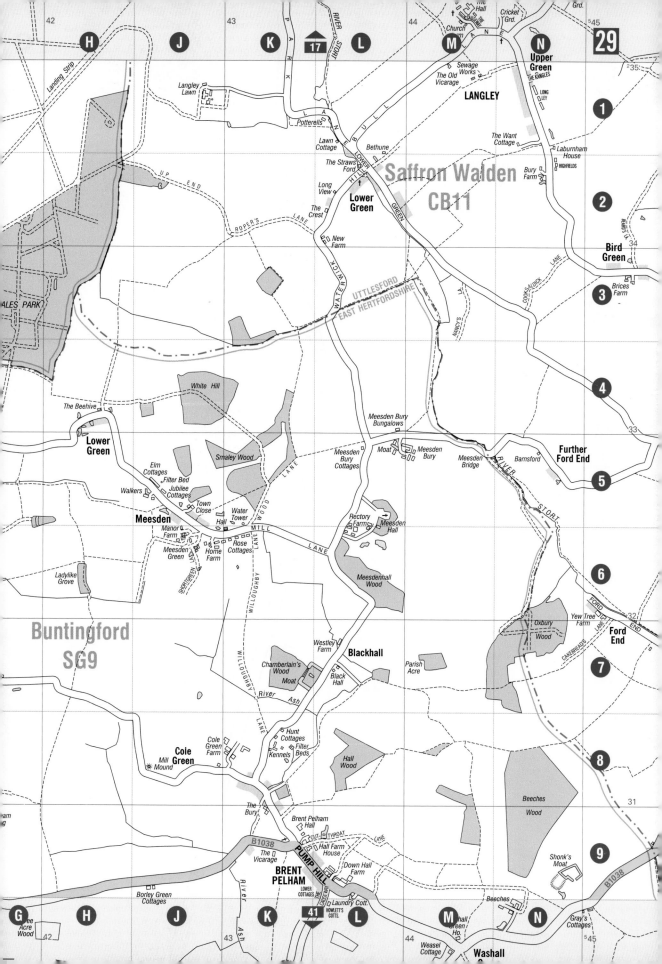

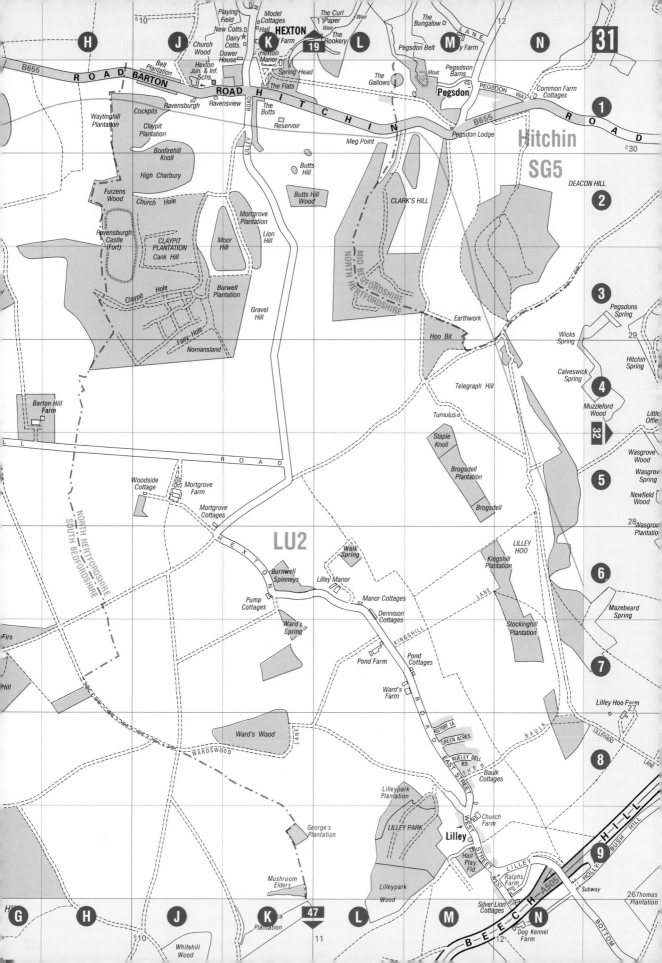

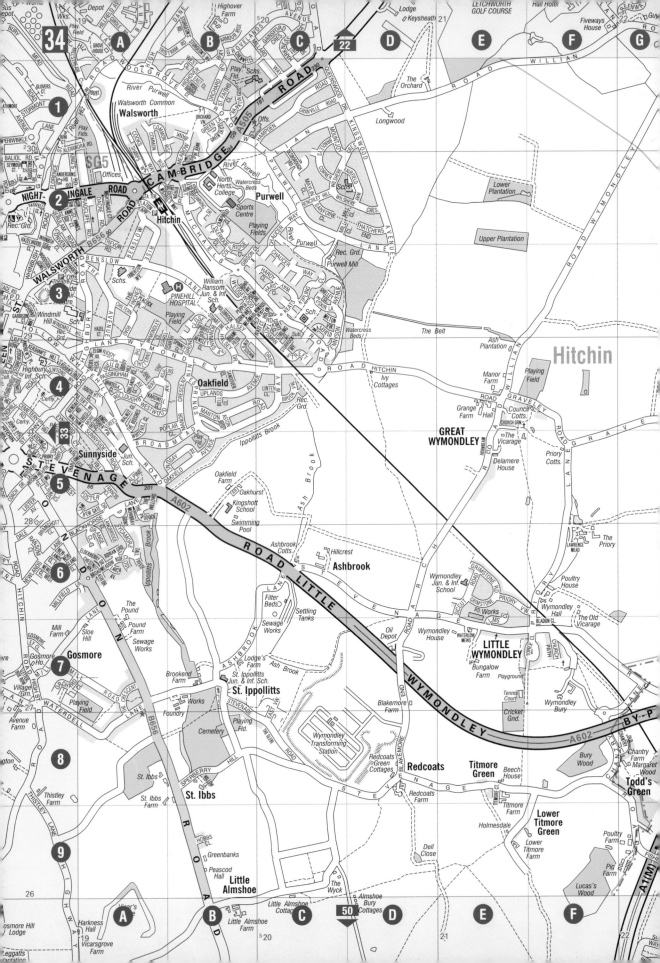

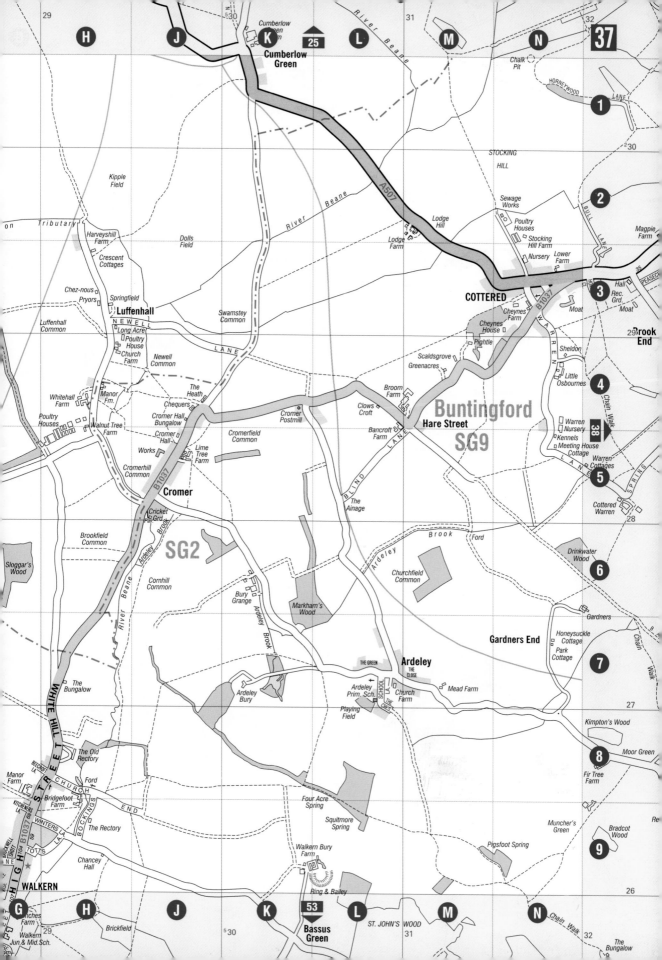

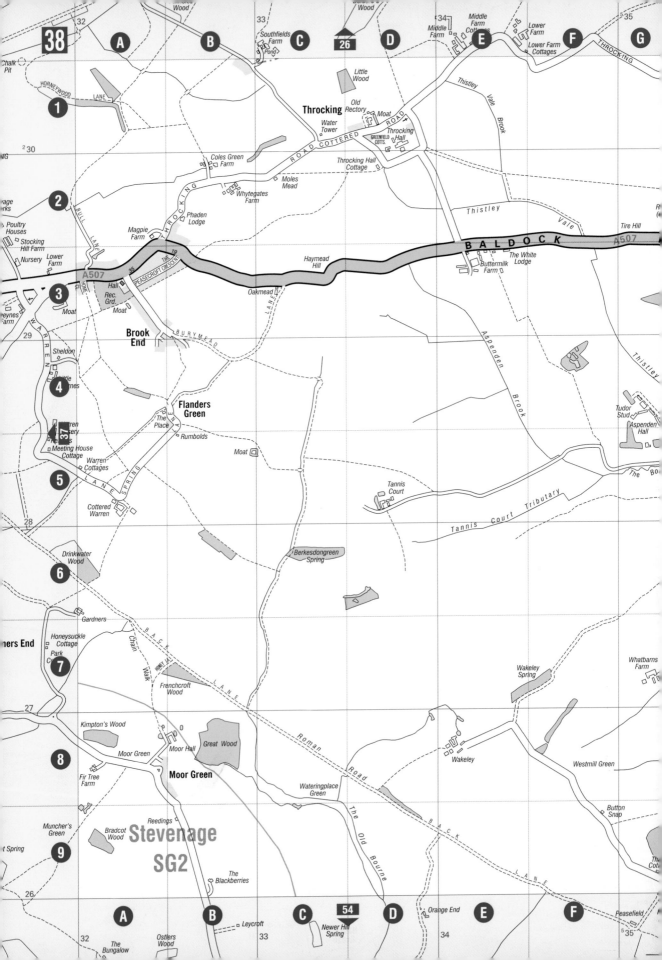

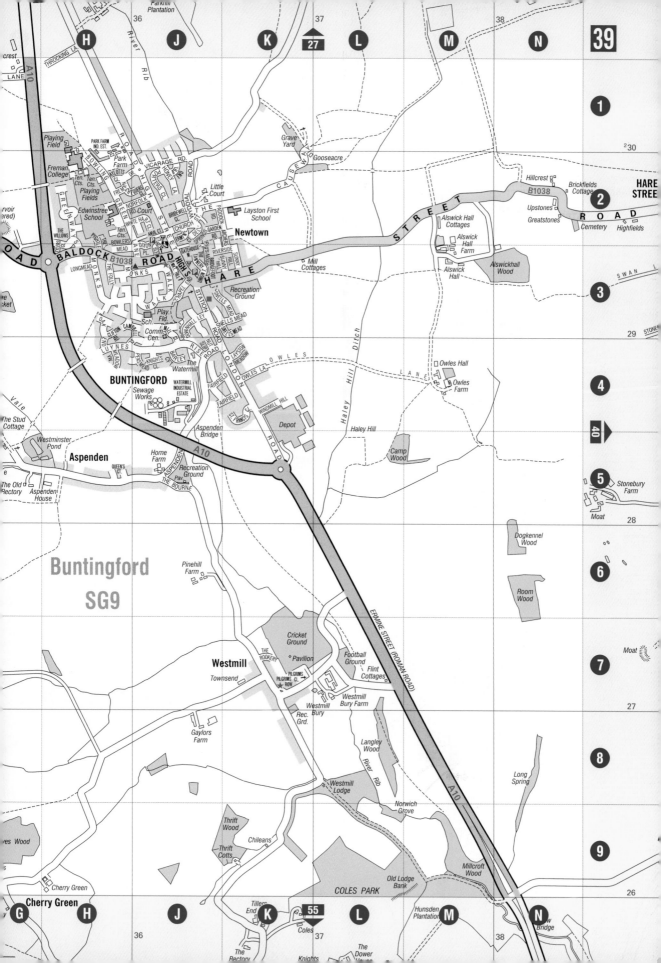

40

A   B   C   D   E   F   G

39   28   40   41

Bradbury Farm

1

Works
M. View

B1368

The Elms

Hormead Hall
Moat

Hall Cottages

Black Ditch

CONDUIT LANE

ROONEYMEAD

HALL LANE

HILL LANE

HORSESHOE LANE

Dane End House
The Firs

2 30

Hillcrest
Brickfields Cottage

HARE STREET

HARE STREET B1038 **ROAD**

Upstones
Greatstones
Cemetery   Highfields

†
Moorfields
Pav.
Play Fld.

GREAT HORMEAD

Hormead Prim. Sch.
Playing Field

B1038

Bury Farm
Bury Lodge

Great Hormead Brook

Great Hormead Bury

JUBILEE COTTAGES

WILLOW CL.

Church End Cottages

Sparksfield

3 29

SWAN LANE

Fayland Cottages

STONECROSS LA.

WORSTED LANE

New Cottages

HORSESHOE LANE

†

Park View

Balons Farm

Glebe House

Little Hormead

Bulls Farm

Black Ditches

The Thrift

4

B1368

River Quin

Bummers Hill

Little — Hormead — Brook

39

Moat
Mutfords

Mutton Hall

5 28

Stonebury Farm

Moat

Dogkennel Wood

6

Room Wood

Dassel's Hill

ROSE MEADOW

Bozengreen Farm

HOARES LANE

Rot Ro

7 27

Dassels

Moat

Rookdene

Dassels Bury

Bozen Green

8

Long Spring

Sewage Works

Hay Cottage

The Kennels

CAUSEWAY

9 26

Hay Lodge
The Stud Fm.

Hay Street

Quinbury Farm

B1368

Pentlow Hill

56

40

Brau Bourne

Braughing Bourne

THE

New Bridge

A   B   C   D   E   F

39   40   41

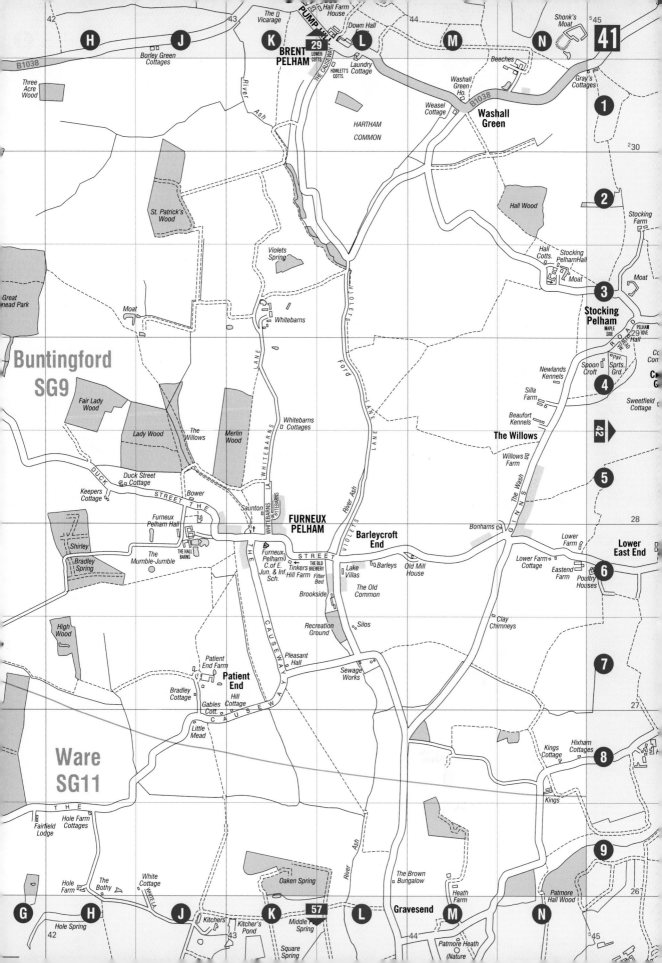

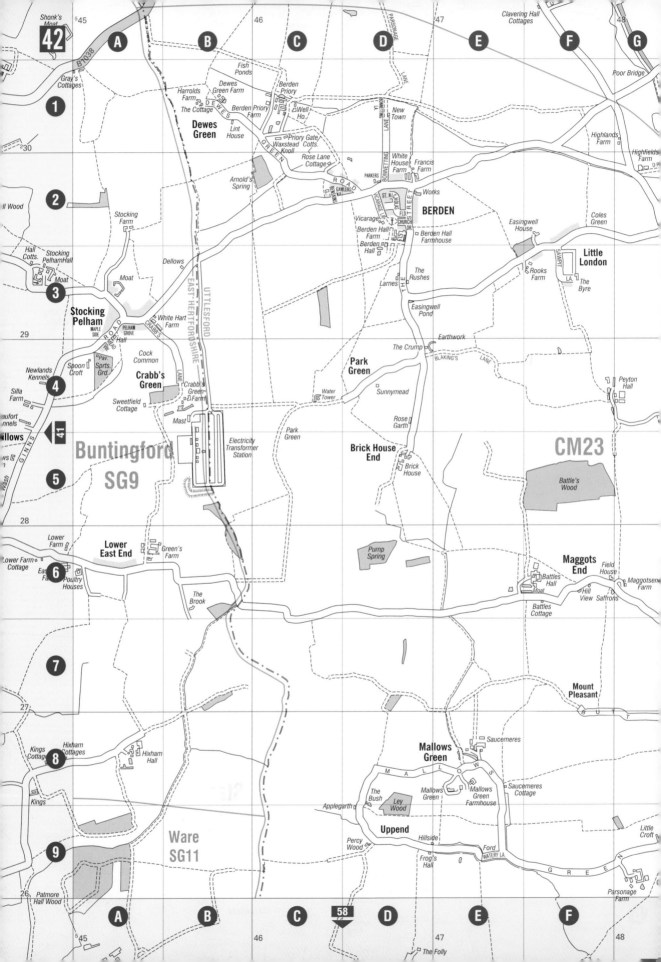

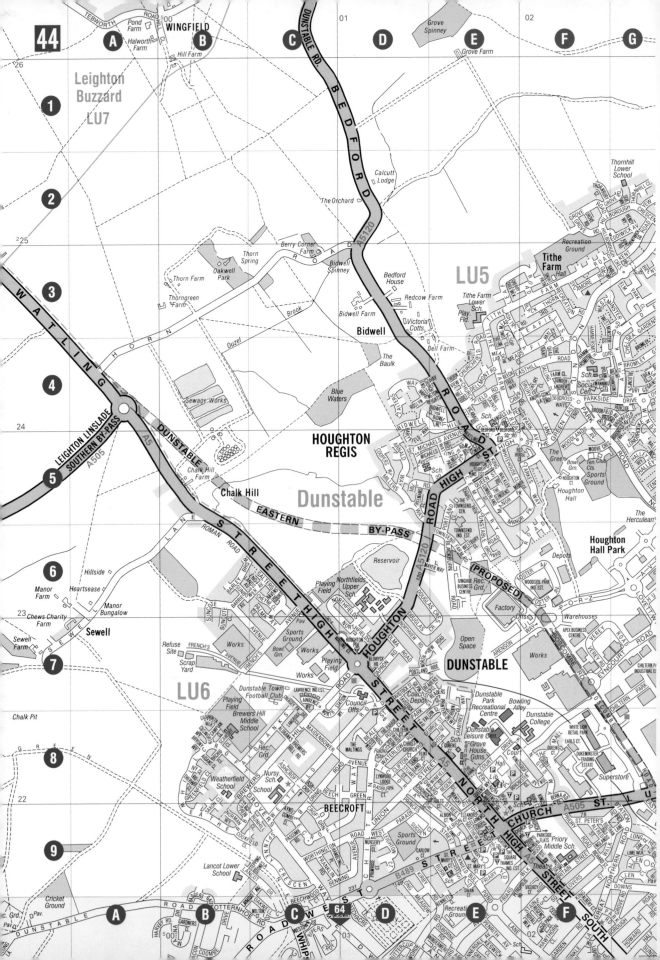

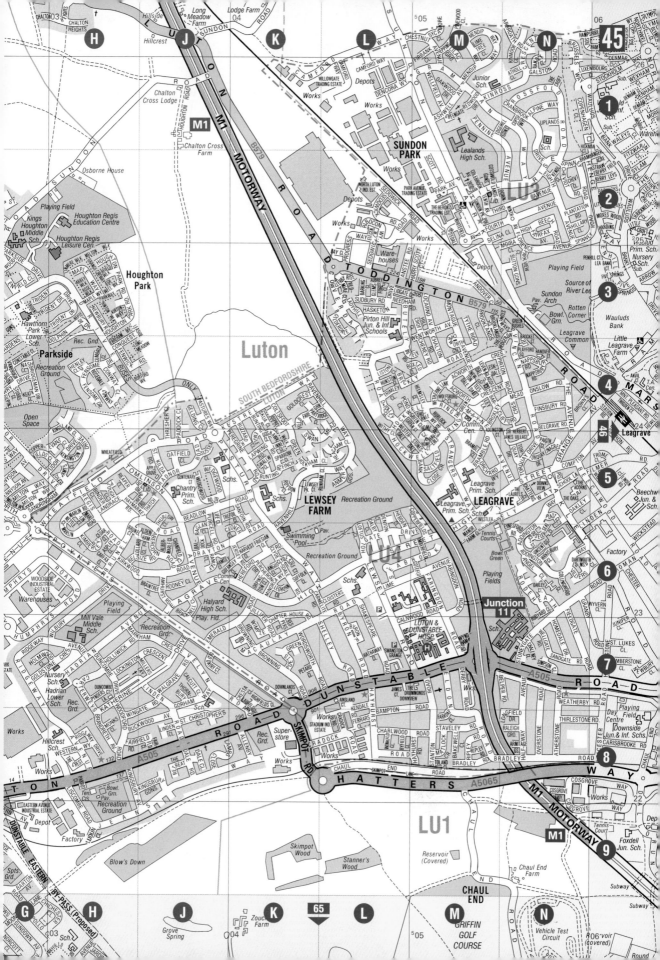

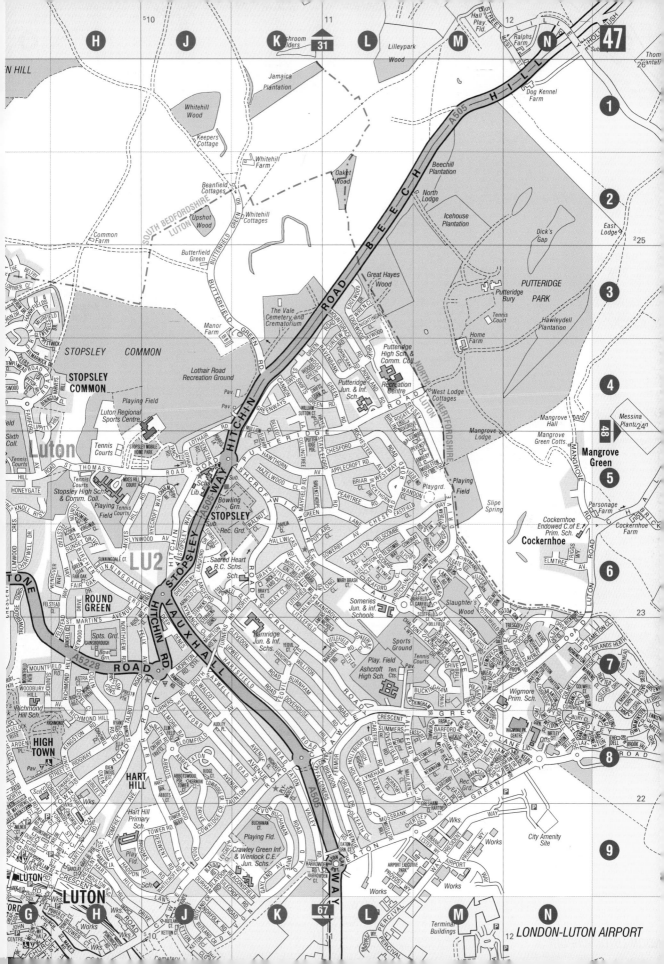

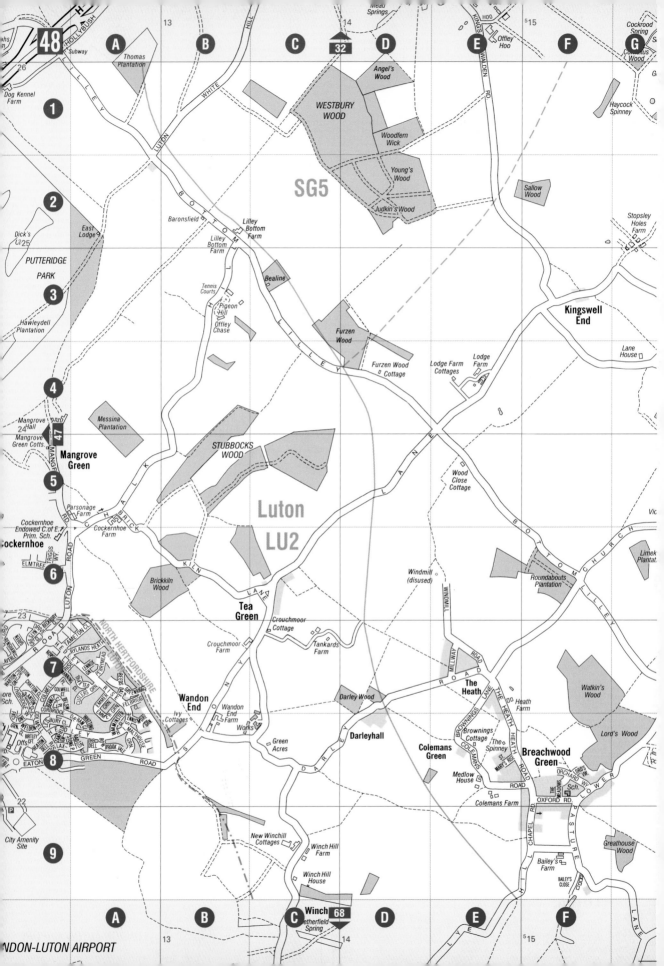

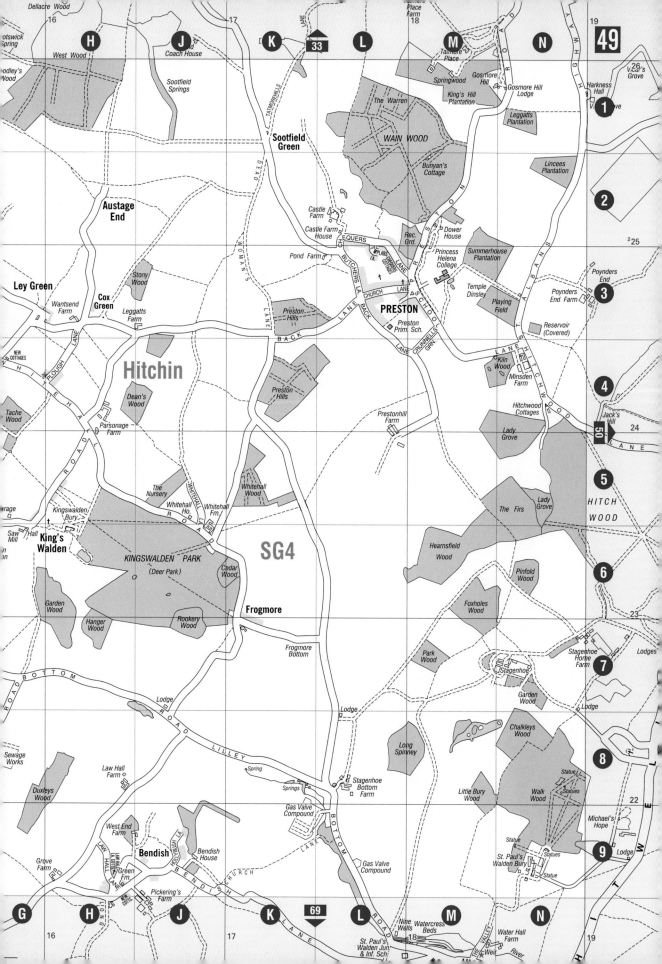

H **J** **K** 33 **L** **M** **N**

Dellacre Wood
16 17 19
otswick
Spring
odley's
Wood West Wood Coach House
Sootfield
Springs

Sootfield
Green

Austage
End

Ley Green

Wantsend
Farm
Cox
Green
Stony
Wood
Leggatts
Farm
NEW
COTTAGES

Hitchin

Tache
Wood
Dean's
Wood
Parsonage
Farm

The
Nursery
Whitehall
Ho.
Whitehall
Fm.
Whitehall
Wood

**King's
Walden**
Saw
Mill
Hall
Kingswalden
Bury

SG4

KINGSWALDEN PARK
(Deer Park)
Cedar
Wood

Frogmore

Garden
Wood
Hanger
Wood
Rookery
Wood

Frogmore
Bottom

ROAD BOTTOM
Lodge

ROAD LILLEY

Sewage
Works
Law Hall
Farm
Duxleys
Wood

Spring
Springs

West End
Farm
Bendish
House
Gas Valve
Compound

Bendish
Green
Fm.
Pickering's
Farm
Gas Valve
Compound

Grove
Farm
NEW
COTTS

G **H** **J** **K** 69 **L** **M** **N**
16 17 18 19

Place
Farm
18
Tatmore
Place
Springwood
Gosmore
Hill
Gosmore Hill
Lodge
King's Hill
Plantation
The Warren
Leggatts
Plantation
Harkness
Hall
Vicar's
Grove
26
V. Grove
1
Lincees
Plantation
2
25
WAIN WOOD
Bunyan's
Cottage
Castle
Farm
Castle Farm
House
Pond Farm
Dower
House
Rec.
Grd.
POPLARS
COTTAGES
Princess
Helena
College
Summerhouse
Plantation
Temple
Dinsley
Poynders
End
Poynders
End Farm
3
PRESTON
Preston
Hills
Preston
Prim. Sch.
Playing
Field
Reservoir
(Covered)
Preston
Hills
Kiln
Wood
Minsden
Farm
Hitchwood
Cottages
Jack's
Hill
24
4
50
Prestonhill
Farm
Lady
Grove
The Firs
Lady
Grove
5
**HITCH
WOOD**
Hearnsfield
Wood
Pinfold
Wood
6
Foxholes
Wood
23
Park
Wood
Stagenhoe
Home Farm
Lodges
7
Stagenhoe
Garden
Wood
Lodge
Long
Spinney
Chalkleys
Wood
8
Statue
Little Bury
Wood
Walk
Wood
Statues
Michael's
Hope
22
Lodge
Statue
St. Paul's
Walden Bury
Statues
9
Statue
Nine
Wells
Watercress
Beds
St. Paul's
Walden Jun.
& Inf. Sch.
Water Hall
Farm
Weir
River

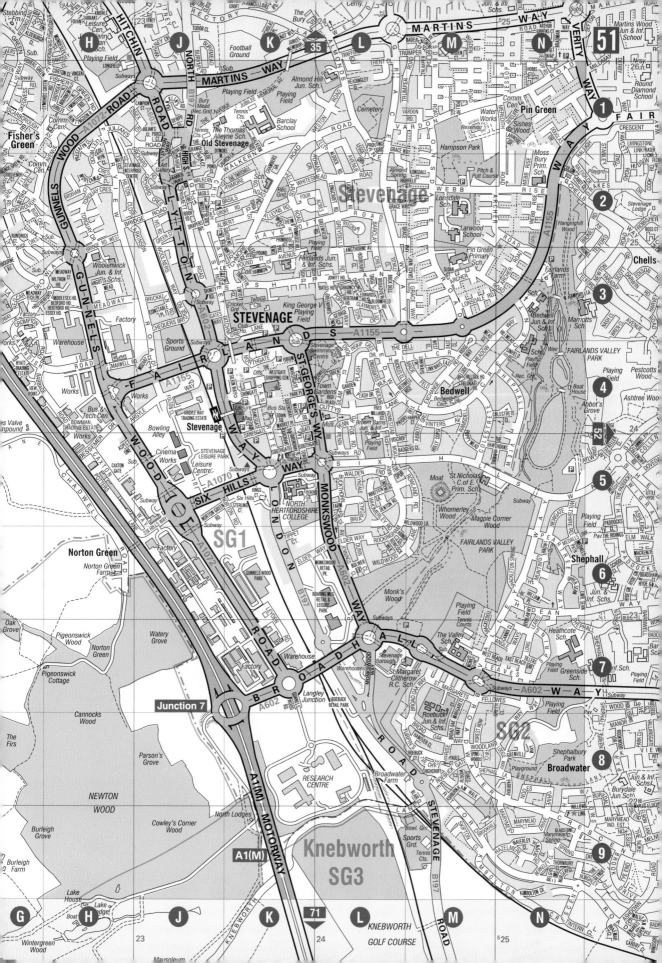

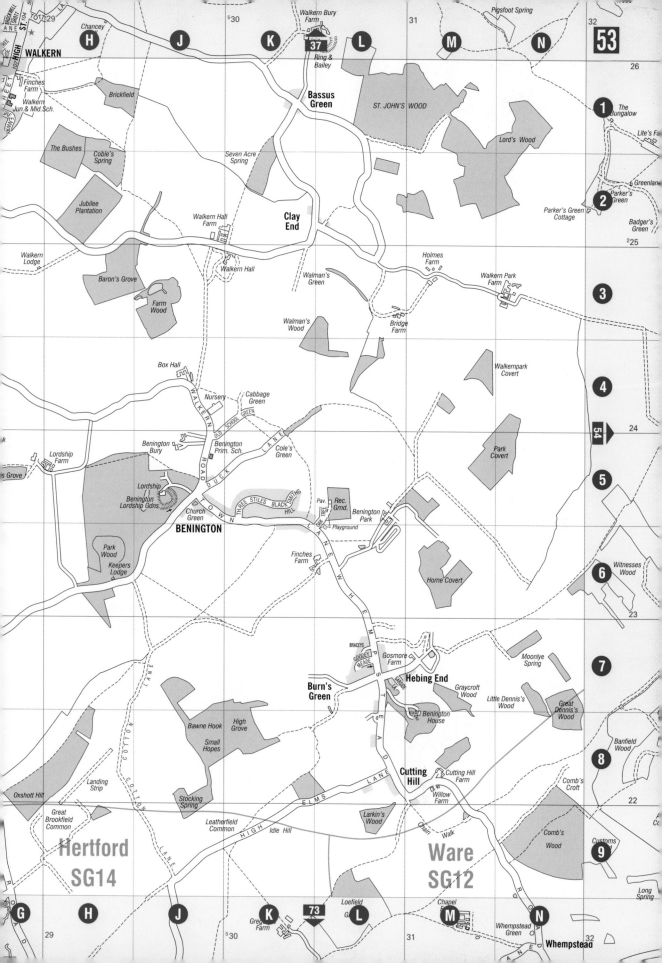

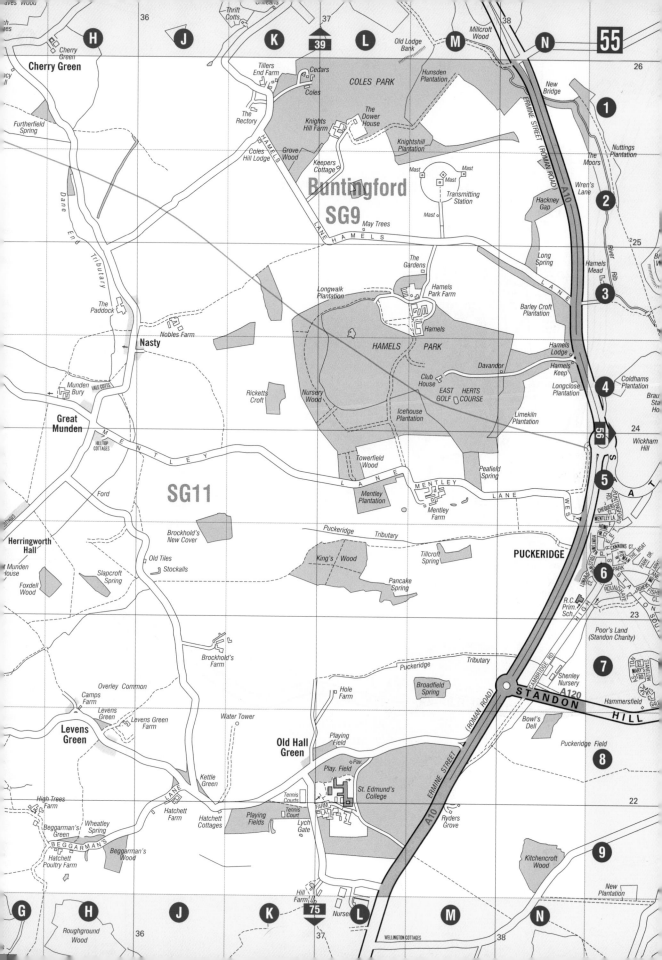

H   **J**   **K**   39   **L**   **M**   **N**

Cherry Green

Thrift Cotts

Chilleans

Millcroft Wood

Old Lodge Bank

26

New Bridge

1

Cherry Green

Tillers End Farm

Cedars

Coles

COLES PARK

Hunsden Plantation

Nuttings Plantation

The Moors

Furtherfield Spring

The Rectory

Coles Hill Lodge

Knights Hill Farm

Grove Wood

The Dower House

Knightshill Plantation

Wren's Lane

2

Hackney Gap

River Rib

225

Dane End Tributary

Keepers Cottage

Buntingford
SG9

Mast   Mast

Mast

Transmitting Station

Long Spring

Hamels Mead

3

The Paddock

Nobles Farm

Nasty

HAMELS LANE

HAMELS LANE

May Trees

The Gardens

Longwalk Plantation

Hamels Park Farm

Hamels

Barley Croft Plantation

Hamels Lodge

4

Coldhams Plantation

Munden Bury

VALE COTTS

Ricketts Croft

HAMELS PARK

Davandor

Hamels Keep

Longclose Plantation

Brau Sta Ho

Great Munden

HILLTOP COTTAGES

Nursery Wood

Club House

EAST HERTS GOLF COURSE

Limekiln Plantation

56 S

24

Wickham Hill

SG11

Ford

MENTLEY LANE

Towerfield Wood

Icehouse Plantation

Peafield Spring

5

A T

Herringworth Hall

Brockhold's New Cover

Mentley Plantation

Mentley Farm

MENTLEY LANE

WEST

PUCKERIDGE

Munden House

Foxdell Wood

Slapcroft Spring

Old Tiles

Stockalls

Puckeridge   Tributary

King's Wood

Tillcroft Spring

Pancake Spring

6

R.C. Prim. Sch.

23

Brockhold's Farm

Puckeridge   Tributary

Broadfield Spring

Poor's Land (Standon Charity)

7

ST MARY'S

Overley Common

Camps Green

Levens Green Farm

Hole Farm

Shenley Nursery

CAMBRIDGE RD

STANDON

A120

Hammersfield

Levens Green

Water Tower

Playing Field

Bowl's Dell

HILL

Puckeridge Field

8

Kettle Green

Old Hall Green

Play. Field

Pav.

St. Edmund's College

22

High Trees Farm

LANE

Hatchett Farm

Hatchett Cottages

Playing Fields

Tennis Courts

Tennis Court

FARM

Lych Gate

ERMINE STREET (ROMAN ROAD)

Ryders Grove

A10

Beggarman's Green

Wheatley Spring

BEGGARMAN'S

Beggarman's Wood

Kitchencroft Wood

9

Hatchett Poultry Farm

Hill Farm

75

Nurser

New Plantation

G   **H**   **J**   **K**   75   **L**   **M**   **N**

Roughground Wood

36

37

WELLINGTON COTTAGES

38

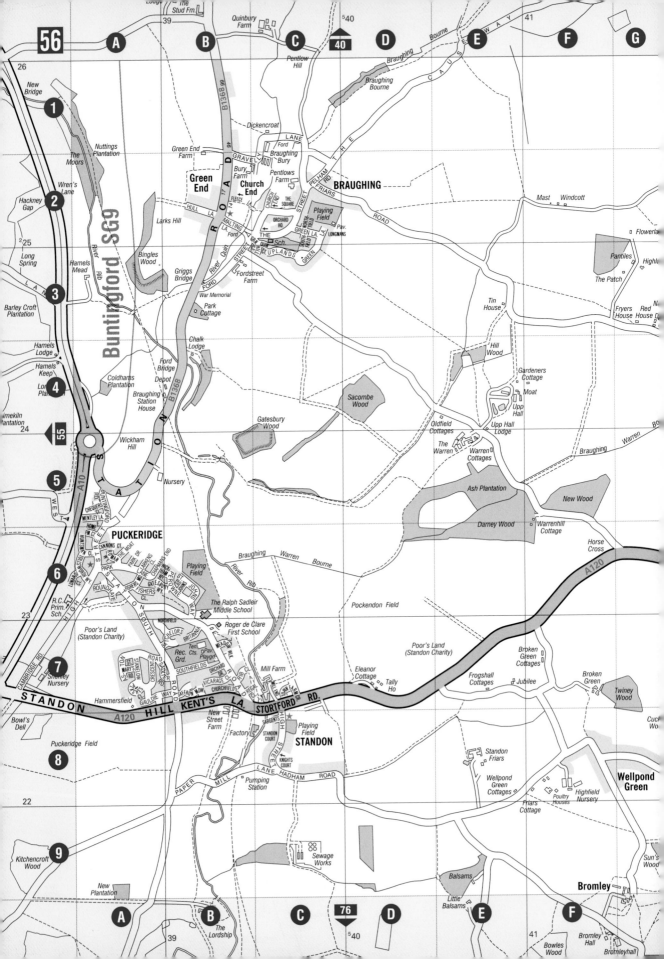

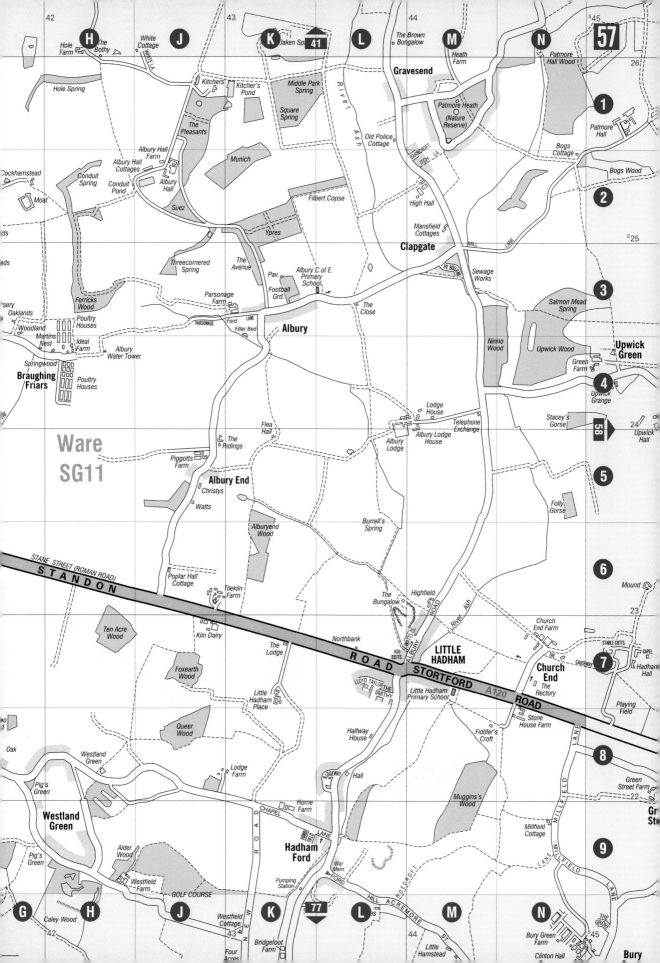

60

A B C D E F G

87 88 89

1

21

Ladymead

A418

Westpark
Farm

2

AYLESBURY

Lower Wingbury
Farm

Windmill Hill
Buildings

Windmill Hill

ROAD

Mentmore
Cross Roads

Upper Wingbury
Farm

UPPER WINGBURY
COURTYARD
BUSINES CENTRE

3

²20

ROAD

The B

Wing Lodge

Little Chapel
Farm

Crafton
Farm

Langdale

4

Sewage
Works

ABBOTTS

WINSLOW

Crafton

Reddings

New Spinney

Crafton
Lodge

CHILTERN RD

Nup End

Manor
Farm

BALDWINS

Sch

BELL LEYS

Helsthorpe
Farm

Crafton
Stud

5

CHILTERN RD

NUP END

THE BEAN LANE

PARSONAGE
FARM

WINGRAVE

ME
GOLF

CASTLE

Macintyre

Floyds
Farm

19

LEIGHTON

MILL LANE

The Be

Sewage
Works

Rec.
Grd.

MOAT

Straws Hadley
Farm

CHURCH ST

LOWER
END

RING

CHURCH ST

Maltby's
Farm

Windmill Hill
Farm

6

Mitchell Leys
Farm

**Aylesbury
HP22**

Lower
Windmill Hill
Farm

7

18

Broadmead
Farm

8

Thistlebrook
Farm

Alnwick
Farm

ROAD

DRIVE

Boarscroft
Farm

9

BRANDON
CT.

ALNWICK

**Tring
HP23**

Thistle Brook

17

Whitwell
Farm

A B C ▽**80** D E F

87 88 89

Wind Pump
(Disused)

Marstongate
Langdale
Marstongate

93 94 94 495 96

A B C D E F G

1

Park Farm

Moat

Home Farm

Slaptonbury
Mill

BILLINGTON ROAD

River Ouzel

Lower Farm

Hall Farm

2

Whistle Brook

WHISTLE MILL

HORTON ROAD

CHURCH ROAD

RECTORY CL.

Slapton

Whistle Brook
Farm

Orchard
Cottages

Slapton Brook

Northall

Home Farm

CHAPEL LANE

The
Green

Home
Farm

THE SEARS

THE PEPPIATES

Peppiates
Farm

EATON LANE

21

3

Slapton
Lock

Hill
Farm

Bridge
Farm

2 20

4

Lock

Sewage
Works

61

Horton Wharf
Farm

Grand

Poultry Farm

Southend
Farm

SOUTH END LANE

Summerfi
Farm

5

Kennels

Butler's Manor

Cattle Grid

19

6

Union

Whistle Brook

Sewage
Works

Brook
Cotts.

Lake

Willow
Farm

Pond

Vine Farm

Ivinghoe Aston
Farm

Leighton Buzzard

LU7

Ivinghoe
Aston

Canal

Lock

Ivinghoe
Locks

Lock

Dibblock
Orchard

THE DRIVE

CHAPEL LA.

SWAN CL.

Ashby
Villas

Moat

7

Foxons
Farm

Hall

Nursery

Lilac
Farm

Caravan
Park

Grove Farm

18

8

Elsage
Farm

Vicarage
Farm

Ivinghoe
Bri.

Crabtree
Cottage

Briar Bu
Hous

9

Little Seabrook
Farm

B488

Seabrook
Locks

Weir

Crabtree
Plantation

17

Lock

A B C D E F

Greatgap

Sewage
Works

82

TRING

Great Seabrook
Farm

93 94 495 96

Lock

Ford

Piggery

IVINGHOE
GOLF COURSE

Beacon Fa

Settlemen

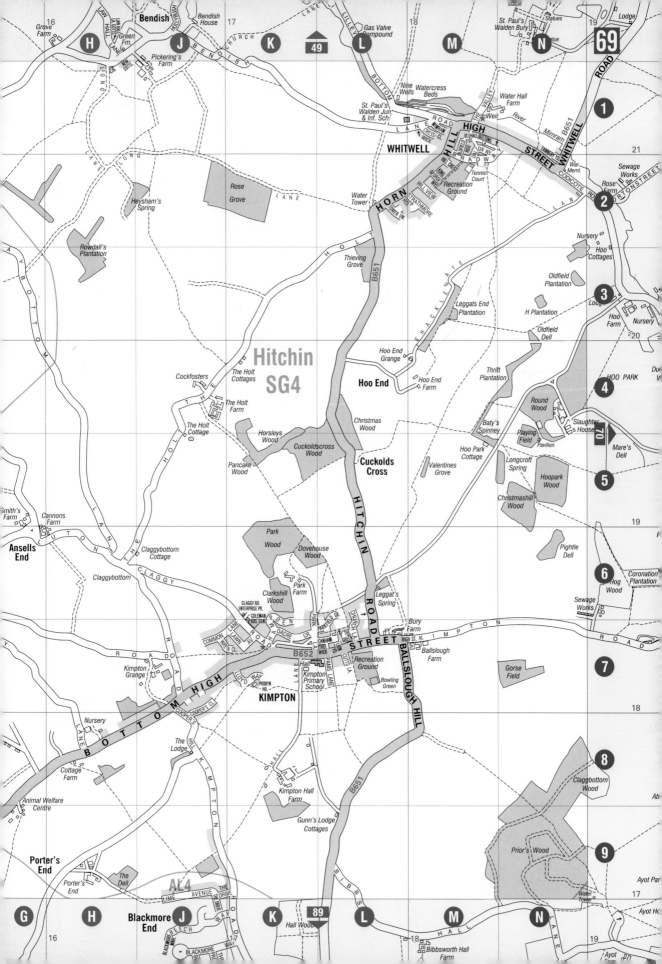

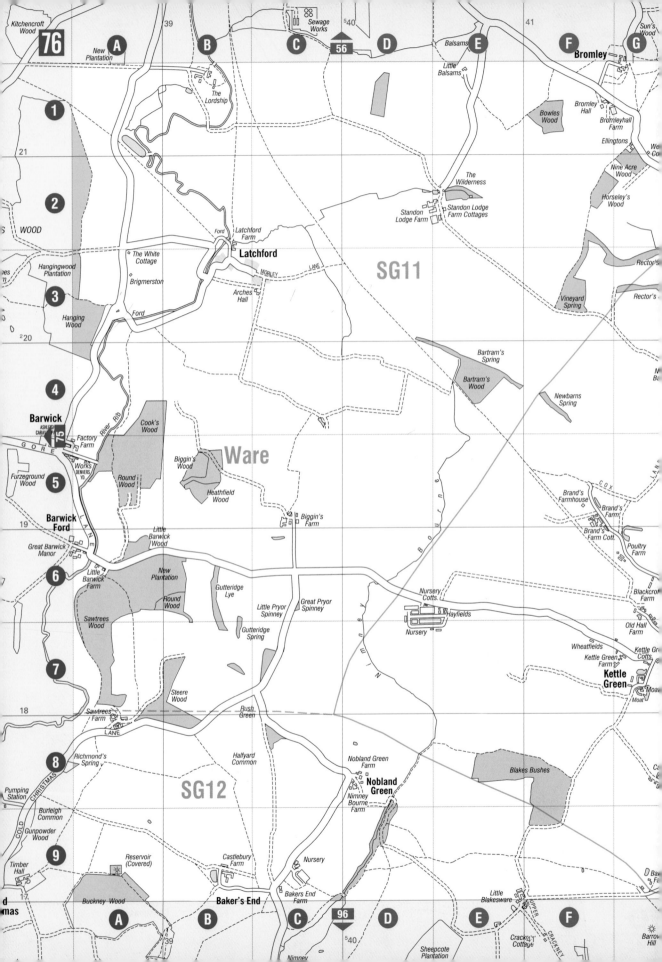

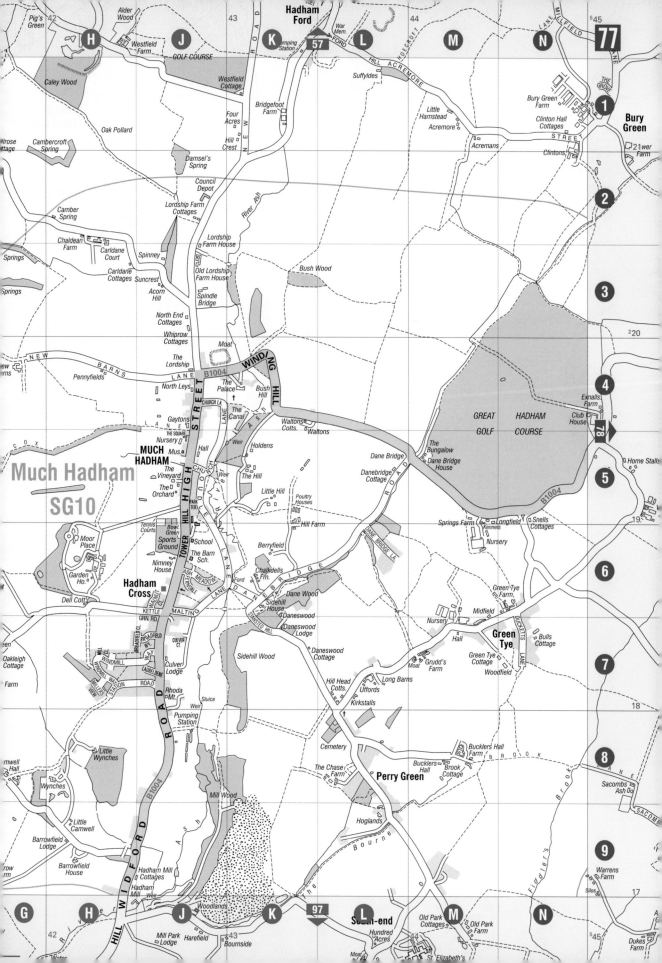

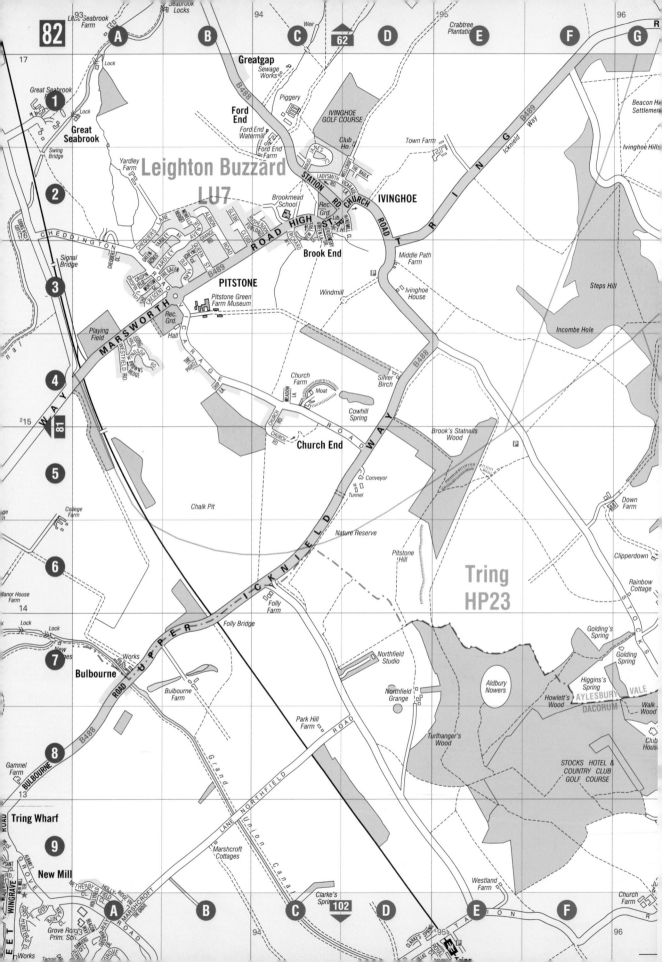

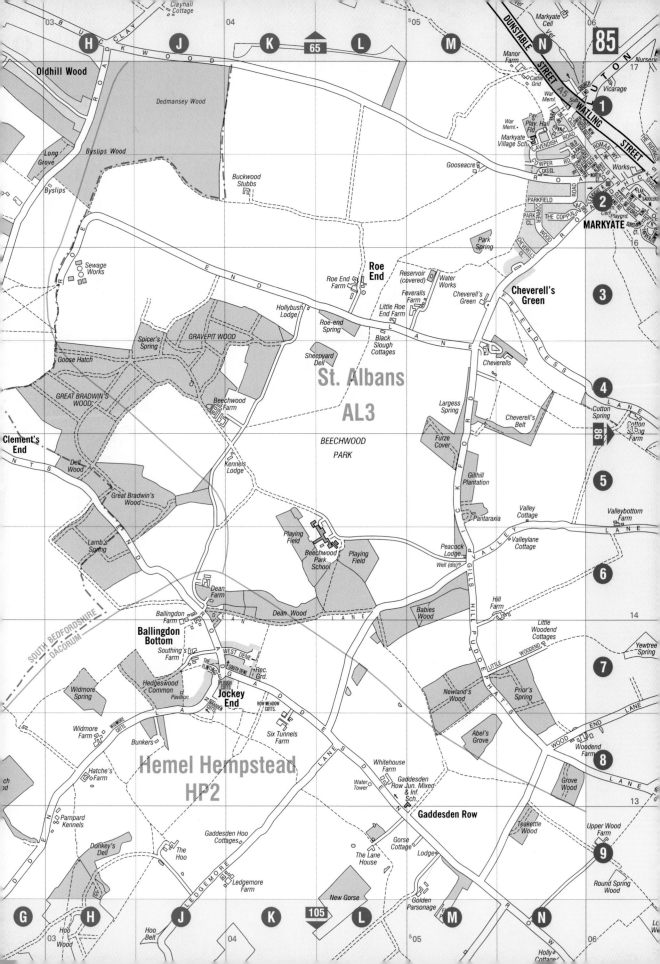

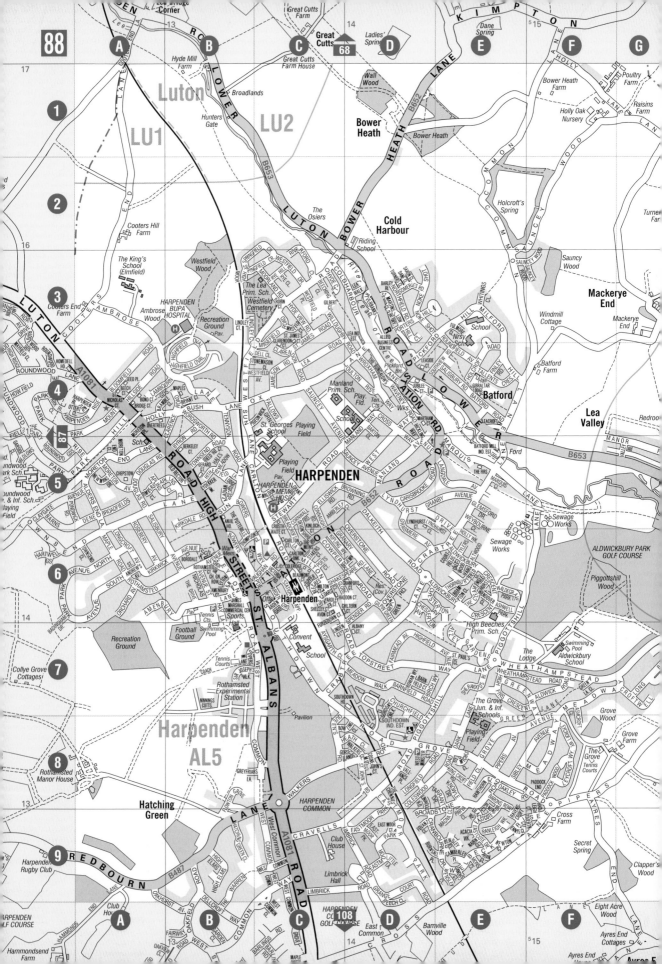

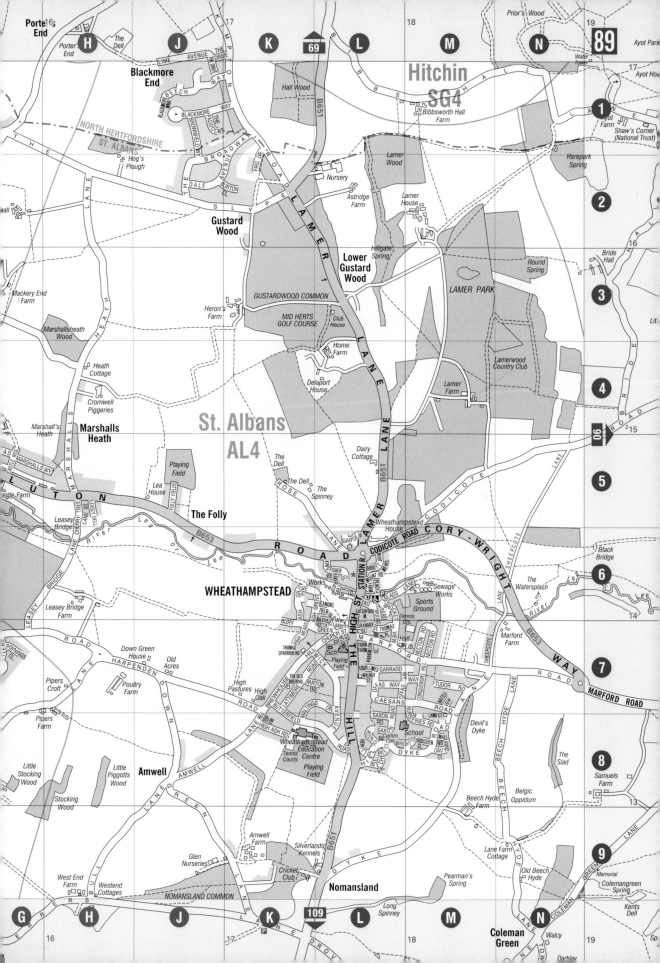

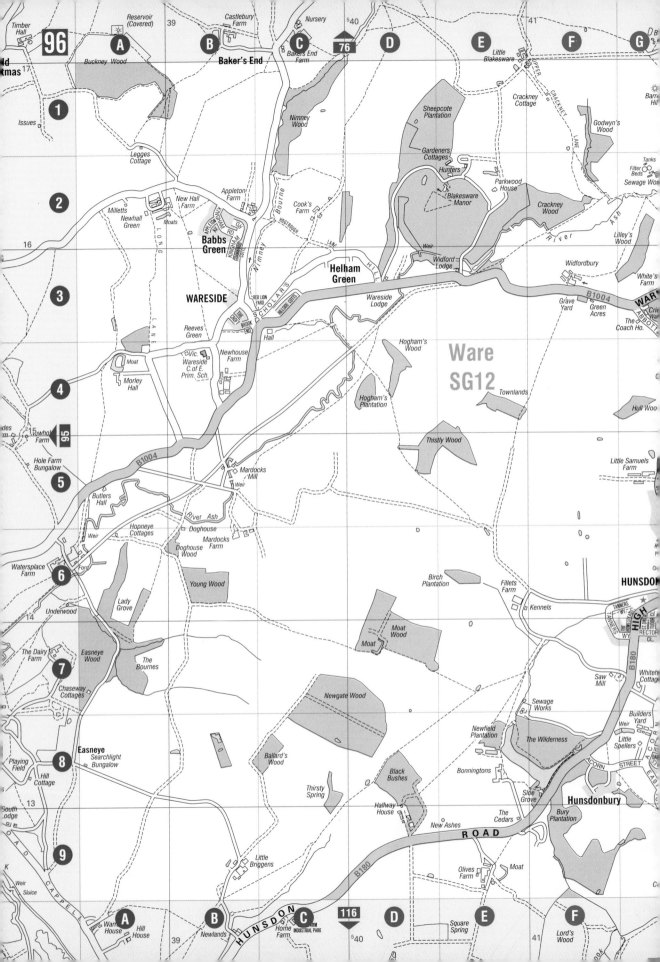

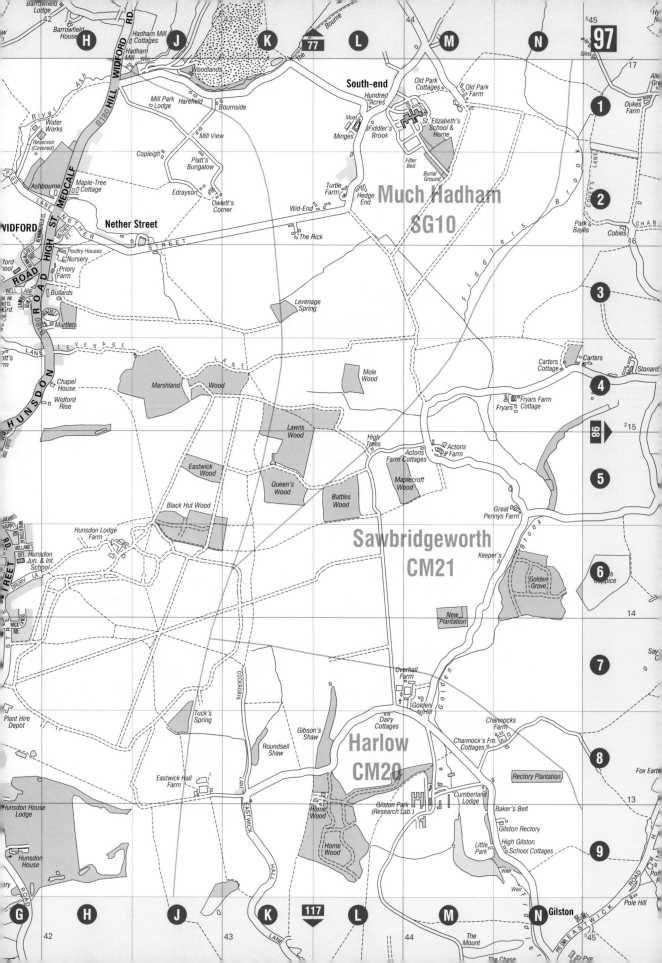

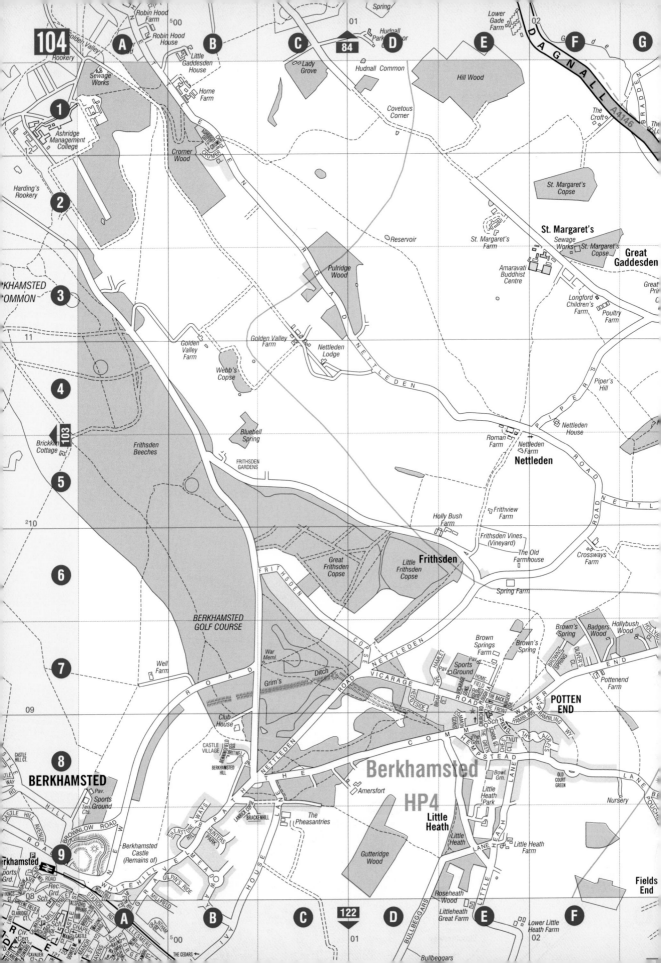

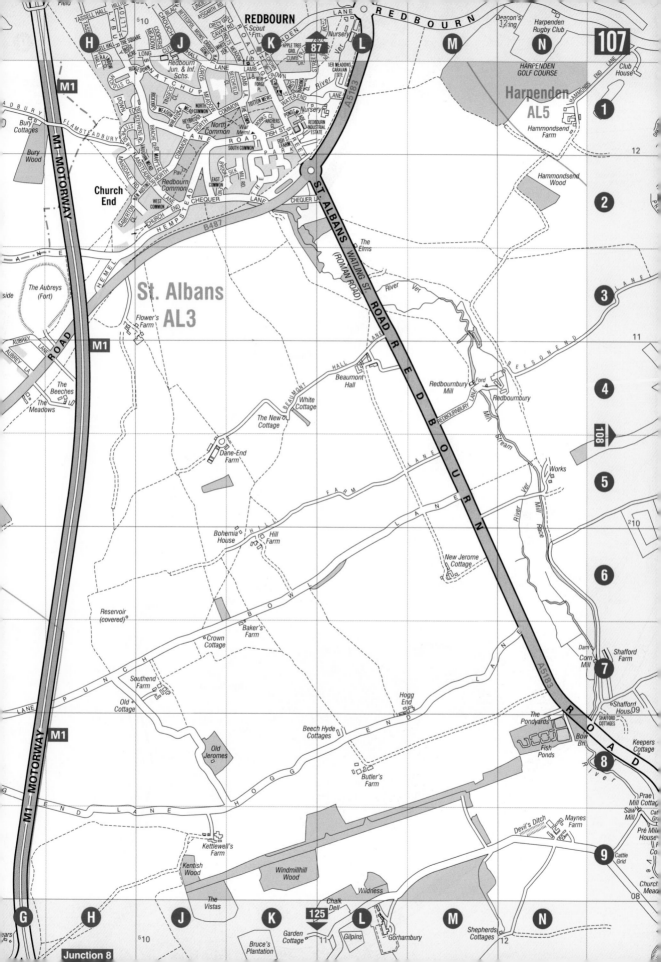

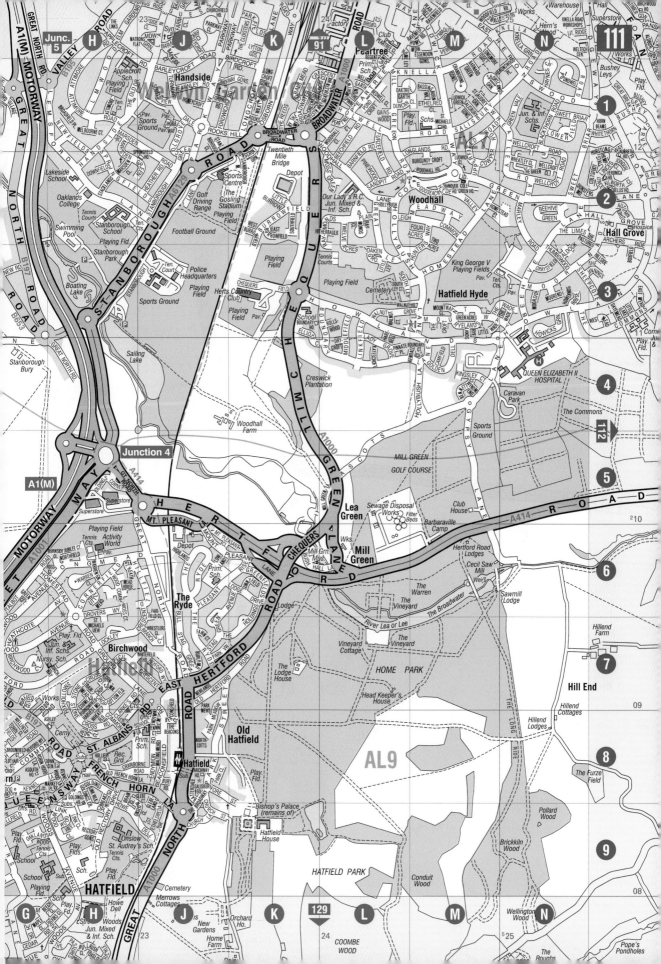

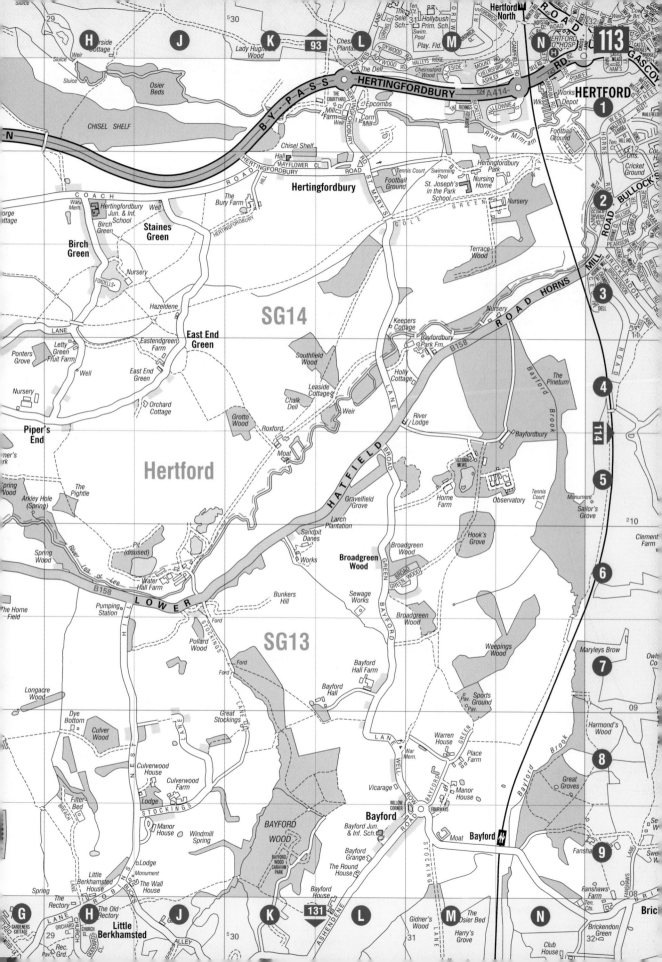

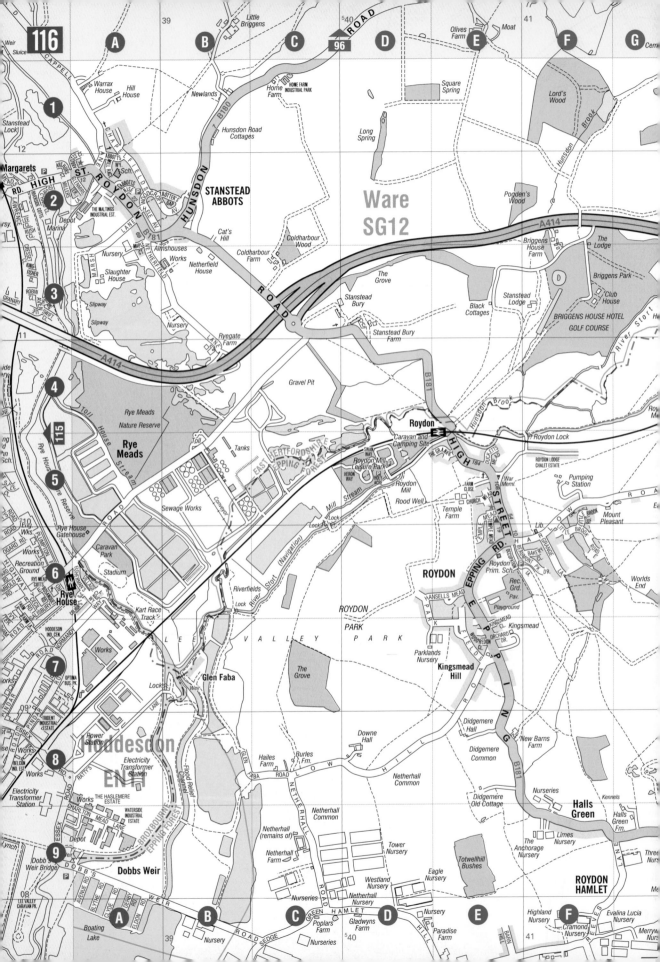

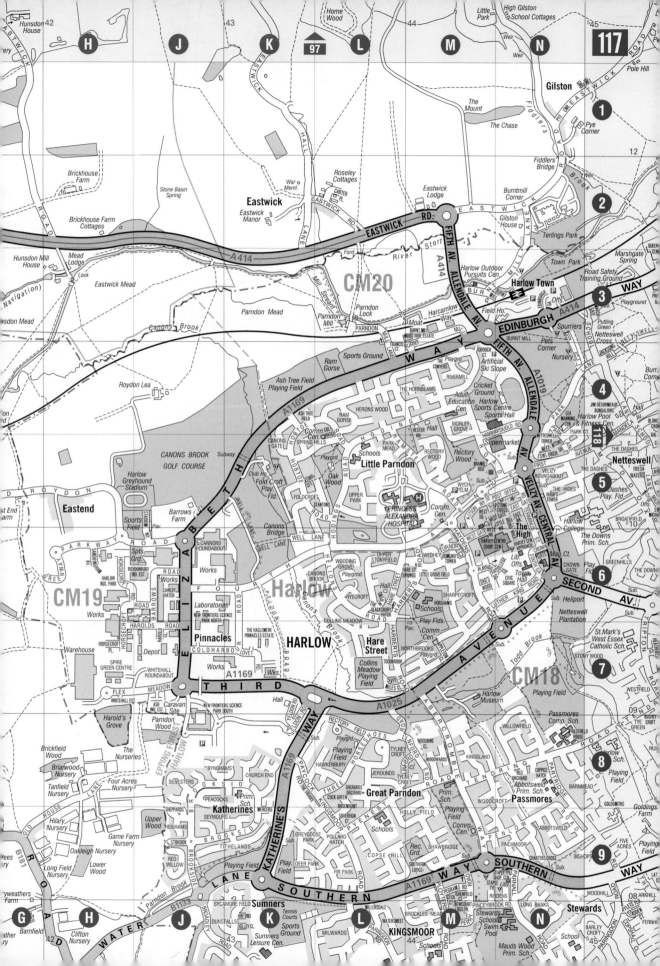

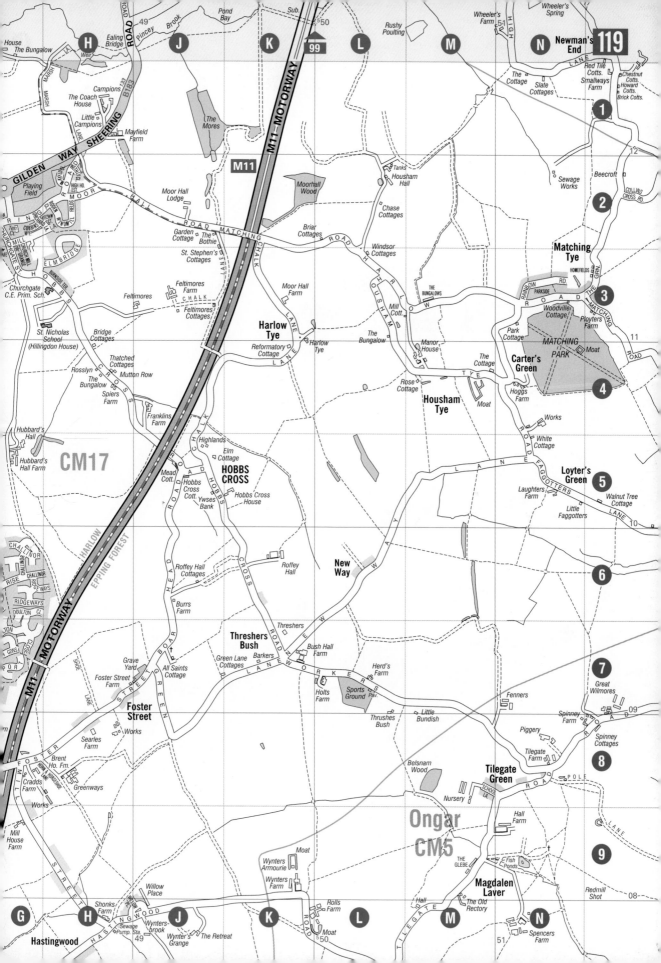

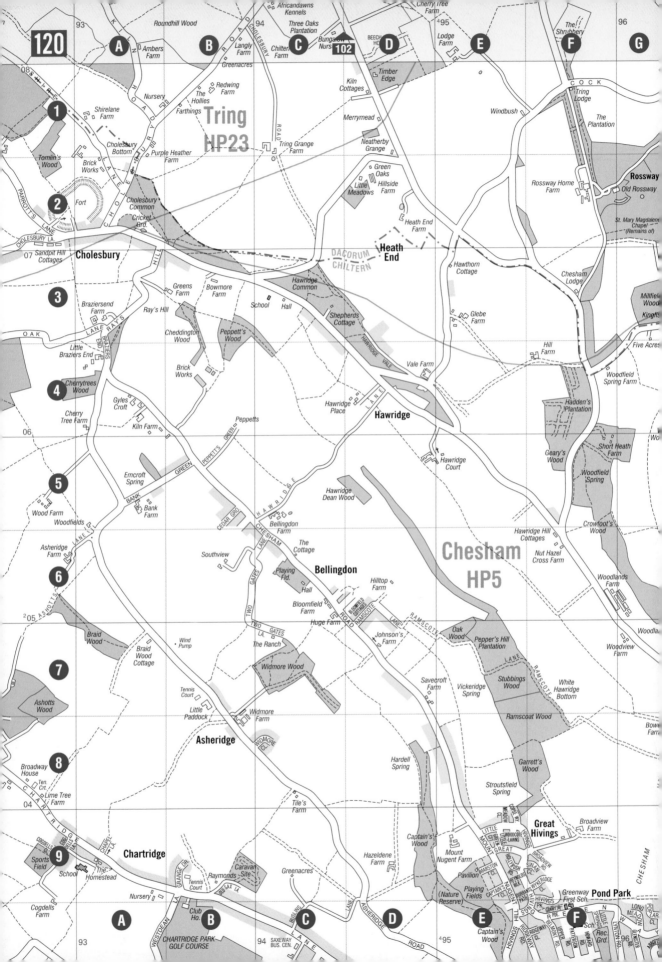

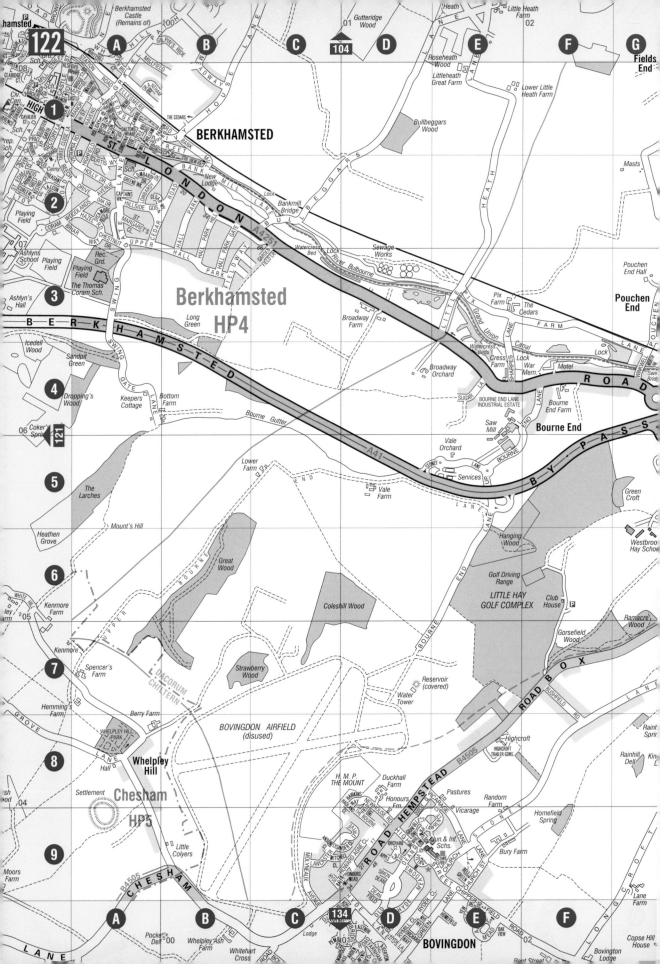

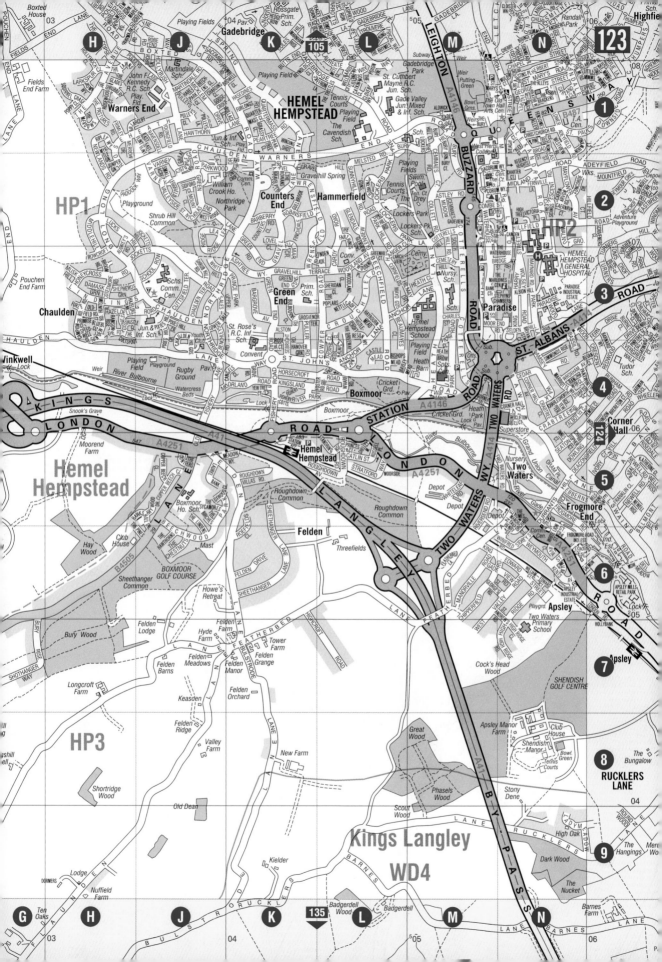

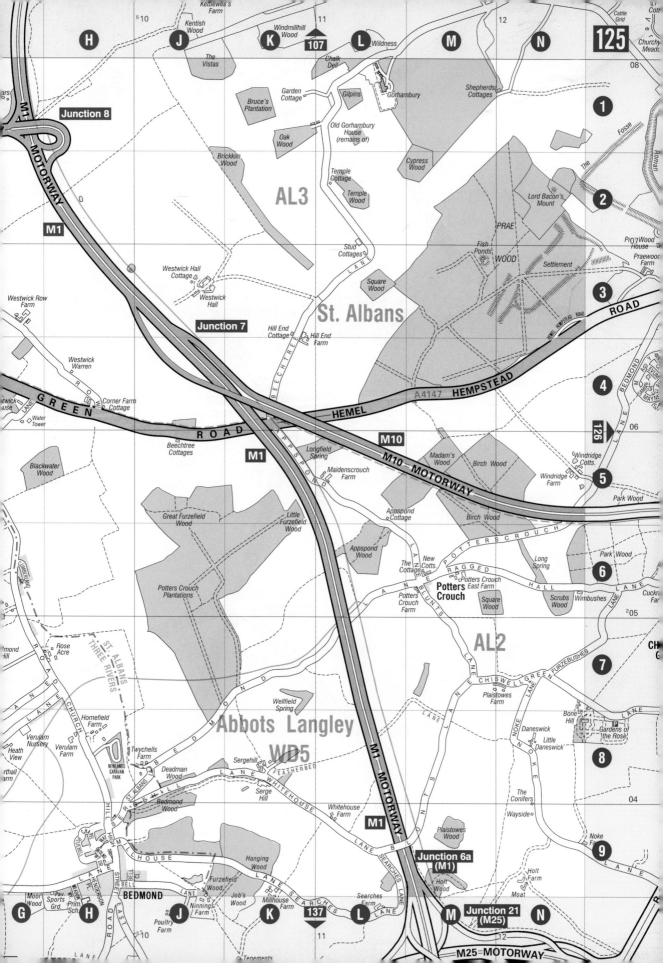

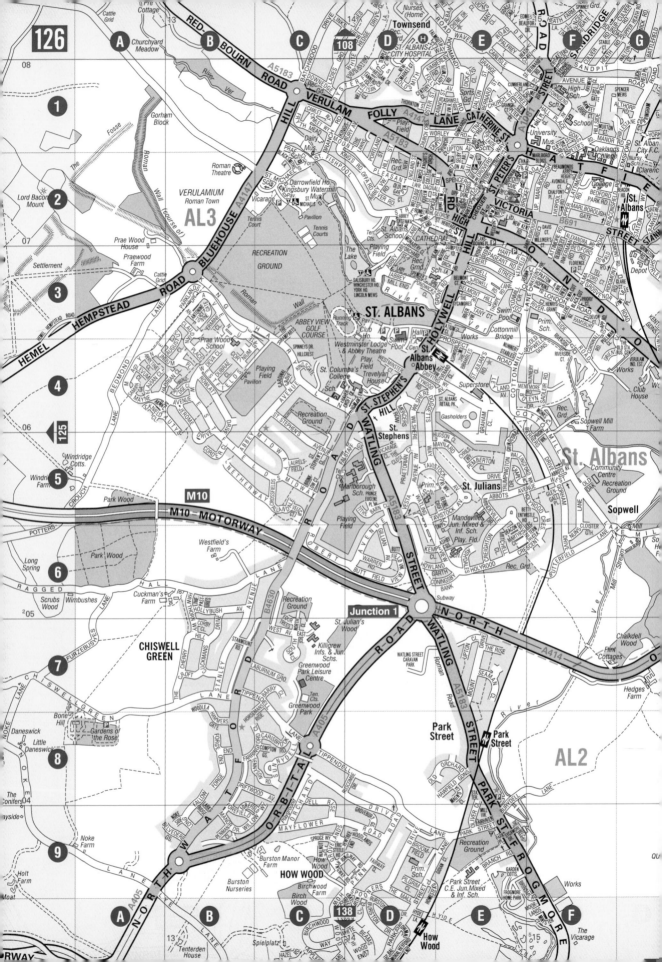

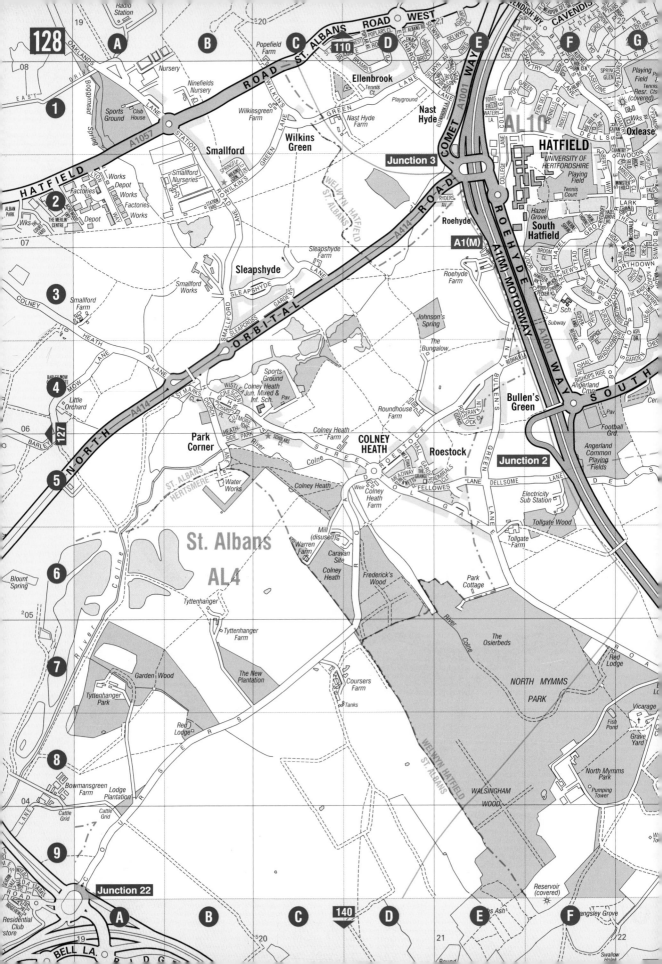

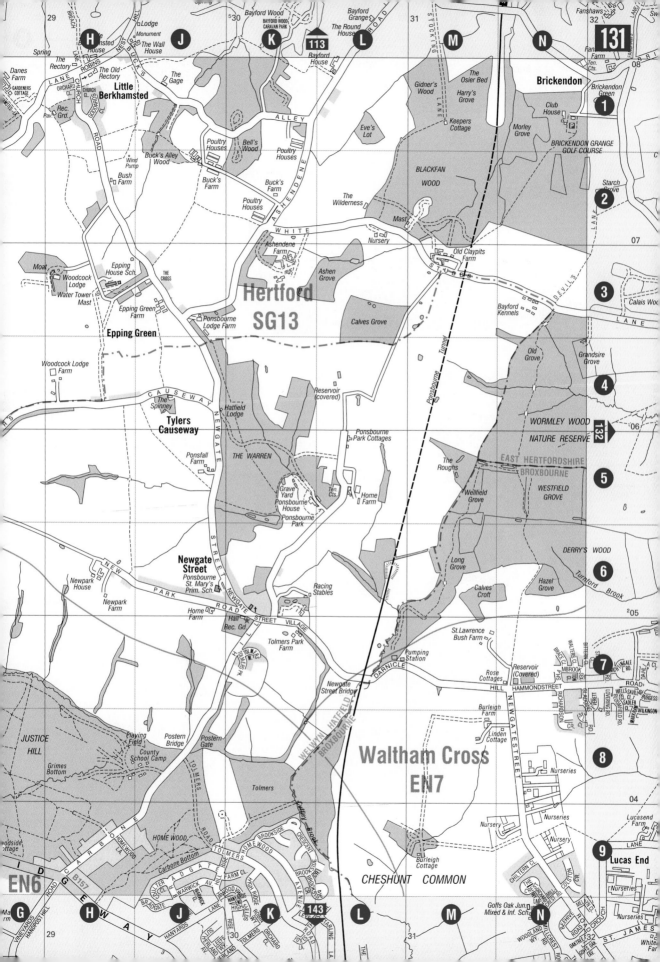

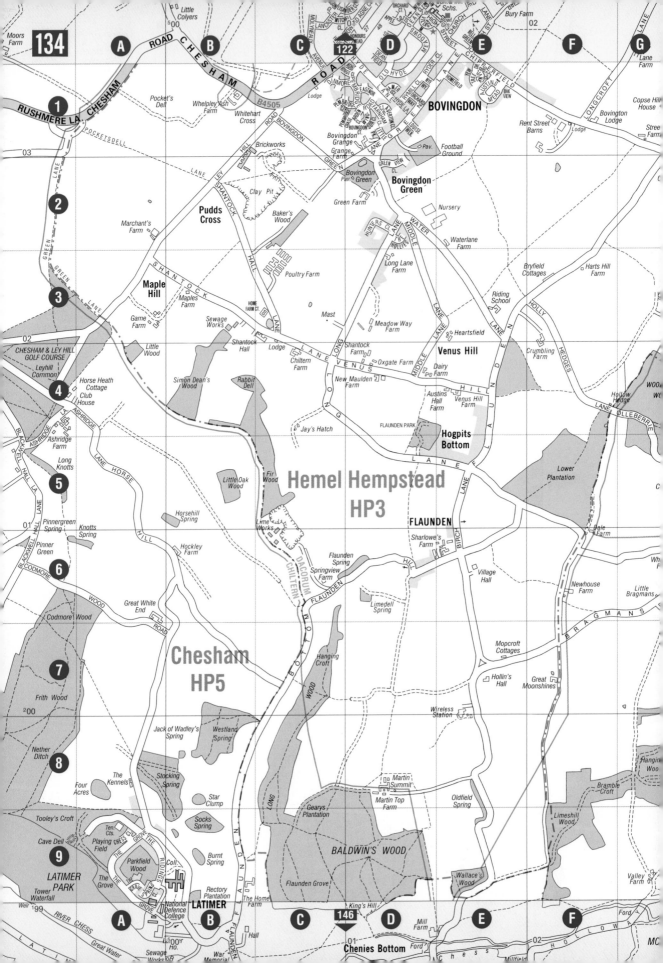

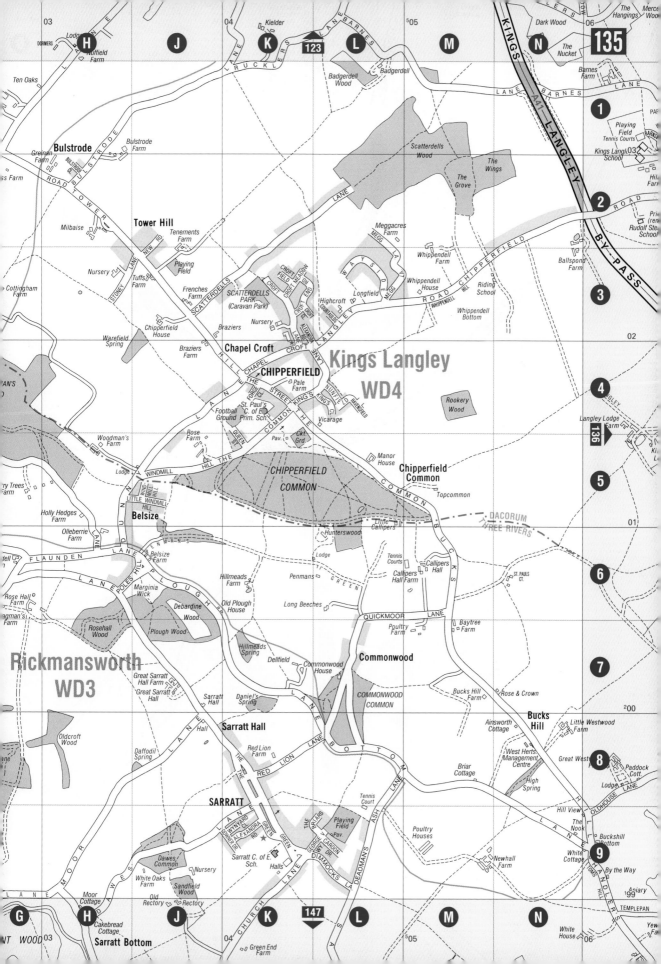

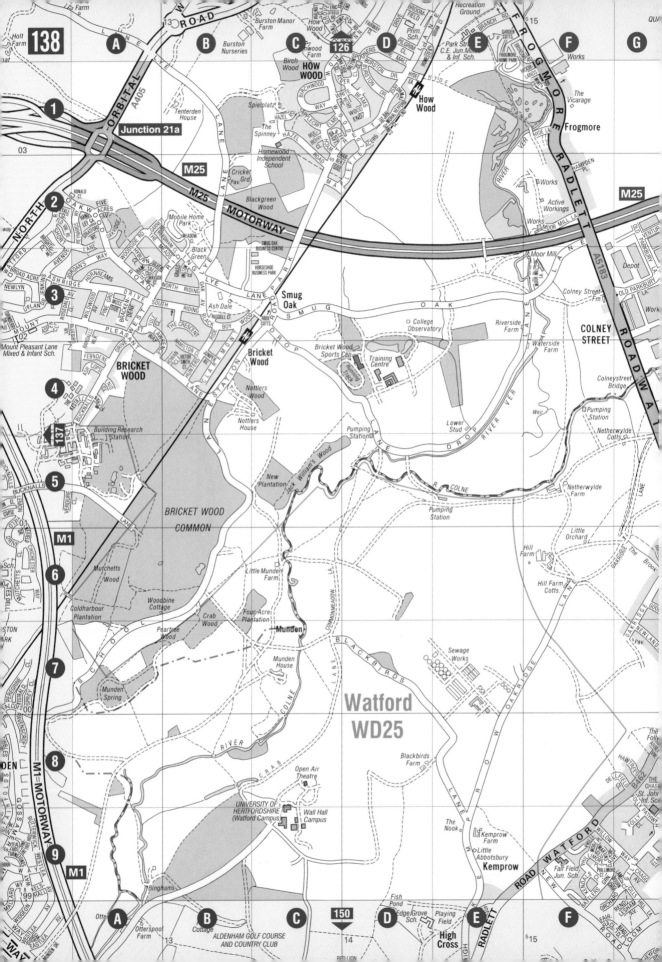

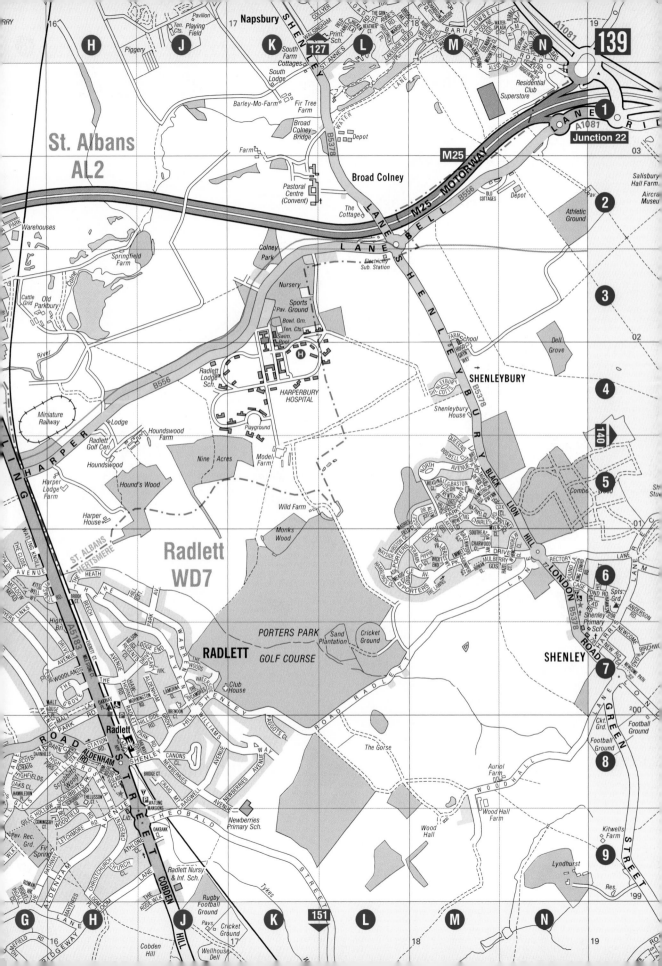

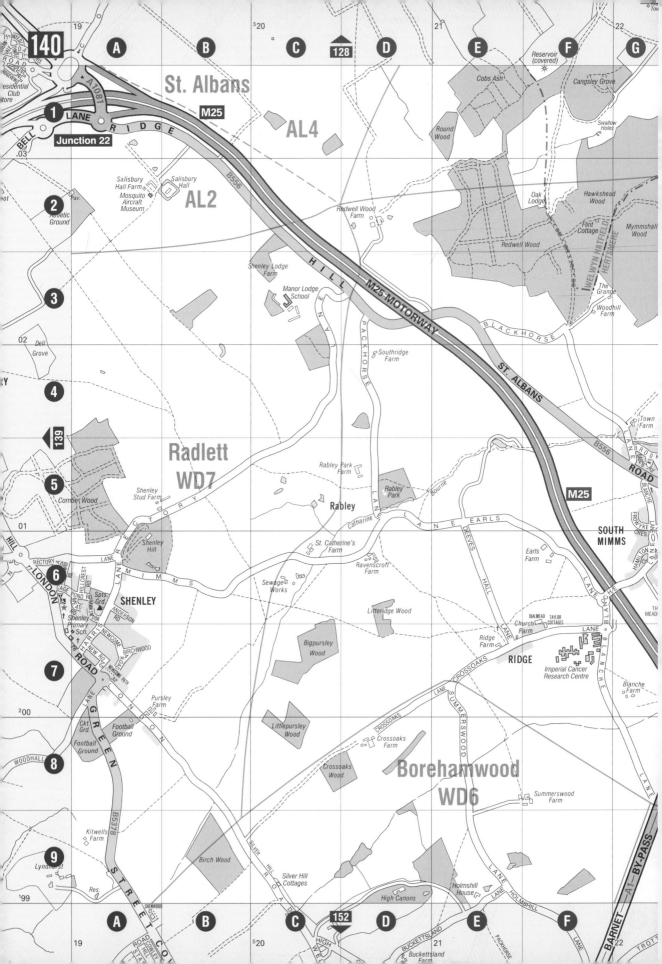

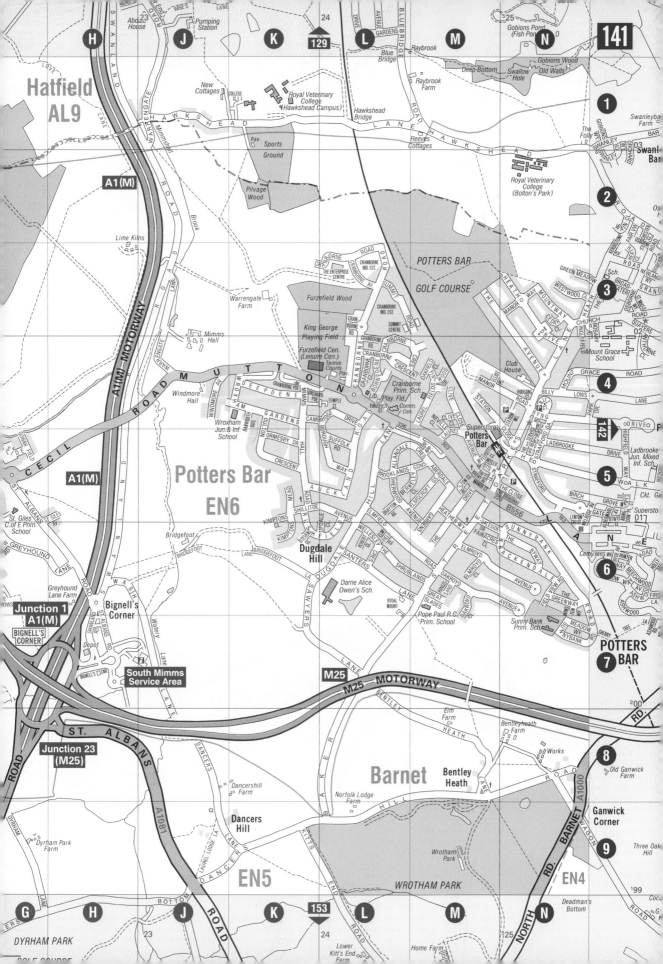

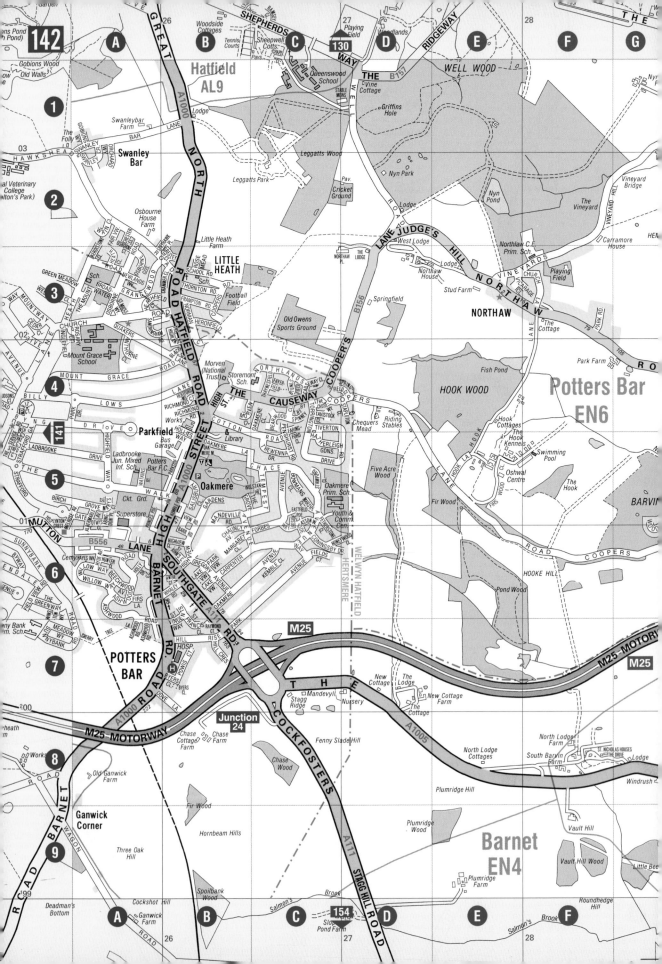

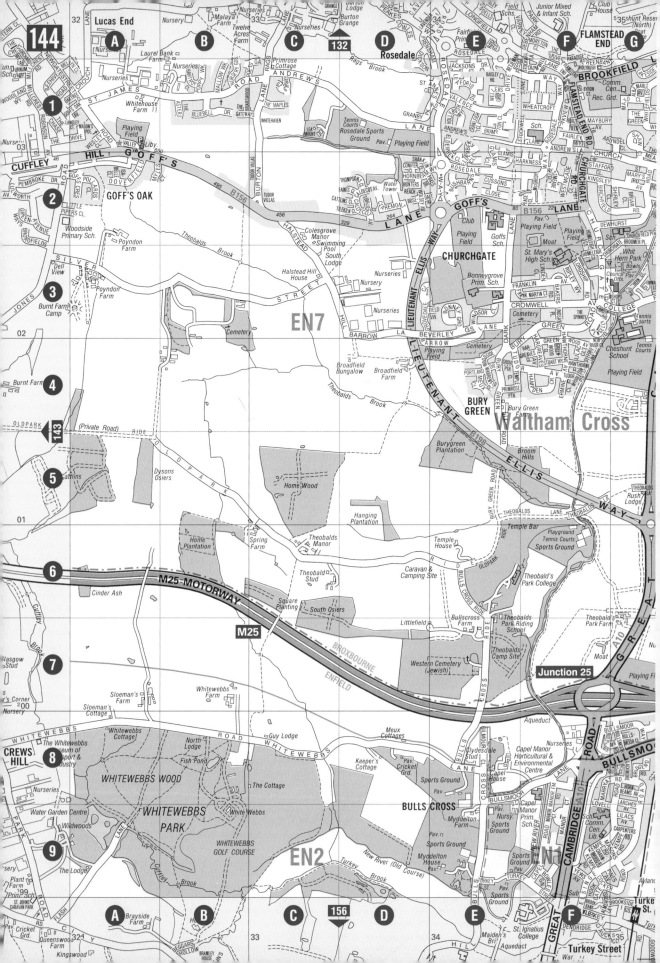

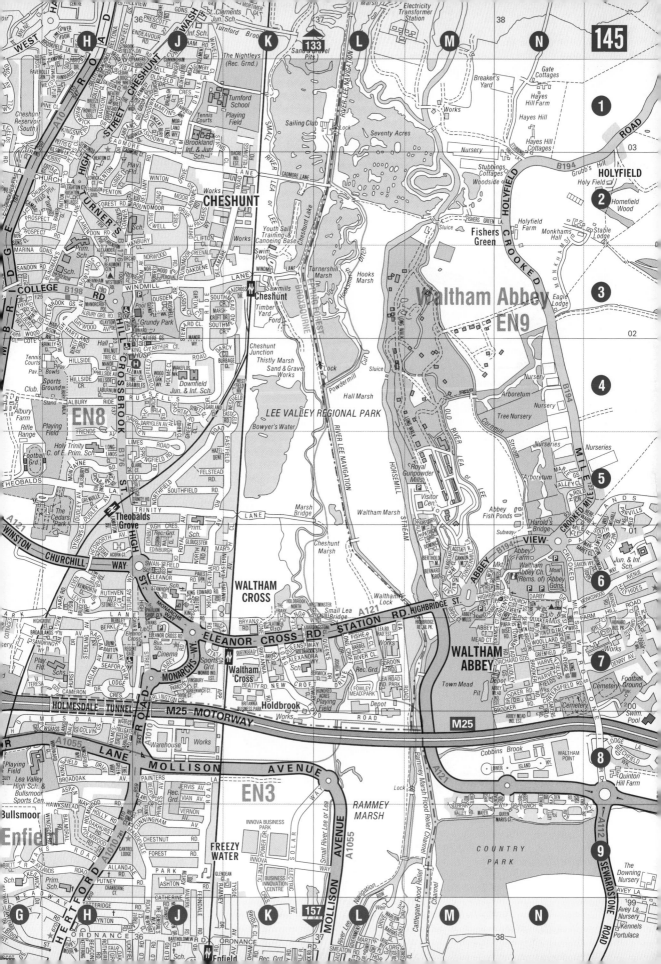

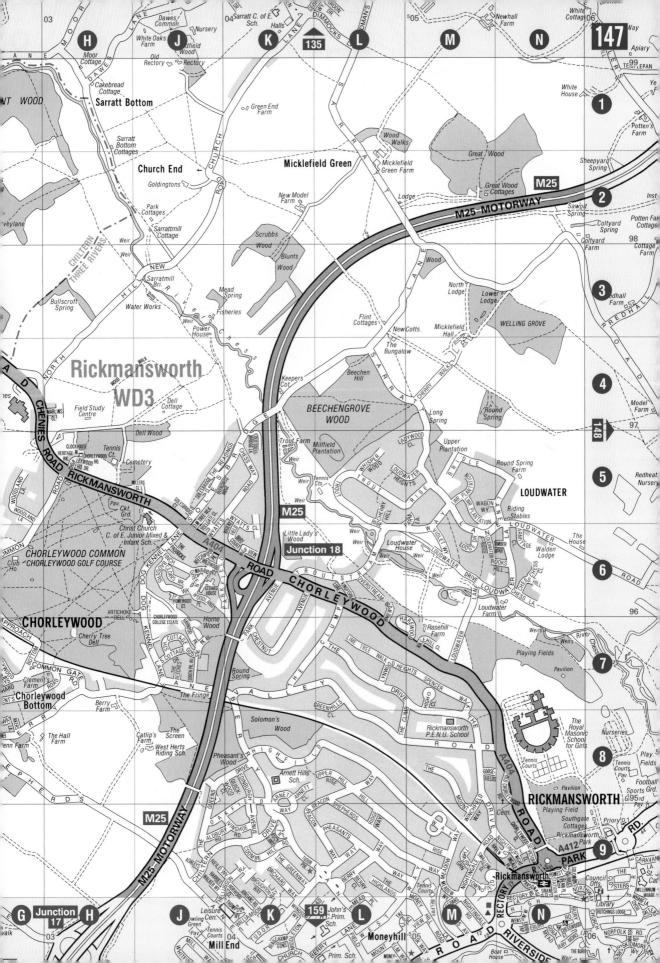

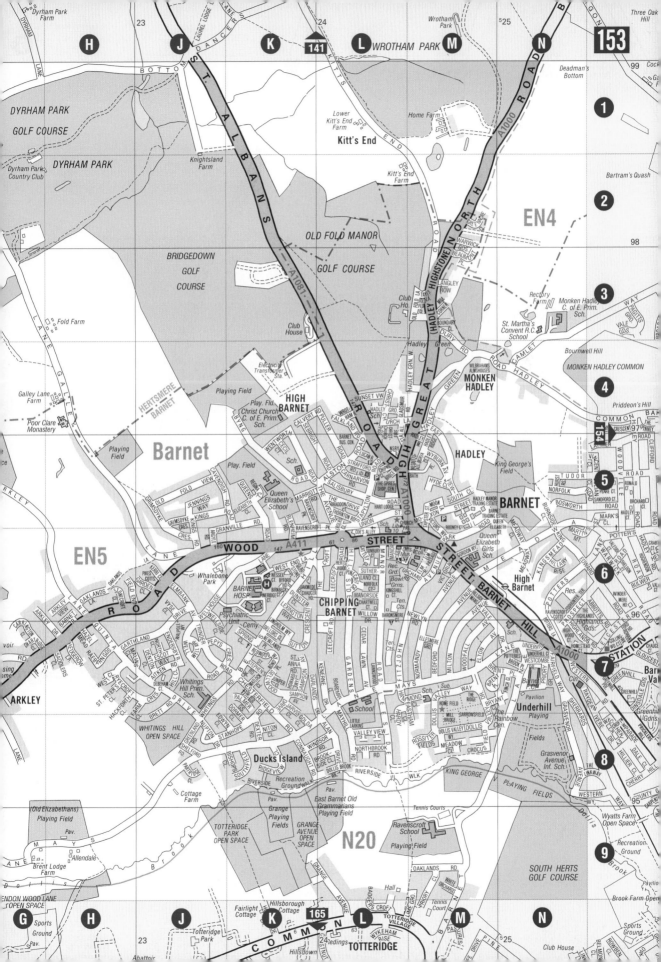

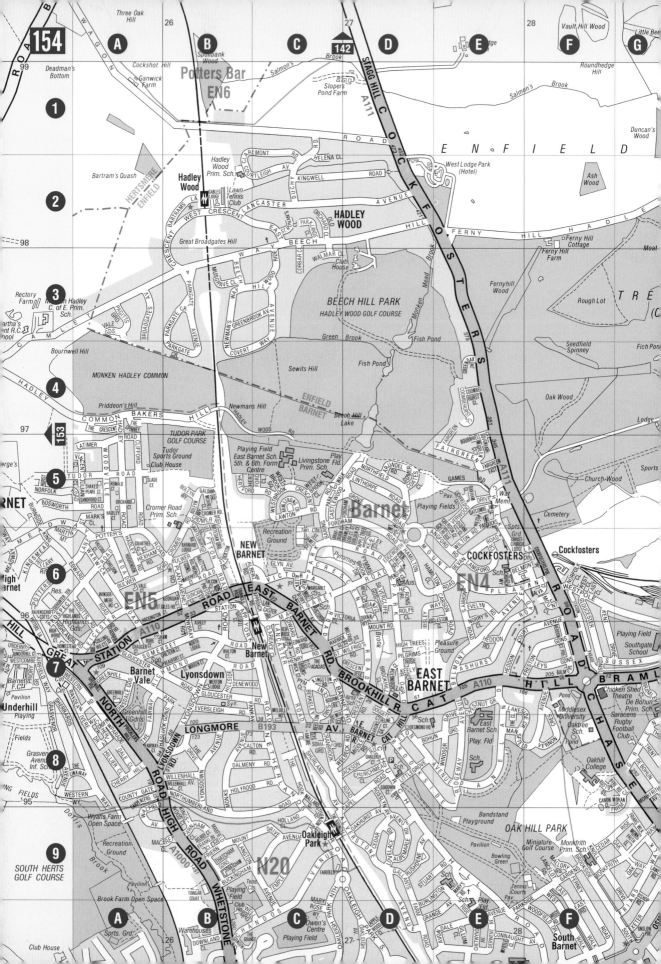

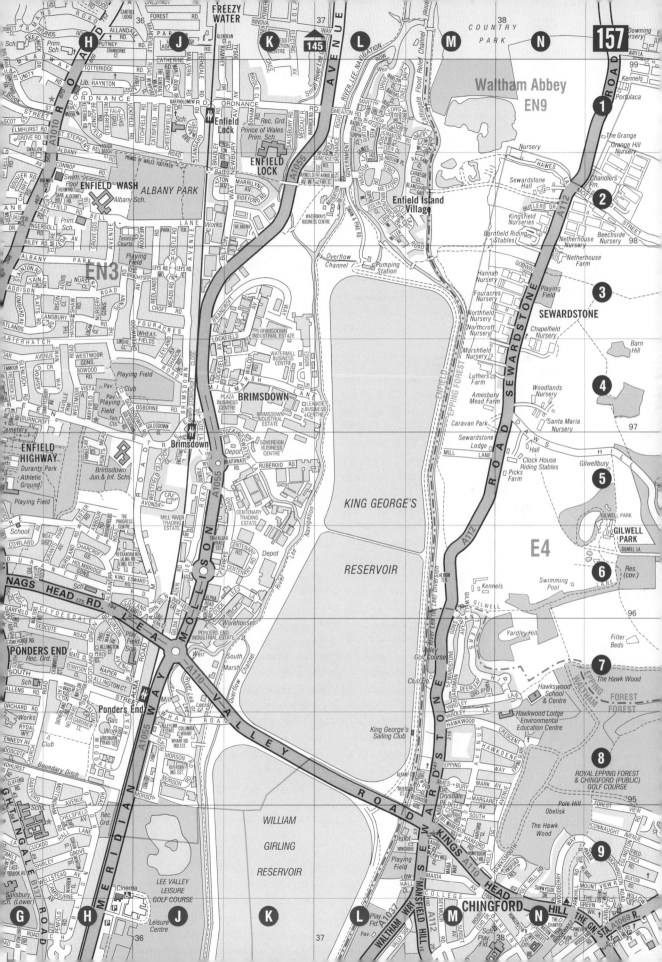

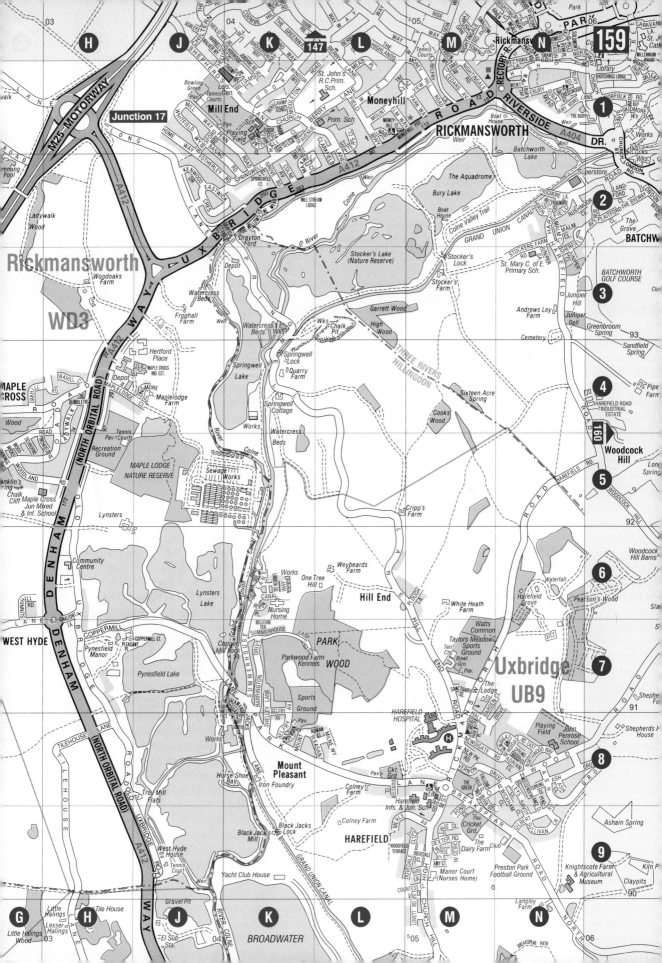

INDEX

Including Streets, Places & Areas, Industrial Estates, Selected Flats & Walkways
and Selected Places of Interest.

HOW TO USE THIS INDEX

1. Each street name is followed by its Posttown or Postal Locality and then by its map reference; e.g. Abbey Av. *St Alb* —5B **126** is in the St Albans Posttown and is to be found in square 5B on page **126**. The page number being shown in bold type.
   A strict alphabetical order is followed in which Av., Rd., St., etc. (though abbreviated) are read in full and as part of the street name; e.g. Abbeydale Clo. appears after Abbey Ct. but before Abbey Dri.

2. Streets and a selection of Subsidiary names not shown on the Maps, appear in the index in *italics* with the thoroughfare to which it is connected shown in brackets; e.g. *Abbeygate Bus. Cen., The. Lut —9H **47** (off Hartley Rd.)*

3. Places and areas are shown in the index in **blue type**, the map reference to the actual map square in which the town or area is located and not to the place name; e.g. **Abbots Langley. —3G 137**

4. An example of a selected place of interest is Abbey Theatre. —4D 126

GENERAL ABBREVIATIONS

All : Alley
App : Approach
Arc : Arcade
Av : Avenue
Bk : Back
Boulevd : Boulevard
Bri : Bridge
B'way : Broadway
Bldgs : Buildings
Bus : Business
Cvn : Caravan
Cen : Centre
Chu : Church
Chyd : Churchyard
Circ : Circle

Cir : Circus
Clo : Close
Comn : Common
Cotts : Cottages
Ct : Court
Cres : Crescent
Cft : Croft
Dri : Drive
E : East
Embkmt : Embankment
Est : Estate
Fld : Field
Gdns : Gardens
Gth : Garth
Ga : Gate

Gt : Great
Grn : Green
Gro : Grove
Ho : House
Ind : Industrial
Info : Information
Junct : Junction
La : Lane
Lit : Little
Lwr : Lower
Mc : Mac
Mnr : Manor
Mans : Mansions
Mkt : Market
Mdw : Meadow

M : Mews
Mt : Mount
Mus : Museum
N : North
Pal : Palace
Pde : Parade
Pk : Park
Pas : Passage
Pl : Place
Quad : Quadrant
Res : Residential
Ri : Rise
Rd : Road
Shop : Shopping
S : South

Sq : Square
Sta : Station
St : Street
Ter : Terrace
Trad : Trading
Up : Upper
Va : Vale
Vw : View
Vs : Villas
Vis : Visitors
Wlk : Walk
W : West
Yd : Yard

POSTTOWN AND POSTAL LOCALITY ABBREVIATIONS

Ab L : Abbots Langley
Abry : Albury
Ald : Aldbury
A'ham : Aldenham
Al G : Aley Green
A Grn : Allens Green
Amer : Amersham
Ans : Anstey
Ard : Ardeley
Ark : Arkley
Arl : Arlesey
Asher : Asheridge
Ash G : Ashley Green
A'wl : Ashwell
Ast : Aston
Ast C : Aston Clinton
Ast E : Aston End
Ay L : Ayot St Lawrence
Bald : Baldock
B'wy : Barkway
Bar : Barley
Barn : Barnet
Bar C : Barton-le-Clay
Bass : Bassingbourn
B Hth : Batchworth Heath
B'frd : Bayford
Bayf : Bayfordbury
Bedm : Bedmond
Bell : Bellingdon
Bend : Bendish
B'tn : Benington
Ber : Berden
Berk : Berkhamsted
Bid : Bidwell
Big : Biggleswade
Bchgr : Birchanger
Bir G : Birch Green
Bis S : Bishop's Stortford
Borwd : Borehamwood
Bov : Bovingdon
B'fld : Bramfield
Brau : Braughing
Braz E : Braziers End
B Grn : Breachwood Green
Bre P : Brent Pelham
Brick : Brickendon
Brick W : Bricket Wood
Brim : Brimsdown
Brk P : Brookmans Park
Brox : Broxbourne
B'Ind : Buckland (Aylesbury)
Bkld : Buckland (Buntingford)

Buck C : Buckland Common
Bul : Bulbourne
Bunt : Buntingford
Bush : Bushey
Bus H : Bushey Heath
Byg : Bygrave
Cad : Caddington
Chal G : Chalfont St Giles
Chal P : Chalfont St Peter
Chal : Chalton
Chan X : Chandlers Cross
Chap E : Chapmore End
Chart : Chartridge
Ched : Cheddington
Chen : Chenies
Che : Chesham
Chesh : Cheshunt
Childw : Childwickbury
Chfd : Chipperfield
Chipp : Chipping
C'bry : Cholesbury
Chor : Chorleywood
Chris : Chrishall
Clav : Clavering
Clot : Clothall
Clot C : Clothall Common
C'hoe : Cockernhoe
Cockf : Cockfosters
Cod : Codicote
Col G : Cole Green
Col H : Colney Heath
Col S : Colney Street
Cot : Cottered
Cro : Cromer
Crox G : Croxley Green
Cuff : Cuffley
Dagn : Dagnall
D End : Dane End
D'wth : Datchworth
Deb : Debden
Den : Denham
Dig : Digswell
Dud : Dudswell
Dunst : Dunstable
Dun : Dunton
E Barn : East Barnet
E Hyde : East Hyde
Eat B : Eaton Bray
Edgw : Edgware
Edl : Edlesborough
Els : Elstree
Enf : Enfield

Ess : Essendon
Farnh : Farnham
Fel : Felden
Flam : Flamstead
Flau : Flaunden
F'wck : Flitwick
Fox P : Foxholes Bus. Pk.
F'den : Frithsden
Frog : Frogmore
Fur P : Furneux Pelham
Gad R : Gaddesden Row
Ger X : Gerrards Cross
Gil : Gilston
G Oak : Goffs Oak
G'bry : Gorhambury
Gos : Gosmore
G'ley : Graveley
Gt Amw : Great Amwell
Gt Chi : Great Chishill
Gt Gad : Great Gaddesden
Gt Hal : Great Hallingbury
Gt Hor : Great Hormead
Gt Mun : Great Munden
Gt Wym : Great Wymondley
Gub : Gubblecote
G Mor : Guilden Morden
Hail : Hailey
Hal : Halton
Hal C : Halton Camp
Hal V : Halton Village
Hare S : Hare Street
Hare : Harefield
H'low : Harlow
Hpdn : Harpenden
Harr : Harrow
Har W : Harrow Weald
H'wd : Hastingwood
Hast : Hastoe
H End : Hatch End
Hat : Hatfield
Hat H : Hatfield Heath
Haul : Haultwick
Hawr : Hawridge
Hem H : Hemel Hempstead
Hem I : Hemel Hempstead Ind. Est.
Henl : Henlow
Herons : Heronsgate
Hert : Hertford
Hert H : Hertford Heath
H'tn : Hexton
H Gob : Higham Gobian
High Bar : High Barnet

H Cro : High Cross
H Lav : High Laver
H Wych : High Wych
Hinx : Hinxworth
Hit : Hitchin
Hod : Hoddesdon
Hol : Holwell
Hort : Horton
H Reg : Houghton Regis
Hun : Hunsdon
Ickl : Ickleford
I'hoe : Ivinghoe
I Ast : Ivinghoe Aston
Kens : Kensworth
Kent : Kenton
Kim : Kimpton
K Lan : Kings Langley
K Wal : Kings Walden
Kneb : Knebworth
Lang : Langford
L'ly : Langley
Lang L : Langley Lower Green
Lang U : Langley Upper Green
Lat : Latimer
Leag : Leagrave
Leav : Leavesden
Lem : Lemsford
Let H : Letchmore Heath
Let : Letchworth
Let G : Letty Green
Lil : Lilley
Lit : Litlington
L Berk : Little Berkhamsted
L Chal : Little Chalfont
L Gad : Little Gaddesden
L Had : Little Hadham
L Hall : Little Hallingbury
Lit H : Little Heath
L Wym : Little Wymondley
Lon C : London Colney
Lut A : London Luton Airport
Long M : Long Marston
Loud : Loudwater
Lou : Loughton
Lwr C : Lower Caldecote
L Ston : Lower Stondon
Lut : Luton
Mag L : Magdalen Laver
Man : Manuden
Map C : Maple Cross
Mark : Markyate

Mars : Marsworth
Mat T : Matching Tye
Mee : Meesden
Mel : Melbourn
Ment : Mentmore
Mil E : Mill End
M Hud : Much Hadham
Naps : Napsbury
Nash M : Nash Mills
Naze : Nazeing
Net : Nettleden
New Bar : New Barnet
New S : Newgate Street
Newn : Newnham
N'all : Northall
N'thaw : Northaw
N'chu : Northchurch
N Har : North Harrow
N Mym : North Mymms
N'wd : Northwood
Nuth : Nuthampstead
Oakl : Oaklands
Odsey : Odsey
Offl : Offley
Old G : Old Hall Green
Old K : Old Knebworth
Ong : Ongar
Orch : Orchard Leigh
Oving : Oving
Par I : Paradise Ind. Est.
Park : Park Street
Penn S : Penn Street
Pep : Pepperstock
P Grn : Peters Green
Pic E : Piccotts End
Pim : Pimlico
Pinn : Pinner
Pir : Pirton
Pit : Pitstone
Port W : Porters Wood
Pott E : Potten End
Pot B : Potters Bar
Pres : Preston
Puck : Puckeridge
Pull : Pulloxhill
P'ham : Puttenham
Rad : Radlett
Radw : Radwell
Redb : Redbourn
Reed : Reed
Rick : Rickmansworth
Ridge : Ridge

Posttown and Postal Locality Abbreviations

Ridg : Ridgmont
Ring : Ringshall
Roy : Roydon
Roy M : Roydon Mill
R'ton : Royston
Ruis : Ruislip
Rush : Rushden
R Grn : Rush Green
Sac : Sacombe
Saf W : Saffron Walden
St Alb : St Albans
St I : St Ippolyts
St Pau : St Pauls Walden
S'don : Sandon
Sandr : Sandridge
Sarr : Sarratt
Saw : Sawbridgeworth
S'hoe : Sharpenhoe
Srng : Sheering

Shenl : Shenley
Shil : Shillington
Shin W : Shingay Cum Wendy
Sils : Silsoe
Slap : Slapton
S End : Slip End
Smal : Smallford
S Mim : South Mimms
Spel : Spellbrook
Stdn : Standon
Stan : Stanmore
Stan A : Stanstead Abbotts
Stans : Stansted
Stap : Stapleford
Stpl M : Steeple Morden
Stev : Stevenage
Stoc P : Stocking Pelham
Stot : Stotfold
S'ley : Streatley

Stud : Studham
S'dn : Sundon
Tew : Tewin
Ther : Therfield
Thor : Thorley
Thr B : Threshers Bush
Thro : Throcking
Thun : Thundridge
Tod : Toddington
Ton : Tonwell
Tot : Totternhoe
Tring : Tring
T'frd : Tringford
Turn : Turnford
Tyngr : Tyttenhanger
Ugley : Ugley
Up Ston : Upper Stondon
Wad : Wadesmill
Walk : Walkern

Wlgtn : Wallington
Wal A : Waltham Abbey
Wal X : Waltham Cross
Ware : Ware
W'side : Wareside
Wat E : Water End
W'frd : Waterford
Wat : Watford
Wat S : Watton at Stone
W'stone : Wealdstone
Well E : Well End
Welw : Welwyn
Wel G : Welwyn Garden City
Wend : Wendover
W Hyd : West Hyde
W Lth : West Leith
W'mll : Westmill
W'ton : Weston
W'ton T : Weston Turville

Wheat : Wheathampstead
Whel : Whelpley Hill
Whip : Whipsnade
W'wll : Whitwell
Widd : Widdington
Wid : Widford
Wig : Wigginton
W'ian : Willian
Wils : Wilstone
Wils G : Wilstone Green
Wing : Wing
W'fld : Wingfield
W'grv : Wingrave
Wood : Woodside
Wood E : Woodside Est.
Wool G : Woolmer Green
Wyd : Wyddial

INDEX

A

Abbey Av. St Alb —5B 126
Abbey Clo. Pinn —9K 161
Abbey Ct. Wal A —7M 145
Abbeydale Clo. H'low —7E 118
Abbey Dri. Ab L —5J 137
Abbey Dri. Lut —8J 47
Abbeygate Bus. Cen., The. Lut —9H 47
  (off Hartley Rd.)
Abbey Gateway. St Alb —2D 126
Abbey Mead Ind. Est. Wal A
  (in two parts) —7N 145
Abbey M. Dunst —2F 64
Abbey Mill End. St Alb —3D 126
Abbey Mill La. St Alb —3D 126
Abbey Mills. Wal A —6M 145
Abbey Rd. Enf —7C 156
Abbey Rd. Wal X —7J 145
Abbey Theatre. —4D 126
Abbey Vw. NW7 —3F 164
Abbey Vw. Rad —8G 138
Abbey Vw. St Alb —4E 126
Abbey Vw. Wal A —6M 145
Abbey Vw. Wat —9M 137
Abbey View Golf Course. —3C 126
Abbey Vw. Rd. St Alb —2D 126
Abbey Wlk. H Reg —3H 45
Abbis Orchard. Ickl —6M 21
Abbots Av. St Alb —5F 126
Abbots Av. W. St Alb —5E 126
Abbots Clo. D'wth —7C 72
Abbots Ct. Lut —8J 47
Abbots Gro. Stev —5M 51
Abbots Hill. Nash M —7C 124
Abbots Langley. —3G 137
Abbots Pk. St Alb —4H 127
Abbots Pl. Borwd —1B 152
Abbots Ri. K Lan —8B 124
Abbots Rd. Ab L —4E 136
Abbots Rd. Edgw —7C 164
Abbots Vw. K Lan —9B 124
Abbotsweld. H'low —9N 117
Abbotswood Pde. Lut —8J 47
Abbotswood Rd. Lut —8J 47
Abbots Yd. R'ton —7D 8
Abbott John M. Wheat —6L 89
Abbotts Clo. Lit —3H 7
Abbotts Ct. Stan A —2A 116
Abbotts Cres. Enf —4N 155
Abbotts La. Wid —3G 96
Abbotts Pl. Che —9G 120
Abbotts Ri. Stan A —2A 116
Abbotts Rd. Let —5D 22
Abbotts Rd. New Bar —6A 154
Abbotts Way. Bis S —5G 78
Abbotts Way. Stan A —2A 116
Abbotts Way. W'grv —4A 60
Abdale La. N Mym —9H 129
Abel Clo. Hem H —2C 124
Abercorn Clo. NW7 —7L 165
Abercorn Rd. NW7 —7L 165
Abercorn Rd. Lut —6J 45
Abercorn Rd. Stan —7K 163
Abercrombie Dri. Enf —3E 156
Abercrombie Way. H'low —7M 117
Aberdale Gdns. Pot B —5M 141
Aberdare Gdns. NW7 —7K 165
Aberdare Rd. Enf —6G 156
Aberdeen Cotts. Stan —7K 163
Aberdeen Rd. Harr —9G 162
Aberford Rd. Borwd —4A 152

Abigail Clo. Lut —6F 46
Abigail Ct. Lut —6F 46
Abingdon Pl. Pot B —5A 142
Abingdon Rd. Lut —6M 45
Abinger Clo. Stev —6L 51
Abington Rd. Lit —1G 6
Abram's La. Chris —1M 17
Abridge Clo. Wal X —8H 145
Abstacle Hill. Tring —3L 101
Acacia Clo. Chesh —9C 132
Acacia Clo. Stan —6F 162
Acacia Gro. Berk —2M 121
Acacia Ho. Ger X —8B 158
Acacia Rd. Enf —3B 156
Acacias Ct. Hod —8L 115
Acacias, The. Barn —7C 154
Acacia St. Hat —3G 128
Acacia Wlk. Hpdn —9E 88
Acacia Wlk. Tring —3K 101
Academy Ho. Borwd —6A 152
  (off Station Rd.)
Acers. Park —1D 138
Achilles Clo. Hem H —9B 106
Acklington Dri. NW9 —8E 164
Ackroyd Rd. R'ton —5E 8
Acme Rd. Wat —2J 149
Acorn Clo. Enf —3N 155
Acorn Clo. Lut —6H 47
Acorn Clo. Stan —7J 163
Acorn Ct. Wal X —6H 145
Acorn Glade. Welw —3M 91
Acorn La. Cuff —1K 143
Acorn M. H'low —8B 118
Acorn Pl. Wat —1J 149
Acorn Rd. Hem H —2C 124
Acorns, The. Lut —5N 45
Acorns, The. St Alb —2L 127
Acorn St. Hun —8F 96
Acremore St. Ware —1L 77
Acre Piece. Hit —4A 34
Acre Way. N'wd —8H 161
Acre Wood. Hem H —3A 124
Acrewood Way. St Alb —2N 127
Activity World. —6H 111
Acton Clo. Chesh —4J 145
Acworth Clo. N9 —9G 156
Acworth Ct. Lut —4M 45
Acworth Cres. Lut —4M 45
Adams Clo. N3 —7N 165
Adamsfield. Chesh —8D 132
Adams Ho. H'low —5H 117
  (off Post Office Rd.)
Adamsrill Clo. Enf —8B 156
Adams Way. Tring —1N 101
Adam's Yd. Hert —9B 94
Adderley Rd. Bis S —1H 79
Adderley Rd. Harr —8G 162
Addington Way. Lut —6N 45
Addis Clo. Enf —3H 157
Addiscombe Rd. Wat —6K 149
Addison Av. N14 —8G 155
Addison Clo. N'wd —8J 161
Addison Rd. Enf —3G 157
Addison Way. N'wd —8H 161
Adelaide Clo. Enf —2C 156
Adelaide Clo. Stan —4H 163
Adelaide St. Lut —1F 66
Adelaide St. St Alb —1C 126
Adele Av. Welw —4M 91
Aden Rd. Enf —6J 157
Adeyfield. —1C 124

Adeyfield Gdns. Hem H —1B 124
Adeyfield Rd. Hem H —2A 124
Adhara Rd. N'wd —5H 161
Adingtons. H'low —4B 118
Adlington Ct. Lut —4M 45
Admiral Hood Ho. Ger X —4B 158
Admirals Clo. Col H —5E 128
Admiral St. Hert —9E 94
Admirals Wlk. Hod —1L 133
Admirals Wlk. St Alb —4H 127
Admiral Way. Berk —8K 103
Adrian Clo. Hare —8N 159
Adrian Rd. Ab L —4G 137
Adstock M. Chal P —8A 158
Adstone Rd. Cad —5B 66
Aerodrome Rd. NW9 & NW4 —9F 164
Aeroville. NW9 —9E 164
Agricola Pl. Enf —7D 156
Aidans Clo. Dunst —8B 44
Ailsworth Rd. Lut —3B 46
Ainsdale Cres. Pinn —9B 162
Ainsdale Rd. Wat —3L 161
Ainsland Ct. Lut —7L 45
Ainsley Clo. N9 —9C 156
Aintree Rd. Barn —7J 153
Aintree Way. Stev —1B 52
Airedale. Hem H —8A 106
Airfield Way. Leav —7H 137
Airport Executive Pk. Lut —9L 47
Airport Way. Lut —5G 67
  (LU1, in two parts)
Airport Way. Lut —2L 67
  (LU2)
Aitken Rd. Barn —7J 153
Akeman Clo. St Alb —4A 126
Akeman St. Tring —3M 101
Akers La. Chor —8G 147
Alamein Clo. Brox —2H 133
Alandale Dri. Pinn —8K 161
Alan Dri. Barn —8L 153
Alban Av. St Alb —9E 108
Alban Ct. St Alb —2J 127
  (off Burleigh Rd.)
Alban Ct. Wel G —8M 91
Alban Cres. Borwd —3B 152
Alban Ho. Borwd —3B 152
Alban Pk. St Alb —2N 127
Alban Rd. Let —8J 23
Albans Vw. Wat —6K 137
Alban Way. Hat —9F 110
Albany Clo. Bush —8E 150
Albany Ct. EN3 —4L 157
Albany Ct. NW9 —8D 164
Albany Ct. Hpdn —7D 88
Albany Ct. Lut —9D 46
Albany Cres. Edgw —7A 164
Albany Ga. St Alb —3E 126
  (off Belmont Hill)
Albany M. St Alb —9B 126
  (off N. Orbital Rd.)
Albany Rd. Ware —9J 95
Albany Pk. —2J 157
Albany Pk. Av. Enf —3G 157
Albany Pl. Wel G —9L 91
Albany Rd. Enf —1H 157
Albany Ter. Tring —9N 81
Alba Rd. H'low —5E 118
Albatross. NW9 —9F 164
Albemarle Av. Chesh —1G 144
Albemarle Pk. Stan —5K 163

Albemarle Rd. E Barn —9D 154
Albemarle Av. Pot B —6A 142
Albemarle Clo. Lut —6J 45
Alberta Rd. Enf —8D 156
Albert Ct. Dunst —1F 64
Albert Gdns. H'low —7F 118
Albertine St. H'low —5E 118
Albert Pl. N3 —8N 165
Albert Rd. NW7 —5F 164
Albert Rd. Barn —6B 154
Albert Rd. Lut —2G 67
Albert Rd. N. Wat —5K 149
Albert Rd. S. Wat —5K 149
Albert St. Mark —2A 86
Albert St. St Alb —3E 126
Albert St. Stev —2J 51
Albert St. Tring —3M 101
Albion Clo. Hert —9C 94
Albion Ct. Dunst —9E 44
Albion Ct. Lut —9G 46
Albion Hill. Hem H —3N 123
Albion Path. Lut —9G 46
  (off Albion Rd., in two parts)
Albion Pl. Tring —3M 101
  (off Akeman St.)
Albion Rd. Lut —9G 46
Albion Rd. Pit —2B 82
Albion Rd. St Alb —2G 127
Albion St. Dunst —9E 44
Albion Ter. E4 —6M 157
Albion, The. —5H 95
Albuhera Clo. Enf —3M 155
Albury. —3K 57
  (Clapgate)
Albury. —9G 83
  (Tring)
Albury Clo. Lut —9C 30
Albury Dri. Pinn —8L 161
Albury End. —5J 57
Albury Gro. Rd. Chesh —3H 145
Albury Ride. Chesh —4H 145
Albury Rd. L Had —7M 57
Albury Wlk. Chesh —3G 145
  (in two parts)
Alconbury. Bis S —8K 59
Alconbury. Wel G —9D 92
Alcorns, The. Stans —2N 59
Alcuin Ct. Stan —7K 163
Aldbanks. Dunst —8C 44
Aldbury. —1H 103
Aldbury Clo. St Alb —6K 109
Aldbury Clo. Wat —9M 137
Aldbury Common. —1J 103
Aldbury Gdns. Tring —9N 81
  (off Morefields)
Aldbury Gro. Wel G —9A 92
Aldbury M. N9 —9B 156
Aldbury Rd. Mil E —9J 147
Aldeburgh Clo. Stev —9G 35
Aldenham. —2C 150
Aldenham Av. Rad —9H 139
Aldenham Clo. Lut —6J 45
Aldenham Country Pk. —7J 151
Aldenham Golf Course &
  Country Club. —1B 150
Aldenham Gro. Rad —7J 139
Aldenham Pk. —6K 151
Aldenham Rd. Els —5H 151
Aldenham Rd. Let H & Els —3F 150

Aldenham Rd. Rad —8H 139
Aldenham Rd. Wat & Bush —8M 149
Alden Mead. Pinn —6B 162
  (off Avenue, The)
Alderbury Rd. Stans —1N 59
Alder Clo. Bald —4L 23
Alder Clo. Bis S —4F 78
Alder Clo. Hod —6M 115
Alder Clo. Park —1C 138
Alder Cres. Lut —5C 46
Alderley Ct. Berk —2N 121
Alderman Clo. N Mym —6J 129
Alderney Ho. Enf —2H 157
Alderpark Mdw. Long M —3G 80
Aldersbrook Av. Enf —4C 156
Alders Clo. Edgw —5C 164
Alders End La. Hpdn —5A 88
Alders Rd. Edgw —5C 164
Alders, The. N21 —8M 155
Alders Wlk. Saw —5G 99
Alderton Clo. Lut —8M 47
Alderton Dri. L Gad —7L 83
Alder Wlk. Wat —8K 137
Aldhous Clo. Lut —4D 46
Aldock. Wel G —3N 111
Aldock Rd. Stev —2L 51
Aldridge Av. Edgw —3B 164
Aldridge Av. Enf —2L 157
Aldridge Av. Stan —8M 163
Aldridge Ct. Bald —2L 23
Aldridge Wlk. N14 —9K 155
Aldwick. St Alb —4J 127
Aldwickbury Cres. Hpdn —6E 88
Aldwickbury Pk. Golf Course. —6F 88
Aldwick Ct. Hem H —1M 123
Aldwick St. St Alb —4J 127
Aldwick Rd. Hpdn —7F 88
Aldwyck Ho. Dunst —7D 44
Aldwyke Ri. Ware —4G 94
Aldykes. Hat —9F 110
Alesia Rd. Lut —3A 46
Alexander Clo. Barn —6C 154
Alexander Ct. Chesh —3H 145
Alexander Ga. Stev —1B 52
Alexander Rd. Hert —9M 93
Alexander Rd. Lon C —7K 127
Alexander Rd. Stot —6F 10
Alexandra Av. Lut —6E 66
Alexandra Ct. N14 —7H 155
Alexandra Ct. Wat —4L 149
Alexandra Gro. N12 —5N 165
Alexandra Rd. N9 —9F 156
Alexandra Rd. Borwd —2D 152
Alexandra Rd. Chfd —3K 135
Alexandra Rd. Enf —6H 157
Alexandra Rd. H'low —5E 118
Alexandra Rd. Hem H —1N 123
Alexandra Rd. Hit —1N 33
Alexandra Rd. K Lan —2C 136
Alexandra Rd. St Alb —2F 126
  (in two parts)
Alexandra Rd. Sarr —9K 135
Alexandra Rd. Wat —4J 149
Alexandra Rd. Ind. Est. Enf —6H 157
Alexandra Rd. Wal X —7K 145
Alex Ct. Hem H —1N 123
Aley Green. —6B 66
Aleyn Way. Bald —2A 24

Alfred St.—Ash Copse

Alfred St. Dunst —9F 44
Alfriston Clo. Lut —6L 47
Algar Clo. Stan —5G 163
Alice Clo. Barn —6B 154
(off Station App.)
Alington La. Let —8F 22
(in two parts)
Alison Ct. Hem H —1E 124
Allandale. Hem H —9N 105
Allandale. St Alb —5C 126
Allandale Av. N3 —9L 165
Allandale Cres. Pot B —5L 141
Allandale Rd. Enf —9H 145
Allard Clo. Chesh —9D 132
Allard Cres. Bus H —1D 162
Allard Way. Brox —3J 133
Alldicks Rd. Hem H —4B 124
Allenby Av. Dunst —8K 45
Allen Clo. Dunst —9G 44
Allen Clo. Shenl —5M 139
Allen Clo. Wheat —8L 89
Allen Ct. Hat —2H 129
Allendale. Lut —9C 30
Allendale Av. H'low —3M 117
(in two parts)
Allen's Green. —1B 98
Allens Rd. Enf —7G 157
Allerton Clo. Borwd —2N 151
Allerton Rd. Borwd —2M 151
Alleyns Rd. Stev —2K 51
Alleys, The. Hem H —1N 123
Allied Bus. Cen. Hpdn —3D 88
Allington Ct. Enf —7H 157
(in two parts)
Allis M. H'low —5E 118
(off Tatton St.)
Allison. Let —6J 23
All Saints Clo. Bis S —9J 59
All Saints Cres. Wat —6M 137
All Saints La. Crox G —8C 148
All Saints M. Harr —6F 162
All Saints Rd. H Reg —4E 44
Allum La. Els —7M 151
Allwood Rd. Chesh —9D 132
Alma Ct. Borwd —2N 151
Alma Ct. N'chu —8J 103
Alma Cut. St Alb —3F 126
Alma Link. Lut —1F 66
(in two parts)
Alma Rd. Enf —7J 157
Alma Rd. N'chu —8J 103
Alma Rd. St Alb —3F 126
Alma Rd. Ind. Est. Enf —6H 157
Alma Row. Harr —8E 162
Alma St. Lut —1F 66
Alma St. Pas. Lut —1F 66
(off Alma St., in two parts)
Almond Clo. Lut —5D 46
(Britannia Av.)
Almond Clo. Lut —4C 46
(Trinity Rd.)
Almonds La. Stev —9L 35
Almonds, The. St Alb —6J 127
Almond Wlk. Hat —3G 129
Almond Way. Borwd —6B 152
Almond Way. Harr —9C 162
Almshouse La. Enf —1F 156
Almshouses. H'low —2G 118
(off Gilden Clo.)
Almshouses, The. Chesh —3H 145
(off Turner's Hill)
Alms La. A'wl —9M 5
Alnwick Dri. Tring —9D 60
Alpha Bus. Pk. N Mym —5J 129
Alpha Ct. Hod —7L 115
Alpha Pl. Bis S —9H 59
Alpha Rd. Enf —6J 157
Alpine Clo. Hit —5A 34
Alpine Wlk. Stan —2F 162
Alpine Way. Lut —1N 45
Alsa Bus. Pk. Stans —9N 43
Alsa St. Stans —9N 43
Alsford Wharf. Berk —1N 121
Alsop Clo. H Reg —4E 44
Alsop Clo. Lon C —1M 139
Alston Rd. Barn —5L 153
Alston Rd. Hem H —3K 123
Altair Way. N'wd —4H 161
Altham Ct. Harr —8C 162
Altham Gro. H'low —4B 118
Altham Rd. Pinn —7N 161
Althorp Clo. Barn —9G 152
Althorp Rd. Lut —8E 46
Althorp Rd. St Alb —1G 126
Alton Av. Stan —7G 163
Alton Retreat. Lut —3H 67
(off Alton Rd.)
Alton Rd. Lut —3H 67
Altwood. Hpdn —6E 88
Alva Way. Wat —2M 161
Alverstone Av. Barn —9D 154
Alverton. St Alb —8D 108
Alwin Pl. Wat —6G 149
Alwyn Clo. Els —8N 151
Alwyn Clo. Lut —7G 46
Alyngton. N'chu —7J 103
Alzey Gdns. Hpdn —7E 88
Amberden Av. N3 —9N 165
Amberley Clo. Hpdn —5C 88
Amberley Clo. Lut —5M 47
Amberley Gdns. Enf —9C 156
Amberley Grn. Ware —3G 95
Amberley Rd. Enf —9D 156
Amberley Ter. Wat —8N 149
(off Villiers Rd.)
Amberry Ct. H'low —5N 117
(off Netteswell Dri.)
Ambleside. Hpdn —5E 88
(off Langdale Av.)
Ambleside. Lut —4B 46
Ambleside Cres. Enf —5H 157
Ambrose La. Hpdn —3A 88
Amenbury Ct. Hpdn —6B 88
Amenbury La. Hpdn —6A 88
Amersham Ho. Wat —9G 149
(off Chenies Way)
Amersham Pl. Amer —3A 146
Amersham Rd. Chal G & Chal P
(in two parts) —2A 158
Amersham Rd. Penn S & Amer
—3A 146
Amersham Way. Amer —3A 146
Amesbury Ct. Enf —4M 155
Amesbury Dri. E4 —8M 157
Ames Clo. Lut —9B 30
Amhurst Rd. Lut —6J 45
Amor Way. Let —5H 23
Amwell. —8J 89
Amwell Clo. Enf —7B 156
Amwell Clo. Wat —8N 137
Amwell Comn. Wel G —1A 112
Amwell Ct. Hod —7L 115
Amwell End. Ware —6H 95
Amwell Hill. Gt Amw —9K 95
Amwell La. Gt Amw & Stan A
—9L 95
Amwell La. Wheat —8J 89
Amwell Pl. Hert H —2G 114
Amwell St. Hod —7L 115
(in two parts)
Amy Johnson Ct. Edgw —9B 164
Anchor Clo. Chesh —1H 145
Anchor Cotts. Ware —8H 75
Anchor Ct. Enf —7C 156
Anchor La. Hem H —4L 123
Anchor La. Wad —1D 94
Anchor Rd. Bald —4M 23
Anchor St. Bis S —2J 79
Ancient Almshouses. Wal X
(off Turner's Hill) —3H 145
Anderson Clo. N21 —7L 155
Anderson Clo. Hare —8K 159
Anderson Clo. Man —8H 43
Anderson Ho. St Alb —3L 127
Anderson Rd. Shenl —6A 140
Anderson Rd. Stev —3C 52
Andersons Ho. Hit —2N 33
Anderson's La. Gt Hor —9D 28
Andover Clo. Lut —3M 45
Andrew Clo. Shenl —6N 139
Andrew Reed Ct. Wat —4L 149
(off Keele Clo.)
Andrews Clo. Hem H —9N 105
Andrewsfield. Wel G —9B 92
Andrew's La. G Oak —1C 144
(in two parts)
Anelle Ri. Hem H —6B 124
Anershall. W'grv —5A 60
Angel Clo. Lut —6N 45
Angel Cotts. Offl —8E 32
Angell's Mdw. A'wl —9M 5
Angel Pavement. R'ton —7D 8
(off High St.)
Angels La. H Reg —4E 44
Anglefield Rd. Berk —1L 121
Angle Pl. Berk —1L 121
Anglesey Clo. Bis S —1E 78
Anglesey Rd. Enf —6F 156
Anglesey Rd. Wat —5L 161
Anglesmede Cres. Pinn —9B 162
Angle Ways. Stev —7N 51
Anglian Bus. Pk. R'ton —6C 8
Anglian Clo. Wat —4L 149
Angotts Mead. Stev —3H 51
Angus Clo. Lut —6K 45
Angus Gdns. NW9 —8D 164
Anmer Gdns. Lut —5L 45
Anmersh Gro. Stan —8L 163
Annables La. Hpdn —3H 87
Annette Clo. Harr —9F 162
Anns Clo. Tring —3K 101
Ansell Ct. Stev —9H 35
Ansells End. —6G 69
Anselm Rd. Pinn —7A 162
Anson Clo. Bov —9C 122
Anson Clo. St Alb —4J 127
Anson Clo. Sandr —5K 109
Anson Wlk. N'wd —4E 160
Anstee Rd. Lut —3L 45
Anstey. —5D 28
Anstey Brook. W'ton T —3A 100
Anstey Castle. —4D 28
Anthony Clo. NW7 —4E 164
Anthony Clo. Wat —1L 161
Anthony Gdns. Lut —3F 66
Anthony Rd. Borwd —4N 151
Anthorne Clo. Pot B —4A 142
Anthus M. N'wd —7G 160
Antlers Hill. E4 —7M 157
Antoinette Ct. Ab L —2H 137
Antoneys Clo. Pinn —9M 161
Antonine Ct. St Alb —3B 126
Antonine Ga. St Alb —3B 126
Anvil Av. Lit —3H 7
Anvil Clo. Bov —1E 134
Anvil Ct. Bunt —2J 39
Anvil Ct. Lut —4A 46
Anvil Ho. Hpdn —5B 88
Apex Bus. Cen. Dunst —7F 44
Apex Pde. NW7 —4D 164
(off Selvage La.)
Apex Point. N Mym —4J 129
Aplins Clo. Hpdn —5A 88
Apollo Av. N'wd —5J 161
Apollo Clo. Dunst —1G 65
Apollo Way. Hem H —9B 106
Apollo Way. Stev —1B 52
Appleby Gdns. Dunst —1E 64
Appleby Street. —8C 132
Appleby St. Chesh —7B 132
Apple Cotts. Bov —9D 122
Applecroft. L Ston —1J 21
Applecroft. N'chu —8J 103
Applecroft. Park —1C 138
Applecroft Rd. Lut —5L 47
Applecroft Rd. Wel G —9H 91
Appledore Clo. Edgw —8A 164
Applefield. Amer —3A 146
Appleford Clo. Hod —6K 115
Apple Glebe. Bar C —9E 18
Apple Gro. Enf —5C 156
Apple Gro. Lut —5J 45
Apple Orchard, The. Hem H
—9B 106
Appleton Av. W'side —2B 96
Appleton Clo. H'low —7M 117
Appleton Fields. Bis S —4G 79
Appletree Gdns. Barn —6D 154
Apple Tree Gro. Redb —9K 87
Appletrees. Hit —4M 33
(off Wratten Rd. W.)
Appletree Wlk. Wat —7K 137
Applewood Clo. N20 —9D 154
(in two parts)
Applewood Clo. Hpdn —4N 87
Appleyard Ter. Enf —1G 157
Approach Rd. Barn —6C 154
Approach Rd. Edgw —6A 164
Approach Rd. St Alb —3F 126
Approach, The. Enf —4F 156
Approach, The. Pot B —5M 141
Appspond La. Hem H —5K 125
April Pl. Saw —4H 99
Apsley. —6A 124
Apsley Clo. Bis S —4H 79
Apsley End. —4N 19
Apsley End Rd. Shil —6M 19
Apsley Grange. Hem H —7A 124
Apsley Ind. Est. Hem H —6N 123
Apsley Mills Retail Pk. Hem H
—6A 124
Apton Ct. Bis S —1H 79
Apton Fields. Bis S —2H 79
Apton Rd. Bis S —2H 79
Aquarius Way. N'wd —5J 161
Aquila Clo. N'wd —4J 161
Arabia Clo. E4 —9N 157
Aragon Clo. Enf —2L 155
Aragon Clo. Hem H —6E 106
Aran Clo. Hpdn —9E 88
Aran Dri. Stan —4K 163
Arbour Clo. Lut —9C 30
Arbour Rd. Enf —5H 157
Arbour, The. Hert —2B 114
Arbroath Grn. Wat —3J 161
Arbroath Rd. Lut —1N 45
Arcade, The. Hat —8H 111
(off Town Cen.)
Arcade, The. Hit —3M 33
Arcade, The. Let —5F 22
Arcade, The. Lut —8E 46
Arcade Wlk. Hit —3M 33
Arcadia Av. N3 —9N 165
Arcadian Ct. Hpdn —5B 88
Archer Clo. K Lan —2B 136
Archer Rd. Stev —3M 51
Archers. Bunt —2K 39
Archers Clo. Hert —8A 94
Archers Clo. Redb —1K 107
Archers Dri. Enf —4G 156
Archers Fields. St Alb —9G 108
Archers Grn. Hert —7D 92
Archers Grn. La. Tew —6C 92
Archers Ride. Wel G —2A 112
Archers Way. Let —5D 22
Archery Clo. Harr —9G 163
Arches, The. Let —4G 23
Archfield. Wel G —6L 91
Archive Rd. Ast C —1C 100
Arch Rd. Gt Wym —6D 34
Archway Ct. Hem H —1N 123
(off Chapel St.)
Archway Ho. Hat —8J 111
Archway Pde. Lut —5B 46
(off Marsh Rd.)
Archway Rd. Lut —5A 46
Arcon Ter. N9 —9E 156
Ardeley. —7L 37
Arden Clo. Bov —1D 134
Arden Clo. Bus H —9G 150
Arden Gro. Hpdn —6C 88
Arden Pl. Lut —8G 47
Arden Press Way. Let —5H 23
Arden Rd. N3 —9M 165
Ardens Way. St Alb —8L 109
Ardentinny. St Alb —3F 126
(off Grosvenor Rd.)
Ardleigh Grn. Lut —8M 47
Ardley Clo. Dunst —3F 64
Ardross Av. N'wd —5G 161
Arena Pde. Let —5F 22
Arena, The. Enf —2K 157
Arenson Way. H Reg —7E 44
Argent Way. Chesh —8B 132
Argyle Ct. Wat —6H 149
Argyle Rd. N12 —5N 165
Argyle Rd. Barn —6J 153
Argyle Way. Stev —4J 51
Argyle Way Trad. Est. Stev —4J 51
Argyll Av. Lut —7E 46
Argyll Gdns. Edgw —9B 164
Argyll Rd. Hem H —6A 106
Arkley. —7G 153
Arkley Ct. Hem H —6D 106
Arkley Dri. Barn —6G 153
Arkley Golf Course. —6F 152
Arkley La. Barn —2F 152
(in two parts)
Arkley Rd. Hem H —6D 106
Arkley Vw. Barn —6H 153
Arkwrights. H'low —5B 118
(in two parts)
Arlesey. —8A 10
Arlesey Rd. Arl & Let —5N 21
Arlesey Rd. Arl & Stot —5D 10
Arlesey Rd. Ickl —8M 21
Arlesey-Stotfold By-Pass. Arl &
Stot —4A 10
Arlington. N12 —3N 165
Arlington Cres. Wal X —7J 145
Arlington M. Wal A —6N 145
(off Sun St.)
Armand Clo. Wat —2H 149
Armfield Rd. Enf —3B 156
Armitage Clo. Loud —6N 147
Armitage Gdns. Lut —8N 45
Armourers Clo. Bis S —4D 78
Armour Ri. Hit —9M 33
Armstrong Clo. Lon C —9M 127
Armstrong Cres. Cockf —5C 154
Armstrong Gdns. Shenl —5M 139
Armstrong Pl. Hem H —1N 123
(off High St.)
Arnald Way. H Reg —5D 44
Arncliffe Cres. Lut —8G 46
Arndale Cen. —1G 66
Arndale Cen. Lut —1G 66
Arndale Ct. Lut —9H 47
(off Moulton Ri.)
Arnett Clo. Rick —8K 147
Arnett Way. Rick —8K 147
Arnold Av. E. Enf —2L 157
Arnold Av. W. Enf —2K 157
Arnold Clo. Bar C —9E 18
Arnold Clo. Hit —2B 34
Arnold Clo. Lut —6J 47
Arnold Clo. Stev —8K 35
Arnold Ct. Dunst —1D 64
Arnold Rd. Wal A —8N 145
Arnolds La. Hinx —7F 4
Arnold Ter. Stan —5G 162
Arran Clo. Hem H —4E 124
Arran Ct. NW9 —9F 164
Arran Ct. Lut —1F 66
Arrandene Open Space. —6G 165
Arran Grn. Wat —4M 161
Arranmore Ct. Bush —6N 149
Arretine Clo. St Alb —4A 126
Arrow Clo. Lut —3A 46
Artesian Gro. Barn —6B 154
Arthur Gibbens Ct. Stev —9N 35
Arthur Rd. St Alb —2J 127
Arthurs Ct. Stan A —2N 115
Arthur St. Bush —5M 149
Arthur St. Lut —2G 66
Artificial Ski Slope. —4M 117
Artillery Pl. Harr —7D 162
Artisan Cres. St Alb —1D 126
(in two parts)
Art School Yd. St Alb —2E 126
(off Chequer St.)
Arundel Clo. Ast —6D 52
Arundel Clo. Chesh —1G 144
Arundel Clo. Hem H —1D 124
Arundel Dri. Borwd —6C 152
Arundel Gdns. Edgw —7D 164
Arundel Gro. St Alb —7E 108
Arundel Ho. Borwd —6C 152
(off Arundel Dri.)
Arundel Rd. Ab L —5J 137
Arundel Rd. Cockf —5D 154
Arundel Rd. Lut —6C 46
Arwood M. Bald —3M 23
Ascot Clo. Bis S —9L 59
Ascot Clo. Els —7A 152
Ascot Cres. Stev —9A 36
Ascot Gdns. Enf —1G 157
Ascot Ind. Est. Let —4H 23
Ascot Pl. Stan —5K 163
Ascot Rd. Lut —7D 46
Ascot Rd. R'ton —7F 8
Ascot Rd. Wat —7G 148
(in two parts)
Ascots La. Hat & Wel G —5L 111
Ascot Ter. Gt Amw —8K 95
Ashanger La. Clot —7C 24
Ashbourne Clo. Let —8H 23
Ashbourne Ct. St Alb —5K 127
Ashbourne Gro. NW7 —5D 164
Ashbourne Rd. Brox —3K 133
Ashbourne Sq. N'wd —6G 160
Ashbrook. —6C 34
Ashbrook. Edgw —6N 163
Ashbrook La. St I —7B 34
Ashburnham Clo. Wat —3J 161
Ashburnham Ct. Pinn —9M 161
Ashburnham Dri. Wat —3J 161
Ashburnham Rd. Lut —1D 66
Ashburnham Wlk. Stev —8M 51
Ashbury Clo. Hat —9E 110
Ashby Ct. Hem H —5D 106
Ashby Dri. Bar C —8E 18
Ashby Gdns. St Alb —6E 126
Ashby Ri. Bis S —8K 59
Ashby Rd. N'chu —7H 103
Ashby Rd. Wat —2J 149
Ash Clo. Ab L —5F 136
Ash Clo. Brk P —7N 129
Ash Clo. Edgw —4C 164
Ash Clo. Hare —8N 159
Ash Clo. Stan —6H 163
Ash Clo. Wat —8K 137
Ashcombe. Wel G —5L 91
Ashcombe Gdns. Edgw —4A 164
Ash Copse. Brick W —4A 138

Ash Cotts. *L Had* —7L **57**
Ashcroft. *Dunst* —8C **44**
Ash Cft. *Pinn* —6B **162**
Ashcroft Clo. *Hpdn* —7F **88**
Ashcroft Ct. *Brox* —3K **133**
Ashcroft Rd. *Lut* —5K **47**
Ashcroft Ter. *Tring* —1M **101**
Ashdale. *Bis S* —4F **78**
Ashdale Gdns. *Lut* —9C **30**
Ashdale Gro. *Stan* —6G **163**
Ashdales. *St Alb* —6E **126**
Ashdon Rd. *Bush* —5M **149**
Ashdown. *Let* —2E **22**
Ashdown Cres. *Chesh* —1J **145**
Ashdown Dri. *Borwd* —4N **151**
Ashdown Rd. *Enf* —4G **156**
Ashdown Rd. *Stev* —1A **72**
Ash Dri. *Hat* —3G **128**
Ash Dri. *St I* —6A **34**
Ashendene Rd. *B'frd* —2K **131**
Asheridge. —8B **120**
Asheridge Rd. *Che* —9D **120**
Ashfield Av. *Bush* —8C **150**
Ashfields. *Wat* —8H **137**
   (in two parts)
Ashfield Way. *Lut* —3C **46**
Ashford Ct. *Edgw* —3B **164**
Ashford Cres. *Enf* —4G **157**
Ashford Grn. *Wat* —5M **161**
Ashfords. *Bunt* —2J **39**
   (off Church St.)
Ash Gro. *Dunst* —9G **44**
Ash Gro. *Enf* —9C **156**
Ash Gro. *Hare* —8N **159**
Ash Gro. *Hem H* —6B **124**
Ash Gro. *Mel* —1J **9**
Ash Gro. *Wheat* —6K **89**
Ashgrove M. *B'wy* —9N **15**
Ash Groves. *Saw* —5J **99**
Ash Hill Clo. *Bush* —1C **162**
Ash Hill Dri. *Pinn* —9L **161**
Ash Ind. Est. *H'low* —7J **117**
Ashlea Rd. *Chal P* —9B **158**
Ashleigh. *Stev* —5A **52**
Ashleigh Cvn. Pk. *Ware* —4N **75**
Ashleigh Ct. *N14* —9H **155**
Ashleigh Ct. *Hod* —9L **115**
Ashley Clo. *NW4* —9J **165**
Ashley Clo. *Ched* —8M **61**
Ashley Clo. *Hem H* —4B **124**
Ashley Clo. *Pinn* —9K **161**
Ashley Clo. *Wel G* —7J **91**
Ashley Ct. *NW4* —9J **165**
Ashley Ct. *NW9* —9F **164**
   (off Guilfoyle)
Ashley Ct. *Barn* —7B **154**
Ashley Ct. *Hat* —8G **111**
Ashley Dri. *Borwd* —7C **152**
Ashley Gdns. *Hpdn* —4M **87**
Ashley Green. —6K **121**
Ashley Grn. Rd. *Che* —9H **121**
Ashley La. *NW4* —7J **165**
   (in three parts)
Ashley Rd. *Enf* —4G **157**
Ashley Rd. *Hert* —1M **113**
Ashley Rd. *St Alb* —2K **127**
Ashleys. *Rick* —9J **147**
Ashley Wlk. *NW7* —7K **165**
Ashlyn Clo. *Bush* —6N **149**
Ashlyn Ct. *Wat* —6N **149**
Ashlyns Ct. *Berk* —2M **121**
Ashlyns Rd. *Berk* —2M **121**
Ashmead. *N14* —7H **155**
Ash Mdw. *M Hud* —6J **77**
Ashmeads Ct. *Shenl* —6L **139**
Ash Mill. *B'wy* —9N **15**
Ashmore Gdns. *Hem H* —3D **124**
Ashotts La. *Chart* —6A **120**
Ash Ride. *Enf* —8M **143**
Ashridge. —9L **83**
Ashridge Clo. *Bov* —1C **134**
Ashridge Cotts. *Berk* —1B **104**
Ashridge Ct. *N14* —7H **155**
Ashridge Dri. *Brick W* —3N **137**
Ashridge Dri. *Wat* —5L **161**
Ashridge Golf Course. —9M **83**
Ashridge Ho. *Wat* —9G **149**
   (off Chenies Way)
Ashridge La. *Che* —5A **134**
Ashridge Pk. —2L **103**
Ashridge Ri. *Berk* —9K **103**
Ash Rd. *Lut* —9D **46**
Ash Rd. *Tring* —2L **101**
Ash Rd. *Ware* —4L **95**
Ashton Rd. *Dunst* —8E **44**

Ashton Rd. *Enf* —9J **145**
Ashton Rd. *Lut* —3G **66**
Ashton's La. *Bald* —5M **23**
Ashton Sq. *Dunst* —9E **44**
Ashtree Ct. *St Alb* —2G **126**
Ash Tree Fld. *H'low* —4K **117**
Ash Tree Field Playing Field.
                      —4K **117**
Ash Tree Rd. *H Reg* —3E **44**
Ash Tree Rd. *Wat* —9K **137**
Ashtree Way. *Hem H* —3K **123**
Ashurst Clo. *N'wd* —7G **161**
Ashurst Rd. *Barn* —7E **154**
Ash Va. *Map C* —5G **158**
Ashville Trad. Est. *Bald* —2N **23**
Ashville Way. *Bald* —2N **23**
Ash Way. *R'ton* —7F **8**
Ashwell. —9M 5
Ashwell. Stev —8J **35**
   (off Coreys Mill La.)
Ashwell Av. *Lut* —1M **45**
Ashwell Clo. *G'ley* —6H **35**
Ashwell Comn. *G'ley* —6H **35**
Ashwell End. —8J 5
Ashwell Pde. *Lut* —1M **45**
   (off Ashwell Av.)
Ashwell Pk. *Hpdn* —6E **88**
Ashwell Rd. *A'wl & Stpl M* —6A **6**
Ashwell Rd. *Bald & Byg* —1A **24**
Ashwell Rd. *Hinx* —8F **4**
Ashwell Rd. *Newn* —4M **11**
Ashwell St. *A'wl* —1B **12**
Ashwell St. *St Alb* —1E **126**
Ashwells Way. *Chal G* —2A **158**
Ashwell Wlk. *H Reg* —3H **45**
Ashwood. *Ware* —6H **95**
Ashwood Ho. H End —6B **162**
   (off Avenue, The)
Ashwood M. *St Alb* —4E **126**
Ashwood Rd. *Pot B* —6A **142**
Ashworth Pl. *H'low* —6F **118**
Askew Rd. *N'wd* —2F **160**
Aspasia Clo. *St Alb* —3G **127**
Aspect One. *Stev* —5H **51**
Aspen Clo. *Brick W* —3N **137**
Aspen Clo. *Stev* —1A **72**
Aspenden. —5H 39
Aspenden Rd. *Bunt* —5J **39**
   (in two parts)
Aspen Pk. Dri. *Wat* —8K **137**
Aspens, The. *Bis S* —6K **59**
Aspens, The. *Hit* —4A **34**
Aspen Way. *Hem H* —8H **145**
Aspen Way. *Wel G* —1B **112**
Aspfield Row. *Hem H* —9L **105**
Aspley Clo. *Lut* —6H **45**
Asquith Ct. *Stev* —1B **72**
Asquith Ho. *Hat* —8G **111**
Asquith Rd. *Wel G* —8K **91**
Ass Ho. La. *Harr* —4C **162**
Astall Clo. *Harr* —8F **162**
Aster Clo. *Bis S* —2F **78**
Asters, The. *Chesh* —1B **144**
Astley Grn. Lut —7M **47**
   (off Kempsey Clo.)
Astley Rd. *Hem H* —2M **123**
Aston. —7D 52
Aston Clinton. —1C 100
Aston Clinton By-Pass. *Ast C*
                      —9A **80**
Aston Clo. *Bush* —8D **150**
Aston Clo. Stev —8J **35**
   (off Coreys Mill La.)
Aston Clo. *Wat* —4L **149**
Aston End. —4D 52
Aston End Rd. *Ast* —7D **52**
Astonia Ho. *Bald* —4M **23**
   (off High St.)
Aston La. *Ast* —7D **52**
Aston La. *Stev* —1C **72**
Aston Ri. *Hit* —4B **34**
Aston Rd. *Stdn* —7A **56**
Astons Rd. *N'wd* —3E **160**
Aston Vw. *Hem H* —5C **106**
Aston Way. *Pot B* —5C **142**
Astra Cen. *H'low* —2C **118**
Astra Ct. *Lut* —7H **47**
Astra Ct. *Wat* —7H **149**
Astrope. —4F 80
Astrope La. *Long M* —4F **80**
Astwick. —2E 10
Astwick Av. *Hat* —6F **110**
Astwick Rd. *Stot* —3E **10**

Athelstan Rd. *Hem H* —5B **124**
Athelstan Wlk. N. *Wel G* —1L **111**
Athelstan Wlk. S. *Wel G* —1K **111**
Athelstone Rd. *Harr* —9E **162**
Athena Clo. *G Oak* —2N **143**
Athena Est. *H'low* —2D **118**
Athena Pl. *N'wd* —8H **161**
Atherstone Rd. *Lut* —8N **45**
Atherton End. *Saw* —4G **98**
Athlone Ct. *Rad* —9H **139**
Athol Clo. *Pinn* —8K **161**
Athol Gdns. *Enf* —7C **156**
Athol Gdns. *Pinn* —8K **161**
Atholl Clo. *Lut* —1N **45**
Atria Rd. *N'wd* —5J **161**
Attenborough Clo. *Wat* —3N **161**
Attimore Clo. *Wel G* —1H **111**
Attimore Rd. *Wel G* —1H **111**
Aubretia Ho. *Wel G* —1A **112**
Aubrey Av. *Lon C* —8K **127**
Aubrey Gdns. Lut —3L **45**
   (off Toddington Rd.)
Aubrey La. *Redb* —4G **107**
Aubreys. *Let* —9F **22**
Aubreys, The. —3G 107
   (Fort)
Aubries. *Walk* —9G **36**
Auckland Clo. *Enf* —1F **156**
Auckland Rd. *Pot B* —5L **141**
Audax. *NW9* —9F **164**
Audley Clo. *Borwd* —5A **152**
Audley Ct. *Pinn* —9L **161**
Audley Gdns. *Wal A* —7N **145**
Audley Pl. *Lut* —8J **47**
Audley Rd. *Enf* —4N **155**
Audrey Gdns. *Bis S* —4H **79**
Audwick Clo. *Chesh* —1J **145**
Augustine Clo., The. *Hit* —2N **33**
Augustine Rd. *Harr* —8C **162**
Augustus Clo. *St Alb* —4B **126**
Augustus Ga. *Stev* —1C **52**
Austage End. —2H 49
Austell Gdns. *NW7* —3E **164**
Austen Paths. *Stev* —3B **52**
Austenway. *Chal P* —9B **158**
Austenwood. —9A 158
Austenwood Clo. *Chal P* —9A **158**
Austenwood La. *Chal P* —9A **158**
Austin Ct. *Enf* —7C **156**
Austin Rd. *Lut* —5D **46**
Austins Mead. *Bov* —1E **134**
Austins Pl. *Hem H* —1N **123**
Autumn Clo. *Enf* —3E **156**
Autumn Glades. *Hem H* —4E **124**
Autumn Gro. *Wel G* —2A **112**
Avalon Clo. *Enf* —4M **155**
Avalon Clo. *Wat* —5N **137**
Avebury Av. *Lut* —5F **46**
Avebury Ct. *Hem H* —9C **106**
Aveley La. *Hit* —4G **34**
Avenue App. *K Lan* —3C **136**
Avenue Clo. *N14* —8H **155**
Avenue Ct. *N14* —8H **155**
Avenue Ct. Welw —9L **71**
   (off Avenue, The)
Avenue Grimaldi. *Lut* —6C **46**
Avenue One. *Let* —4J **23**
Avenue Pde. *N21* —9B **156**
Avenue Rd. *N14* —9H **155**
Avenue Rd. *Bis S* —2J **79**
Avenue Rd. *Hod* —9A **116**
Avenue Rd. *Pinn* —9N **161**
Avenue Rd. *St Alb* —1F **126**
Av. St Nicholas. *Hem H* —6B **88**
Avenue Ter. *Wat* —8N **149**
Avenue, The. *N3* —9N **165**
Avenue, The. *Barn* —5L **153**
Avenue, The. *Bush* —6A **150**
Avenue, The. *Dunst* —1B **64**
Avenue, The. *Harr* —8G **162**
Avenue, The. *H End* —6A **162**
Avenue, The. *Hem H* —1H **123**
Avenue, The. *Hert* —7N **93**
Avenue, The. *Hit* —3A **34**
Avenue, The. *Hod* —1K **133**
Avenue, The. *Lut* —4N **45**
Avenue, The. *Wend* —9A **100**
Avenue, The. *N'wd* —6E **160**
Avenue, The. *Pot B* —3M **141**
Avenue, The. *Rad* —6H **139**
Avenue, The. *Stev* —1J **51**
Avenue, The. *Stot* —6F **10**
Avenue, The. *Wat* —4J **149**

Avenue, The. *Welw* —8K **71**
Avey La. *Wal A & Lou* —9N **145**
Avia Clo. *Hem H* —6N **123**
Avion Cres. *NW9* —8G **164**
Avior Dri. *N'wd* —4H **161**
Avocet. *Let* —2E **22**
Avon Clo. *Wat* —7L **137**
Avon Ct. *E4* —9N **157**
Avon Ct. *Hpdn* —6C **88**
Avon Ct. *Lut* —9E **46**
Avon Ct. Pinn —7B **162**
   (off Avenue, The)
Avondale Av. *N12* —5N **165**
Avondale Av. *Barn* —9E **154**
Avondale Ct. *St Alb* —2F **126**
Avondale Cres. *Enf* —5J **157**
Avondale Rd. *Harr* —9G **163**
Avondale Rd. *Lut* —9E **46**
Avon Dri. *Stev* —7M **35**
Avon M. *Pinn* —7A **162**
Avon Sq. *Hem H* —6B **106**
Awberry Ct. *Wat* —8F **148**
Axe Clo. *Lut* —3A **46**
Axholme Av. *Edgw* —8A **164**
Aycliffe Dri. *Hem H* —7A **106**
Aycliffe Rd. *Borwd* —3M **151**
Aydon Rd. *Lut* —3D **46**
Aylands Rd. *Enf* —9G **145**
Aylesbury Rd. *Ast C* —9A **80**
Aylesbury Rd. *Tring* —3J **101**
Aylesbury Rd. *Wend* —8A **100**
Aylesbury Rd. *Wing* —3A **60**
Aylesham Clo. *NW7* —7G **164**
Aylets Fld. *H'low* —9A **118**
Ayley Cft. *Enf* —7E **156**
Ayllott Ct. *Wat S* —4J **73**
Aylmer Clo. *Stan* —4H **163**
Aylmer Dri. *Stan* —4H **163**
Aylotts Clo. *Bunt* —2H **39**
Aylsham Rd. *Hod* —7N **115**
Aylward Dri. *Stev* —5A **52**
Aylwards Ri. *Stan* —4H **163**
Aynho St. *Wat* —7K **149**
Aynscombe Clo. *Dunst* —9C **44**
Aynsley Gdns. *H'low* —6E **118**
Aynsworth Av. *Bis S* —7J **59**
Ayot Green. —6F 90
Ayot Grn. Wel G & Welw —8F **90**
   (in two parts)
Ayot Little Green. —6F 90
Ayot Lit. Grn. La. *Welw* —6F **90**
Ayot Path. *Borwd* —1A **152**
Ayot St Lawrence. —1A 90
Ayot St Peter Rd. *Welw* —3D **90**
Ayot St Peter. —4F 90
Ayr Clo. *Stev* —1B **52**
Ayres End. —1G 108
Ayres End La. *Childw & Hpdn*
                      —2D **108**
Ayres End La. *Hpdn* —8F **88**
Aysgarth Clo. *Hpdn* —7C **88**
Aysgarth Rd. *Redb* —9J **87**

Baas Hill. —3H **133**
Baas Hill. *Brox* —3G **133**
Baas Hill Clo. *Brox* —3J **133**
Baas La. *Brox* —3J **133**
Babbage Rd. *Stev* —4G **51**
Babbs Green. —2B 96
Babington Rd. *Wend* —8C **100**
Back La. *Bkld* —3H **27**
Back La. *Chen* —2E **146**
Back La. *Cot* —7A **38**
Back La. *D'wth* —7D **72**
   (in two parts)
Back La. *Edgw* —8C **164**
Back La. *Hert* —8A **114**
Back La. *Let H* —3F **150**
Back La. *Let* —5K **23**
Back La. *L Hall* —9K **79**
Back La. *Mel* —1H **9**
Back La. *Pres* —2M **31**
Back La. *Saw & Srng* —6J **99**
Back La. *Srng* —6L **99**
Back La. *Tew* —5D **92**
Back St. *A'wl* —1B **12**
Back St. *Lut* —9G **47**
Back St. *Wend* —9A **100**
Back, The. *Pott E* —7E **104**
Bacon La. *Edgw* —8A **164**
Bacons Dri. *Cuff* —2K **143**
Bacon's Yd. *A'wl* —9M **5**
Baddeley Clo. *Enf* —1L **157**
Baddeley Clo. *Stev* —7A **52**

Bader Clo. *Stev* —9M **35**
Bader Clo. *Wel G* —9B **92**
Badger Clo. *Kneb* —2M **71**
Badgers. *Bis S* —3G **78**
Badgers Clo. *Borwd* —4N **151**
Badgers Clo. *Enf* —5N **155**
Badgers Clo. *Hert* —9F **94**
Badgers Clo. *Stev* —5L **51**
Badgers Cft. *N20* —9L **153**
Badgers Cft. *Brox* —3J **133**
Badgers Cft. *Hem H* —3F **124**
Badgers Ga. *Dunst* —1B **64**
Badgers Wlk. *Chor* —6J **147**
Badgers Wlk. *Tew* —2B **92**
Badger Way. *Hat* —2H **129**
Badingham Dri. *Hpdn* —7N **87**
Badminton Clo. *Borwd* —4A **152**
Badminton Clo. *Stev* —1A **72**
Badminton Ho. Wat —4L **149**
   (off Anglian Clo.)
Badminton Pl. *Brox* —2J **133**
Bagshot Rd. *Enf* —9D **156**
Bagwicks Clo. *Lut* —2A **46**
Bailey's Clo. *Hit* —9F **48**
Baileys M. Hem H —9N **105**
   (off High St.)
Bailey St. *Lut* —2H **67**
Baines La. *D'wth* —5B **72**
Baird Clo. *Bush* —8C **150**
Baird Rd. *Enf* —5F **156**
Bairstow Clo. *Borwd* —3M **151**
Baisley Ho. *Chesh* —1E **144**
Baker Ct. *Borwd* —4B **152**
Bakers Ct. Bis S —1J **79**
   (off Hockerill St.)
Bakerscroft. *Chesh* —1J **145**
Baker's End. —9C 76
Bakers Gro. *Wel G* —8B **92**
Bakers Hill. *New Bar* —4A **154**
Bakers La. *Bar* —1C **16**
Baker's La. *Cod* —7F **70**
Bakers La. *Kens* —8H **65**
Bakers Rd. *Chesh* —3F **144**
Baker St. *Enf* —5B **156**
Baker St. *Hert* —9C **94**
Baker St. *Lut* —3G **66**
   (in two parts)
Baker St. *Pot B* —8L **141**
Baker St. *Stev* —2J **51**
Bakers Wlk. *Saw* —5G **98**
Bakery Clo. *Roy* —6F **116**
Bakery Ct. *Stans* —3M **59**
Bakery Path. Edgw —6B **164**
   (off St Margaret's Rd.)
Bakewell Clo. *Lut* —8M **45**
Balcary Gdns. *Berk* —2J **121**
Balcombe Clo. *Lut* —5L **47**
Balcon Way. *Borwd* —3C **152**
Baldock. —3M 23
Baldock Clo. *Lut* —6J **45**
Baldock Ind. Est. *Bald* —4M **23**
Baldock La. *W'ian* —9N **23**
Baldock Rd. *Bunt* —3E **38**
Baldock Rd. *Let* —8F **22**
Baldock Rd. *Odsey* —5H **13**
Baldock Rd. *Stot* —7G **10**
Baldock St. *R'ton* —7C **8**
Baldock St. *Ware* —6H **95**
Baldock Way. *Borwd* —3N **151**
Baldways Clo. *W'grv* —5B **60**
Baldwins. *Wel G* —9B **92**
Baldwin's La. *Crox G* —6C **148**
Balfour Ct. Hpdn —4D **88**
   (off Station Rd.)
Balfour M. *Bov* —9D **122**
Balfour St. *Hert* —8A **94**
Balfour Ter. *N3* —9N **165**
Baliol Rd. *Hit* —2N **33**
Ballards La. *N3 & N12* —8N **165**
Ballards M. *Edgw* —6A **164**
Ballater Clo. *Wat* —4L **161**
Ballingdon Bottom. —7J 85
Ballinger Ct. *Berk* —2M **121**
Ballinger Ct. *Wat* —5K **149**
Balloon Corner. *N Mym* —5H **129**
Ballslough Hill. *Kim* —7L **85**
Balmoral Clo. *Park* —1D **138**
Balmoral Clo. *Stev* —1B **72**
Balmoral Dri. *Borwd* —7D **152**
Balmoral Rd. *Ab L* —5J **137**
Balmoral Rd. *Enf* —9H **145**
Balmoral Rd. *Hit* —1M **33**
Balmoral Rd. *Wat* —2L **149**
Balmore Cres. *Barn* —7F **154**
Balmore Wood. *Lut* —9D **30**

Balsams Clo.—Beechwood Clo.

Balsams Clo. Hert —2B 114
Bampton Dri. NW7 —7G 165
Bampton Rd. Lut —8L 45
Banbury Clo. Enf —3N 155
Banbury Clo. Lut —5B 46
Banbury St. Wat —7J 149
Bancroft. Hit —3N 33
Bancroft Ct. Hit —2M 33
Bancroft Gdns. Harr —8D 162
Bancroft Rd. Harr —9D 162
Bancroft Rd. Lut —4D 46
Bandley Ri. Stev —6B 52
Bank Clo. Lut —5M 45
Bank Ct. Hem H —3M 123
Bank Grn. Bell —5A 120
Bank Mill. Berk —1B 122
Bank Mill La. Berk —2B 122
Bankside. Enf —3N 155
Bankside. Wend —9A 100
Bankside Clo. Hare —6K 159
Banks Rd. Borwd —4C 152
Banninster Gdns. R'ton —5E 8
Banstock Rd. Edgw —6B 164
Banting Dri. N21 —7L 155
Banton Clo. Enf —4F 156
Barbel Clo. Wal X —7L 145
Barber Clo. N21 —9M 155
Barberry Rd. Hem H —2K 123
Barbers La. Lut —1G 66
(off Guildford St.)
Barbers Wlk. Tring —3L 101
Barchester Rd. Harr —9E 162
Barclay Clo. Wat —8J 149
Barclay Ct. Hert H —2F 114
Barclay Ct. Hod —9L 115
Barclay Ct. Lut —9H 47
Barclay Cres. Stev —2L 51
Barclay Pk. —8K 115
Barden Clo. Hare —7M 159
Bards Corner. Hem H —1L 123
Bardwell Ct. St Alb —3E 126
(off Belmont Hill)
Bardwell Rd. St Alb —3E 126
Barfolds. N Mym —5J 129
Barford Clo. NW4 —9G 165
Barford Ri. Lut —8M 47
Bargrove Av. Hem H —3K 123
Barham Av. Els —5N 151
Barham Rd. Stev —4B 52
Baring Rd. Cockf —6C 154
Barker Clo. N'wd —7H 161
Barkers Mead. L Hall —7K 79
Barkham Clo. Ched —9L 61
Barking Clo. Lut —3L 45
Barkston Path. Borwd —2A 152
Barkway. —8N 15
Barkway Pk. Golf Course. —2B 28
Barkway Rd. R'ton —8D 8
Barkway St. R'ton —8D 8
Barley. —3C 16
Barley Brow. Dunst —6B 44
Barley Brow. Wat —4K 137
Barley Clo. Bush —7C 150
Barleycorn, The. Lut —9F 46
(off Brook St.)
Barley Cft. Bunt —4J 39
Barley Cft. H'low —9A 118
Barley Cft. Hem H —2E 124
Barleycroft. Hert —4M 93
Barleycroft. Stev —6B 52
Barleycroft. Ton —9D 74
Barley Cft. W'frd —7B 94
Barleycroft End. —6L 41
Barleycroft Grn. Wel G —9J 91
Barleycroft Rd. Wel G —1J 111
Barleyfield Way. H Reg —5D 44
Barley Hills. Bis S —4G 78
Barley La. Lut —4M 45
Barley Mow Cvn. Site. St Alb —4N 127
Barley Mow La. St Alb —5M 127
Barley Ponds Clo. Ware —6K 95
Barley Ponds Rd. Ware —6K 95
Barley Ri. Bald —3A 24
Barley Ri. Hpdn —3D 88
Barley Rd. Bar —1D 16
Barley Rd. Gt Chi —2E 16
Barleyvale. Lut —1C 46
Barlings Rd. Hpdn —1C 108
Barlow Rd. Wend —9B 100
Barmor Clo. Harr —9C 162
Barnabas Ct. N21 —6M 155
Barnacres Rd. Hem H —7B 124
Barnard Grn. Wel G —1M 111
Barnard Lodge. New Bar —6B 154
Barnard Rd. Enf —4F 156
Barnard Rd. Lut —1C 66
Barnard Rd. Saw —4G 99
Barnard Way. Hem H —3A 124
Barn Clo. Hem H —5B 124
Barn Clo. Rad —8H 139
Barn Clo. Wel G —9J 91
Barn Ct. Saw —4G 99
Barn Cres. Stan —6K 163
Barncroft. Ware —2M 57
Barncroft Rd. Berk —2K 121
Barncroft Way. St Alb —3H 127
Barndell Clo. Stot —6F 10
Barndicott. Wel G —9B 92
Barndicott Ho. Wel G —9B 92
Barnes La. K Lan —9L 123
Barnes Ri. K Lan —9B 124
Barnes Wood. —1A 92
Barnet. —5L 153
Barnet Bus. Cen. Barn —5L 153
Barnet By-Pass. NW7 —6F 164
Barnet By-Pass Rd. Borwd & Barn —8D 152
Barnet Gate. —7F 152
Barnet Ga. La. Barn —8F 152
Barnet Hill. Barn —6M 153
Barnet La. N20 & Barn —1M 165
Barnet La. Els & Borwd —8L 151
Barnet Rd. Ark —8E 152
Barnet Rd. Lon C —9M 127
Barnet Rd. Pot B —6A 142
Barnet Trad. Est. High Bar —5M 153
Barnet Vale. —7A 154
Barnet Way. NW7 & Borwd —3D 164
Barnfield. Hem H —5B 124
Barnfield Av. Lut —4F 46
Barnfield Clo. Hod —6L 115
Barnfield Ct. Hpdn —7D 88
Barnfield Rd. Edgw —8C 164
Barnfield Rd. Hpdn —7D 88
Barnfield Rd. St Alb —8K 109
Barnfield Rd. Wel G —2L 111
Barn Hill. Roy —9E 116
Barnhurst Path. Wat —5L 161
Barn Lea. Mil E —1K 159
Barnmead. H'low —8N 117
Barnsdale Clo. Borwd —3N 151
Barns Dene. Hpdn —5N 87
Barnside Ct. Wel G —9J 91
Barnston Clo. Lut —8M 47
Barnsway. K Lan —1A 136
Barn Theatre, The. —9J 91
Barnwell. Stev —6A 52
Baron Ct. Stev —9H 35
Barons Ct. Lut —8F 46
(off Earls Meade)
Barons Ga. Barn —8D 154
Baronsmere Ct. Barn —6L 153
Barons Row. Hpdn —8E 88
Barons, The. Bis S —3F 78
Barra Clo. Hem H —5E 124
Barras Clo. Enf —1L 157
Barratt Ind. Pk. Lut —2L 67
Barratt Way. Harr —9E 162
Barrells Down Rd. Bis S —8G 59
Barrett La. Bis S —1H 79
Barrie Av. Dunst —6B 44
Barrie Ct. New Bar —7B 154
(off Lyonsdown Rd.)
Barrington Dri. Hare —7K 159
Barrington Pk. Gdns. Chal G —1A 158
Barrington Rd. Let —7F 22
Barrowby Clo. Lut —8M 47
Barrowdene Clo. Pinn —9N 161
Barrow Field Golf Course. —8G 94
Barrow La. Chesh —3D 144
Barrow Point Av. Pinn —9N 161
Barrow Point La. Pinn —9N 161
Barrows Rd. H'low —6J 117
Barr Rd. Pot B —6B 142
Barry Clo. St Alb —7C 126
Barry Ct. Wat —7L 149
(off Cardiff Rd.)
Bartel Clo. Hem H —4F 124
Bartholomew Ct. Edgw —7L 163
Bartholomew Ct. Enf —1J 157
Bartholomew Rd. Bis S —2H 79
Bartletts. Chal P —7B 158
Bartletts Mead. Hert —6B 94
Barton Av. Dunst —9G 45
Barton Clo. Hpdn —4D 88
Barton Hill Rd. S'ley —4D 30
Barton Ind. Est. Bar C —7C 18
Barton-Le-Clay. —9E 18
Barton Rd. Hit —1J 31
Barton Rd. Pull —3B 18
Barton Rd. S'hoe —9A 18
Barton Rd. Sils —1E 18
Barton Rd. S'ley —4C 30
Barton Rd. Wheat —7K 89
Bartons, The. Els —8L 151
Barton Way. Borwd —4A 152
Barton Way. Crox G —7D 148
Bartrams La. Barn —2B 154
Bartrop Clo. G Oak —1B 144
Barvin Pk. —5G 142
Barwick. —4N 75
Barwick Ford. —6A 76
Barwick La. Ware —4M 75
Basbow La. Bis S —1H 79
Basildon Clo. Wat —8E 148
Basildon Sq. Hem H —7B 106
Basil M. H'low —5E 118
(off Chase, The)
Basils Rd. Stev —2J 51
Basing Rd. Mil E —1J 159
Basing Way. N3 —9N 165
Baslow Clo. Harr —8E 162
Bassett Clo. Redb —1K 107
Bassil Rd. Hem H —3N 123
Bassingbourn. —1M 7
Bassingbourne Clo. Brox —2K 133
Bassingbourn Rd. Lit —3J 7
Bassingburn Wlk. Wel G —1M 111
Bassus Green. —1K 53
Batchelors. Puck —7B 56
Batchwood Dri. St Alb —1C 126
Batchwood Gdns. St Alb —8E 108
Batchwood Hall. St Alb —8C 108
Batchwood Hall Golf Course. —8C 108
Batchwood Vw. St Alb —9D 108
Batchworth. —2A 160
Batchworth Golf Course. —3A 160
Batchworth Heath. —4C 160
Batchworth Heath Hill. Rick —4C 160
Batchworth Hill. Rick —2A 160
(in two parts)
Batchworth La. N'wd —5E 160
Bateman Rd. Crox G —8C 148
Bates Ho. Stev —3L 51
Batford. —4E 88
Batford Clo. Wel G —1A 112
Batford Mill Ind. Est. Hpdn —5E 88
Batford Rd. Hpdn —4E 88
Bath Pl. Barn —5M 153
Bath Rd. Lut —7F 46
Bathurst Rd. Hem H —8N 105
Batley Rd. Enf —3A 156
Batterdale. Hat —8J 111
Battlefield Rd. St Alb —9G 108
Battle of Britain Hall. —9F 164
Battlers Green. —9F 138
Battlers Grn. Dri. Rad —9F 138
Battleview. Wheat —7M 89
Baud Clo. L Had —7A 58
Baulk, The. Ched —9L 61
Baulk, The. I'hoe —2D 82
Baulk, The. Lut —8M 31
Bawdsey Clo. Stev —1H 51
Bay Clo. Lut —3L 45
Bay Ct. Berk —1M 121
Baycroft Clo. Pinn —9L 161
Bayford. —9L 113
Bayford Clo. Hem H —6E 106
Bayford Clo. Hert —2A 114
Bayford Grn. B'frd —8M 113
Bayford La. B'frd —6L 113
Bayford Wood Cvn. Pk. B'frd —9K 113
Bayhurst Dri. N'wd —6H 161
Baylam Dell. Lut —8N 47
Bayley Mead. Hem H —4L 123
Baylie Ct. Hem H —1A 124
Baylie La. Hem H —1A 124
Bayliss Clo. N21 —7K 155
Baynes Clo. Enf —3E 156
Bays Ct. Edgw —5B 164
Bay Tree Clo. Chesh —9D 132
Bay Tree Clo. Park —1D 138
Baytree Ho. E4 —9M 157
Bay Tree Wlk. Wat —2H 149
Bayworth. Let —6H 23
Bazile Rd. N21 —8M 155
Beacon Av. Dunst —1B 64
Beacon Clo. Chal P —7B 158
Beacon Ct. Hert H —3G 114
Beacon Ho. St Alb —2G 126
Beacon Rd. Ring —5H 83
Beacon Rd. Ware —5L 95
Beaconsfield. Lut —9K 47
Beaconsfield Clo. Hat —8J 111
Beaconsfield Ct. Hat —7J 111
(off Beaconsfield Rd.)
Beaconsfield Ct. Leav —5K 137
(off Horsehoe La.)
Beaconsfield Rd. Ast C —1D 100
Beaconsfield Rd. Enf —1H 157
Beaconsfield Rd. Hat —8J 111
Beaconsfield Rd. St Alb —2F 126
Beaconsfield Rd. Tring —3K 101
Beacons, The. Hat —8J 111
Beacon Way. Rick —9K 147
Beacon Way. Tring —1A 102
Beadles, The. L Hall —8K 79
Beadlow Rd. Lut —5J 45
Beagle Clo. Rad —1G 150
Beale Clo. Stev —3B 52
Beale St. Dunst —8D 44
Beamish Dri. Bus H —1D 162
Beane Av. Stev —3C 52
Beane River Vw. Hert —9A 94
Beane Rd. Hert —9N 93
Beane Rd. Wat S —4J 73
Beaneside, The. Wat S —4J 73
Beane Wlk. Stev —3C 52
Beanfield Rd. Saw —3C 98
Beanley Clo. Lut —7N 47
Beardow Gro. N14 —8H 155
Beard's La. Saf W —2N 29
Bear La. A'wl —9M 5
Bearton Av. Hit —2M 33
Bearton Ct. Hit —1M 33
Bearton Grn. Hit —1L 33
Bearton Rd. Hit —1L 33
Bearwood Clo. Pot B —4C 142
Beatrice Rd. N9 —9G 156
Beatty Rd. Stan —6K 163
Beatty Rd. Wal X —7K 145
Beauchamp Ct. Stan —5K 163
Beauchamp Gdns. Mil E —1K 159
Beaufort Ct. New Bar —7B 154
Beaulieu Clo. Wat —1L 161
Beaulieu Dri. Wal A —6M 145
Beaulieu Gdns. N21 —9A 156
Beaumayes Clo. Hem H —3L 123
Beaumonds Abbey Heights. St Alb —2F 126
Beaumont Av. St Alb —9J 109
Beaumont Cen. Chesh —3H 145
Beaumont Clo. Hit —2L 33
Beaumont Ct. Hpdn —6C 88
Beaumont Ga. Rad —8H 139
(off Shenley Hill)
Beaumont Hall La. St Alb —4K 107
Beaumont Pk. Dri. Roy —6E 116
Beaumont Pl. Barn —3M 153
Beaumont Rd. Brox —6C 132
Beaumont Rd. Lut —7D 46
Beaumont Vw. Chesh —8B 132
Beaumont Works. St Alb —2J 127
Beazley Clo. Ware —5J 95
Beckbury Clo. Lut —7N 47
Becket Gdns. Welw —3J 91
Beckets Sq. Berk —8L 103
Beckets Wlk. Ware —6H 95
Becketts. Hert —1M 113
Beckett's Av. St Alb —8D 108
Beckfield La. S'don —4A 26
Beckham Clo. Lut —2F 46
Becks Clo. Mark —2N 85
Bedale Rd. Enf —2A 156
Bede Clo. Pinn —8M 161
Bede Ct. L Gad —7N 83
Bedford Av. Amer —3A 146
Bedford Av. Barn —7M 153
Bedford Clo. Chen —2E 146
Bedford Clo. Shil —1N 19
Bedford Ct. H Reg —5E 44
Bedford Ct. L Chal —3A 146
Bedford Cres. Enf —8J 145
Bedford Gdns. Lut —9F 46
Bedford Ho. Stev —3H 51
Bedford Pk. Rd. St Alb —2F 126
Bedford Rd. N9 —9F 156
Bedford Rd. NW7 —2E 164
Bedford Rd. Bar C —8E 18
Bedford Rd. H Reg —1D 44
Bedford Rd. Let —4D 22
Bedford Rd. N'wd —3E 160
Bedford Rd. St Alb —3F 126
Bedford Sq. H Reg —5E 44
Bedford St. Berk —1A 122
Bedford St. Hit —3L 33
Bedford St. Wat —3K 149
Bedmond. —9H 125
Bedmond La. Bedm —8J 125
Bedmond La. St Alb —4A 126
Bedmond Rd. Ab L —2H 137
Bedmond Rd. Hem H —3E 124
Bedwell. —4M 51
Bedwell Av. Ess —6F 112
Bedwell Clo. Wel G —1L 111
Bedwell Cres. Stev —4L 51
Bedwell La. Stev —4L 51
Bedwell Pk. —1E 130
Bedwell Ri. Stev —4L 51
Beech Av. Enf —8M 143
Beech Av. Rad —6H 139
Beech Bottom. St Alb —8E 108
Beech Clo. N9 —8E 156
Beech Clo. Dunst —3H 65
Beech Clo. Hpdn —1D 108
Beech Clo. Hat —1G 129
Beech Ct. Hpdn —4A 88
Beech Ct. N'wd —7G 160
Beech Cres. Wheat —8L 89
Beechcroft. Berk —2N 121
Beechcroft. D'wth —7C 72
Beechcroft Av. Crox G —8E 148
Beechcroft Rd. Bush —7N 149
Beech Dri. Berk —2N 121
Beech Dri. Borwd —4N 151
Beech Dri. Saw —7E 98
Beech Dri. Stev —6A 52
Beechen Gro. Wat —5K 149
Beeches, The. B'wy —9N 15
(High Street)
Beeches, The. B'wy —7D 8
(Newmarket Rd.)
Beeches, The. Chor —7J 147
Beeches, The. Hit —4A 34
Beeches, The. Park —9E 126
Beeches, The. Tring —2A 102
Beeches, The. Wat —5K 149
(off Halsey Rd.)
Beeches, The. Welw —3J 91
Beeches, The. Wend —9B 100
Beech Farm Dri. St Alb —7N 109
Beechfield. Hod —4L 115
Beechfield. K Lan —3B 136
Beechfield. Saw —5H 99
Beechfield Clo. Borwd —4M 151
Beechfield Clo. Redb —1K 107
Beechfield Rd. Hem H —3L 123
Beechfield Rd. Ware —5K 95
Beechfield Rd. Wel G —2L 111
Beechfield Wlk. Wal A —8N 145
Beech Grn. Dunst —8C 44
Beech Gro. Tring —2A 102
Beech Hill. Barn —2C 154
Beech Hill. Let —4D 22
Beech Hill. Lut —2L 47
Beech Hill Av. Barn —3B 154
Beech Hill Ct. Berk —9A 104
Beech Hill Pk. —3C 154
Beech Hill Path. Lut —8D 46
Beech Hyde La. Wheat —8N 89
Beeching Clo. Hpdn —3C 88
Beechlands. Bis S —3H 79
Beech M. Ware —8H 95
Beecholm M. Chesh —1J 145
(off Lawrence Gdns.)
Beech Pk. Homes. Wig —9D 102
Beechpark Way. Wat —1G 148
Beech Pl. St Alb —8E 108
Beech Ridge. Bald —5M 23
Beech Rd. Dunst —4G 65
Beech Rd. Lut —9E 46
Beech Rd. St Alb —8F 108
Beech Rd. Wat —1J 149
Beech Tree Clo. Stan —5K 163
Beechtree La. G'bry —4K 125
Beech Tree Way. H Reg —4E 44
Beech Wlk. NW7 —6E 164
Beech Wlk. Hod —8K 115
Beech Wlk. Tring —2A 102
(off Mortimer Hill)
Beech Way. Wheat —1J 89
Beechwood Av. Amer —2A 146
Beechwood Av. Chor —6F 146
Beechwood Av. Mel —1J 9
Beechwood Av. Pot B —6A 142
Beechwood Av. St Alb —9J 109
Beechwood Clo. NW7 —5E 164

eechwood Clo. *Amer* —3A **146**
eechwood Clo. *Bald* —6M **23**
eechwood Clo. *Chesh* —8C **132**
eechwood Clo. *Hert* —9D **94**
eechwood Clo. *Hit* —9L **21**
eechwood Ct. *Dunst* —1C **64**
eechwood Dri. *Ald* —1H **103**
eechwood La. *Wend* —9C **100**
eechwood Mobile Homes. *Cad*
—4A **66**
eechwood Pk. *Chor* —6J **147**
eechwood Pk. *Hem H* —5J **123**
eechwood Ri. *Wat* —9K **137**
eechwood Rd. *Lut* —5N **45**
eechwood Way. *Ast C* —1E **100**
eecroft. —9C **44**
eecroft La. *Walk* —8G **37**
eecroft Way. *Dunst* —9C **44**
eehive Clo. *Els* —8L **151**
eehive Grn. *Wel G* —2N **111**
eehive La. *Wel G* —3N **111**
eehive Rd. *G Oak* —1N **143**
eesonend Cotts. *Hpdn* —2C **108**
eesonend La. *St Alb & Hpdn*
—4N **107**
eeston Clo. *Wat* —4M **161**
eeston Dri. *Chesh* —9H **133**
eeston Rd. *Barn* —8C **154**
eetham Ct. *Ware* —3C **94**
eethoven Rd. *Els* —8L **151**
eeton Clo. *Pinn* —7B **162**
eggarman's La. *Ware* —9H **55**
eggars Bush La. *Wat* —7F **148**
eggars Hollow. *Enf* —1B **156**
eggars La. *Tring* —1D **102**
eken Ct. *Wat* —8L **137**
elcham's La. *Saf W* —2M **43**
elcher Rd. *Hod* —7L **115**
elcon Ind. Est. *Hod* —8N **115**
eldam Av. *R'ton* —8D **8**
eldams Ga. *Bis S* —2L **79**
eldams La. *Bis S* —3K **79**
elfairs Grn. *Wat* —5M **161**
elfield Gdns. *H'low* —7E **118**
elford Rd. *Borwd* —2N **151**
elfry Av. *Hare* —7K **159**
elfry La. *Rick* —1M **159**
elfry, The. *Lut* —3G **47**
elgrave Av. *Wat* —7H **149**
elgrave Clo. *NW7* —5D **164**
elgrave Clo. *St Alb* —7K **109**
elgrave Dri. *K Lan* —1E **136**
elgrave Gdns. *N14* —6J **155**
elgrave Gdns. *Stan* —5K **163**
elgrave Ho. *Bis S* —9K **59**
elgrave M. *Stev* —9N **51**
elgrave Rd. *Lut* —4N **45**
elgravia Clo. *Barn* —5M **153**
elham Rd. *K Lan* —1B **136**
elhaven Ct. *Borwd* —3N **151**
ell Acre. *Let* —7H **23**
ell Acre Gdns. *Let* —7H **23**
ellamy Clo. *Edgw* —2C **164**
ellamy Clo. *Kneb* —4M **71**
ellamy Clo. *Wat* —3J **149**
ellamy Ct. *Stan* —8J **163**
ellamy Dri. *Stan* —8J **163**
ellamy Rd. *Chesh* —2J **145**
ellamy Rd. *Enf* —4B **156**
ell Bar. —6N **129**
ellchambers Clo. *Lon C* —8K **127**
ell Clo. *Bedm* —9H **125**
ell Clo. *Hit* —4B **34**
ell Clo. *Kneb* —3N **71**
ell Clo. *Pinn* —9L **161**
ellerby Ri. *Lut* —3L **45**
ellevue La. *Bus H* —1E **162**
elle Vue Rd. *Ware* —6J **95**
ellevue Ter. *Hare* —7K **159**
ellfield Av. *Harr* —6E **162**
ellgate. —8A **106**
ellgate. *Hem H* —8A **106**
ell Grn. *Bov* —9E **122**
ellingdon. —6C **120**
ellis Ho. *Wel G* —2A **112**
ell La. *Amer* —2A **146**
ell La. *Bedm* —9H **125**
ell La. *Berk* —9J **103**
ell La. *Brk P* —6N **129**
ell La. *Brox* —3J **133**
ell La. *Enf* —2H **157**
ell La. *Hert* —9B **94**
ell La. *Hod* —8L **115**
ell La. *Lon C* —2M **139**

Bell La. *Nuth* —1D **28**
Bell La. *Stev* —2J **51**
Bell La. *Wid* —3G **97**
Bell Leys. *W'grv* —5A **60**
Bell Mead. *Saw* —5G **98**
Bellmount Wood Av. *Wat* —3G **149**
Bell Rd. *Enf* —3B **156**
Bell Row. *Bald* —3L **23**
Bells Clo. *Shil* —2A **20**
Bells Hill. *Barn* —7K **153**
Bells Hill. *Bis S* —1G **79**
Bells Mdw. *G Mor* —1B **6**
Bell St. *Saw* —5G **98**
Bell Ter. *Ther* —5C **14**
Bell Vw. *St Alb* —2L **127**
Bell Wlk. *W'grv* —5A **60**
Belmers Rd. *Wig* —5B **102**
Belmont. —9J **163**
Belmont Av. *N9* —9E **156**
Belmont Av. *Barn* —7E **154**
Belmont Circ. *Harr* —8J **163**
Belmont Clo. *N20* —1N **165**
Belmont Clo. *Cockf* —6E **154**
Belmont Ct. *St Alb* —3E **126**
Belmont Hill. *St Alb* —3E **126**
Belmont La. *Stan* —8K **163**
Belmont Lodge. *Har W* —7E **162**
Belmont Rd. *Bush* —7N **149**
Belmont Rd. *Harr* —9G **163**
Belmont Rd. *Hem H* —5A **124**
Belmont Rd. *Lut* —1E **66**
Belmor. *Els* —8A **152**
Belper Rd. *Lut* —7N **45**
Belsham Pl. *Lut* —7N **47**
Belsize. —5J **135**
Belsize Clo. *Hem H* —3C **124**
Belsize Clo. *St Alb* —6K **109**
Belsize Rd. *Harr* —7E **162**
Belsize Rd. *Hem H* —3C **124**
Belsize Rd. *Lut* —6H **45**
Belswains Grn. *Hem H* —5A **124**
Belswains La. *Hem H* —5A **124**
Beltona Gdns. *Chesh* —9H **133**
Belton Rd. *Berk* —9L **103**
Belvedere Gdns. *St Alb* —9B **126**
Belvedere Rd. *Lut* —4D **46**
Belvedere Strand. *NW9* —9F **164**
Bembridge Gdns. *Lut* —2B **46**
Bembridge Pl. *Wat* —6J **137**
Ben Austins. *Redb* —2J **107**
Benbow Clo. *St Alb* —4J **127**
Benchley Hill. *Hit* —2C **34**
Benchleys Rd. *Hem H* —4J **123**
Bench Mnr. Cres. *Chal P* —9A **158**
Bencroft. *Chesh* —8E **132**
Bencroft Rd. *Hem H* —2A **124**
Bencroft Wood Nature Reserve.
—4B **132**
Bendish. —9J **49**
Bendish La. *W'will* —9J **49**
Bendysh Rd. *Bush* —5N **149**
Benedictine Ga. *Wal X* —9J **133**
Benford Rd. *Hod* —1K **133**
Bengarth Dri. *Harr* —9E **162**
Bengeo. —7A **94**
Bengeo Meadows. *Hert* —6B **94**
Bengeo M. *Hert* —6A **94**
Bengeo St. *Hert* —7A **94**
Ben Hale Clo. *Stan* —5J **163**
Benhooks Av. *Bis S* —3G **78**
Benhooks Pl. *Bis S* —3G **79**
(off Merrill Pl.)
Benington. —5J **53**
Benington Clo. *Lut* —4G **47**
Benington Rd. *Ast* —7D **52**
Benington Rd. *Walk* —2F **52**
Benneck Ho. *Wat* —8G **149**
Bennett Clo. *N'wd* —7H **161**
Bennett Clo. *Wel G* —4M **111**
Bennett Ct. *Let* —6G **23**
Bennetts Clo. *Col H* —5D **128**
Bennetts Clo. *Dunst* —1E **64**
Bennetts End. —5C **124**
Bennetts End Clo. *Hem H* —4B **124**
Bennetts End Rd. *Hem H* —3B **124**
Bennettsgate. *Hem H* —5C **124**
Bennetts La. *A'wl* —6L **5**
Bennetts La. *Rush* —8K **25**
Benning Av. *Dunst* —9C **44**
Benningfield Clo. *Wid* —2G **97**
Benningfield Gdns. *Pott E* —8B **104**
Benningfield Rd. *Wid* —3G **97**
Benningholme Rd. *Edgw* —6E **164**
Benskin Rd. *Wat* —7J **149**
Benskins Clo. *Ber* —2C **42**

Benslow La. *Hit* —3A **34**
Benslow Ri. *Hit* —3A **34**
Benson Clo. *Lut* —2B **46**
Benstede. *Stev* —9B **52**
Bentfield Bower. —1L **59**
Bentfield Bury. —9K **43**
Bentfield End. —2M **59**
Bentfield End Causeway. *Stans*
—2M **59**
Bentfield Gdns. *Stans* —2M **59**
Bentfield Green. —1M **59**
Bentfield Grn. *Stans* —2L **59**
Bentfield Rd. *Stans* —1M **59**
Bentick Way. *Cod* —6F **70**
Bentley Clo. *Bis S* —3H **79**
Bentley Ct. *Lut* —9E **46**
(off Moor St.)
Bentley Dri. *H'low* —7E **118**
Bentley Heath. —8M **141**
Bentley Heath La. *Barn* —7L **141**
Bentley Rd. *Hert* —8K **93**
Bentley Way. *Stan* —5H **163**
Benton Rd. *Wat* —5M **161**
Bentons, The. *Berk* —8K **103**
Bentsley Clo. *St Alb* —7K **109**
Berberry Clo. *Edgw* —4C **164**
Berceau Wlk. *Wat* —3G **149**
Berden. —2D **42**
Berefield. *Hem H* —9N **105**
Beresford Gdns. *Enf* —6C **156**
Beresford Rd. *Lut* —8C **46**
Beresford Rd. *Mil E* —1J **159**
Beresford Rd. *St Alb* —3J **127**
Bericot Green. —8D **92**
Bericot Way. *Wel G* —9B **92**
Berkeley. *Let* —7G **23**
Berkeley Clo. *Ab L* —5H **137**
Berkeley Clo. *Els* —7A **152**
Berkeley Clo. *Hit* —2L **33**
Berkeley Clo. *Pot B* —5L **141**
Berkeley Clo. *Stev* —9N **51**
Berkeley Clo. *Ware* —5G **95**
Berkeley Ct. *N3* —8N **165**
Berkeley Ct. *N14* —8H **155**
Berkeley Ct. *Crox G* —7F **148**
Berkeley Ct. *Hpdn* —5B **88**
Berkeley Cres. *Barn* —7C **154**
Berkeley Gdns. *N21* —9B **156**
Berkeley Path. *Lut* —9G **46**
Berkeley Sq. *Hem H* —5E **106**
Berkhamsted. —8J **103**
Berkhamsted By-Pass. *Tring*
—3C **102**
Berkhamsted Castle. —9A **104**
(Remains of)
Berkhamsted Common. —3L **103**
Berkhamsted Common. —3N **103**
Berkhamsted Golf Course.
—6B **104**
Berkhamsted Hill. *Pott E* —8B **104**
Berkhamsted La. *Ess* —2E **130**
Berkhamsted Pl. *Berk* —8M **103**
Berkhamsted Rd. *Hem H* —8G **104**
(in two parts)
Berkhamsted Sports Cen.
—9L **103**
Berkley Av. *Wal X* —7H **145**
Berkley Clo. *St Alb* —7K **109**
Berkley Ct. *Berk* —1N **121**
(off Mill St.)
Berkley Rd. *Wal X* —7H **145**
Berks Hill. *Chor* —7F **146**
Bermer Rd. *Wat* —3L **149**
Bernard Clo. *Dunst* —8F **44**
Bernard Gro. *Wal X* —6M **145**
Bernard's Heath. —8G **108**
Bernard St. *St Alb* —1E **126**
Bernays Clo. *Stan* —6K **163**
Berners Dri. *St Alb* —5F **126**
Berners Way. *Brox* —5K **133**
Bernhardt Cres. *Stev* —3B **52**
Bernhart Clo. *Edgw* —7C **164**
Berridge Grn. *Edgw* —7A **164**
Berries, The. *Sandr* —7H **109**
Berry Av. *Wat* —9K **137**
Berry Clo. *N21* —9N **155**
Berry Clo. *Rick* —9L **147**
Berryfield. *Ched* —6L **61**
Berrygrove. —2B **150**
Berry Gro. La. *Wat* —2N **149**
(in two parts)
Berry Hill. *Stan* —4L **163**
Berry La. *Chor & Rick* —8G **147**
Berry La. *Mil E* —1L **159**

Berry Leys. *Lut* —2A **46**
Berrymead. *Hem H* —9B **106**
Berry Way. *Rick* —9L **147**
Bert Collins Ct. *Lut* —1E **66**
(off Wolston Clo.)
Berthold M. *Wal A* —6M **145**
Bertram Ho. *Stev* —3L **51**
Bertram Rd. *Enf* —6E **156**
Bert Way. *Enf* —6D **156**
Berwick Clo. *Stan* —6G **163**
Berwick Clo. *Stev* —1G **50**
Berwick Clo. *Wal X* —7L **145**
Berwick Rd. *Borwd* —2N **151**
Besant Ho. *Wat* —4M **149**
Besford Clo. *Lut* —7N **47**
Bessemer Clo. *Hit* —9M **21**
Bessemer Dri. *Stev* —5H **51**
Bessemer Rd. *Wel G* —4L **91**
Bethune Clo. *Lut* —2D **66**
Bethune Ct. *Lut* —2D **66**
Betjeman Clo. *Chesh* —1E **144**
Betjeman Rd. *R'ton* —5D **8**
Betjeman Way. *Hem H* —9L **105**
Betony Va. *R'ton* —8E **8**
Bettespol Meadows. *Redb* —9J **87**
Betty Entwistle Ho. *St Alb* —5E **126**
Betty's La. *Tring* —2M **101**
Beulah Clo. *Edgw* —3B **164**
Bevan Clo. *Hem H* —4N **123**
Bevan Ho. *Wat* —4M **149**
Bevan Rd. *Barn* —6E **154**
Beverley Clo. *Brox* —3J **133**
Beverley Clo. *Enf* —6C **156**
Beverley Clo. *R'ton* —5B **8**
Beverley Ct. *N14* —9H **155**
Beverley Dri. *Edgw* —9A **164**
Beverley Gdns. *Chesh* —3E **144**
Beverley Gdns. *St Alb* —7L **109**
Beverley Gdns. *Stan* —8H **163**
Beverley Gdns. *Wel G* —9B **92**
Beverley Rd. *Lut* —8B **46**
Beverley Rd. *Stev* —8A **36**
Bevil Ct. *Hod* —5L **115**
Bewcastle Gdns. *Enf* —6K **155**
Bewdley Clo. *Hpdn* —9E **88**
Bewley Clo. *Chesh* —4H **145**
Bexhill Rd. *Lut* —7M **47**
Beyers Gdns. *Hod* —5L **115**
Beyers Prospect. *Hod* —4L **115**
Beyers Ride. *Hod* —5L **115**
Bibbs Hall La. *Kim & Welw* —1L **89**
Bibshall Cres. *Dunst* —2F **64**
Bibsworth Rd. *N3* —9M **165**
Bicknoller Rd. *Enf* —3C **156**
Biddenham Turn. *Wat* —8L **137**
Bideford Clo. *Edgw* —8A **164**
Bideford Gdns. *Enf* —9C **156**
Bideford Gdns. *Lut* —5F **46**
Bideford Rd. *Enf* —2K **157**
Bidwell. —3D **44**
Bidwell Clo. *H Reg* —4E **44**
Bidwell Clo. *Lut* —4E **44**
Bidwell Hill. *H Reg* —4D **44**
Bidwell Path. *H Reg* —5E **44**
Biggin Hill. *Bunt* —3A **28**
Biggin La. *Bunt* —4N **33**
Biggleswade Rd. *Dun* —1C **4**
Biggs Gro. Rd. *Chesh* —9B **132**
Bignell's Corner. —6H **141**
Bignell's Corner. —7G **141**
Bignell's Corner. *S Mim* —7H **141**
Bigthan Rd. *Dunst* —9F **44**
Billet La. *Berk* —9L **103**
(in two parts)
Billington Rd. *L Buz* —1C **62**
Billy Lows La. *Pot B* —4N **141**
Bilton Rd. *Hit* —9N **21**
Bilton Way. *Enf* —3J **157**
Bilton Way. *Lut* —9B **46**
Bincote Rd. *Enf* —5L **155**
Binder Clo. *Lut* —5H **45**
Binder Ct. *Lut* —5H **45**
(off Binder Clo.)
Bingen Rd. *Hit* —1K **33**
Bingham Clo. *Hem H* —9J **105**
Bingley Rd. *Hod* —8N **115**
Binham Clo. *Lut* —2F **46**
Binyon Cres. *Stan* —5G **162**
Birchall La. *Col G* —2D **112**
Birchalls. *Stans* —1N **59**
Birchall Wood. *Wel G* —1B **112**
Birchanger. —7M **59**
Birchanger Ind. Est. *Bis S* —7K **59**
Birchanger La. *Bchgr* —6L **59**

Birch Copse. *Brick W* —3N **137**
Birch Ct. *N'wd* —6E **160**
Birch Dri. *Hat* —1G **129**
Birch Dri. *Map C* —5G **158**
Birchen Gro. *Lut* —6H **47**
Bircherley Ct. *Hert* —9B **94**
(off Priory St.)
Bircherley Grn. Cen., The. *Hert*
—9B **94**
Bircherley St. *Hert* —9B **94**
Birches, The. *N21* —8L **155**
Birches, The. *Bush* —7D **150**
Birches, The. *Cod* —6B **70**
Birches, The. *Hem H* —5J **123**
Birches, The. *Let* —3E **22**
Birchfield Rd. *Chesh* —2F **144**
Birch Green. —2H **113**
Birch Grn. *NW9* —7E **164**
Birch Grn. *Hem H* —1J **123**
Birch Gro. *Pot B* —5N **141**
Birch Gro. *Welw* —8L **71**
Birch La. *Flau* —6E **134**
Birch Leys. *Hem H* —6E **106**
Birch Link. *Lut* —8E **46**
Birchmead. *Wat* —2H **149**
Birchmead Clo. *St Alb* —8D **108**
Birch Pk. *Harr* —7D **162**
Birch Rd. *N'chu* —7H **103**
Birch Rd. *Wool G* —7A **72**
Birch Side. *Dunst* —2G **65**
(in two parts)
Birchside Path. *Dunst* —2G **65**
Birch Tree Wlk. *Wat* —1H **149**
Birchville Ct. *Bus H* —1F **162**
Birch Wlk. *Borwd* —3A **152**
Birch Way. *Hpdn* —7D **88**
Birchway. *Hat* —7H **111**
Birch Way. *Lon C* —9L **127**
Birchwood. —7H **111**
Birchwood. *Bchgr* —7M **59**
Birchwood. *Shenl* —7A **140**
Birchwood Av. *Hat* —7G **110**
Birchwood Clo. *Hat* —7G **111**
Birchwood Ct. *Edgw* —9C **164**
Birchwood Ho. *Wel G* —9A **92**
Birchwood Way. *Park* —1C **138**
Birdcroft Rd. *Wel G* —1K **111**
Bird Green. —3N **29**
Birdie Way. *Hert* —8F **94**
Bird La. *Hare* —9M **159**
Birds Clo. *Wel G* —2A **112**
Birdsfoot La. *Lut* —4D **46**
Birds Hill. *Let* —5G **22**
Birkbeck Rd. *NW7* —5F **164**
Birkbeck Rd. *Enf* —3B **156**
Birkdale Av. *Pinn* —9B **162**
Birkdale Gdns. *Wat* —3M **161**
Birken M. *N'wd* —5D **160**
Birkett Way. *Chal G* —5A **146**
Birklands La. *St Alb* —6J **127**
Birklands Pk. *St Alb* —6J **127**
Birling Dri. *Lut* —4L **47**
Birnbeck Ct. *Barn* —6K **153**
Birstall Grn. *Wat* —4M **161**
Birtley Cft. *Lut* —8N **47**
Biscot. —7E **46**
Biscot Rd. *Lut* —6D **46**
Bishop Ken Rd. *Harr* —9G **162**
Bishop Rd. *N14* —9G **154**
Bishop's Av. *Bis S* —5H **79**
Bishops Av. *Els* —7N **151**
Bishops Av. *N'wd* —4G **161**
Bishops Clo. *Barn* —8K **153**
Bishops Clo. *Enf* —4F **156**
Bishops Clo. *Hat* —9F **110**
Bishop's Clo. *St Alb* —7H **109**
Bishopscote Rd. *Lut* —6D **46**
Bishops Ct. *Chesh* —3F **144**
Bishops Clo. *Lut* —8F **46**
(off Earls Meade)
Bishops Fld. *Ast C* —2F **100**
Bishopsfield. *H'low* —9N **117**
Bishop's Gth. *St Alb* —7H **109**
Bishops Mead. *Hem H* —4L **123**
Bishop's Palace. —9K **111**
(Remains of)
Bishops Pk. Cen. *Bis S* —9E **58**
Bishops Pk. Way. *Bis S* —2D **78**
Bishop Sq. *Hat* —8E **110**
Bishops Ri. *Hat* —9F **110**
Bishops Rd. *Tew* —1C **92**
Bishop's Stortford. —9H **59**
Bishop's Stortford Golf Course.
—1M **79**
Bishops Wlk. *Pinn* —9N **161**

Biskra—Brampton Rd.

Biskra. Wat —3J 149
Bisley Clo. Wal X —6H 145
Bittacy Bus. Cen. NW7 —6L 165
Bittacy Clo. NW7 —6K 165
Bittacy Ct. NW7 —7L 165
Bittacy Hill. NW7 —6K 165
Bittacy Pk. Av. NW7 —5K 165
Bittacy Ri. NW7 —6J 165
Bittacy Rd. NW7 —6K 165
Bittern Clo. Chesh —7A 132
Bittern Clo. Hem H —7B 124
Bittern Clo. Stev —7C 52
Bittern Ct. NW9 —9E 164
Bittern Way. Let —2E 22
Bit, The. Wig —5B 102
Blackberry Mead. Stev —6C 52
Blackbirds La. A'ham —7D 138
Black Boy Wood. Brick W —3B 138
Blackburn. NW9 —9F 164
Blackburn Rd. H Reg —6E 44
Blackbury Clo. Pot B —4B 142
Blackbushe. Bis S —8K 59
Blackbush Spring. H'low —5C 118
Black Cut. St Alb —3F 126
Blackdale. Chesh —9E 132
Blackdown Clo. Stev —7A 36
Blackett Ct. R'ton —6D 8
Blacketts Wood Dri. Chor —7E 146
Black Fan Clo. Enf —3A 156
Black Fan Rd. Wel G —8M 91
(in two parts)
Blackford Rd. Wat —5M 161
Blackhall. —7L 29
Blackhill La. Pull —3A 18
Blackhorse Clo. Hit —5A 34
Blackhorse La. Hit —6N 33
Blackhorse La. Redb —9J 87
Blackhorse La. S Mim —3E 140
Blackhorse Rd. Let —3J 23
Black La. Stpl M —4C 6
Blackley Clo. Wat —1H 149
Black Lion Ct. H'low —2E 118
Black Lion Hill. Shenl —5M 139
Black Lion St. H'low —2E 118
(off Market St.)
Blackmoor La. Wat —7F 148
Blackmore. Let —8H 23
Blackmore End. —1J 89
Blackmore Mnr. Wheat —1J 89
Blackmore Way. Wheat —1J 89
Blacksmith Clo. Bis S —3D 78
Blacksmith Clo. Stot —5F 10
Blacksmith Row. Hem H —3E 124
Blacksmiths Clo. Gt Amw —8L 95
Blacksmiths Ct. Dunst —9E 44
(off Matthew St.)
Blacksmiths Hill. B'tn —5K 53
Blacksmith's La. Reed —7H 15
Blacksmiths La. St Alb —2C 126
Blacksmiths Row. Mark —2A 86
(off High St.)
Blacksmiths Way. Saw —6C 98
Black Swan Ct. Ware —6H 95
(off Priory St.)
Black Swan La. Lut —4C 46
Blackthorn Clo. St Alb —8K 109
Blackthorn Clo. Wat —5K 137
Blackthorn Dri. Lut —5L 47
Blackthorne Clo. Hat —3F 128
Black Thorn Rd. H Reg —3F 44
Blackthorn Rd. Wel G —1N 111
Blackwater La. Hem H —5G 124
Blackwell Clo. Harr —7E 162
Blackwell Dri. Wat —8L 149
Blackwell Gdns. Edgw —4A 164
Blackwell Hall La. Che —5A 134
Blackwell Rd. K Lan —2C 136
Blackwood Ct. Turn —8K 133
Bladon Clo. L Wym —7F 34
Blaine Clo. Tring —9M 81
Blair Clo. Bis S —1E 78
Blair Clo. Hem H —5D 106
Blair Clo. Stev —8M 51
Blairhead Dri. Wat —3K 161
Blake Clo. R'ton —4D 8
Blake Clo. St Alb —5H 127
Blakelands. Bar C —9F 18
Blakemere Rd. Wel G —7K 91
Blakemore End Rd. Hit —8D 34
Blakeney Dri. Lut —2E 46
Blakeney Ho. Stev —2G 50
Blakeney Rd. Stev —2G 50
Blakes Ct. Saw —5G 99
Blakesware Gdns. N9 —9B 156
Blakes Way. Welw —1J 91
Blaking's La. Bis S —4E 42
Blanchard Gro. Enf —2M 157
Blanche La. S Mim —5G 140
Blandford Av. Lut —3F 46
Blandford Cres. E4 —9N 157
Blandford Rd. St Alb —2H 127
Blanes, The. Ware —4G 94
Blattner Clo. Els —6M 151
Blaxland Ter. Chesh —1H 145
(off Davison Dri.)
Blaydon Rd. Lut —9J 47
Blenheim Clo. N21 —9A 156
Blenheim Clo. Ched —8L 61
Blenheim Clo. Saw —7E 98
Blenheim Clo. Wat —9L 149
Blenheim Ct. Bis S —1E 78
Blenheim Ct. Wel G —8M 91
Blenheim Cres. Lut —7E 46
Blenheim Rd. Ab L —5J 137
Blenheim Rd. Barn —5K 153
Blenheim Rd. St Alb —1G 127
Blenheim Way. Stev —1B 72
Blenkin Clo. St Alb —7D 108
Bleriot. NW9 —9F 164
(off Belvedere Strand)
Blessbury Rd. Edgw —8C 164
Blind La. Cot —5L 37
Blindman's La. Chesh —3H 145
Blind Tom's La. Bis S —3J 59
Bloomfield Av. Lut —8J 47
Bloomfield Cotts. Bell —6D 120
Bloomfield Ho. Stev —3L 51
Bloomfield Rd. Chesh —7A 132
Bloomfield Rd. Hpdn —4A 88
Bloomsbury Ct. Pinn —9A 162
Bloomsbury Gdns. H Reg —4G 44
Blossom La. Enf —3A 156
Blows Rd. Dunst —1G 64
Bluebell Clo. Hem H —3H 123
Bluebell Clo. Hert —9E 94
Bluebell Dri. Bedm —9H 125
Bluebell Dri. Chesh —1B 144
Bluebells. Welw —9L 71
Bluebell Way. Hat —5F 110
Bluebell Wood Clo. Lut —1B 66
Blueberry Clo. St Alb —7E 108
Bluebird Way. Brick W —3A 138
Bluebridge Av. Brk P —9L 129
Bluebridge Rd. Brk P —8L 129
Bluecoats Av. Hert —9B 94
Bluecoats Ct. Hert —9B 94
Bluecoat Yd. Ware —6H 95
(off East St.)
Blue Hill. —2H 73
Bluehouse Hill. St Alb —3B 126
Bluett Rd. Lon C —9L 127
Blundell Clo. St Alb —7E 108
Blundell Rd. Edgw —8D 164
Blundell Rd. Lut —6C 46
Blunesfield. Pot B —4C 142
Blunts La. St Alb —6M 125
Blydon Ct. N21 —7L 155
(off Chaseville Pk. Rd.)
Blyth Clo. Borwd —3N 151
Blyth Clo. Stev —2G 51
Blythe Rd. Hod —9A 116
Blyth Pl. Lut —2F 66
(off Russell St.)
Blythway. Wel G —5M 91
Blythway Houses. Wel G —6M 91
Blythwood Gdns. Stans —3M 59
Blythwood Rd. Pinn —8M 161
Boardman Av. E4 —7M 157
Boardman Clo. Barn —7L 153
Boar Head Rd. H'low —7J 119
Boarhound. NW9 —9F 164
(off Further Acre)
Bockings. Stev —9H 37
Boddington Rd. Wend —9B 100
Bodiam Clo. Enf —4C 156
Bodmin. NW9 —9F 164
(off Further Acre)
Bodmin Rd. Lut —5B 46
Bodnor Ga. Bald —3M 23
Bodwell Clo. Hem H —1K 123
Bogmoor Rd. R'ton —6B 16
Bognor Gdns. Wat —5L 161
Bogs Gap. Stpl M —2C 6
Bohemia. Hem H —1A 124
Bohun Gro. Barn —8D 154
Boissy Clo. St Alb —3M 127
Boleyn Av. Enf —3F 156
Boleyn Clo. Hem H —6E 106
Boleyn Ct. Brox —3J 133
Boleyn Dri. St Alb —4E 126
Boleyn Way. Barn —5B 154
Bolingbroke Rd. Lut —2D 66
Bolingbrook. St Alb —7H 109
Bolney Grn. Lut —6M 47
Bolton Rd. Lut —1H 67
Bond Ct. Hpdn —4A 88
Bondor Ind. Est. Bald —4M 23
Bonham Carter Rd. Hal —7C 100
Boniface Gdns. Harr —7C 162
Boniface Wlk. Harr —7C 162
Bonks Hill. Saw —6F 98
Bonner Ct. Chesh —1H 145
(off Coopers Wlk.)
Bonnetting La. Ber —2D 42
Bonney Gro. G Oak —3E 144
Bonnick Clo. Lut —2E 66
Boot All. St Alb —2E 126
(off Chequer St.)
Boothman Ho. Kent —9L 163
Booth Pl. Eat B —2J 63
Booth Rd. NW9 —9D 164
Booths Clo. N Mym —6K 129
Boot Pde. Edgw —6A 164
(off High St.)
Borden Av. Enf —8B 156
Borders Way. H Reg —3F 44
(off Black Thorn Rd.)
Boreham Holt. Els —6N 151
Borehamwood. —5A 152
Borehamwood Enterprise Cen. Borwd —5N 151
Boreham Wood F.C. —4B 152
Borehamwood Ind. Pk. Borwd —4D 152
Bornedene. Pot B —4L 141
Borodale. Hpdn —6B 88
Borough Rd. Dunst —1G 64
Borough Way. Pot B —5L 141
Borrell Clo. Brox —2K 133
Borrowdale Av. Dunst —2F 64
Borrowdale Av. Harr —9H 163
Borrowdale Ct. Enf —3A 156
Borrowdale Ct. Hem H —8A 106
Bosanquet Rd. Hod —6N 115
Boscombe Ct. Let —5H 23
Boscombe Rd. Dunst —7F 44
Bose Clo. N3 —8L 165
Bosmore Rd. Lut —3B 46
Boston Rd. Edgw —7C 164
Boswell Clo. Shenl —5M 139
Boswell Dri. Ickl —7M 21
Boswell Gdns. Stev —9K 35
Boswick La. Dud —6H 103
Bosworth Rd. Barn —5N 153
Botany Bay. —9J 143
Botany Clo. Barn —6D 154
Botham Clo. Edgw —7C 164
Botley Rd. Hem H —6C 106
Bottom Dri. Eat B —3A 64
Bottom Ho. La. Tring —4E 102
Bottom La. K Lan —8L 135
Bough Beech Ct. Enf —1H 157
Boughton Way. Amer —2A 146
Boulevard Cen., The. Borwd —5A 152
Boulevard, The. Wat —7F 148
Boulevard, The. Wel G —7M 91
Boulevard 25. Borwd —5A 152
Boulton Rd. Stev —8B 36
Bounce, The. Hem H —9N 105
Boundary Clo. Barn —3M 153
Boundary Ct. Wel G —4M 111
Boundary Dri. Hert —7B 94
Boundary Ho. Wel G —3K 111
Boundary La. Wel G —3L 111
Boundary Rd. N9 —8G 157
Boundary Rd. Bis S —3J 79
Boundary Rd. Chal P —7A 158
Boundary Rd. St Alb —9F 108
Boundary Way. Hem H —8E 106
Boundary Way. Wat —5K 137
Bounds Fld. L Had —9B 58
Bourne Av. Barn —7C 154
Bourne Clo. Brox —2K 133
Bourne Clo. Ware —5H 95
Bourne End. —4F 122
Bourne End La. Hem H —7D 122
Bourne End La. Ind. Est. Hem H —4E 122
Bourne End Rd. N'wd —4G 160
Bournehall. Bush —8B 150
Bournehall Av. Bush —7B 150
Bournehall La. Bush —8B 150
Bournehall Rd. Bush —8B 150
Bourne Honour. Ton —9C 74
Bournemouth Rd. Stev —1H 51
Bourne Rd. Berk —9K 103
Bourne Rd. Bush —7B 150
Bourne, The. Abry —3M 57
Bourne, The. Bis S —9J 59
Bourne, The. Bov —9D 122
Bourne, The. Bunt —5J 39
Bourne, The. Ware —5H 95
Bournwell Clo. Barn —5E 154
Bouvier Rd. Enf —2G 157
Bovingdon. —9D 122
Bovingdon Ct. Bov —1D 134
Bovingdon Cres. Wat —7M 137
Bovingdon Green. —2D 134
Bovingdon Grn. La. Bov —1C 134
Bovingdon La. NW9 —8E 164
Bowbrook Va. Lut —8A 48
Bowcock Wlk. Stev —6L 51
Bower Clo. Eat B —3K 63
Bower Ct. E4 —9N 157
(off Ridgeway, The)
Bower Heath. —1D 88
Bower Heath La. Hpdn —2D 88
Bower La. Eat B —3K 63
Bowershott. Let —7G 23
Bower's Pde. Hpdn —6B 88
Bowes Lyon M. St Alb —2E 126
Bowgate. St Alb —1F 126
Bowland Cres. Dunst —2D 64
Bowlers Mead. Bunt —3H 39
Bowles Grn. Enf —9F 144
Bowles Way. Dunst —3G 65
Bowling Clo. Bis S —2H 79
Bowling Clo. Hpdn —8C 88
Bowling Ct. Wat —6J 149
Bowling Grn. Stev —1J 51
Bowling Grn. La. Bunt —2H 39
Bowling Grn. La. Lut —7G 46
Bowling Rd. Ware —6J 95
Bowls Clo. Stan —5J 163
Bowmans Av. Hit —3B 34
Bowmans Clo. Dunst —1F 64
Bowmans Clo. Pot B —5C 142
Bowmans Clo. Welw —1J 91
Bowmans Ct. Hem H —9A 106
Bowmans Grn. Wat —9N 137
Bowmans Way. Dunst —1F 64
Bowman Trad. Est. Stev —4H 51
Bowood Rd. Enf —4H 157
Bowring Grn. Wat —5L 161
Bowstridge La. Chal G —4A 158
Bowyers. Hem H —9N 105
Bowyer's Clo. Hit —1L 33
Bowyers Way. Hpdn —5B 88
Boxberry Clo. Stev —3L 51
Boxelder Clo. Edgw —5C 164
Boxfield. Wel G —3A 112
Boxfield Grn. Stev —1C 52
Boxgrove Clo. Lut —4L 47
Boxhill. Hem H —9N 105
Box La. Hem H —7F 122
Box La. Hod —7H 115
(in two parts)
Boxmoor. —4L 123
Boxmoor Golf Course. —6J 123
Boxted Clo. Lut —4M 45
Boxted Rd. Hem H —9J 105
Boxtree La. Harr —8D 162
Boxtree Rd. Harr —7E 162
Boxwell Rd. Berk —1M 121
Box Wood (Nature Reserves). —9C 36
Boyce Clo. Borwd —3M 151
Boyd Clo. Bis S —9K 59
Boyd Ho. Wel G —9B 92
Boyle Av. Stan —6H 163
Boyle Clo. Lut —9G 46
Boyseland Ct. Edgw —2C 164
Brabourne Heights. NW7 —3E 164
Braceby Clo. Lut —3B 46
Brace Clo. Chesh —7N 131
Braceys. B'tn —7L 53
Brache Clo. Redb —1J 107
Brache Ct. Lut —2H 67
Bracken Clo. Borwd —3B 152
Brackendale. Pot B —6N 141
Brackendale Gro. Hpdn —4M 87
Brackendale Gro. Lut —4C 46
Brackendene. Brick W —3A 138
Brackenhill. Berk —9B 104
Bracken La. Welw —9M 71
Brackens, The. Enf —9C 156
Brackens, The. Hem H —1N 123
Brackenwood Lodge. Barn
(off Prospect Rd.) —6N 153
Bracklesham Gdns. Lut —6M 47
Bracknell Clo. Lut —6J 45
Bracknell Pl. Hem H —7B 106
Bradbery. Map C —5G 158
Bradbury Clo. Borwd —3B 152
Bradden Cotts. Hem H —7J 85
Bradden La. Gad R —1G 104
Braddon Ct. Barn —5L 153
Bradford Rd. Herons —9F 146
Bradgate. Cuff —9J 131
Bradgate Clo. Cuff —1J 143
Bradgers Hill Rd. Lut —5G 46
Bradley Comn. Bchgr —6L 59
Bradley Ct. Enf —2J 157
(off Bradley Rd.)
Bradley Rd. Enf —2J 157
Bradley Rd. Lut —8M 45
Bradley Rd. Wal A —8N 145
Bradleys Corner. Hit —1C 34
Bradman Row. Edgw —7C 164
Bradman Way. Stev —9N 35
Bradmore Grn. Brk P —8L 129
Bradmore La. N Mym —9J 129
Bradmore Way. Brk P —8L 129
Bradshaw Ct. Stev —6A 52
Bradshaw Rd. Wat —3L 149
Bradshaws. Hat —4F 128
Bradshaws Clo. Bar C —8E 18
Bradway. W'wll —2M 69
Braeburn Ct. Barn —6C 154
Braemar Clo. Stev —1A 72
Braemar Gdns. NW9 —8D 164
Braemar Turn. Hem H —5D 106
Braeside Clo. Pinn —7B 162
Bragbury Clo. Stev —1C 72
Bragbury End. —1C 72
Bragbury La. D'wth & Stev —3B 7
Braggowens Ley. H'low —5E 118
Bragmans La. Sarr —7F 134
Braham Ct. Hit —3M 33
(off Nun's Clo.)
Brain Clo. Hat —8H 111
Braintree Clo. Lut —6J 45
Braithwaite Ct. Lut —8F 46
(off Malzeard Rd.)
Braithwaite Gdns. Stan —8K 163
Braithwaite Rd. Enf —5K 157
Brakynbery. N'chu —7J 103
Bramble Clo. Chal P —6B 158
Bramble Clo. Hpdn —4A 88
Bramble Clo. Lut —5M 45
Bramble Clo. Stan —7L 163
Bramble Clo. Wat —7J 137
Bramble La. Hod —7J 115
Bramble Ri. H'low —5M 117
Bramble Rd. Hat —9D 110
Bramble Rd. Lut —5M 45
Brambles, The. Bis S —2E 78
Brambles, The. Chesh —4H 145
Brambles, The. R'ton —8E 8
Brambles, The. St Alb —4E 126
Brambles, The. Stev —8K 35
Brambles, The. Ware —4G 95
Brambles, The. Welw —8L 71
Brambling Clo. Bush —6N 149
Brambling Rd. Hem H —7A 106
Bramfield. —3H 93
Bramfield. Hit —4B 34
Bramfield. Wat —7N 137
Bramfield Ct. Hert —8M 93
Bramfield La. W'frd —5K 93
Bramfield Pl. Hem H —5C 106
Bramfield Rd. D'wth —7C 72
Bramfield Rd. Stap —6K 93
Bramham Ct. N'wd —5G 160
Bramhanger Acre. Lut —2N 45
Bramingham Bus. Pk. Lut —1D 46
Bramingham La. Lut —8C 30
Bramingham Rd. Lut —4A 46
Bramleas. Wat —7H 149
Bramley Clo. N14 —7G 154
Bramley Clo. Bald —2M 23
Bramley Ct. Barn —6D 154
Bramley Ct. Wat —5K 137
Bramley Gdns. Wat —5L 161
Bramley Ho. Ct. Enf —1B 156
Bramley Pde. N14 —6H 155
Bramley Rd. N14 —7G 154
Bramley Way. St Alb —3K 127
Brampton Clo. Chesh —1E 144
Brampton Clo. Hpdn —6E 88
Brampton Pk. Rd. Hit —1M 33
Brampton Ri. Dunst —2F 64
Brampton Rd. R'ton —7F 8
Brampton Rd. St Alb —1H 127

Brampton Rd.—Brooksfield

Brampton Rd. Wat —3J 161
Brampton Ter. Borwd —2A 152
(off Stapleton Rd.)
Bramshaw Gdns. Wat —5M 161
Bramshott Clo. Hit —6N 33
Bramshot Way. Wat —2J 161
Brancaster Dri. NW7 —7G 164
Branch Clo. Hat —7J 111
Branch Rd. Park —9E 126
Branch Rd. St Alb —1C 126
Brancroft Way. Enf —3J 157
Brandles Rd. Let —8G 23
Brandon. NW9 —9F 164
(off Further Acre)
Brandon Clo. Chesh —8C 132
Brandon Ct. Tring —9C 60
Brandon Mobile Home Pk. St Alb —2L 127
Brandreth Av. Dunst —8H 45
Brand St. Hit —3M 33
Brandt Ct. Borwd —4D 152
(off Elstree Way)
Branksome Clo. Hem H —1C 124
Branscombe Gdns. N21 —9M 155
Bransgrove Rd. Edgw —8N 163
Branton Clo. Lut —7N 47
Brantwood Gdns. Enf —6K 155
Brantwood Rd. Lut —1E 66
Braughing. —2C 56
Braughing Friars. —3G 56
Brawlings La. Chal P —4D 158
Bray Clo. Borwd —3C 152
Bray Dri. Stev —7N 35
Brayes Mnr. Stot —6F 10
Bray Lodge. Chesh —1J 145
(off High St.)
Bray Rd. NW7 —6K 165
Bray's Ct. Lut —6K 47
Brays Grove. —7C 118
Brays Mead. H'low —8B 118
Brays Rd. Lut —6K 47
Brayton Gdns. Enf —6J 155
Brazier Clo. Bar C —8D 18
Braziers End. Braz E —3A 120
Braziers Fld. Hert —9D 94
(in two parts)
Braziers Quay. Bis S —2J 79
Breach La. Hert —9H 113
Breachwell Pl. Ched —7M 61
Breachwood Green. —8F 48
Bread & Cheese La. Chesh —7B 132
Breadcroft La. Hpdn —5C 88
Breakmead. Wel G —2A 112
Breakspear. Stev —6B 52
Breakspear Av. St Alb —3G 127
Breakspear Ct. Ab L —3H 137
Breakspeare Clo. Wat —2K 149
Breakspeare Rd. Ab L —4G 136
Breakspear Rd. N. Hare —8M 159
Breakspear Way. Hem H —2E 124
Breaks Rd. Hat —8H 111
Brearley Clo. Edgw —7C 164
Brecken Clo. St Alb —7H 109
Brecon Clo. Lut —2F 66
Brecon Rd. Enf —6G 156
Breeze Ter. Chesh —1H 145
Brendon Av. Lut —8L 47
Brendon Ct. Rad —7J 139
Brendon Way. Enf —9C 156
Brent Ct. Stev —4L 51
Brenthall Towers. H'low —8E 118
Brent Pelham. —9K 29
Brent Pl. Barn —7M 153
Brent Way. N3 —6N 165
Brentwood Clo. H Reg —3G 44
Brereton Ct. Hem H —4A 124
Bressey Av. Enf —3E 156
Brett Ho. Chesh —1H 145
Brett Pl. Wat —1J 149
Brett Rd. Barn —7J 153
Bretts Mead. Lut —3E 66
Bretts Mead Ct. Lut —2E 66
Brewers Clo. Bis S —3E 78
Brewers Hill Rd. Dunst —8B 44
Brewery La. Bald —2L 23
Brewery La. Stans —2N 59
Brewery Rd. Hod —8L 115
(in two parts)
Brewery Yd. Stans —2N 59
Brewhouse Hill. Wheat —7K 89
Brewhouse La. Hert —9A 94
Briants Clo. Pinn —9A 162
Briarcliff. Hem H —1H 123
Briar Clo. Chesh —2G 144
Briar Clo. Lut —5L 47
Briar Clo. Pott E —7D 104
Briardale. Stev —5L 51
Briardale. Ware —4G 94
Briarfield Av. N3 —9N 165
Briarley Clo. Brox —4K 133
Briar Patch La. Let —8D 22
Briar Rd. St Alb —8L 109
Briar Rd. Wat —7J 137
Briars Clo. Hat —9G 110
Briars La. Hat —9G 110
Briars, The. Bush —9F 150
Briars, The. Chesh —4J 145
Briars, The. H'low —9A 118
Briars, The. Hert —9E 94
Briars, The. Sarr —9L 135
Briarswood. G Oak —1B 144
Briars Wood. Hat —9F 110
Briar Wlk. Edgw —7C 164
Briar Way. Berk —2N 121
Briarwood Dri. N'wd —9J 161
Briary Gro. Edgw —9B 164
Briary La. R'ton —8C 8
Briary Wood End. Welw —8M 71
Briary Wood La. Welw —8M 71
Brickcroft. Brox —8J 133
Brickcroft Hoppit. H'low —5E 118
Brickendon. —1A 132
Brickendon Ct. Hod —9L 115
Brickendon Grange Golf Course. —1N 131
Brickendon La. Brick —3A 114
(in two parts)
Bricket Rd. St Alb —2E 126
Bricket Wood. —3A 138
Bricket Wood Common. —5B 138
Brickfield. Hat —3G 129
Brickfield Av. Hem H —3D 124
Brickfield Ct. Hat —3H 129
Brickfield La. Ark —8F 152
Brickfields Cotts. Borwd —5N 151
Brickfields Ind. Est. Hem H —7D 106
Brickfields, The. Ware —5F 94
Brickhill Farm Pk. Homes. Lut —8E 66
Brick House End. —5D 42
Brick Kiln Clo. Wat —8N 149
Brick Kiln La. C'hoe —5A 48
Brick Kiln La. Hit —5L 33
Brick Kiln La. R Grn —1L 43
Brickkiln Rd. Stev —3J 51
Brick Knoll Pk. St Alb —3K 127
Brick La. Enf —4F 156
Brick La. Stan —7L 163
Brickly Rd. Lut —4L 45
Brickmakers La. Hem H —3D 124
Brick Row. R'ton —1N 17
Brickwall Clo. Welw —7G 90
Brickyard La. Reed —7J 15
Bride Hall La. Ay L —4A 90
Bridewell Clo. Bunt —2J 39
Bridge Clo. Enf —4F 156
Bridge Ct. Berk —1A 122
Bridge Ct. Hpdn —4A 88
Bridge Ct. Rad —8J 139
Bridgedown Golf Course. —3J 153
Bridge End. Bunt —2J 39
Bridgefields. Wel G —8M 91
Bridgefoot. —3N 9
Bridgefoot. Bunt —3J 39
Bridgefoot. Ware —6H 95
Bridgefoot La. Pot B —6J 141
(in two parts)
Bridgeford Ho. Bis S —2H 79
(off South St.)
Bridgeford Ho. Wat —5K 149
Bridge Ga. N21 —9A 156
Bridgegate Bus. Cen. Wel G —9M 91
Bridgeman Dri. H Reg —4G 45
Bridgend Rd. Enf —8G 144
Bridgenhall Rd. Enf —3D 156
Bridge Pde. N21 —9A 156
(off Ridge Av.)
Bridge Pl. Wat —7M 149
Bridger Clo. Wat —6M 137
Bridge Rd. K Lan —6E 136
Bridge Rd. Let —5F 22
Bridge Rd. Wel G —8J 91
Bridge Rd. Wool G —6N 71
Bridge Rd. E. Wel G —9L 91
Bridge Rd. W. Stev —3H 51
Bridges Ct. Hert —9A 94
Bridges Rd. Stan —5G 162
Bridge St. Berk —1A 122
Bridge St. Bis S —1H 79
Bridge St. Hem H —3N 123
Bridge St. Hit —4M 33
Bridge St. Lut —1G 66
Bridge, The. K Lan —2D 136
Bridgewater Ct. L Gad —7N 83
Bridgewater Gdns. Edgw —9N 163
Bridgewater Hill. N'chu —7K 103
Bridgewater Rd. Berk —8L 103
Bridgewater Way. Bush —8C 150
Bridle Clo. Enf —1K 157
Bridle Clo. Hod —4L 115
Bridle Clo. St Alb —9F 108
Bridle La. Loud —5M 147
Bridle Path. Wat —4K 149
Bridle Way. Berk —8L 103
Bridle Way. Gt Amw —9L 95
Bridle Way. Hod —5L 115
Bridle Way (North). Hod —4L 115
Bridle Way (South). Hod —5L 115
Bridlington Rd. N9 —9F 156
Bridlington Rd. Wat —3M 161
Brierley Clo. Dunst —3F 64
Brierley Clo. Lut —7M 47
Briery Ct. Chor —6K 147
Briery Fld. Chor —6K 147
Briery Way. Hem H —9C 106
Brigadier Av. Enf —2A 156
Brigadier Hill. Enf —2A 156
Briggens House Hotel Golf Course. —3F 116
Brighton Rd. Wat —2J 149
Brighton Way. Stev —1G 50
Brightside, The. Enf —3H 157
Brightview Clo. Brick W —2N 137
Brightwell Av. Tot —1N 63
Brightwell Rd. Wat —7J 149
Brill Clo. Lut —7M 47
Brimfield Clo. Lut —7M 47
(off Kempsey Clo.)
Brimsdown. —4J 157
Brimsdown Av. Enf —4J 157
Brimsdown Ind. Est. Brim —4K 157
Brimsdown Ind. Est. Enf —3K 157
Brimstone Wlk. Berk —8K 103
Brindley Way. Hem H —7B 124
Brinkburn Clo. Edgw —9B 164
Brinkburn Gdns. Edgw —9A 164
Brinklow Ct. St Alb —5C 126
Brinley Clo. Chesh —4H 145
Brinsley Rd. Harr —9E 162
Brinsmead. Frog —9E 126
Briscoe Clo. Hod —6K 115
Briscoe Rd. Hod —6K 115
Bristol Ho. Borwd —4A 152
(off Eldon Av.)
Bristol Rd. Lut —5C 46
Briston M. NW7 —7G 164
Britain St. Dunst —9F 44
Britannia. Puck —7B 56
Britannia Av. Lut —4D 46
Britannia Bus. Pk. Wal X —7K 145
Britannia Pl. Bis S —3G 78
Britannia Rd. Wal X —7K 145
Brittains Ri. L Ston —1F 20
Brittain Way. Stev —5A 52
Brittany Ct. Dunst —9F 44
(off High St. S.)
Britten Clo. Els —8L 151
Britton Av. St Alb —2E 126
Britwell Dri. Pott E —8B 104
Brive Rd. Dunst —1H 65
Brixham Clo. Stev —2H 51
Brixton La. Bis S —6J 43
Brixton Rd. Wat —3K 149
Broad Acre. Brick W —3N 137
Broad Acres. Hat —6F 110
Broadacres. Lut —3F 46
Broad Colney. —2L 139
Broad Ct. Wel G —9L 91
Broadcroft. Hem H —9N 105
Broadcroft. Let —9F 22
Broadcroft Av. Stan —9L 163
Broadfield. Bis S —7H 59
Broadfield. H'low —5A 118
Broadfield Clo. M Hud —7J 77
Broadfield Ct. Bus H —2F 162
Broadfield Ct. N Har —8C 162
(off Broadfields)
Broadfield Heights. NW7 —4B 164
Broadfield Pde. Edgw —3B 164
(off Glengall Rd.)
Broadfield Pl. Wel G —1H 111
Broadfield Rd. Hem H —2B 124
Broadfield Rd. Wool G —7A 72
Broadfields. G Oak —2N 143
Broadfields. Hpdn —5A 88
Broadfields. Harr —9C 162
Broadfields. H Wych —6D 98
Broadfields Av. N21 —8M 155
Broadfields Av. Edgw —4B 164
Broadfields La. Wat —1K 161
Broadfield Sq. Enf —4F 156
Broadfield Way. M Hud —7J 77
Broadgates Av. Barn —3A 154
Broad Green. —1M 17
Broad Grn. B'frd —5L 113
Broadgreen Rd. Chesh —8B 132
Broadgreen Wood. —6L 113
Broad Grn. Wood. B'frd —6L 113
Broadhall Way. Stev —7K 51
Broadhead Strand. NW9 —9F 164
Broadhurst Av. Edgw —4B 164
Broadlake Clo. Lon C —1C 127
Broadlands Av. Enf —5F 156
Broadlands Clo. Enf —5G 156
Broadlands Clo. Wal X —7G 145
Broadlawns Ct. Harr —8G 163
Broadleaf Av. Bis S —4F 78
Broadleaf Gro. Wel G —6H 91
Broadley Gdns. Shenl —5M 139
Broadley Rd. H'low —9J 117
Broadmead. Hit —5A 34
Broad Mead. Lut —6C 46
Broadmead Clo. Pinn —7N 161
Broadmeadow Ride. St I —6A 34
Broadmeads. Ware —6H 95
Broadoak Av. Enf —8H 145
Broad Oak Ct. Lut —6M 47
(off Handcross Rd.)
Broadoak End. —7L 93
Broad Oak Way. Stev —7M 51
Broadstone Rd. Hpdn —9D 88
Broad St. Hem H —1N 123
Broadview. Stev —3L 51
Broadview Rd. Che —9F 120
Broad Wlk. N21 —9M 155
Broad Wlk. Dunst —8E 44
Broad Wlk. H'low —5N 117
Broadwalk Shop. Cen. Edgw —6B 164
Broadwalk, The. N'wd —9E 160
Broadwater. —8M 51
Broadwater. Berk —9N 103
Broadwater. Pot B —3A 142
Broadwater. Stev —8A 52
Broadwater Av. Let —6E 22
Broadwater Cres. Stev —7M 51
Broadwater Cres. Wel G —1K 111
Broadwater Dale. Let —6E 22
Broadwater La. Ast —8B 52
Broadwater Rd. Wel G —1K 111
Broadway. Let —7E 22
Broadway Av. H'low —2D 118
Broadway M. N21 —9N 155
Broadway, The. N14 —9J 155
(off Southgate Cir.)
Broadway, The. NW7 —7G 165
(off Colenso Dri.)
Broadway, The. NW7 —5E 164
(Watford Way)
Broadway, The. Hat —9J 111
Broadway, The. N'wd —9J 161
Broadway, The. Pot B —5M 141
(in two parts)
Broadway, The. St Alb —2E 126
Broadway, The. Stan —5K 163
Broadway, The. Wat —5L 149
Broadway, The. W'stone —9F 162
Broadway, The. Wheat —2J 89
Brocas Way. Hort —5M 61
Brockenhurst Gdns. NW7 —5E 164
Brocket Ct. Lut —3N 45
Brocket Hall Golf Course. —9E 90
Brocket Pk. —9E 90
Brocket Rd. Hod —8L 115
Brocket Rd. Lem —2F 110
Brockett Clo. Wel G —9H 91
Brocket Vw. Wheat —6L 89
Brockhurst Clo. Stan —6G 162
Brocklesbury Clo. Wat —4M 149
Brockles Mead. H'low —9M 117
Brockley Av. Stan —3M 163
Brockley Clo. Stan —4M 163
Brockley Hill. Stan —1K 163
Brockley Side. Stan —4M 163
Brockswood La. Wel G —8G 91
Brockwell Shott. Walk —9G 37
Brodewater Rd. Borwd —4B 152
Brodie Rd. Enf —2A 156
Bromborough Grn. Wat —5L 161
Bromefield. Stan —8K 163
Bromet Clo. Wat —2H 149
(in two parts)
Bromleigh Clo. Chesh —1J 145
Bromley. —1F 76
Bromley. Long M —3F 80
Bromley Gdns. H Reg —4G 44
(in two parts)
Brompton Clo. Lut —1B 46
Bronte Cres. Hem H —5D 106
Bronte Paths. Stev —3B 52
Brook Av. Edgw —6B 164
Brook Bank. Enf —1F 156
Brookbridge La. D'wth —6C 72
Brook Clo. NW7 —7L 165
Brook Clo. Borwd —4B 152
Brook Cotts. Stans —4N 59
Brook Ct. Edgw —5B 164
Brook Ct. Lut —8F 46
Brook Ct. Rad —6H 139
Brookdene Av. Wat —9K 149
Brookdene Dri. N'wd —7H 161
Brook Dri. Rad —6G 138
Brook Dri. Stev —9A 52
Brooke Clo. Bush —9D 150
Brooke End. Redb —2J 107
Brooke Gdns. Bis S —1L 79
Brook End. —3A 100
(Aston Clinton)
Brook End. —3A 38
(Cottered)
Brook End. —3C 82
(Pitstone)
Brook End. —7E 10
(Stotfold)
Brook End. Saw —5F 98
Brook End. Stpl M —2D 6
Brook End. W'side —3B 96
Brookend Dri. Bar C —8D 18
Brooke Rd. R'ton —5D 8
Brooker Rd. Wal A —7N 145
(in two parts)
Brooke Way. Bush —9D 150
Brook Fld. Ast —7D 52
Brookfield Av. NW7 —6H 165
Brookfield Av. H Reg —4F 44
Brookfield Cen. Chesh —9H 133
Brookfield Clo. NW7 —6H 165
Brookfield Clo. Tring —2N 101
Brookfield Ct. Chesh —9H 133
Brookfield Cres. NW7 —6H 165
Brookfield Gdns. Chesh —9H 133
Brookfield La. Ast —5E 52
Brookfield La. E. Chesh —9H 133
Brookfield La. W. Chesh —1F 144
(in two parts)
Brookfield Pk. H Reg —4F 44
Brookfield Retail Pk. Chesh —8H 133
Brookfields. Enf —6H 157
Brookfields. Saw —5F 98
Brookfield Wlk. H Reg —5G 44
Brookhill. Stev —9M 51
Brookhill Clo. E Barn —7D 154
Brookhill Rd. Barn —7D 154
Brookhouse Pl. Bis S —9H 59
Brooklands Clo. Lut —3M 45
Brooklands Ct. N21 —7B 156
Brooklands Ct. St Alb —2F 126
(off Hatfield Rd.)
Brooklands Gdns. Pot B —5L 141
Brook La. Berk —9M 103
Brook La. M Hud —8N 77
(in two parts)
Brook La. Saw —5F 98
Brooklane Fld. H'low —9D 118
Brooklea Clo. NW9 —8E 164
Brookmans Av. Brk P —8M 129
Brookmans Park. —8L 129
Brookmans Pk. Golf Course. —7M 129
Brook Mdw. N12 —3N 165
Brookmill Clo. Wat —9K 149
Brook Pk. Clo. N21 —7N 155
Brook Pl. Barn —7N 153
Brook Rd. Bass —2K 7
Brook Rd. Borwd —3A 152
Brook Rd. Saw —6F 98
Brook Rd. Stans —3N 59
Brook Rd. Wal X —7K 145
Brooks Ct. Hert —8L 93
Brooksfield. Wel G —8A 92

Brookshill. *Harr* —5E **162**
Brookshill Av. *Harr* —5E **162**
Brookshill Dri. *Harr* —5E **162**
Brookside. *N21* —8L **155**
Brookside. *E Barn* —8D **154**
Brookside. *Hal* —5B **100**
Brookside. *H'low* —9J **117**
Brookside. *Hat* —9D **110**
Brookside. *Hert* —9C **94**
Brookside. *Hod* —8L **115**
Brookside. *Let* —6F **22**
Brookside. *Shil* —2N **19**
Brookside. *S Mim* —5G **140**
Brookside. *Wat* —1M **149**
Brookside Caravans. *Wat* —9K **149**
Brookside Clo. *Barn* —8L **153**
Brookside Cres. *Cuff* —9K **131**
Brookside Gdns. *Enf* —1G **156**
Brookside Rd. *Wat* —9K **149**
Brookside S. *E Barn* —9F **154**
Brookside Wlk. *N12* —6N **165**
Brook St. *Ast C* —1C **100**
Brook St. *Edl* —4K **63**
Brook St. *Lut* —9F **46**
Brook St. *Stot* —6E **10**
Brook St. *Tring* —2N **101**
Brook Vw. *Hit* —4C **34**
Brookview Ct. *Hert* —7C **156**
Brook Wlk. *Edgw* —6D **164**
Broom Clo. *Chesh* —9E **132**
Broom Clo. *Hat* —3F **128**
Broom Corner. Hpdn —7D **88**
 (off Barnfield Rd.)
Broomer Pl. *Chesh* —2G **144**
Broomfield. *H'low* —3D **118**
Broomfield. *Park* —9D **126**
Broomfield Av. *Brox* —8J **133**
Broomfield Clo. *Welw* —3J **91**
Broomfield Ct. *Hat* —8G **111**
Broomfield Ho. Stan —3H **163**
 (off Stanmore Hill)
Broomfield Ri. *Ab L* —5F **136**
Broomfield Rd. *Welw* —3J **91**
Broom Gro. *Kneb* —3M **71**
Broom Gro. *Wat* —2J **149**
Broomgrove Gdns. *Edgw* —8A **164**
Broom Hill. *Hem H* —3H **123**
Broom Hill. *Welw* —9N **71**
Broomhills. *Wel G* —8N **91**
Broomleys. *St Alb* —8L **109**
Brooms Clo. *Wel G* —6K **91**
Brooms Rd. *Lut* —9J **47**
Broom Wlk. *Stev* —4L **51**
Broughinge Rd. *Borwd* —4B **152**
Broughton Av. *N3* —9L **165**
Broughton Av. *Lut* —4E **46**
Broughton Hill. *Let* —5G **23**
Broughton Way. *Rick* —9K **147**
Browneymead La. *Gt Hor* —1E **40**
Brownfield. *St Alb* —1J **89**
Brownfields. *Wel G* —8M **91**
Brownfields Ct. *Wel G* —8N **91**
Browning Dri. *Hit* —2B **34**
Browning Rd. *Enf* —1B **156**
Browning Rd. *Hpdn* —5D **88**
Browning Rd. *Lut* —7K **45**
Brownings La. *B Grn* —8E **48**
Brownlow Av. *Edl* —5K **63**
Brownlow La. *Ched* —9M **61**
Brownlow Rd. *N3* —7N **165**
Brownlow Rd. *Berk* —9N **103**
Brownlow Rd. *Borwd* —6A **152**
Brown's Clo. *Lut* —4N **45**
Browns Hedge. *Pit* —4A **82**
Brown's La. *Hast* —7L **101**
Browns Spring. *Pott E* —7F **104**
Brow, The. *Chal G* —3A **158**
Brow, The. *Wat* —6K **137**
Broxbourne. —1K **133**
Broxbournebury M. *Brox* —2G **132**
Broxbourne Wood Nature
 Reserve. —2B **132**
Brox Dell. *Stev* —3L **51**
Broxley Mead. *Lut* —4M **45**
Bruce Gro. *Wat* —2L **149**
Bruce Rd. *Barn* —5L **153**
Bruce Rd. *Harr* —9F **162**
Bruce Way. *Wal X* —6H **145**
Brunel Ct. *Hem H* —4N **123**
Brunel Ct. *Lut* —6H **45**
Brunel Rd. *Lut* —6H **45**
Brunel Rd. *Stev* —2N **51**
Brunswick Ct. *Barn* —7C **154**
Brunswick Ct. Hod —9L **115**
 (off Rawdon Dri.)

Brunswick Ho. *N3* —8M **165**
Brunswick Rd. *Enf* —2L **157**
Brunswick St. *Lut* —9G **47**
Brushrise. *Wat* —9K **137**
Brushwood Dri. *Chor* —6F **146**
Brussels Way. *Lut* —9A **30**
Bryan Rd. *Bis S* —9H **59**
Bryanston Ct. *Hem H* —3N **123**
Bryanstone Rd. *Wal X* —7K **145**
Bryant Clo. *Barn* —7M **153**
Bryant Ct. *Hpdn* —4B **88**
Bryants Acre. *Wend* —9A **100**
Bryants Clo. *Shil* —1A **20**
Bryce Clo. *Ware* —4H **95**
Brynmawr Rd. *Enf* —6D **156**
Bryony Way. *Dunst* —8B **44**
Buchanan Clo. *N21* —7L **155**
Buchanan Clo. *Borwd* —4C **152**
Buchanan Ct. *Lut* —9K **47**
Buchanan Dri. *Lut* —9K **47**
Buckettsland La. *Borwd* —2D **152**
Buckingham Av. *N20* —9B **154**
Buckingham Clo. *Enf* —4C **156**
Buckingham Ct. *NW4* —9G **165**
Buckingham Dri. *Lut* —7M **47**
Buckingham Gdns. *Edgw* —7M **163**
Buckingham Gro. *Borwd* —6D **152**
Buckingham Pde. *Stan* —5K **163**
Buckingham Rd. *Borwd* —6D **152**
Buckingham Rd. *Edgw* —7N **163**
Buckingham Rd. *Tring* —3K **101**
Buckingham Rd. *Wat* —1L **149**
Buckland. —1E **100**
 (Aston Clinton)
Buckland. —3H **27**
 (Buntingford)
Buckland Ri. *Pinn* —8L **161**
Buckland Rd. *B'wy* —2L **27**
Buckland Rd. *B'lnd* —1F **100**
Bucklands, The. *Rick* —9K **147**
Buckle Clo. *Lut* —2B **46**
Bucklersbury. *Hit* —4M **33**
Bucklers Clo. *Brox* —4K **133**
Bucknalls Clo. *Wat* —5N **137**
Bucknalls Dri. *Brick W* —4A **138**
Bucknalls La. *Wat* —5M **137**
Buck's All. *L Berk* —9H **113**
Buck's Av. *Wat* —9N **149**
Bucks Hill. —8N **135**
Bucks Hill. *K Lan* —6M **135**
Buckthorn Av. *Stev* —5L **51**
Buckton Rd. *Borwd* —2N **151**
Buckwood Av. *Dunst* —8H **45**
Buckwood La. *Stud* —3E **64**
Buckwood Rd. *Kens & Mark*
 —9J **65**
Budd Clo. *N12* —4N **165**
Buddcroft. *Wel G* —8A **92**
Bude Cres. *Stev* —2G **51**
Building End. —5L **17**
Building End Rd. *R'ton* —5L **17**
Bulbourne. —7A **82**
Bulbourne Clo. *Berk* —8K **103**
Bulbourne Clo. *Hem H* —3K **123**
Bulbourne Ct. *Tring* —8M **81**
Bulbourne Rd. *Tring* —8N **81**
Bullace Clo. *Hem H* —1K **123**
Bullbeggars La. *Berk* —2C **122**
Bullen's Green. —4E **128**
Bullen's Grn. La. *Col H* —4E **128**
Bullescroft Rd. *Edgw* —3A **164**
Bullfields. *Saw* —3G **99**
Bullhead Rd. *Borwd* —5C **152**
Bull La. *N18* —9A **158**
Bull La. *Bkld* —3G **27**
Bull La. *Cot* —2A **38**
Bull La. *Lang U* —1L **29**
Bull La. *Wheat* —9H **89**
Bullock's Hill. *St Pau* —8A **50**
Bullock's La. *Hert* —2A **114**
Bull Plain. *Hert* —9B **94**
Bull Pond La. *Dunst* —9E **44**
Bull Rd. *Hpdn* —7C **88**
Bullrush Clo. *Hat* —1H **129**
Bulls Cross. —8E **144**
Bull's Cross. *Enf* —8E **144**
Bulls Cross Ride. *Wal X* —6E **144**
Bull's Green. —9D **72**
Bullsland Gdns. *Chor* —8E **146**
Bullsland La. *Chor* —1E **158**
 (in two parts)
Bulls La. *N Mym* —6K **129**
Bullsmill. —3M **93**
Bullsmill La. *W'frd* —3M **93**
Bullsmoor. —8G **145**

Bullsmoor Clo. *Wal X* —8G **144**
Bullsmoor Gdns. *Wal X* —8F **144**
Bullsmoor La. *Enf* —8E **144**
Bullsmoor Ride. *Wal X* —8G **144**
Bullsmoor Way. *Wal X* —8G **144**
Bull Stag Grn. *Hat* —7J **111**
Bullwell Cres. *Chesh* —2J **145**
Bulstrode. —2H **135**
Bulstrode Clo. *Chfd* —2H **135**
Bulstrode La. *Fel & Chfd* —7K **123**
Bulwer Gdns. *Barn* —6B **154**
Bulwer Link. *Stev* —6L **51**
Bulwer Rd. *Barn* —6A **154**
Buncefield La. *Hem H* —8E **106**
 (in three parts)
Buncefield Terminal. *Hem H*
 —9F **106**
Bungalows, The. *Berk* —4H **103**
Bungalows, The. *H'low* —3M **119**
Bungalows, The. *Hpdn* —4D **88**
Bunhill Clo. *Dunst* —9C **44**
Bunkers La. *Hem H* —7C **124**
Bunns La. *NW7* —6E **164**
 (in two parts)
Bunsfield. *Wel G* —8B **92**
Bunstrux. *Tring* —2L **101**
Bunting Ct. *NW9* —9E **164**
Buntingford. —3J **39**
Buntingford Rd. *Puck* —5A **56**
Bunting Rd. *Lut* —4K **45**
Bunyan Clo. *Pir* —7E **20**
Bunyan Clo. *Tring* —1N **101**
Bunyan Rd. *Hit* —2M **33**
Bunyans Clo. *Lut* —4C **46**
Burbage Clo. *Chesh* —4K **145**
Burchell Ct. *Bush* —9D **150**
Bure Ct. *New Bar* —7A **154**
Burfield Clo. *Hat* —7G **111**
Burfield Ct. *Lut* —6M **47**
Burfield Rd. *Chor* —7F **146**
Burford Clo. *Lut* —9B **30**
Burford Gdns. *Hod* —7M **115**
Burford M. *Hod* —7L **115**
Burford Pl. *Hod* —7L **115**
Burford St. *Hod* —8L **115**
Burford Wlk. *H Reg* —4H **45**
Burford Way. *Hit* —9K **21**
Burgage La. *Ware* —6H **95**
Burge End. —6D **20**
Burge End La. *Pir* —6D **20**
Burges Clo. *Dunst* —3G **65**
Burgess Clo. *Chesh* —7A **132**
Burgess Ct. *Borwd* —2N **151**
Burgess La. *Bunt* —7C **26**
Burghley Av. *Bis S* —9E **58**
Burghley Av. *Borwd* —7C **152**
Burghley Clo. *Stev* —9N **51**
Burgoyne Hatch. *H'low* —5C **118**
Burgundy Cft. *Wel G* —2M **111**
Burhill Gro. *Pinn* —9N **161**
Burleigh Gdns. *N14* —9H **155**
Burleigh Mead. *Hat* —7J **111**
Burleigh Rd. *Chesh* —5J **145**
Burleigh Rd. *Enf* —6C **156**
Burleigh Rd. *Hem H* —3E **124**
Burleigh Rd. *Hert* —8E **94**
Burleigh Rd. *St Alb* —2J **127**
Burleigh Way. *Cuff* —3K **143**
Burleigh Way. *Enf* —5B **156**
Burley. *Let* —2F **22**
Burley Hill. *H'low* —7F **118**
Burley Rd. *Bis S* —4J **79**
Burlington Clo. *Pinn* —9K **161**
Burlington Ri. *E Barn* —9D **154**
Burlington Rd. *Enf* —3B **156**
Burn Clo. *Bush* —5E **150**
Burncroft Av. *Enf* —4G **157**
Burnell Gdns. *Stan* —9L **163**
Burnell Ri. *Let* —6D **22**
Burnells Way. *Stans* —2N **59**
Burnell Wlk. *Let* —6E **22**
Burnet Clo. *Hem H* —3A **124**
Burnett Sq. *Hert* —8L **93**
Burnham Clo. *NW7* —7G **164**
Burnham Clo. *Enf* —2C **156**
Burnham Clo. *Welw* —1B **92**
Burnham Green. —1B **92**
Burnham Grn. Rd. *Welw* —1B **92**
Burnham Rd. *Lut* —7K **47**
Burnham Rd. *St Alb* —2H **127**
Burnley Clo. *Wat* —5L **161**
Burnsall Pl. *Hpdn* —9D **88**
Burns Clo. *Hit* —2B **34**
Burns Clo. *Stev* —1B **52**
Burns Dri. *Hem H* —5D **106**

Burn's Green. —7L **53**
Burnside. *Hem H* —1M **113**
Burnside. *Hod* —8K **115**
Burnside. *St Alb* —4J **127**
Burnside. *Saw* —5F **98**
Burnside Clo. *Barn* —5N **153**
Burnside Clo. *Hat* —6H **111**
Burnside Ter. *H'low* —3H **119**
Burns Rd. *R'ton* —5C **8**
Burnt Clo. *Lut* —2B **46**
Burntfarm Ride. *Enf & Wal X*
 —7M **143**
Burntfarm Ride. *Wal X* —6N **143**
Burnthouse La. *Bald* —8E **24**
Burnt Mill. *H'low* —3N **117**
 (Edinburgh Way)
Burnt Mill. *H'low* —4M **117**
 (Elizabeth Way)
Burnt Mill Clo. *H'low* —3M **117**
Burnt Mill Ind. Est. *H'low*
 —3M **117**
Burnt Mill La. *H'low* —3M **117**
Burnt Oak. —9C **164**
Burnt Oak B'way. *Edgw* —7B **164**
Burnt Oak Fields. *Edgw* —8C **164**
Burr Clo. *Bar C* —7E **18**
Burr Clo. *Lon C* —9M **127**
Burrell Clo. *Edgw* —2B **164**
Burrowfield. *Wel G* —2K **111**
Burrs La. *B'wy* —9N **15**
Burrs La. *Lit* —3H **7**
Burrs Pl. *Lut* —2G **67**
Burr St. *Dunst* —9E **44**
Burr St. *Lut* —9G **47**
Bursland. *Let* —5D **22**
Bursland Rd. *Enf* —6H **157**
Burston Dri. *Park* —1D **138**
Burton Av. *Wat* —6J **149**
Burton Clo. *Wheat* —2K **89**
Burton Dri. *Enf* —1L **157**
Burton Grange. *Chesh* —9C **132**
Burtonhole Clo. *NW7* —4K **165**
Burtonhole La. *NW7* —5J **165**
 (in two parts)
Burton La. *Chesh* —2C **144**
Burton's La. *Chal G & Chor*
 —4A **146**
Burton's Way. *Chal G* —4A **146**
Burvale Ct. *Wat* —5K **149**
Burwell Rd. *Stev* —5A **52**
Bury Ct. *Hem H* —2M **123**
Burycroft. *Wel G* —6L **91**
Burydale. *Stev* —8A **52**
Burydell La. *Park* —9E **126**
Bury End. —1N **19**
 (Bedford)
Bury End. —1D **28**
 (Royston)
Bury End. *Pir* —7E **20**
Bury Farm Clo. *Slap* —2A **62**
Buryfield Ter. *Ware* —6G **95**
Buryfield Way. *Ware* —6G **94**
Bury Green. —1A **78**
 (Bishop's Stortford)
Bury Green. —4E **144**
 (Waltham Cross)
Bury Grn. *Hem H* —1M **123**
Bury Grn. *Wheat* —7K **89**
Bury Grn. Rd. *Chesh* —4E **144**
 (in two parts)
Bury Hall Vs. *N9* —9D **156**
Bury Hill. *Hem H* —1L **123**
Bury Hill Clo. *Hem H* —1M **123**
Bury Holme. *Brox* —5K **133**
Bury La. *B'fld* —4G **92**
Bury La. *Chris* —3N **17**
Bury La. *Cod* —7F **70**
Bury La. *D'wth* —4C **72**
Bury La. *Mel* —1G **9**
Bury La. *Rick* —1N **159**
Bury La. *S'ley* —5C **30**
Bury Mead. *Arl* —5A **10**
Burymead. *Stev* —9J **35**
Burymead La. *Cot* —3B **38**
Bury Meadows. *Rick* —1N **159**
Bury Mead Rd. *Hit* —9N **21**
Bury Park. —9E **46**
Bury Pk. Rd. *Lut* —8E **46**
Bury Ri. *Hem H* —7G **123**
Bury Rd. *H'low* —2E **118**
Bury Rd. *Hat* —8J **111**
Bury Rd. *Hem H* —1M **123**
Bury Rd. *Shil* —2N **19**

Bury St. *N9* —9D **156**
Bury St. W. *N9* —9B **156**
Bury, The. *Cod* —6F **70**
Bury, The. *Hem H* —1M **123**
Bury, The. *Rick* —1N **159**
Burywick. *Hpdn* —1C **108**
Bushbarns. *Chesh* —2E **144**
Bushby Av. *Brox* —4K **133**
Bush Ct. *N14* —9J **155**
Bushell Grn. *Bus H* —2E **162**
Bushells Wharf. *Tring* —9M **81**
Bushey. —8C **150**
Bushey Clo. *Wel G* —1A **112**
Bushey Clo. *Whip* —7C **64**
Bushey Cft. *H'low* —8A **118**
Bushey Golf & Country Club.
 —9B **150**
Bushey Grn. *Wel G* —1A **112**
Bushey Gro. Rd. *Bush* —6M **149**
Bushey Hall Dri. *Bush* —6N **149**
Bushey Hall Golf Course.
 —5N **149**
Bushey Hall Mobile Home Pk.
 Bush —5N **149**
Bushey Hall Rd. *Bush* —6M **149**
Bushey Heath. —1E **162**
Bushey Leisure Cen. —5A **150**
Bushey Ley. *Wel G* —1A **112**
Bushey Mill Cres. *Wat* —1L **149**
Bushey Mill La. *Wat* —1L **149**
Bushey Vw. Wlk. *Wat* —4M **149**
Bush Fair. *H'low* —8B **118**
Bush Fair Ct. *N14* —8G **155**
Bushfield Clo. *Edgw* —2B **164**
Bushfield Cres. *Edgw* —2B **164**
Bushfield Rd. *Bov* —7F **122**
Bush Gro. *Stan* —8L **163**
Bush Hall La. *Hat* —6K **111**
Bush Hill. *N21* —9A **156**
Bush Hill Pde. *N9* —9B **156**
Bush Hill Park. —8D **156**
Bush Hill Pk. —6D **156**
Bush Hill Pk. Golf Course.
 —7A **156**
Bush Hill Rd. *N21* —8B **156**
Bushmead Rd. *Lut* —4G **46**
Bush Spring. *Bald* —2N **23**
Bushwood Clo. *N Mym* —5H **129**
Business Cen. E. *Let* —5J **23**
Business Cen. W. *Let* —5J **23**
Business Innovation Cen. *Enf*
 —9K **145**
Buslins La. *Che* —9C **120**
Butchers La. *Hit* —5N **33**
Butchers La. *Pres* —3L **49**
Butely Rd. *Lut* —3L **45**
Bute Sq. Lut —1G **66**
 (off Arndale Cen.)
Bute St. *Lut* —1G **66**
 (in two parts)
Bute St. Mall. Lut —1G **66**
 (off Arndale Cen.)
Butlers Dri. *E4* —2N **157**
Butlers Hall La. *Bis S* —5D **78**
Butlin Rd. *Lut* —1D **66**
Butlin's Path. *Lut* —9D **46**
Buttercup Clo. *Dunst* —1D **64**
Buttercup Clo. *Hat* —5F **110**
Buttercup La. *Dunst* —2D **64**
Butterfield Ct. *Bald* —3L **23**
Butterfield Grn. Rd. *Lut* —3J **47**
Butterfield La. *St Alb* —6F **126**
Butterfield Rd. *Wheat* —7K **89**
Butterfly La. *Els* —5H **151**
Buttermere Av. *Dunst* —2F **64**
Buttermere Clo. *St Alb* —3J **127**
Buttermere Pl. *Wat* —6J **137**
Buttersweet Ri. *Saw* —6G **98**
Butterwick. *Wat* —9N **137**
Butterworth Path. *Lut* —9G **46**
Butt Fld. Vw. *St Alb* —6D **126**
Butt La. *Man* —8F **42**
Buttlehide. *Map C* —5G **158**
Buttondene Cres. *Brox* —4M **133**
Buttons La. *W'wll* —1M **69**
Butts End. *Hem H* —1K **123**
Butts Grn. *W'ton* —1B **36**
Buttsmead. *N'wd* —7E **160**
Butts, The. *Brox* —6J **133**
Buxton Clo. *St Alb* —8L **109**
Buxton Path. *Wat* —3L **161**
Buxton Rd. *E4* —9N **157**
Buxton Rd. *Lut* —1F **66**
Buxtons La. *G Mor* —2A **6**
Buzzard Rd. *Lut* —5K **45**

Bycullah Av.—Catkin Clo.

Bycullah Av. Enf —5N 155
Bycullah Rd. Enf —4N 155
Byde St. Hert —8A 94
Bye Green. —3A 100
Bye Grn. W'ton T —3A 100
Byers Clo. Pot B —7B 142
Byewaters. Wat —8E 148
Bye Way, The. Harr —8F 162
Byeway, The. Rick —2A 160
Byfield. Wel G —6L 91
Byfield Clo. Lut —8L 45
Byfleet Ind. Est. Crox G —1E 160
Byford Ho. Barn —6K 153
Bygrave. —7B 12
Bygrave. Stev —8J 35
(off Coreys Mill La.)
Bygrave Rd. Bald —2M 23
Byland Clo. N21 —9L 155
Bylands Clo. Bis S —2F 78
Byng Dri. Pot B —4N 141
Bynghams. H'low —8J 117
Byng Rd. Barn —4K 153
Byrd Wlk. Bald —4M 23
Byre Rd. N14 —8G 154
Byron Av. Borwd —7A 152
Byron Av. Wat —3M 149
Byron Clo. Hit —2B 34
Byron Clo. Stev —2B 52
Byron Clo. Wal X —9D 132
Byron Ct. Chesh —1F 144
Byron Ct. Enf —4N 155
Byron Pl. Hem H —2D 106
Byron Rd. NW7 —5G 164
Byron Rd. Hpdn —5B 88
Byron Rd. Lut —7L 45
Byron Rd. R'ton —5E 8
Byron Rd. W'stone —9G 162
Byron Ter. N9 —8G 156
Byslips Rd. Stud —1H 85
By The Mount. Wel G —1K 111
By the Wood. Wat —2M 161
Byways. Berk —9B 104
Byway, The. Pot B —6N 141
By-Wood End. Chal P —5C 158

Cabot Clo. Stev —2N 51
Caddington. —4A 66
Caddington Clo. Barn —7D 154
Caddington Comn. Mark —8A 66
Caddington Pk. Lut —8L 45
(off Skimpot La.)
Caddis Clo. Stan —7G 163
Cade Clo. Let —2J 23
Cades Clo. Lut —2C 66
Cades La. Lut —2C 66
Cadia Clo. Cad —4A 66
Cadmore Ct. Chesh —1H 145
Cadmore Ct. Hert —7L 93
Cadmore La. Chesh —1H 145
Cadogan Gdns. N3 —8N 165
Cadogan Gdns. N21 —7M 155
Cadwell. —6A 22
Cadwell Ct. Hit —9A 22
Cadwell La. Hit —9N 21
Caernarvon Clo. Hem H —2N 123
Caernarvon Clo. Stev —1A 72
Caernarvon Ct. Hem H —2N 123
Caesars Rd. Wheat —7L 89
Cage Pond Rd. Shenl —6N 139
Cairns Clo. St Alb —3L 127
Cairn Way. Stan —6G 163
Caishowe Rd. Borwd —3B 152
Caister Clo. Hem H —3A 124
Caister Clo. Stev —9G 35
Cakebread's La. Saf W —7N 29
Calais Clo. Chesh —8B 132
Calcutt Clo. Dunst —7J 45
Caldecot Av. Chesh —2D 144
Caldecote. —3K 11
Caldecote Gdns. Bush —9F 150
Caldecote Hill. —9G 151
Caldecote La. Bush —8G 150
Caldecote Rd. Newn —3K 11
Caldecote Towers. Bush —9F 150
Caldecot Way. Brox —4K 133
Calder Av. Brk P —8N 129
Calder Clo. Enf —5C 156
Calder Gdns. Edgw —9A 164
Calder Way. Stev —7N 35
Caldew Ct. NW7 —7G 165
Caldwell Rd. Wat —4M 161
Caleb Clo. Lut —7B 46
Caledonian Ct. Wat —4K 149
Caledon Rd. Lon C —8K 127

California. —2D 64
California. Bald —2M 23
California La. Bus H —1E 162
California Pl. Bush —1E 162
(off High Rd.)
Callanders, The. Bush —1F 162
Callisto Ct. Hem H —8B 106
Callowland Clo. Wat —2K 149
Calnwood Rd. Lut —7L 45
Calshot Way. Enf —5N 155
Calthorpe Gdns. Edgw —5M 163
Calton Av. Hert —8L 93
Calton Ct. Hert —9L 93
Calton Ho. Hert —9L 93
Calton Rd. New Bar —8B 154
Calverley Clo. Bis S —4G 78
Calverton Rd. Lut —3B 46
Calvert Rd. Barn —4K 153
Camberley Av. Enf —6C 156
Camberley Pl. Hpdn —9E 88
Camborne Dri. Hem H —7A 106
Cambourne Av. N9 —9H 157
Cambrian Way. Hem H —8A 106
Cambridge Clo. Chesh —2G 145
Cambridge Cotts. Ware —6J 75
Cambridge Dri. Pot B —4K 141
Cambridge Gdns. N21 —9B 156
Cambridge Gdns. Enf —4E 156
Cambridge Pde. Enf —3E 156
Cambridge Rd. B'wy —7A 16
Cambridge Rd. Bar —1D 16
Cambridge Rd. H'low —9E 98
Cambridge Rd. Puck —7N 55
Cambridge Rd. St Alb —3J 127
Cambridge Rd. Saw —4G 98
Cambridge Rd. Stans —2N 59
Cambridge Rd. Ugley & Saf W —4N 43
Cambridge Rd. Wat —6L 149
Cambridge St. Lut —3G 67
Cambridge Ter. N9 —9C 156
Cambridge Ter. Berk —1A 122
Cam Cen. Hit —8A 22
Camden Ho. Hem H —2N 123
Camden Row. Pinn —9L 161
Cameron Ct. Ware —5H 95
Cameron Dri. Wal X —7H 145
Camfield. Wel G —4M 111
Camfield Pl. Ess —3C 130
Camford Way. Lut —1K 45
Camlet Way. Barn —4N 153
Camlet Way. St Alb —1C 126
Campania Gro. Lut —1C 46
Campbell Clo. Bunt —3H 39
Campbell Clo. H'low —8D 118
Campbell Clo. Hit —2B 34
Campbell Cft. Edgw —5A 164
Camp Dri. H Reg —4E 44
Campers Av. Let —6E 22
Campers Rd. Let —6D 22
Campers Wlk. Let —6E 22
Campfield Rd. Hert —9N 93
Campfield Rd. St Alb —3H 127
Campfield Way. Let —6D 22
Campian Clo. Dunst —8B 44
Campine Clo. Chesh —1H 145
Campion Clo. Wat —6J 137
Campion Ct. Stev —1J 51
Campion Rd. Hat —5F 110
Campion Rd. Hem H —3H 123
Campions Clo. Borwd —1A 152
Campions Ct. Berk —1M 121
Campions, The. Borwd —2N 151
Campions, The. Stans —2N 59
Campion Way. Edgw —4C 164
Campion Way. R'ton —8E 8
Campkin Mead. Stev —6C 52
Camp Rd. St Alb —2G 127
Campshill La. Stev —3N 51
Camp, The. —4J 127
Campus E. Wel G —8K 91
Campus Five. Let —4J 23
Campus, The. —9E 106
Campus, The. Wel G —8K 91
Campus W. Wel G —8K 91
Campus West Theatre. —8K 91
Camp Vw. Rd. St Alb —3J 127
Camrose Av. Edgw —9N 163
Cam Sq. Hit —8A 22
Canada La. Brox —7J 133
(in two parts)
Canadas, The. Brox —8J 133
Canal Ct. Berk —1B 122
Canalside. Hare —7K 159
Canal Way. Hare —6K 159

Canberra Clo. NW4 —9G 165
Canberra Clo. St Alb —7G 109
Canberra Gdns. Lut —3D 46
Candale Clo. Dunst —2F 64
Candlefield Clo. Hem H —5C 124
Candlefield Rd. Hem H —5C 124
Candlefield Wlk. Hem H —5C 124
Candlestick La. Chesh —8F 132
Caneswörde Rd. Dunst —1D 64
Canfield. Bis S —9G 59
Canford Clo. Enf —4M 155
Cangels Clo. Hem H —4K 123
Canham Clo. Kim —7L 69
Canning Rd. Harr —9G 162
Cannix Clo. Stev —7N 51
Cannon Cinema. —1G 66
Cannon Ho. Hit —4N 33
(off Queen St.)
Cannon La. Lut —4K 47
Cannon M. Wal A —6M 145
Cannon Rd. Wat —7L 149
Cannons Clo. Bis S —8J 59
Cannons Ct. Stdn —6A 56
Cannons Ga. Chesh —8K 133
Cannons Mead. Stans —2M 59
Cannons Mdw. Tew —5D 92
Cannons Mill La. Bis S —7J 59
(in two parts)
Cannons Roundabout. H'low —6J 117
Cannon St. St Alb —1E 126
Canonbury Rd. Enf —3C 156
Canon Mohan Clo. N14 —8F 154
Canons Brook. H'low —6K 117
Canons Brook Golf Course. —5J 117
Canons Clo. Edgw —6N 163
Canons Clo. Rad —8J 139
Canons Corner. Edgw —4M 163
Canons Ct. Edgw —6N 163
Canons Dri. Edgw —6M 163
Canons Fld. Welw —8L 71
Canons Fld. Wheat —6L 89
Canonsfield Ct. Welw —8L 71
Canonsfield Rd. Welw —8L 71
Canons Ga. H'low —5K 117
Canons Park. —7L 163
Canons Pk. —6M 163
Canons Pk. Stan —6L 163
Canons Pk. Clo. Edgw —7M 163
Canons Rd. Ware —5G 95
Canopus Way. N'wd —4J 161
Canopy La. H'low —5E 118
Canterbury Clo. Lut —5B 46
Canterbury Clo. N'wd —6H 161
Canterbury Ct. NW9 —9E 164
Canterbury Ct. St Alb —9G 108
(off Battlefield Rd.)
Canterbury Ho. Borwd —4A 152
(off Stratfield Rd.)
Canterbury Ho. Wat —4L 149
(off Anglian Clo.)
Canterbury Pk. —8M 35
Canterbury Rd. Borwd —4A 152
Canterbury Rd. Wat —4K 149
Canterbury Way. Crox G —5E 148
Canterbury Way. Stev —9L 35
Cantilupe Clo. Eat B —2H 63
Cantrel Lodge. Enf —9H 145
Capability Grn. Lut —4H 67
Capel Ct. L Had —7A 58
Capella Rd. N'wd —4H 161
Capell Av. Chor —7F 146
Capell Rd. Chor —7G 146
Capell Way. Chor —7G 146
Capel Rd. Barn —8D 154
Capel Rd. Enf —9F 144
Capel Rd. Wat —8N 149
Capelvere Wlk. Wat —3G 148
Cape Rd. St Alb —2J 127
Capital Bus. Cen. Wat —9M 137
Capital Pl. H'low —7K 117
(off Lovet Rd.)
Capitol Way. NW9 —9C 164
Caponfield. Wel G —2A 112
Cappell La. Stan A —9N 95
Capron Rd. Dunst —7D 44
Capron Rd. Lut —5A 46
Capstan Ride. Enf —4M 155
Captain's Clo. Che —9E 120
Captains Wlk. Berk —2A 122
Capuchin Clo. Stan —6J 163
Caractacus Cottage Vw. Wat —9J 149
Caractacus Grn. Wat —8H 149

Caravan La. Rick —9A 148
Carbis Clo. E4 —9N 157
Carbone Hill. N'thaw & New S —9H 131
Carde Clo. Hert —8L 93
Cardiff Clo. Stev —1A 72
Cardiff Gro. Lut —1F 66
Cardiff Rd. Enf —6F 156
Cardiff Rd. Lut —1F 66
Cardiff Rd. Wat —8K 149
(in two parts)
Cardiff Rd. Ind. Est. Wat —8K 149
Cardiff Way. Ab L —5J 137
Cardigan Ct. Lut —9F 46
(off Cardigan St.)
Cardigan Ct. Lut —9F 46
(Telford Way)
Cardigan Gdns. Lut —9F 46
(off Cardigan St.)
Cardigan St. Lut —1F 66
Cardinal Av. Borwd —5B 152
Cardinal Clo. Chesh —8D 132
Cardinal Clo. Edgw —7D 164
Cardinal Ct. Lut —8F 46
(off Earls Meade)
Cardinal Gro. St Alb —4C 126
Cardinals Ga. R'ton —7C 8
Cardinal Way. Harr —9F 162
Cardy Rd. Hem H —3L 123
Carew Rd. N'wd —6G 161
Carew Way. Wat —3A 162
Carey Pl. Wat —6L 149
Careys Cft. Berk —7L 103
Carfax Clo. Lut —6H 45
Cargrey Ho. Stan —5K 163
Carisbrooke Av. Wat —3M 149
Carisbrooke Clo. Enf —3D 156
Carisbrooke Clo. Stan —9L 163
Carisbrooke Rd. Hpdn —5D 88
Carisbrooke Rd. Lut —8A 46
Carisbrook Rd. Park —8C 126
Carlbury Clo. St Alb —3J 127
Carleton Ri. Welw —1J 91
Carleton Rd. Chesh —1H 145
Carlisle Av. St Alb —9E 108
Carlisle Clo. Dunst —2E 64
Carlisle Ho. Borwd —4A 152
Carlisle Rd. NW9 —9C 164
Carlow Ct. Dunst —9D 44
Carlton Av. N14 —7J 155
Carlton Bank. Hpdn —6C 88
Carlton Clo. Borwd —6D 152
Carlton Clo. Edgw —5A 164
Carlton Clo. Lut —7E 46
Carlton Ct. Hpdn —6C 88
Carlton Ct. Wat —8M 149
Carlton Cres. Lut —6E 46
Carlton Pl. N'wd —5D 160
Carlton Ri. Mel —1K 9
Carlton Rd. Hpdn —5B 88
Carman Ct. Tring —3L 101
Carmelite Clo. Harr —8D 162
Carmelite Rd. Harr —8D 162
Carmelite Rd. Lut —6K 45
Carmelite Wlk. Harr —8D 162
Carmelite Way. Harr —9D 162
Carmen Ct. Borwd —3N 151
(off Aycliffe Rd.)
Carnaby Rd. Brox —2J 133
Carnarvon Av. Enf —5D 156
Carnarvon Rd. Barn —5L 153
Carnegie Clo. Enf —2M 157
Carnegie Gdns. Lut —1C 46
Carnegie Rd. St Alb —7E 108
Carneles Green. —4F 132
Caro La. Hem H —4D 124
Carol Clo. Lut —5D 46
Caroline Ct. Stan —6H 163
Caroline Pl. Wat —8N 149
Caroline Sharp Ho. St Alb —7K 109
Carolyn Ct. Lut —5D 46
Caroon Dri. Sarr —9L 135
Carpenders Av. Wat —3N 161
Carpenders Clo. Hpdn —3M 87
Carpenders Park. —3M 161
Carpenters Clo. Barn —8A 154
Carpenters Rd. Enf —9G 144
Carpenters, The. Bis S —4E 78
Carpenters Wood Dri. Chor —6E 146
Carpenters Yd. Tring —3N 101
Carpenter Way. Pot B —6B 142
Carriden Ct. Hert —7L 93
Carrigans. Bis S —9G 59
Carrington Av. Borwd —7B 152

Carrington Clo. Ark —7G 153
Carrington Clo. Borwd —7C 152
Carrington Cres. Wend —7A 100
Carrington Pl. Tring —1N 101
Carrington Sq. Harr —6D 162
Carrs La. N21 —7A 156
Carsdale Clo. Lut —3C 46
Carson Rd. Cockf —6E 154
Carteret Rd. Lut —8L 47
Carterhatch La. Enf —2D 156
Carterhatch Rd. Enf —3G 157
Carters Clo. Arl —5A 10
Carters Clo. Stev —5C 52
Cartersfield Rd. Wal A —7N 145
Carter's Green. —4N 119
Carters Hill. Man —9J 43
Carters La. Hit —3H 33
Carters Leys. Bis S —9F 58
Carters Mead. H'low —8E 118
Carters Wlk. Arl —5A 10
Carters Way. Arl —5A 10
Carterweys. Dunst —7H 45
Carthagena Est. Brox —2N 133
Cartmel Dri. Dunst —2E 64
Cart Path. Wat —6L 137
Cart Track, The. Hem H —7B 124
Cartwright Rd. R'ton —8D 8
Cartwright Rd. Stev —8B 36
Carve Ley. Wel G —1A 112
Carvers Cft. Wool G —6A 72
Cary Wlk. Rad —7J 139
Cashio La. Let —2G 23
Caslon Way. Let —2F 22
Cassandra Ga. Chesh —9K 133
Cassiobridge Rd. Wat —6G 149
Cassiobury Ct. Wat —4G 149
Cassiobury Dri. Wat —2G 149
Cassiobury Pk. Av. Wat —5G 149
Cassiobury Public Pk. —5G 149
Cassio Rd. Wat —5K 149
Castano Ct. Ab L —4G 137
Castellane Clo. Stan —7G 163
Castile Ct. Wal X —6L 145
Castings Ho. Let —4G 23
Castle Bridges. Hert —9A 94
Castle Clo. Bush —8C 150
Castle Clo. Hod —5N 115
Castle Ct. Hit —1L 33
Castle Cft. Rd. Lut —1C 66
Castleford Clo. Borwd —2N 151
Castle Gdns. K Lan —2B 136
Castle Ga. Hert —1A 114
(off Castle St.)
Castle Gateway. Berk —8N 103
Castle Hill. Berk —8N 103
Castle Hill Av. Berk —9N 103
Castle Hill Clo. Berk —9N 103
Castle Hill Ct. Berk —8N 103
Castle Hill Rd. Tot —1L 63
Castleleigh Ct. Enf —7B 156
Castle Mead. Hem H —4L 123
Castle Mead Gdns. Hert —9A 94
Castle M. Berk —1A 122
Castle Pk. Rd. Wend —8A 100
Castle Ri. Wheat —5G 89
Castle Rd. Enf —3J 157
Castle Rd. Hod —5N 115
Castle Rd. St Alb —2J 127
Castle Row. Tring —3M 101
(off Albert St.)
Castles Clo. Stot —4F 10
Castle St. Berk —1N 121
Castle St. Bis S —2H 79
Castle St. Hert —1A 114
Castle St. Lut —2G 66
(in two parts)
Castle St. W'grv —6A 60
Castle Vw. Bis S —1J 79
Castle Village. Pott E —8B 104
Castle Wlk. Stans —3N 59
Castlewood Rd. Cockf —5C 154
Catalin Ct. Wal A —6N 145
(off Howard Clo.)
Catchacre. Dunst —1D 64
Catesby Grn. Lut —9C 30
Catham Clo. St Alb —4J 127
Catherall Rd. Lut —3D 46
Catherine Clo. Hem H —6D 106
Catherine Cotts. Tring —6C 102
Catherine Ct. N14 —7H 155
Catherine Rd. Enf —1J 157
Catherine St. St Alb —1E 126
Cat Hill. Barn —8D 154
Catisfield Rd. Enf —1J 157
Catkin Clo. Hem H —1L 123

Catlin St. Hem H —5L 123
Catsbrook Rd. Lut —3D 46
Catsdell Bottom. Hem H —5D 124
Catsey La. Bush —9D 150
Catsey Wood. Bush —9D 150
Catterick Way. Borwd —3N 151
Cattlegate. —6K 143
Cattlegate Cotts. Cuff —4J 143
Cattlegate Hill. Cuff —5J 143
Cattlegate Rd. N'thaw & Enf —4J 143
Cattley Clo. Barn —6L 153
Cattlins Clo. Chesh —2D 144
Cattsdell. Hem H —1A 124
Causeway Bus. Cen., The. Bis S (off Causeway, The) —1H 79
Causeway Clo. Pot B —4C 142
Causeway, The. Bass —1N 7
Causeway, The. Bis S —1H 79
Causeway, The. Brau —1D 56
Causeway, The. Bre P —1L 41
Causeway, The. Bunt —2J 39
Causeway, The. Fur P & Ware —6K 41
Causeway, The. Pot B —4B 142 (in two parts)
Causeway, The. Saf W —9M 17
Causeway, The. Ther —4D 14
Causeway, The. Ware —7N 57
Causeyware Rd. N9 —9G 156
Cautherly La. Gt Amw —1K 115
Cavalier Clo. Lut —3C 46
Cavalier Ct. Berk —1N 121
Cavalier Ct. Stev —9H 35 (off Ingleside Dri.)
Cavan Ct. Hat —1G 128
Cavan Dri. St Alb —6E 108
Cavan Pl. Pinn —8A 162
Cavan Rd. Redb —9J 87
Cavell Dri. Enf —4M 155
Cavell Rd. Chesh —9D 132
Cavell Wlk. Stev —4B 52
Cavendish Av. N3 —9N 165
Cavendish Clo. Wend —8A 100
Cavendish Cres. Els —6A 152
Cavendish Dri. Edgw —6N 163
Cavendish Rd. Barn —5J 153
Cavendish Rd. Lut —7D 46
Cavendish Rd. Mark —1N 85
Cavendish Rd. St Alb —2G 127
Cavendish Rd. Stev —4G 51
Cavendish Way. Hat —9E 110
Cawkell Clo. Stans —2M 59
Cawley Hatch. H'low —6J 117
Caxton Cen. Port W —6G 108
Caxton Ct. Lut —5B 46
Caxton Ga. Stev —5H 51
Caxton Hill. Hert —9C 94
Caxton Rd. Hod —4M 115
Caxton Way. Stev —5H 51
Caxton Way. Wat —9F 148
Cecil Av. Enf —6D 156
Cecil Clo. Bis S —1M 79
Cecil Ct. Barn —5K 153
Cecil Ct. Enf —6B 156
Cecil Ct. H'low —9M 117
Cecil Cres. Hat —7H 111
Cecil Rd. N14 —9H 155
Cecil Rd. Chesh —5J 145
Cecil Rd. Enf —5A 156
Cecil Rd. Harr —9F 162
Cecil Rd. Hert —3A 114
Cecil Rd. Hod —6N 115
Cecil Rd. St Alb —2G 127
Cecil Rd. S Mim —5G 141
Cecil St. Wat —2K 149
Cedar Av. Barn —9D 154
Cedar Av. Enf —4G 156
Cedar Av. Ickl —7M 21
Cedar Av. Wal X —6H 145
Cedar Clo. Hert —9N 93
Cedar Clo. Lut —6H 45
Cedar Clo. Mel —1J 9
Cedar Clo. Pot B —3N 141
Cedar Clo. Saw —6G 99
Cedar Clo. Ware —7H 95
Cedar Ct. Bis S —8H 59
Cedar Ct. St Alb —2L 127
Cedar Cres. R'ton —7B 8
Cedar Dri. Pinn —6B 162
Cedar Grange. Enf —7C 156
Cedar Grn. Hod —9L 115
Cedar Gro. Bell —5B 120
Cedar Lawn Av. Barn —7L 153
Cedar Lodge. Chesh —1H 145
Cedar Pk. Bis S —4F 78
Cedar Pk. Rd. Enf —2A 156
Cedar Pl. N'wd —6E 160
Cedar Ri. N14 —9F 154
Cedar Rd. Berk —2A 122
Cedar Rd. Enf —2N 155
Cedar Rd. Hat —1G 129
Cedar Rd. Wat —8L 149
Cedars Av. Rick —1M 159
Cedars Clo. NW4 —9K 165
Cedars Clo. Borwd —6B 152
Cedars Clo. Chal P —5B 158
Cedars Ho. Chor —6J 147
Cedars, The. Berk —1B 122
Cedars, The. Dunst —1F 64
Cedars, The. Hpdn —6C 88
Cedars, The. Wend —9A 100
Cedars Wlk. Chor —6J 147
Cedar Wlk. Hem H —4N 123
Cedar Wlk. Wal A —7N 145
Cedar Wlk. Wel G —1A 112
Cedar Way. Berk —2A 122
Cedarwood Dri. St Alb —2L 127
Cedar Wood Dri. Wat —8K 137
Celadon Clo. Enf —5J 157
Celandine Dri. Lut —1C 46
Celia Johnson Ct. Borwd —3C 152
Cell Barnes Clo. St Alb —4J 127
Cell Barnes La. St Alb —3H 127 (in two parts)
Cemetery Hill. Hem H —3M 123
Cemetery Rd. Bis S —3H 79
Cemetery Rd. Hit —4N 33
Cemetery Rd. H Reg —5E 44
Cemmaes Ct. Rd. Hem H —2M 123
Cemmaes Mdw. Hem H —2M 123
Centenary Ct. Lut —5J 45
Centenary Rd. Enf —6K 157
Centenary Trad. Est. Enf —5K 157
Centennial Av. Els —9K 151
Centennial Pk. Els —9K 151
Central Av. Enf —4F 156
Central Av. H'low —5N 117
Central Av. Henl —1J 21
Central Av. Wal X —6J 145
Central Dri. St Alb —1K 127
Central Dri. Wel G —7M 91
Central Pde. Enf —4G 156
Central Rd. H'low —2C 118
Central Way. N'wd —7G 161
Centro. Hem H —9E 106
Century Clo. St Alb —1D 126
Century Ct. Wat —9E 148
Century Pk. Ind. Est. Wat —7L 149 (off Local Board Rd.)
Century Pk. W. Wat —7L 149
Century Rd. Hod —7L 115
Century Rd. Ware —5H 95
Cervantes Ct. N'wd —7H 161
Chace Av. Pot B —5C 142
Chace, The. Stev —8M 51
Chadbury Ct. NW7 —7G 164
Chad La. Flam & Pep —4E 86
Chadwell. Ware —7G 94
Chadwell Av. Chesh —1G 144
Chadwell Clo. Lut —8H 47
Chadwell Ri. Ware —7G 95
Chadwell Rd. Stev —5H 51
Chadwick Av. N21 —7L 155
Chadwick Ct. Dunst —8D 44
Chaffinch Clo. N9 —9H 157
Chaffinches Grn. Hem H —6C 124
Chaffinch La. Wat —9H 149
Chagney Clo. Let —5E 22
Chailey Av. Enf —4D 156
Chalet Clo. Berk —1K 121
Chalet Est. NW7 —4G 164
Chalfont Av. Amer —3A 146
Chalfont Clo. Hem H —6D 106
Chalfont Common. —5C 158
Chalfont Ho. Wat —8G 149
Chalfont La. Chor —7E 146
Chalfont La. Ger X & W Hyd —7F 158
Chalfont Leisure Cen. —8A 158
Chalfont Pl. St Alb —2F 126
Chalfont Rd. Map C —2E 158
Chalfont St Peter By-Pass. Chal P & Ger X —8B 158
Chalfont Sta. Rd. Amer —4A 146
Chalfont Wlk. Pinn —9L 161
Chalfont Way. Lut —7L 47
Chalgrove. Wel G —8C 92
Chalgrove Gdns. N3 —9L 165
Chalk Dale. Wel G —8A 92
Chalkdell Fields. St Alb —8H 109
Chalkdell Hill. Hem H —2A 124
Chalkden Path. Hit —2L 33
Chalkdown. Lut —3G 46
Chalkdown. Stev —2C 52
Chalk Fld. Let —8J 23
Chalk Hill. —5B 44
Chalk Hill. Lut —5A 48
Chalk Hill. Wat —8M 149
Chalk Hills. Bald —6M 23
Chalk La. Barn —5E 154
Chalk La. H'low —2K 119 (Matching Rd.)
Chalk La. H'low —3J 119 (Moor Hall Rd.)
Chalkmill Dri. Enf —5F 156
Chalks Av. Saw —4F 98
Chalkwell Pk. Av. Enf —6C 156
Chalky La. R'ton —2N 17
Challinor. H'low —6G 119
Challney Clo. Lut —7N 45
Chalton Heights. Chal —1H 45
Chalton Rd. Lut —4M 45
Chamberlain Clo. H'low —6E 118
Chamberlaines. Hpdn —2J 87
Chambersbury La. Hem H (in two parts) —6C 124
Chambers Ga. Stev —2K 51
Chambers La. Ickl —7M 21
Chambers St. Hert —9A 94
Champions Grn. Hod —5L 115
Champions Way. Hod —5L 115
Champneys. Wat —2N 161
Champneys. Wig —8D 102
Chancellor Pl. NW9 —9F 164
Chancellors Rd. Stev —9J 35
Chancery Clo. St Alb —6L 109
Chanctonbury Way. N12 —4M 165
Chandlers Clo. Bis S —3E 78
Chandler's Cross. —2B 148
Chandler's La. Chan X —9A 136
Chandlers La. H Wych —2A 98 (in two parts)
Chandlers Rd. St Alb —8K 109
Chandlers Way. Hert —9M 93
Chandos Av. N20 —9B 154
Chandos Clo. Amer —2A 146
Chandos Ct. Edgw —7N 163
Chandos Cres. Edgw —7N 163
Chandos Pde. Edgw —7N 163
Chandos Rd. Borwd —4N 151
Chandos Rd. Lut —8B 46
Chanfield Clo. Lut —6J 45
Chantry Clo. NW7 —8F 152
Chantry Clo. Bis S —9G 59
Chantry Clo. Enf —2A 156
Chantry Clo. K Lan —2C 136
Chantry Ct. Hat —1G 128
Chantry La. Hat —1F 128 (in two parts)
Chantry La. Hit —8F 34
Chantry La. Lon C —8L 127
Chantry Mt. Bis S —9G 59
Chantry Pl. Harr —8C 162
Chantry Rd. Bis S —9G 59
Chantry Rd. Harr —8C 162
Chantry, The. E4 —9N 157
Chantry, The. Bis S —9H 59
Chantry, The. H'low —4C 118
Chaomans. Let —8F 22
Chapel Clo. Brk P —9C 130
Chapel Clo. Lit —3H 7
Chapel Clo. L Gad —9A 84
Chapel Clo. Lut —1E 46
Chapel Clo. Wat —7H 137
Chapel Cotts. Hem H —9N 105
Chapel Croft. —4K 135
Chapel Cft. Chfd —4K 135
Chapel Crofts. N'chu —8J 103
Chapel Dri. Ast C —1D 100
Chapel End. —7H 81
Chapel End. Bunt —3J 39
Chapel End. Chal P —9A 158
Chapel End. Hod —9L 115
Chapel End La. Wils —7H 81
Chapel Fields. H'low —8E 118
Chapelfields. Stan A —1A 116
Chapel Fields. Wils —7H 81
Chapel Green. —9E 14
Chapel Hill. Stans —2N 59
Chapel La. Chart —9A 120
Chapel La. Dunst —3E 62
Chapel La. H'low —8E 118
Chapel La. I Ast —7E 62
Chapel La. Let G —4G 112
Chapel La. L Had —9K 57
Chapel La. Long M —3G 80
Chapel La. Tot —1K 63
Chapel Mdw. Tring —9M 81
Chapel Path. H Reg —5E 44
Chapel Pl. St Alb —5E 126
Chapel Pl. Stot —7F 10
Chapel Rd. B Grn —9F 48
Chapel Rd. Flam —5D 86
Chapel Row. Bis S —2H 79 (off South St.)
Chapel Row. Hare —8M 159
Chapel Row. Hit —2N 33 (off Whinbush Rd.)
Chapel St. Berk —1A 122
Chapel St. Dun —1F 4
Chapel St. Enf —5A 156
Chapel St. Hem H —1N 123
Chapel St. Hinx —7E 4
Chapel St. Lut —2G 66 (in two parts)
Chapel St. Tring —3L 101
Chapel Viaduct. Lut —1G 66
Chapel Way. Bedm —9H 125
Chapman Rd. Stev —9H 35
Chapmans End. Puck —6A 56
Chapmans, The. Hit —4M 33
Chapmans Yd. Wat —6M 149
Chapmore End. —2B 94
Chappell Ct. Ware —9D 74
Chapter Ho. Rd. Lut —7K 45
Charcroft Gdns. Enf —6H 157
Chard Dri. Lut —9D 30
Chardins Clo. Hem H —1J 123
Charlbury Av. Stan —5L 163
Charle Sevright Dri. NW7 —5K 165
Charles St. Berk —1M 121
Charles St. Enf —7D 156
Charles St. Hem H —3M 123
Charles St. Lut —8H 47
Charles St. Tring —3M 101
Charlesworth Clo. Hem H —4N 123
Charlock Way. Wat —8H 149
Charlotte Clo. St Alb —2M 127
Charlottes Ct. Lut —1F 66 (off Cardigan St.)
Charlton. —6L 33
Charlton Clo. Hod —8L 115
Charlton Mead La. Hod —9A 116
Charlton Rd. N9 —9H 157
Charlton Rd. Harr —9M 163
Charlton Rd. Hit —6L 33
Charlton Way. Hod —8L 115
Charlwood Clo. Harr —6F 162
Charlwood Rd. Lut —8L 45
Charmbury Ri. Lut —5J 47
Charmian Av. Stan —9L 163
Charmouth Ct. St Alb —8H 109
Charmouth Rd. St Alb —9H 109
Charndon Clo. Lut —9D 30
Charnwood Rd. Enf —9F 144
Charter Clo. St Alb —2E 126
Charter Ct. Hem H —2N 123
Charter Pl. Wat —5L 149
Charters Cross. H'low —9N 117
Charter Way. N14 —8H 155
Chartley Av. Stan —6G 163
Chartridge. —9A 120
Chartridge. Wat —2M 161
Chartridge Clo. Barn —7G 153
Chartridge Clo. Bush —8D 150
Chartridge La. Che —8A 120
Chartridge Pk. Golf Course. —9B 120
Chartridge Way. Hem H —2E 124
Chartwell Ct. Barn —6L 153
Chartwell Dri. Lut —6G 47
Chartwell Rd. N'wd —6H 161
Charwood Clo. Shenl —6M 139
Chasden Rd. Hem H —8J 105
Chase Bank Ct. N14 —8H 155 (off Avenue Rd.)
Chase Clo. Arl —4A 10
Chase Ct. Gdns. Enf —5A 156
Chase Grn. Enf —5A 156
Chase Grn. Av. Enf —4N 155
Chase Hill. Enf —5A 156
Chase Hill Rd. Arl —6A 10
Chase Ridings. Enf —4M 155
Chase Rd. N14 —7H 155
Chase Side. —4A 156
Chase Side. N14 —8F 154
Chase Side. Enf —5A 156
Chase Side Av. Enf —4A 156
Chaseside Clo. Ched —9M 61
Chase Side Cres. Enf —3A 156
Chase Side Pl. Enf —4A 156
Chase Side Works Ind. Est. N14 —9J 155
Chase St. Lut —3G 67
Chase, The. Arl —6A 10
Chase, The. Bis S —2H 79
Chase, The. Edgw —8B 164
Chase, The. G Oak —1N 143
Chase, The. Gt Amw —9L 95
Chase, The. H'low —5E 118
Chase, The. Hem H —3A 124
Chase, The. Hert —9D 94
Chase, The. Rad —8G 138
Chase, The. Stan —6H 163
Chase, The. Wat —6G 149
Chase, The. Welw —9M 71
Chaseville Pde. N21 —7L 155
Chaseville Pk. Rd. N21 —7K 155
Chase Way. N14 —9H 155
Chaseways. Saw —7E 98
Chasewood Av. Enf —4N 155
Chasewood Ct. NW7 —5D 164
Chasten Hill. Let —4D 22
Chatsworth Av. NW4 —9J 165
Chatsworth Clo. NW4 —9J 165
Chatsworth Clo. Bis S —1E 78
Chatsworth Clo. Borwd —5A 152
Chatsworth Ct. St Alb —2G 126 (off Granville Rd.)
Chatsworth Ct. Stan —5K 163
Chatsworth Ct. Stev —8M 51
Chatsworth Dri. Enf —9E 156
Chatsworth Rd. Lut —8D 46
Chatter End. —2E 58
Chatteris Clo. Lut —5N 45
Chatterton. Let —6H 23
Chatton Clo. Lut —7N 47
Chaucer Clo. Berk —9K 103
Chaucer Ct. New Bar —7A 154
Chaucer Ho. Barn —6K 153
Chaucer Rd. Lut —7E 46
Chaucer Rd. R'ton —5C 8
Chaucer Wlk. Hem H —5D 106
Chaucer Way. Hit —2C 34
Chaucer Way. Hod —4L 115
Chaulden. —3J 123
Chaulden Ho. Gdns. Hem H —4J 123
Chaulden La. Hem H —4G 123
Chaulden Ter. Hem H —3J 123
Chaul End. —9M 45
Chaul End La. Lut —8A 46
Chaul End Rd. Cad —9M 45
Chaul End Rd. Lut —8L 45
Chauncey Ho. Wat —8G 148
Chauncy Av. Pot B —6B 142
Chauncy Clo. Ware —4H 95
Chauncy Ct. Hert —9B 94
Chauncy Gdns. Bald —2A 24
Chauncy Ho. Stev —3L 51
Chauncy Rd. Stev —3L 51
Chaworth Grn. Lut —4M 45
Cheapside. —4E 28
Cheapside. Lut —1G 66 (off Arndale Cen.)
Cheapside. Lut —1G 67 (Silver St.)
Cheapside Sq. Lut —1G 66 (off Arndale Cen.)
Chedburgh. Wel G —8C 92
Cheddington. —9M 61
Cheddington La. Long M —3G 81
Cheddington Rd. Pit —2N 81
Cheena Ho. Ger X —7C 158
Cheffins Rd. Hod —5K 115
Chells. —3A 52
Chells Enterprise Village. Stev —3B 52
Chells La. Stev —2B 52 (in two parts)
Chells Manor. —2C 52
Chells Recreation Ground. —3C 52
Chells Way. Stev —2N 51
Chelmsford Ct. N14 —9J 155 (off Chelmsford Rd.)
Chelmsford Rd. N14 —9H 155
Chelmsford Rd. Hert —1M 113
Chelsea Clo. Edgw —9A 164
Chelsea Fields. Hod —4M 115
Chelsea Gdns. H'low —7G 118
Chelsea Gdns. H Reg —4G 44
Chelsfield Av. N9 —9H 157
Chelsfield Grn. N9 —9H 157

Chelsing Ri.—Church La.

Chelsing Ri. Hem H —3E 124
Chelsworth Clo. Lut —8M 47
Cheltenham Ct. St Alb —3H 127 (off Dexter Clo.)
Cheltenham Ct. Stan —5K 163 (off Marsh La.)
Cheltenham Ho. Wat —4L 149 (off Exeter Clo.)
Chelveston. Wel G —8C 92
Chelwood Av. Hat —7G 110
Chelwood Clo. E4 —8M 157
Chelwood Clo. N'wd —7E 160
Chenduit Way. Stan —5G 163
Chene Dri. St Alb —9E 108
Cheney Rd. Lut —4M 45
Chenies. —2E 146
Chenies Av. Amer —3A 146
Chenies Bottom. —1D 146
Chenies Ct. Hem H —6D 106
Chenies Grn. Bis S —2F 78
Chenies Pde. L Chal —4A 146
Chenies Rd. Chor —4G 147
Chenies, The. Hpdn —8D 88
Chenies Way. Wat —9G 149
Chennells. Hat —1F 128
Chennells Clo. Hit —9B 22
Chepstow. Hpdn —5A 88
Chepstow Clo. Stev —1A 52
Chequer Ct. Lut —2H 67
Chequer La. Redb —2J 107
Chequers. Bis S —9E 58
Chequers. Hat —6K 111
Chequers. Wel G —4K 111
Chequers Bri. Rd. Stev —3J 51
Chequers Clo. Bunt —2H 39
Chequers Clo. Pit —3A 82
Chequers Clo. Puck —5A 56
Chequers Clo. Stot —6G 10
Chequers Cotts. Pres —3L 49
Chequers Fld. Wel G —3K 111
Chequers Hill. Mark —5E 86
Chequers La. Pit —3A 82
Chequers La. Pres —2L 49
Chequers La. Wat —3K 137
Chequers, The. Eat B —3K 63
Chequers, The. Pinn —9M 161
Chequer St. Lut —2H 67
Chequer St. St Alb —2E 126
Cherchefelle M. Stan —5J 163
Cheriton Clo. Barn —5E 154
Cheriton Clo. St Alb —7L 109
Cherry Acre. Chal P —4A 158
Cherry Bank. Hem H —1N 123 (off Chapel St.)
Cherry Blossom Clo. H'low —2E 118
Cherry Bounce. Hem H —9N 105
Cherry Clo. Kneb —4M 71
Cherry Ct. Pinn —9M 161
Cherry Cft. Crox G —8D 148
Cherry Cft. Wel G —5K 91
Cherrycroft Gdns. Pinn —7A 162
Cherrydale. Wat —6H 149
Cherry Dri. R'ton —6E 8
Cherry Gdns. Bis S —9J 59
Cherry Gdns. Saw —3G 99
Cherry Gdns. Tring —3L 101
Cherry Green. —9H 39
Cherry Hill. Harr —6G 162
Cherry Hill. Loud —5L 147
Cherry Hill. New Bar —8A 154
Cherry Hill. St Alb —7B 126
Cherry Hills. Wat —5N 161
Cherry Hollow. Ab L —4H 137
Cherry Orchard. Hem H —9K 105
Cherry Orchard La. Wyd —8L 27
Cherry Ri. Chal G —2A 158
Cherry Rd. Enf —2G 157
Cherry Tree Av. Lon C —8L 127
Cherry Tree Clo. Arl —8A 10
Cherry Tree Clo. Lit —4H 7
Cherry Tree Clo. Lut —8J 47
Cherry Tree Grn. Hert —7L 93
Cherrytree La. Chal P —9A 158
Cherry Tree La. Hem H —6E 106
Cherry Tree La. Herons —1F 158
Cherry Tree La. Pot B —7A 142
Cherry Tree La. Wheat —6H 89
Cherry Tree Ri. Walk —1G 53
Cherry Tree Rd. Hod —7L 115
Cherry Tree Rd. Wat —9K 137
Cherry Trees. L Ston —1J 21
Cherry Tree Wlk. H Reg —3E 44
Cherrytree Way. Stan —6J 163
Cherry Wlk. Loud —4M 147
Cherry Way. Hat —3G 128
Chertsey Clo. Lut —9L 47
Chertsey Ri. Stev —5B 52
Cherwell Clo. Crox G —7C 148
Cherwell Dri. Stev —7N 35
Chesfield Clo. Bis S —3H 79
Chesfield Downs Family Golf Cen. —2K 35
Chesfield Pk. —6M 35
Chesford Rd. Lut —5L 47
Chesham & Ley Hill Golf Course. —4A 134
Chesham Ct. N'wd —6H 161
Chesham La. Chal P & Chal G —4B 158
Chesham Rd. Ash G —6C 120
Chesham Rd. Berk —3M 121
Chesham Rd. Bov —1A 134
Chesham Rd. Che —7J 121
Chesham Rd. Wig —6B 102
Chesham Way. Wat —8G 149
Cheshire Dri. Leav —7H 137
Cheshunt. —1H 145
Cheshunt Golf Course. —9G 132
Cheshunt Wash. Chesh —9J 133
Cheslyn Clo. Lut —7N 47
Chesnut Row. N3 —7N 165
Chess Clo. Lat —9A 134
Chess Clo. Loud —6N 147
Chessfield Pk. Amer —3B 146
Chess Hill. Loud —6N 147
Chess La. Loud —6N 147
Chess Va. Ri. Crox G —8B 148
Chess Way. Chor —5K 147
Chesswood Ct. Rick —1N 159
Chesswood Way. Pinn —9M 161
Chestbrook Ct. Enf —7C 156 (off Forsyth Pl.)
Chester Av. Lut —6A 46
Chester Clo. Lut —7B 46
Chester Clo. Pot B —2A 142
Chesterfield Flats. Barn —7K 153 (off Bells Hill)
Chesterfield Lodge. N21 —9L 155 (off Church Hill)
Chesterfield Rd. N3 —6N 165
Chesterfield Rd. Barn —7K 153
Chesterfield Rd. Enf —1J 157
Chester Gdns. Enf —8F 156
Chester Pl. N'wd —7G 161 (off Green La.)
Chester Rd. Borwd —5C 152
Chester Rd. N'wd —7G 161
Chester Rd. Stev —9N 35
Chester Rd. Wat —7J 149
Chesterton Av. Hpdn —6D 88
Chestnut Av. Edgw —8M 163
Chestnut Av. Hal —6B 100
Chestnut Av. Henl —1K 21
Chestnut Av. Lut —1L 45
Chestnut Av. N'wd —9H 161
Chestnut Av. Rick —7K 147
Chestnut Av. Ware —4K 95
Chestnut Clo. N14 —7H 155
Chestnut Clo. Ast C —1E 100
Chestnut Clo. Bis S —2G 79
Chestnut Clo. Chal P —8C 158
Chestnut Clo. Dagn —2N 83
Chestnut Clo. Pott E —8E 104
Chestnut Clo. Ware —6G 96
Chestnut Ct. Dunst —1F 64 (off High St. S.)
Chestnut Ct. Hit —2L 33
Chestnut Dri. Berk —2A 122
Chestnut Dri. Harr —7G 162
Chestnut Dri. Hat H —4N 99
Chestnut Dri. St Alb —9J 109
Chestnut End. Hal —5B 100
Chestnut Gro. Barn —7E 154
Chestnut La. N20 —1L 165
Chestnut Ri. Bush —9C 150
Chestnut Rd. Enf —9J 145
Chestnuts, The. Cod —6F 70
Chestnuts, The. Hem H —6J 123
Chestnuts, The. Hert —1B 114
Chestnuts, The. Pinn —7A 162
Chestnut Wlk. Chal P —7B 158
Chestnut Wlk. R'ton —8E 8
Chestnut Wlk. St I —6A 34
Chestnut Wlk. Stev —9K 35
Chestnut Wlk. Wat —1J 149
Chestnut Wlk. Welw —8M 71
Chetwynd Av. E Barn —9E 154
Chevalier Clo. Stan —4M 163
Cheveralls, The. Dunst —2F 64
Cheverells Clo. Mark —2N 85
Cheverell's Green. —3M 85
Cheviot Clo. Bush —8D 150
Cheviot Clo. Enf —4B 156
Cheviot Clo. Lut —2N 45
Cheviot Rd. Lut —2N 45
Cheviots. Hat —3G 128
Cheviots. Hem H —8B 106
Cheyne Clo. Dunst —6C 44
Cheyne Clo. Pit —3B 82
Cheyne Clo. Ware —5H 95
Cheyne Ct. Bush —6N 149
Cheyne Wlk. N21 —7N 155
Cheyney Clo. Stpl M —3C 6
Cheyneys Av. Edgw —6L 163
Cheyney St. Stpl M —3C 6
Chicheley Gdns. Harr —7D 162 (in two parts)
Chicheley Rd. Harr —7D 162
Chichester Clo. Dunst —1H 65
Chichester Ct. Edgw —6A 164 (off Whitchurch La.)
Chichester Ct. Stan —9M 163
Chichester Rd. N9 —9E 156
Chichester Way. Wat —6N 137
Chicken La. Lon C —9L 127
Chicken Shed Theatre. —7F 154
Chidbrook Ho. Wat —8G 149
Chiddingfold. N12 —3N 165
Chigwell Hurst Ct. Pinn —9M 161
Chilcott Rd. Wat —9G 137
Chilcourt. R'ton —7C 8
Childs Av. Hare —9M 159
Childwick Ct. Hem H —5D 124
Childwick Green. —3C 108
Chilham Clo. Hem H —3A 124
Chiltern Av. Bush —8D 150
Chiltern Av. Edl —5J 63
Chiltern Clo. Berk —9K 103
Chiltern Clo. Borwd —4N 151
Chiltern Clo. Bush —8C 150
Chiltern Clo. G Oak —9N 131
Chiltern Clo. Ware —4H 95
Chiltern Clo. Wend —9A 100
Chiltern Corner. Berk —9K 103
Chiltern Ct. Dunst —8D 44
Chiltern Ct. Hpdn —6D 88
Chiltern Ct. New Bar —7B 154
Chiltern Ct. St Alb —7L 109 (off Twyford Rd.)
Chiltern Ct. Wend —9A 100
Chiltern Dene. Enf —6L 155
Chiltern Dri. Mil E —9J 147
Chiltern Forest Golf Course. —4F 100
Chiltern Gdns. Lut —6B 46
Chiltern Green. —5B 68
Chiltern Hill. Chal P —8B 158
Chiltern Open Air Mus. —1C 158
Chiltern Pk. Dunst —7G 44
Chiltern Pk. Av. Berk —8L 103
Chiltern Pk. Ind. Est. Dunst —7G 44
Chiltern Ri. Lut —2F 66
Chiltern Rd. Bald —5M 23
Chiltern Rd. Bar C —9E 18
Chiltern Rd. Dunst —9D 44
Chiltern Rd. Hit —3A 34
Chiltern Rd. St Alb —6K 109
Chiltern Rd. Wend —9A 100
Chiltern Rd. W'grv —5A 60
Chilterns. Hat —3G 129
Chilterns. Hem H —9A 106
Chilterns, The. Hit —4A 34
Chilterns, The. Kens —8J 65
Chilterns, The. Stev —7A 36
Chiltern Vw. Let —6D 22
Chiltern Vw. Cvn. Pk. Eat B —3G 63
Chiltern Vs. Tring —3K 101
Chiltern Way. Ast C —4E 100
Chiltern Way. Tring —1A 102
Chilters, The. Berk —9K 103
Chilton Ct. Hert —7L 93
Chilton Grn. Wel G —9B 92
Chilton Rd. Edgw —6A 164
Chilvers Bank. Bald —4L 23
Chilwell Gdns. Wat —4L 161
Chilworth Ga. Brox —4K 133
Chime Sq. St Alb —1F 126
Chindit Clo. Brox —2J 133
Chine, The. N21 —8N 155
Chinnery Clo. Enf —3D 156
Chinnery Hill. Bis S —3H 79
Chipperfield. —4K 135
Chipperfield Common. —5L 135
Chipperfield Common. —5K 135
Chipperfield Rd. Bov —9E 122
Chipperfield Rd. Hem H —7M 123
Chipperfield Rd. K Lan —3M 135
Chipping. —6H 27
Chipping Barnet. —6L 153
Chipping Clo. Barn —5L 153
Chippingfield. H'low —3E 118
Chirdland Ho. Wat —8G 149
Chishill Rd. Bar —2D 16
Chishill Rd. Gt Chi —1J 17
Chiswell Ct. Wat —2L 149
Chiswell Green. —7B 126
Chiswell Grn. La. St Alb —7M 125
Chiswick Ct. Pinn —9A 162
Chittenden Clo. Hod —5M 115
Chivenor Pl. St Alb —4K 127
Chivery. —9H 101
Chobham St. Lut —2H 67
Chobham Wlk. Lut —2G 67
Cholesbury. —2A 120
Cholesbury La. C'bry —2A 120
Cholesbury Rd. C'bry —2A 120
Cholwell Rd. Stev —6B 52
Chorleywood. —7G 146
Chorleywood Bottom. —7G 147
Chorleywood Bottom. Chor —7G 146
Chorleywood Clo. Rick —9N 147
Chorleywood College Est. Chor —7J 147
Chorleywood Golf Course. —6G 147
Chorleywood Ho. Chor —5H 147
Chorleywood Ho. Dri. Chor —5H 147
Chorleywood Rd. Rick —6K 147
Chorleywood West. —6E 146
Chouler Gdns. Stev —8J 35
Chowns, The. Hpdn —1B 108
Chrishall. —1N 17
Christchurch Clo. St Alb —1E 126
Christchurch Ct. Dunst —8D 44 (off High St. N.)
Christchurch Cres. Rad —9H 139
Christchurch Ho. Tring —3M 101
Christchurch La. Barn —4L 153
Christchurch Lodge. Barn —6E 154
Christchurch Pas. High Bar —4L 153
Christchurch Rd. Hem H —1N 123
Christchurch Rd. Tring —2L 101
Christie Clo. Brox —2K 133
Christie Rd. Stev —4B 52
Christie Rd. Wal A —8M 145
Christopher Ct. Hem H —5N 123
Christopher Ct. Ware —6H 95
Christopher Pl. St Alb —2E 126 (off Verulam Rd.)
Christy's Yd. Hinx —7F 4
Church All. A'ham —2D 150
Churchbury Clo. Enf —4C 156
Churchbury La. Enf —5B 156
Churchbury Rd. Enf —4C 156
Church Clo. Ast C —1C 100
Church Clo. Bass —1M 7
Church Clo. Cod —6F 70
Church Clo. Cuff —2K 143
Church Clo. Dunst —9F 44
Church Clo. Edgw —5C 164
Church Clo. L Berk —1H 131
Church Clo. N'wd —7H 161
Church Clo. Rad —9H 139
Church Clo. Stud —3E 84
Church Cotts. Hem H —3G 105
Church Ct. Brox —2L 133
Church Cres. N3 —8M 165
Church Cres. St Alb —1D 126
Church Cres. Saw —5H 99
Church Cft. Edl —5J 63
Church Cft. St Alb —4K 127
Church Dri. Bis S —2D 42
Church End. —5A 10 (Arlesey)
Church End. —2C 56 (Braughing)
Church End. —5J 63 (Edlesborough)
Church End. —8M 165 (Finchley)
Church End. —5H 65 (Kensworth)
Church End. —7N 57 (Little Hadham)
Church End. —4C 82 (Pitstone)
Church End. —2J 107 (Redbourn)
Church End. —2J 147 (Rickmansworth)
Church End. —1M 63 (Totternhoe)
Church End. —1C 36 (Weston)
Church End. Arl —4A 10
Church End. Bar —3D 16
Church End. Brau —2C 56
Church End. Edl —5J 63
Church End. Flam —6E 86
Church End. H'low —8K 117
Church End. H Reg —4D 44
Church End. Mark —1N 85
Church End. Redb —2J 107
Church End. Sandr —4K 109
Church End. Walk —8H 37
Church Farm La. Mars —4L 81
Church Farm La. Stpl M —4C 6
Church Farm Way. A'ham —2C 150
Churchfield. Bar —3D 16
Churchfield. H'low —4C 118 (in two parts)
Churchfield. Hpdn —7D 88
Church Fld. Ware —4F 94
Churchfield Ho. Wel G —9J 91
Church Fld. Path. Chesh —2G 144 (in two parts)
Churchfield Rd. Chal P —8A 158
Churchfield Rd. H Reg —4E 44
Churchfield Rd. Tew —6B 92
Churchfields. Brox —2L 133
Churchfields. Stdn —7B 56
Churchfields. Stans —3N 59
Churchfields La. Brox —2L 133
Churchfields Rd. Wat —9H 137
Churchgate. —3F 144 (Cheshunt)
Church Gate. —5J 63 (Edlesborough)
Church Ga. Berk —1N 121
Churchgate. Chesh —2F 144
Churchgate. Hit —4M 33
Churchgate Rd. Chesh —2F 144
Churchgate St. H'low —2G 119
Church Grn. Gt Wym —4E 34
Church Grn. Hpdn —6B 88
Church Grn. Tot —1M 63
Church Grn. Row. Hpdn —6B 88
Church Gro. Amer —3B 146
Church Hill. N21 —9L 155
Church Hill. Bedm —7H 125
Church Hill. Ched —8L 61
Church Hill. Hare —9M 159
Church Hill. Hert H —2F 114
Chu. Hill Corner. Stans —4N 59
Churchhill Cres. N Mym —6J 129
Church Hill Rd. Barn & E Barn —8D 154
Churchill Clo. S'ley —4B 30
Churchill Ct. N'wd —6F 160
Churchill Ct. Pinn —8N 161
Churchill Rd. Bar C —8E 18
Churchill Rd. Dunst —3G 65
Churchill Rd. Edgw —6N 163
Churchill Rd. Lut —8C 46
Churchill Rd. St Alb —1H 127
Church La. A'ham —2C 150
Church La. Arl —4A 10
Church La. A'wl —9M 5
Church La. Ast C —2C 100
Church La. B'wy —8N 15
Church La. Bend —9K 49
Church La. Berk —1N 121
Church La. Bis S —6F 78
Church La. Bov —9E 122
Church La. Brox —3F 132
Church La. Chal P —8A 158
Church La. Ched —9M 61
Church La. Chesh —2F 144
Church La. Col H —4B 128
Church La. D End —9D 54
Church La. Eat B —2J 63
Church La. Enf —5B 156
Church La. G'ley —6J 35
Church La. G Mor —1A 6 (Church St.)
Church La. G Mor —1A 6 (High St.)
Church La. Harr —8G 162
Church La. Hast —7L 101

Church La.—Collenswood Rd.

Church La. Hat —9J 111
Church La. Kim —6L 69
Church La. K Lan —2C 136
Church La. L Hall —7M 99
Church La. Mars —6L 81
Church La. Mil E —1K 159
Church La. M Hud —4J 77
Church La. N'thaw —3F 142
Church La. Pres —3L 49
Church La. Reed —7J 15
Church La. R'ton —7D 8
Church La. Sarr —2J 147
Church La. Stap —1M 93
Church La. Stev —2J 51
Church La. Ther —5D 14
Church La. W'ton —2C 36
Church La. W'ian —2J 23
Church Langley. —7F 118
Chu. Langley Way. H'low —6E 118
Church Leys. H'low —7B 118
Church Mnr. Bis S —9K 59
Church Mead. Roy —5E 116
Church Mead. Stud —3E 84
Churchmead Clo. E Barn —8D 154
Church Mdw. Cotts. Hem H —3G 105
Church Mill Grange. H'low —3G 119
Church Pas. Barn —5L 153
Church Path. Barn —6L 153
Church Path. Gt Amw —9K 95
Church Path. Hert —1B 114
Church Path. Ickl —7M 21
Church Path. L Wym —7F 34
Church Pl. Welw —2J 91
Church Rd. Bar C —1F 30
Church Rd. Chris —1N 17
Church Rd. Enf —8G 157
Church Rd. Flam —5D 86
Church Rd. Gt Hal —6K 79
Church Rd. H'low —9E 118
Church Rd. Hem H —4E 124
Church Rd. Hert —8N 93
(in two parts)
Church Rd. I'hoe —2D 82
Church Rd. K Wal —6F 48
Church Rd. L Berk —1H 131
Church Rd. L Gad —8N 83
Church Rd. N'wd —7H 161
Church Rd. Pit —4C 82
Church Rd. Pott E —8E 104
Church Rd. Pot B —3N 141
Church Rd. Pull —3A 18
Church Rd. P'ham —5E 80
Church Rd. Slap —2A 62
Church Rd. S End —6E 66
Church Rd. Stan —5J 163
Church Rd. Stans —3N 59
Church Rd. Stot —6F 10
Church Rd. S'ley —4C 30
Church Rd. Stud —3E 84
Church Rd. Tot —2M 63
Church Rd. Wat —3J 149
Church Rd. Wel G —9K 91
(in two parts)
Church Row M. Ware —6H 95
(off Church St.)
Church Sq. Tring —2M 101
(off Church Yd.)
Church St. N9 —9B 156
Church St. Bald —2L 23
Church St. Bis S —1H 79
Church St. Bov —9E 122
Church St. Bunt —2J 39
Church St. Dunst —9E 44
Church St. Dun —1F 4
Church St. Enf —5A 156
Church St. Ess —8D 112
Church St. G Mor —1A 6
Church St. Hat —9J 111
Church St. Hem H —9N 105
Church St. Hert —9B 94
Church St. Lit —3H 7
Church St. Lut —1G 67
Church St. Rick —1A 160
Church St. St Alb —1E 126
Church St. Saw —5G 99
Church St. Shil —3N 19
Church St. Stpl M —4C 6
Church St. Wal A —6N 145
Church St. Ware —6H 95
Church St. Wat —6L 149
Church St. Welw —2J 91
Church St. Wheat —7L 89
Church St. W'grv —6A 60
Church St. Ind. Est. Ware —6H 95
(off Church St.)
Church Vw. Brox —2K 133
Church Vw. Hal —5B 100
Church Vw. Long M —3F 80
Church Vw. Av. Shil —2N 19
Church Wlk. Bush —8B 150
Church Wlk. Dunst —9E 44
Church Wlk. Enf —5B 156
Church Wlk. Saw —5H 99
Church Wlk. Wat S —5K 73
Church Way. Barn —6E 154
Church Way. Edgw —6A 164
Church Yd. Hit —3M 33
Church Yd. Tring —2M 101
(in two parts)
Churchyard Wlk. Hit —3M 33
Cicero Dri. Lut —1C 46
Cillocks Clo. Hod —7L 115
Cino UK Cinema. —9G 46
Circle, The. NW7 —6D 164
Cissbury Ring N. N12 —5M 165
Cissbury Ring S. N12 —5M 165
City Pk. Wel G —8M 91
Civic Clo. St Alb —2E 126
Civic Sq. H'low —6N 117
Claggy Rd. Kim —6J 69
Claggy Rd. Enterprise Pk. Kim —6K 69
Claigmar Gdns. N3 —8N 165
Claire Ct. Bush —1E 162
Claire Ct. Chesh —5J 145
Claire Ct. Pinn —7A 162
Claire Gdns. Stan —5K 163
Claire Ho. Edgw —9C 164
(off Burnt Oak B'way.)
Clamp Hill. Stan —4E 162
Clapgate. —3M 57
Clapgate Rd. Bush —8C 150
Clare Clo. Els —8N 151
Clare Ct. Enf —8J 145
Clare Ct. Lut —6B 46
Clare Ct. St Alb —3G 126
Clare Cres. Bald —5L 23
Claremont. Brick W —4B 138
Claremont. Chesh —2D 144
Claremont Cres. Crox G —7E 148
Claremont Ho. Wat —8F 148
Claremont Pk. N3 —8L 165
Claremont Rd. Barn —2B 154
Claremont Rd. Harr —9F 162
Claremont Rd. Lut —8D 46
Clarence Clo. Barn —7C 154
Clarence Clo. Bus H —9G 150
Clarence Ct. NW7 —5E 164
Clarence Pk. —2G 126
Clarence Rd. Berk —1N 121
Clarence Rd. Enf —7G 156
Clarence Rd. Hpdn —4B 88
Clarence Rd. St Alb —2G 127
Clarence Rd. Stans —2N 59
Clarendon Clo. Hem H —1N 123
Clarendon Ct. Lut —8F 46
Clarendon Gdns. NW4 —9G 165
Clarendon M. Borwd —5A 152
Clarendon Pde. Chesh —2H 145
Clarendon Rd. Borwd —5A 152
Clarendon Rd. Chesh —2H 145
Clarendon Rd. Hpdn —4C 88
Clarendon Rd. Lut —8F 46
Clarendon Rd. Wat —4K 149
Clarendon Way. N21 —8A 156
Claridge Ct. Berk —1N 121
Clarion Clo. Offl —8D 32
Clarke Grn. Wat —8J 137
Clarke's Rd. Hat —8H 111
Clarke's Spring. Tring —1D 102
Clarkes Way. Bass —1N 7
Clarkes Way. H Reg —5F 44
Clarke Way. Wat —8J 137
Clarkfield. Mil E —1L 159
Clarkhill. H'low —9A 118
Clarklands Ind. Est. Saw —2G 99
Clark Rd. R'ton —6D 8
Clarks Clo. Ware —4H 95
Clarks Mead. Bush —9D 150
Clark's Pightle. Bar C —9E 18
(off Bedford Rd.)
Claudian Pl. St Alb —3B 126
Clavering Rd. Man —7H 43
Claverley Grn. Lut —7N 47
Claverley Gro. N3 —8N 165
Claverley Vs. N3 —7N 165
Claverton Clo. Bov —1D 134
Claybury. Bush —9C 150
Claybush Rd. A'wl —1C 12
Claycroft. Wel G —8A 92
Claydon Clo. Lut —2E 46
Claydon End. Chal P —9B 158
Claydon Ho. NW4 —9K 165
(off Holders Hill Rd.)
Claydon La. Chal P —9B 158
Claydown Way. S End —7D 66
Clay End. —2K 53
Clayfield Rd. Hal —6B 100
Claygate Av. Hpdn —5N 87
Clay Hall Rd. Kens —9H 65
Clay Hill. —1A 156
(Enfield)
Clayhill. —7C 102
(Wigginton)
Clay Hill. Enf —1A 156
Clay La. Bus H —9F 150
Clay La. Edgw —2A 164
Clay La. Wend —9B 100
Claymore. Hem H —7A 106
Claymore Dri. Ickl —6N 21
Claymores. Stev —3L 51
Clayponds. Bis S —1J 79
Clayton Fld. NW9 —7E 164
Clayton Pde. Chesh —3H 145
Cleall Av. Wal A —7N 145
Cleave, The. Hpdn —6E 88
Cleland Rd. Chal P —9A 158
Clement Pl. Tring —3M 101
Clement Rd. Chesh —9J 133
Clement's End. —4G 84
Clements End Rd. Stud & Hem H —4G 84
Clement's Rd. Chor —7G 146
Clements St. Ware —6J 95
Clevedon Rd. Lut —7K 47
Cleveland Cres. Borwd —7C 152
Cleveland La. N9 —9F 156
Cleveland Rd. Hem I —9D 106
Cleveland Rd. Mark —2A 86
Cleveland Way. Hem I —9D 106
Cleves Rd. Hem H —6D 106
Cleviscroft. Stev —5L 51
Clewer Cres. Harr —8E 162
Clifford Ct. Bis S —1J 79
Clifford Cres. Lut —4N 45
Clifford Rd. N9 —8G 157
Clifford Rd. Barn —5A 154
Clifton Av. N3 —8M 165
Clifton Av. Stan —9J 163
Clifton Clo. Chesh —2J 145
Clifton Ct. Hem H —4N 123
Clifton Gdns. Enf —6K 155
Clifton Hatch. H'low —9C 118
Clifton Rd. Dunst —8D 44
Clifton Rd. Lut —9D 46
Clifton Rd. Wat —7K 149
Clifton St. St Alb —1F 126
Clifton Way. Borwd —3A 152
Clifton Way. Ware —4H 95
Climb, The. Rick —8L 147
Clinton Av. Lut —5H 47
Clinton End. Hem H —2E 124
Clitheroe Gdns. Wat —3M 161
Clive Clo. Pot B —4M 141
Clive Ct. Lut —8G 47
Clive Pde. N'wd —7G 160
Clive Rd. Enf —6E 156
Clive Way. Enf —6E 156
Clive Way. Wat —3L 149
Clockhouse M. Chor —5H 147
Clock Pde. Enf —7B 156
Clock Tower. H'low —7D 118
Cloister Gdns. Edgw —5C 164
Cloister Gth. Berk —1N 121
Cloister Gth. St Alb —6F 126
Cloister Lawn. Let —7F 22
Cloisters Rd. Let —7F 22
Cloisters Rd. Lut —6L 45
Cloisters, The. Bush —8C 150
Cloisters, The. Hem H —5C 124
Cloisters, The. H Reg —3F 44
(off Sycamore Rd.)
Cloisters, The. Rick —9A 148
Cloisters, The. Wat —6L 149
Cloisters, The. Wel G —9K 91
Cloister Wlk. Hem H —9N 105
Clonard Way. Pinn —6B 162
Closemead Clo. N'wd —6E 160
Close, The. N20 —2M 165
Close, The. Ard —7M 37
Close, The. Bald —4L 23
Close, The. Brk P —8L 129
Close, The. Bush —8C 150
Close, The. Cod —7F 70
Close, The. E Barn —8E 154
Close, The. Hpdn —3L 87
Close, The. Harr —9D 162
Close, The. Hinx —7F 4
Close, The. Lut —4C 46
Close, The. Mark —2A 86
Close, The. Pot B —5N 141
Close, The. Rad —6G 139
Close, The. Rick —1L 159
Close, The. R'ton —6F 8
Close, The. Rush —5K 25
Close, The. St Alb —5D 126
Close, The. Stev —9J 35
Close, The. Ware —6J 95
Clothall. —7D 24
Clothall Rd. Bald —3M 23
Clovelly Clo. Pinn —9K 161
Clovelly Gdns. Enf —9C 156
Clovelly Way. Stev —1G 50
Clover Av. Bis S —2D 78
Clover Clo. Lut —6K 45
Cloverfield. H'low —9C 118
Cloverfield. Wel G —6M 91
Clover Fld., The. Bush —8A 150
Cloverland. Hat —3F 128
Clover Way. Hem H —1L 123
Cloyster Wood. Edgw —7L 163
Clump, The. Rick —7K 147
Clusterbolts. Stap —1M 93
Clydach Rd. Enf —6D 156
Clyde Rd. Hod —9A 116
Clydesdale. Enf —6H 157
Clydesdale Av. Stan —9L 163
Clydesdale Clo. Borwd —7D 152
Clydesdale Ct. Lut —6K 45
Clydesdale Path. Borwd —7D 152
(off Clydesdale Clo.)
Clydesdale Rd. Lut —6K 45
Clydesdale Rd. R'ton —7E 8
Clydesdale Wlk. Brox —7K 133
Clyde Sq. Hem H —6B 106
Clyde St. Hert —9E 94
Clyfton Clo. Brox —5K 133
Clyston Rd. Wat —8H 149
Coach Dri. Hit —5N 33
Coach Ho. Cloisters. Bald —3L 23
Coach La. Hpdn —7B 88
Coachman's La. Bald —3K 23
Coalport Clo. H'low —7E 118
Coanwood Cotts. Ware —3B 96
Coates Dell. Wat —6N 137
Coates Rd. Els —9L 151
Coates Way. Wat —6M 137
Cobbett Clo. Enf —9G 145
Cobbetts Ride. Tring —3L 101
Cobb Grn. Wat —5K 137
Cobbins Way. H'low —2G 119
Cobblers Wick. W'grv —5A 60
Cobb Rd. Berk —1K 121
Cob Clo. Borwd —7D 152
Cobden Hill. Rad —9J 139
Cobden St. Lut —8G 47
Cobham Clo. Edgw —9B 164
Cobham Clo. Enf —5E 156
Cobham Rd. Ware —5K 95
Cob La. Clo. Welw —3M 91
Cobmead. Hat —7H 111
Cockbush Av. Hert —8F 94
Cockernhoe. —6N 47
Cocker Rd. Enf —9F 144
Cockfosters. —6F 154
Cockfosters Pde. Barn —6F 154
Cockfosters Rd. Pot B & Barn —8C 142
Cock Grn. H'low —8L 117
Cock Gro. Berk —1F 120
Cockhall Clo. Lit —4H 7
Cockhall La. Lit —4H 7
Cock La. Hod —1F 132
Cockle Way. Shenl —6M 139
Cockrobin La. H'low —7K 97
Codicote. —7F 70
Codicote Bottom. —7D 70
Codicote Dri. Wat —7M 137
Codicote Heights. Welw —7H 71
Codicote Ho. Stev —9J 35
(off Coreys Mill La.)
Codicote Rd. Welw —8G 70
Codicote Rd. Wheat & Welw —6L 89
Codicote Rd. W'wll —2N 69
Codicote Row. Hem H —5D 106
Codmore Wood Rd. Lat —6A 134
Coe's All. Barn —6L 153
Cogdells Clo. Chart —9A 120
Cogdells La. Chart —9A 120
Cohen Clo. Chesh —4J 145
Coke's La. Chal G —4A 146
Colborne Ho. Wat —8G 149
Colbron Clo. A'wl —9L 5
Colburn Av. Pinn —6N 161
Colchester Rd. Edgw —7C 164
Colchester Rd. N'wd —9J 161
Cold Christmas. —9N 75
Cold Christmas La. Thun —1H 95
Coldham Gro. Enf —1J 157
Cold Harbour. —3D 88
Coldharbour Ho. Wat —9N 137
Coldharbour La. Bush —8C 150
Coldharbour La. Hpdn —3C 88
Coldharbour Rd. H'low —7J 117
Colebrook Av. Lut —2M 45
Coledale Dri. Stan —8K 163
Cole Green. —2F 112
(Hertford)
Cole Green. —8K 29
(Stocking Pelham)
Cole Grn. By-Pass. Hert —3E 112
Cole Grn. Ho. Wel G —2M 111
Cole Grn. La. Wel G —2M 111
Cole Green La. Wel G —2C 112
Cole Grn. Way. Hert —2M 113
Coleman Bus. Cen. Kim —6K 69
Coleman Green. —1N 109
Coleman Grn. La. Wheat —3K 109
Colemans Clo. Pir —7E 20
Colemans Green. —8E 48
Colemans Rd. B Grn —8E 48
Colenso Dri. NW7 —7G 164
Coleridge Clo. Hit —2B 34
Coleridge Clo. Wal X —9D 132
Coleridge Ct. Hpdn —6C 88
Coleridge Ct. New Bar —7A 154
(off Station Rd.)
Coleridge Cres. Hem H —5D 106
Cole Rd. Wat —3K 149
Colesdale. Cuff —3K 143
Coles Grn. Bus H —1D 162
Coles Hill. Hem H —9K 105
Coles La. Pep & Hpdn —2F 86
Coles Pk. —9L 39
Colestrete. Stev —5M 51
Colestrete Clo. Stev —4N 51
Coleswood Rd. Hpdn —8D 88
Colesworth Ho. Edgw —9C 164
(off Burnt Oak B'way.)
Colet Rd. Wend —9B 100
Colgate Pl. Enf —1L 157
Colgrove. Wel G —1J 111
Colhurst Gdns. Hod —6A 116
Colindale. —9D 164
Colindale Av. NW9 —9E 164
Colindale Av. St Alb —4G 126
Colindale Bus. Pk. NW9 —9C 164
Colin Rd. Lut —7H 47
Colin Rd. Footpath. Lut —8H 47
(off Colin Rd.)
College Av. Harr —8F 162
College Clo. Bis S —1F 78
College Clo. Flam —6D 86
College Clo. Harr —7F 162
College Clo. N Mym —1K 141
College Clo. Ware —7H 95
College Ct. Chesh —3G 145
College Ct. Enf —7G 156
College Gdns. E4 —9M 157
College Gdns. Enf —3B 156
College Hill Rd. Harr —7F 162
College Ho. Lut —1H 67
(off Vicarage St.)
College La. Hat —2E 128
(in two parts)
College Pl. St Alb —2D 126
College Rd. Ab L —4H 137
College Rd. Ast C —6B 80
College Rd. Chesh —3G 144
College Rd. Enf —4B 156
College Rd. Har W —8F 162
College Rd. Hert H —4G 115
College Rd. Hit —2N 33
College Rd. Hod —6K 115
College Rd. St Alb —3J 127
College Sq. H'low —6N 117
College St. St Alb —2E 126
College Ter. N3 —9M 165
College Way. N'wd —6F 160
College Way. Wel G —8K 91
Collens Rd. Hpdn —1C 108
Collenswood Rd. Stev —5A 52

178 A-Z Hertfordshire

Collett Clo.—Cox's Way

Collett Clo. *Chesh* —1H **145**
Collett Gdns. *Chesh* —1H **145**
Collett Rd. *Hem H* —2M **123**
Collett Rd. *Ware* —5H **95**
Colleyland. *Chor* —6G **146**
Collier Dri. *Edgw* —9A **164**
Collingdon Ct. *Lut* —9F **46**
Collingdon St. *Lut* —9F **46**
Collings Wells Clo. *Cad* —4A **66**
Collingtree. *Lut* —5K **47**
Collingwood Clo. *Lut* —6N **45**
Collingwood Ct. *New Bar* —7A **154**
Collingwood Ct. *R'ton* —6D **8**
Collingwood Dri. *Lon C* —7L **127**
Collins Av. *Stan* —9M **163**
Collins Cross. *Bis S* —8K **59**
Collins Cross Rd. *H'low* —2N **119**
Collins Grn. *R'ton* —1C **26**
Collins Mdw. *H'low* —6L **117**
Collins Meadow Playing Field. —7L 117
Collins Wood Res. Pk. *Cad* —3A **66**
Collinwood Av. *Enf* —5G **156**
Collison Clo. *Hit* —9C **22**
Collyer Rd. *Lon C* —9K **127**
Colman Ct. *Stan* —6J **163**
Colman Pde. *Enf* —5C **156**
Colmer Pl. *Harr* —7E **162**
Colmore Rd. *Enf* —6G **157**
Colnbrook Clo. *Lon C* —9M **127**
Colne Av. *Mil E* —2K **159**
Colne Av. *Wat* —8K **149**
Colne Bri. Retail Pk. *Wat* —8M **149**
Colne Gdns. *Lon C* —9M **127**
Colne Mead. *Mil E* —2K **159**
Colne Rd. *N21* —9B **156**
Colne Valley Retail Park. *Wat* —7M **149**
Colne Way. *Hem H* —6B **106**
Colne Way. *Wat* —9M **137**
Colne Way Ct. Ind. Est. *Wat* —1M **149**
Colney Heath. —4B 128
Colney Heath La. *St Alb* —3M **127**
Colney Street. —3F 138
Colonade, The. *Chesh* —1H **145**
Colonel's Wlk. *Enf* —5N **155**
Colonial Bus. Pk. *Wat* —3L **149**
Colonial Way. *Wat* —3L **149**
Colonnades, The. Hat —7J 111 (off Beaconsfield Rd.)
Colonnade, The. Let —5F 22 (off Eastcheap)
Colonsay. *Hem H* —4E **124**
Colston Cres. *G Oak* —9N **131**
Colt Hatch. *H'low* —4L **117**
Colts Corner. *Stev* —5A **52**
Colts Cft. *Gt Chi* —2H **17**
Coltsfield. *Stans* —1N **59**
Coltsfoot. *Wel G* —2A **112**
Coltsfoot Dri. *R'ton* —7E **8**
Coltsfoot Grn. *Lut* —4K **45**
Coltsfoot La. *D'wth & Tew* —8B **72**
Coltsfoot Rd. *Ware* —4J **95**
Coltsfoot, The. *Hem H* —3H **123**
Colts, The. *Bis S* —4G **79**
Columbia Av. *Edgw* —8B **164**
Columbia Wharf. *Enf* —8J **157**
Columbus Clo. *Stev* —2N **51**
Columbus Gdns. *N'wd* —8J **161**
Colville Rd. *N9* —9F **156**
Colvin Gdns. *Wal X* —8H **145**
Colwell Ct. *Lut* —7N **47**
Colwell Ri. *Lut* —7N **47**
Colwyn Clo. *Stev* —2H **51**
Colyer Clo. *Welw* —4M **91**
Combe Ho. *Wat* —8G **149**
Combe Rd. *Wat* —8H **149**
Combe St. *Hem H* —2M **123**
Comet Clo. *Wat* —7H **137**
Comet Rd. *Hat* —9F **110**
Comet Way. *Hat* —1E **128**
Commerce Way. *Let* —5F **22**
Common Fld. *Wig* —5B **102**
Commonfields. *H'low* —5A **118**
Common Gdns. *Pott E* —8E **104**
Common Ga. Rd. *Chor* —7G **147**
Common La. *Hpdn* —2E **88**
Common La. *Hit* —8K **19**
Common La. *Kim* —7J **69**
Common La. *K Lan* —1B **136**
Common La. *Let H & Rad* —3F **150**
Common La. *R'ton* —7K **17**
Commonmeadow La. *Wat* —7C **138**
Common Ri. *Hit* —1A **34**
Common Rd. *Chor* —6G **146**
Common Rd. *Dunst* —4C **84**
Common Rd. *Kens* —7F **64**
Common Rd. *Stan* —4E **162**
Common Rd. *Stot* —4F **10**
Commonside Rd. *H'low* —9B **118**
Commons La. *Hem H* —1A **124**
Commons, The. *Wel G* —3N **111**
Common, The. *Berk* —8C **104**
Common, The. *Chfd* —5K **135**
Common, The. *Hpdn* —3K **87**
Common, The. *Hat* —8G **110**
Common, The. *K Lan* —1C **136**
Common, The. *Redb* —1K **107**
Common, The. *Stan* —2F **162**
Common Vw. *Let* —3G **22**
Common Vw. Sq. *Let* —3G **23**
Common Wharf. Ware —6J 95 (off Star St.)
Commonwood. —7L 135
Community Way. *Crox G* —7C **148**
Compass Point. *N'chu* —8J **103**
Comp Ga. *Eat B* —2J **63**
Comp, The. *Eat B* —2J **63**
Compton Av. *Lut* —5N **45**
Compton Clo. *Edgw* —7C **164**
Compton Gdns. *St Alb* —8C **126**
Compton Pl. *Wat* —3N **161**
Compton Rd. *N21* —9M **155**
Compton Rd. *Wend* —9B **100**
Compton Ter. *N21* —9M **155**
Comreddy Clo. *Enf* —3N **155**
Comyne Rd. *Wat* —9H **137**
Comyns, The. *Bush* —1D **162**
Concorde Dri. *Hem H* —2N **123**
Concorde St. *Lut* —9H **47**
Concord Rd. *Enf* —7G **156**
Concourse, The. *NW9* —8E **164**
Conduit La. *Enf* —8J **157**
Conduit La. *Gt Hor* —1E **40**
Conduit La. *Hod* —8L **115**
Conduit La. E. *Hod* —8M **115**
Coney Acre. —1M 43
Coney Clo. *Hat* —2H **129**
Coneydale. *Wel G* —7K **91**
Coney Grn. *Saw* —4F **98**
Conical Corner. *Enf* —4A **156**
Conifer Clo. *Stev* —2C **52**
Conifer Clo. *Wal X* —2D **144**
Conifer Ct. *Bis S* —9H **59**
Conifer Gdns. *Enf* —8C **156**
Conifers, The. *Hem H* —5J **123**
Conifers, The. *Wat* —8L **137**
Conifer Wlk. *Stev* —2B **52**
Coningesby Dri. *Wat* —3G **148**
Coningsby Bank. *St Alb* —6E **126**
Coningsby Clo. *N Mym* —6K **129**
Coningsby Dri. *Pot B* —6C **142**
Conisbee Ct. *N14* —7H **155**
Coniston Clo. *Hem H* —3E **124**
Coniston Rd. *K Lan* —1B **136**
Coniston Rd. *Lut* —4B **46**
Connaught Av. *E4* —9N **157**
Connaught Av. *E Barn* —9E **154**
Connaught Av. *Enf* —4C **156**
Connaught Clo. *Enf* —4C **156**
Connaught Clo. *Hem H* —9C **106**
Connaught Gdns. *Berk* —7K **103**
Connaught Rd. *Barn* —8K **153**
Connaught Rd. *Hpdn* —5C **88**
Connaught Rd. *Harr* —8G **163**
Connaught Rd. *Lut* —8A **46**
Connaught Rd. *St Alb* —9D **108**
Connemara Clo. *Borwd* —8D **152**
Conningsby Ct. *Rad* —9G **139**
Connop Rd. *Enf* —2H **157**
Connors Clo. *G Mor* —1A **6**
Conquerors Hill. *Wheat* —7M **89**
Conquest Clo. *Hit* —5N **33**
Conquest Rd. *H Reg* —4H **45**
Constable Clo. *H Reg* —4G **45**
Constable Ct. *Lut* —7C **46**
Constable Gdns. *Edgw* —8A **164**
Constance Rd. *Enf* —8C **156**
Constantine Clo. *Stev* —9M **35**
Constantine Pl. *Bald* —2A **24**
Convent Clo. *Hit* —2N **33**
Conway Clo. *H Reg* —4H **45**
Conway Clo. *Stan* —6H **163**
Conway Gdns. *Enf* —2C **156**
Conway Ho. *Borwd* —6C **152**
Conway Rd. *Lut* —8D **46**
Cony Clo. *Chesh* —8C **132**
Conyers, The. *H'low* —4M **117**
Cookfield Clo. *Dunst* —9B **44**
Cook Rd. *Stev* —2A **52**
Cooksaldick La. *Saf W* —3N **29**
Cooks Hole Rd. *Enf* —2N **155**
Cooks Mead. *Bush* —8C **150**
Cook's Mdw. *Edl* —4J **63**
Cooks Spinney. *H'low* —4C **118** (in two parts)
Cooks Vennel. *Hem H* —9K **105**
Cooks Way. *Hat* —2H **129**
Cooks Way. *Hit* —1A **34**
Cooks Wharf Cotts. *Pit* —2N **81**
Coombe Av. *Wend* —9A **100**
Coombe Clo. *Edgw* —9N **163**
Coombe Dri. *Dunst* —1B **64**
Coombe Gdns. *Berk* —9K **103**
Coombe Hill Rd. *Mil E* —9K **147**
Coombehurst Clo. *Barn* —4E **154**
Coombelands Rd. *R'ton* —5E **8**
Coombe Rd. *Bush* —9E **150**
Coombe Rd. *R'ton* —2M **13**
Coombes Rd. *Lon C* —8K **127**
Cooms Wlk. *Edgw* —8C **164**
Cooper Clo. *L Ston* —1F **20**
Coopers Clo. *Bis S* —4D **78**
Cooper's Clo. *Kim* —7J **69**
Coopers Clo. *Stev* —5C **52**
Coopers Cres. *Borwd* —3C **152**
Coopers Fld. *Let* —4D **22**
Coopers Green. —6B 110
Coopers Grn. La. *St Alb & Hat* —8M **109**
Cooper's Hill. *Kim* —8J **69**
Cooper's La. *Pot B & N'thaw* —4C **142**
Coopers La. Rd. *Pot B & N'thaw* —4C **142**
Coopers Mdw. *Redb* —9J **87**
Coopers M. *Hpdn* —7B **88**
Coopers M. *Wat* —4L **137**
Coopers Rd. *Pot B* —3B **142**
Coopers Wlk. *Chesh* —1H **145**
Coopers Way. *H Reg* —5D **44**
Cooper Way. *Berk* —1A **122**
Cooters End La. *Hpdn & E Hyde* —3N **87**
Copenhagen Clo. *Lut* —1N **45**
Copinger Wlk. *Edgw* —8B **164**
Copley Rd. *Stan* —5K **163**
Copmans Wick. *Chor* —7G **146**
Coppens, The. *Stot* —7G **10**
Copperbeech Clo. *Hem H* —5J **123**
Copper Beeches. *Hpdn* —6C **88**
Copper Beeches. *Welw* —9K **71**
Copper Ct. Saw —5G 98 (off Bellmead)
Copperfields. *Lut* —5M **45**
Copperfields. *R'ton* —7C **8**
Copperfields. *Wel G* —1B **112**
Copperfields Clo. *H Reg* —5G **45**
Coppermill Ct. *W Hyd* —7J **159**
Coppermill La. *Rick & Hare* —7H **159**
Copper Ridge. *Chal P* —5C **158**
Copperwood. *Hert* —9D **94**
Coppice Clo. *Hat* —3F **128**
Coppice Clo. *Stan* —6G **162**
Coppice Hatch. *H'low* —8N **117**
Coppice Mead. *Stot* —7E **10**
Coppice, The. *Enf* —6N **155**
Coppice, The. *Hem H* —1D **124**
Coppice, The. New Bar —8A 154 (off Gt. North Rd.)
Coppice, The. *Wat* —8L **149**
Coppice, The. *Wig* —5A **102**
Coppice Wlk. *N20* —3N **165**
Coppings, The. *Hod* —5L **115**
Coppins Clo. *Berk* —1K **121**
Coppins, The. *Harr* —6F **162**
Coppins, The. *Mark* —2N **85**
Copse Clo. *N'wd* —9E **160**
Copse Hill. *H'low* —9L **117**
Copse Hill. *Welw* —8N **71**
Copse, The. *Bis S* —9L **59**
Copse, The. *Hem H* —9H **105**
Copse, The. *Hert* —9E **94**
Copse, The. *Stans* —3M **59**
Copse, The. *Wat* —5N **137**
Copse Way. *Che* —9E **120**
Copse Way. *Lut* —1N **45**
Copsewood Rd. *Wat* —3K **149**
Copse Wood Way. *N'wd* —8D **160**
Copshall Clo. *H'low* —9A **118**
Copt Hall. —4N 67
Copthall Clo. *Chal P* —7C **158**
Copthall Clo. *Gt Hal* —4N **79**
Copthall Corner. *Chal P* —7B **158**
Copthall Dri. *NW7* —7G **164**
Copthall Gdns. *NW7* —7G **165**
Copthall La. *Chal P* —7B **158**
Copthall Sports Cen. —8H 165
Copthorne. *Lut* —6M **47**
Copthorne Av. *Brox* —2K **133**
Copthorne Clo. *Crox G* —7B **148**
Copthorne Rd. *Crox G* —8B **148**
Coral Clo. *Eat B* —2J **63**
Coral Gdns. *Hem H* —1B **124**
Corals Mead. *Wel G* —1K **111**
Coram Clo. *Berk* —2N **121**
Coran Clo. *N9* —9H **157**
Corbar Clo. *Barn* —3C **154**
Corbridge Dri. *Lut* —7N **47**
Corby Clo. *St Alb* —7B **126**
Corby Cres. *Enf* —6K **155**
Cordell Clo. *Chesh* —1J **145**
Corder Clo. *St Alb* —5B **126**
Cordons Clo. *Chal P* —8A **158**
Corey's Mill. —9H 35
Coreys Mill La. *Stev* —9H **35**
Corfe Clo. *Borwd* —5D **152**
Corfe Clo. *Hem H* —3A **124**
Corfield Rd. *N21* —7L **155**
Corinium Gdns. *Lut* —1C **46**
Corinium Ga. *St Alb* —4B **126**
Cornbury Rd. *Edgw* —7L **163**
Corncastle Path. *Lut* —2F **66**
Corncastle Rd. *Lut* —2E **66**
Corncrake Clo. *Lut* —4L **47**
Corncroft. *Hat* —7H **111**
Cornel Clo. *Lut* —1C **66**
Cornel Ct. *Lut* —1C **66**
Corner Clo. *Let* —5E **22**
Cornerfield. *Hat* —6H **111**
Corner Hall. —4N 123
Corner Hall. *Hem H* —4M **123** (in two parts)
Corner Hall Av. *Hem H* —4N **123**
Corner Mead. *NW9* —7F **164**
Corners. *Wel G* —8N **91**
Corner Vw. *N Mym* —6J **129**
Corner Wood. *Mark* —2N **85**
Cornfield Cres. *N'chu* —7H **103**
Cornfield Rd. *Bush* —6C **150**
Cornfields. *Hem H* —3L **123**
Cornfields. *Stev* —2B **52**
Cornhill Dri. Enf —1J 157 (off Ordnance Rd.)
Cornish Ct. *N9* —9F **156**
Corn Mead. *Wel G* —6J **91**
Cornmill. *Wal A* —6M **145**
Cornwall Av. *N3* —7N **165**
Cornwall Clo. *Wal X* —6J **145**
Cornwall Ct. *Pinn* —7A **162**
Cornwall Ho. *Bis S* —4G **78**
Cornwall Rd. *Hpdn* —5C **88**
Cornwall Rd. *Pinn* —7A **162**
Cornwall Rd. *St Alb* —4F **126**
Coronation Av. *R'ton* —8C **8**
Coronation Rd. *Bis S* —3G **79**
Coronation Rd. *Ware* —5H **95**
Coronation Row. *Reed* —7J **15**
Corporate Ho. *Har W* —8E **162**
Corringham Ct. *St Alb* —1G **126**
Corton Clo. *Stev* —1H **51**
Corvus Clo. *R'ton* —5E **8**
Cory-Wright Way. *Wheat* —6M **89**
Cosgrove Way. *Lut* —8N **45**
Cosne M. *Hpdn* —8D **88**
Cosy Corner. *Ast C* —1C **100**
Cotefield. *Lut* —6M **45**
Cotesmore Rd. *Hem H* —3H **123**
Cotlandswick. *Lon C* —7K **127**
Cotman Gdns. *Edgw* —9A **164**
Cotney Cft. *Stev* —6C **52**
Cotsmoor. St Alb —2G 126 (off Granville Rd.)
Cotswold. *Hem H* —8A **106**
Cotswold Av. *Bush* —8D **150**
Cotswold Clo. *St Alb* —6K **109**
Cotswold Farm Bus. Pk. *Cad* —6N **65**
Cotswold Gdns. *Lut* —2M **45**
Cotswold Grn. *Enf* —6L **155**
Cotswolds. *Hat* —2G **128**
Cotswold Way. *Enf* —5L **155**
Cottage Clo. *Crox G* —8B **148**
Cottage Clo. *Wat* —4H **149**
Cottage Gdns. *Chesh* —2H **145**
Cottered. —3N 37
Cottered Rd. *Thro* —1C **38**
Cotterells. *Hem H* —2M **123**
Cotterells Hill. *Hem H* —2M **123**
Cotter Ho. *Stev* —7N **35**
Cotton Brown Pk. *Let* —4J **23**
Cotton Dri. *Hert* —8F **94**
Cotton Fld. *Hat* —7H **111**
Cotton La. *Stev & Wat S* —8H **53**
Cottonmill Cres. *St Alb* —3E **126**
Cottonmill La. *St Alb* —4E **126**
Cotton Rd. *Pot B* —4B **142**
Coulser Clo. *Hem H* —8K **105**
Coulson Ct. *Lut* —9A **46**
Coulter Clo. *Cuff* —9J **131**
Counters. *Tring* —2L **101**
Counters Clo. *Hem H* —2K **123**
Counters End. —2K 123
Countess Clo. *Hare* —9M **159**
Countess Ct. Lut —8F 46 (off Earls Meade)
Countisbury Av. *Enf* —9D **156**
County Ga. *New Bar* —8A **154**
Coupees Path. *Lut* —9G **46**
Coursers Rd. *Col H* —9A **128**
Courtaulds. *Chfd* —3L **135**
Court Clo. *Bis S* —3G **78**
Court Dri. *Dunst* —8E **44**
Court Dri. *Stan* —4M **163**
Courtenay Av. *Harr* —7D **162**
Courtenay Gdns. *Harr* —9D **162**
Courtens M. *Stan* —7K **163**
Courtfield Clo. *Brox* —2L **133**
Courtfields. *Hpdn* —6E **88**
Court Ho. Gdns. *N3* —6N **165**
Courthouse Rd. *N12* —6N **165**
Courtland Av. *NW7* —3D **164**
Courtlands Clo. *Wat* —8G **137**
Courtlands Dri. *Wat* —9G **137**
Courtleigh Av. *Barn* —2B **154**
Court Theatre, The. —2C 102
Courtway, The. *Wat* —2N **161**
Courtyard M. *Chap E* —3C **94**
Courtyards, The. *Wat* —9F **148**
Courtyard, The. *Bis S* —1H **79**
Courtyard, The. *Hert* —1L **113**
Courtyard, The. *St Alb* —2N **127**
Covell Ct. Enf —2L 155 (off Ridgeway, The)
Covent Garden Clo. *Lut* —6B **46**
Coventry Clo. *Stev* —9N **35**
Coverack Clo. *N14* —8H **155**
Coverdale. *Hem H* —8A **106**
Coverdale. *Lut* —3L **45**
Coverdale Clo. *Stan* —5J **163**
Coverdale Ct. *Enf* —1J **157**
Covert Clo. *N'chu* —8H **103**
Covert Rd. *N'chu* —7H **103**
Covert, The. *N'wd* —8E **160**
Covert Way. *Barn* —4B **154**
Covey's La. *Saw* —2A **98**
Cowards La. *Cod* —8F **70**
Cowbridge. *Hert* —9A **94**
Cowdray Clo. *Lut* —6L **47**
Cowdrey Clo. *Enf* —4C **156**
Cowland Av. *Enf* —6G **157**
Cow La. *Bush* —8B **150**
Cow La. *Edl* —3H **63**
Cow La. *Tring* —2B **102**
Cow La. *Wat* —9L **137**
Cowles. *Chesh* —9D **132**
Cowley Hill. *Borwd* —1A **152**
Cowlins. *H'low* —2F **118**
Cowper Ct. *Mark* —2N **85**
Cowper Ct. *Wat* —1J **149**
Cowper Cres. *Hert* —7N **93**
Cowper Gdns. *N14* —8G **155**
Cowper Ri. *Mark* —2N **85**
Cowper Rd. *Berk* —1M **121**
Cowper Rd. *Hpdn* —6C **88**
Cowper Rd. *Hem H* —4L **123**
Cowper Rd. *Mark* —2N **85**
Cowper Rd. *Wel G* —2M **111**
Cowper St. *Lut* —3G **66**
Cowpers Way. *Tew* —2C **92**
Cowridge Cres. *Lut* —8J **47**
Cow Roast. —5F 102
Cowslip Clo. *R'ton* —8F **8**
Cowslip Hill. *Let* —4E **22**
Cowslips. Wel G —1B 112 (off High Wickfield)
Cox Clo. *Shenl* —5N **139**
Cox Ct. *Barn* —6D **154**
Coxfield Clo. *Hem H* —3A **124**
Cox Green. —3H 49
Cox La. *M Hud* —5F **76** (in two parts)
Cox's Way. *Arl* —6A **10**

Coyney Grn. *Lut* —8E **46**
Cozens La. E. *Brox* —4K **133**
Cozens La. W. *Brox* —4J **133**
Cozens Rd. *Ware* —4K **95**
Crabbes Clo. *Hit* —3M **33**
Crabb's Green. —4B 42
Crabb's La. *Stoc P* —3A **42**
Crab La. *A'ham* —8E **38**
Crabtree Clo. *Bush* —7C **150**
Crabtree Clo. *Hem H* —4N **123**
Crabtree Ct. *Hem H* —4A **124**
Crabtree Ct. *New Bar* —6A **154**
Crabtree Dell. *Let* —8J **23**
Crabtree La. *Bald* —5L **23**
Crabtree La. *Hpdn* —7C **88**
(in two parts)
Crabtree La. *Hem H* —4N **123**
Crab Tree La. *Pir* —7E **20**
Crab Tree Rd. *Kneb* —4M **71**
Crabtree Wlk. *Brox* —1J **133**
Crabtree Way. *Dunst* —8E **44**
Crackley Mdw. *Hem H* —6D **106**
Craddock Rd. *Enf* —5D **156**
Cradle End. —9B 58
Cradock Rd. *Lut* —8K **45**
Crafton. —4E 60
Crafton Grn. *Stans* —2N **59**
Craft Way. *Stpl M* —3C **6**
Cragg Av. *Rad* —9G **138**
Cragside. *Stev* —1B **72**
Craigavon Rd. *Hem H* —7B **106**
Craiglands. *St Alb* —7L **109**
Craigmore Ct. *N'wd* —7G **160**
Craig Mt. *Rad* —8J **139**
Craigs Wlk. *Chesh* —1H **145**
Craigweil Clo. *Stan* —5L **163**
Craigweil Dri. *Stan* —5L **163**
Craigwell Av. *Rad* —8J **139**
Crakers Mead. *Wat* —5K **149**
Cranborne Av. *Hit* —4L **33**
Cranborne Av. *Pot B* —3L **141**
Cranborne Clo. *Pot B* —4L **141**
Cranborne Ct. *Enf* —9H **145**
Cranborne Ct. Stev —9H **35**
(off Ingleside Dri.)
Cranborne Cres. *Pot B* —4L **141**
Cranborne Gdns. *Wel G* —1M **111**
Cranborne Ind. Est. *Pot B* —3L **141**
(in two parts)
Cranborne Pde. *Pot B* —4K **141**
Cranborne Rd. *Chesh* —5H **145**
Cranborne Rd. *Hat* —8H **111**
Cranborne Rd. *Hod* —7M **115**
Cranborne Rd. *Pot B* —3L **141**
Cranbourne Dri. *Hpdn* —9D **88**
Cranbourne Dri. *Hod* —4N **115**
Cranbourne Rd. *N'wd* —9H **161**
Cranbrook Clo. *Ware* —4H **95**
Cranbrook Dri. *Lut* —1N **45**
Cranbrook Dri. *St Alb* —2M **127**
Cranbrook Barn —8C **154**
Cranefield Dri. *Wat* —5N **137**
Crane Mead. *Ware* —6J **95**
Cranes Way. *Borwd* —7C **152**
Cranfield Cres. *Cuff* —2K **143**
Cranfield Dri. *NW9* —7E **164**
Cranford Ct. *Hpdn* —6D **88**
Cranford Ct. *Hert* —7L **93**
Cranleigh Clo. *Chesh* —1E **144**
Cranleigh Gdns. *N21* —7M **155**
Cranleigh Gdns. *Lut* —6E **46**
Cranmer Clo. *Pot B* —3B **142**
Cranmer Clo. *Stan* —7K **163**
Cranmer Ct. *N3* —9L **165**
Cranmere Ct. *Enf* —4M **155**
Cranmer Ho. *K Lan* —2C **136**
Cranmer Rd. *Edgw* —3B **164**
Cranmore Ct. St Alb —1G **126**
(off Avenue Rd.)
Cranwell Clo. *St Alb* —4K **127**
Cranwell Gdns. *Bis S* —8L **59**
Cranwich Av. *N21* —9B **156**
Cravells Rd. *Hpdn* —9C **88**
Crawford Rd. *Hat* —7G **110**
Crawley Clo. *S End* —7E **66**
Crawley Dri. *Hem H* —7B **106**
Crawley End. —1N 17
Crawley Grn. Rd. *Lut* —8L **47**
Crawley Rd. *Enf* —9C **156**
Crawley Rd. *Lut* —9F **46**
Crawley's La. *Wig* —7C **102**
Creamery Ct. *Let* —8J **23**
Creasey Pk. Dri. *Dunst* —7C **44**
Creasy Clo. *Ab L* —4H **137**

Crecy Gdns. *Redb* —9J **87**
Creighton Av. *St Alb* —6E **126**
Crescent E. *Barn* —2B **154**
Crescent Ri. *N3* —8M **165**
Crescent Ri. *Barn* —7D **154**
Crescent Ri. *Lut* —9H **47**
Crescent Rd. *N3* —8M **165**
Crescent Rd. *N9* —9E **156**
Crescent Rd. *Barn* —6C **154**
Crescent Rd. *Bis S* —2J **79**
Crescent Rd. *Enf* —6N **155**
Crescent Rd. *Hem H* —2N **123**
Crescent Rd. *Lut* —9H **47**
Crescent, The. *Ab L* —3H **137**
Crescent, The. *A'ham* —2C **150**
Crescent, The. *Ard* —7L **37**
Crescent, The. *Barn* —4A **154**
Crescent, The. *Brick W* —3B **138**
Crescent, The. *Cad* —5B **66**
Crescent, The. *Cot* —3B **38**
Crescent, The. *Crox G* —8D **148**
Crescent, The. *H'low* —9E **98**
Crescent, The. *Hit* —1L **33**
Crescent, The. *Let* —6G **23**
Crescent, The. *Mars* —6M **81**
Crescent, The. *Pit* —3A **82**
Crescent, The. *St I* —7A **34**
Crescent, The. *Wat* —6L **149**
Crescent, The. *Welw* —3J **91**
Crescent W. *Barn* —3B **154**
Cress End. *Rick* —1K **159**
Cresset Clo. *Stan A* —3N **115**
Cressingham Rd. *Edgw* —6D **164**
Cresswell. *NW9* —9F **164**
Cresswell Gdns. *Lut* —9D **30**
Cresswell Way. *N21* —9M **155**
Cresswick. *W'wll* —1M **69**
Cresta Clo. *Dunst* —7K **45**
Crest Dri. *Enf* —2G **156**
Crest Pk. *Hem H* —1E **124**
Crest, The. *Dunst* —8H **45**
Crest, The. *G Oak* —9N **131**
Crest, The. *Lut* —2D **46**
Crest, The. *Saw* —5F **98**
Crest, The. *Ware* —4H **95**
Crest, The. *Welw* —8K **71**
Creswick Ct. *Wel G* —1K **111**
Crews Hill. —7M 143
Crews Hill. *Enf* —7L **143**
Crews Hill Golf Course. —8L 143
Crib St. *Ware* —5H **95**
Cricketers Arms Rd. *Enf* —4A **143**
Cricketers Clo. *N14* —9H **155**
Cricketers Clo. *St Alb* —1F **126**
Cricketer's Rd. *Arl* —8A **93**
Cricketfield La. *Bis S* —9F **58**
Crispin Fld. *Pit* —3A **82**
Crispin Rd. *Edgw* —6C **164**
Crispin Ter. *Hit* —2L **33**
Criss Gro. *Chal P* —9A **158**
Croasdaile Clo. *Stans* —1N **59**
Croasdaile Rd. *Stans* —1N **59**
Crocus Fld. *Barn* —8M **153**
Croft Clo. *NW7* —3E **164**
Croft Clo. *Chfd* —3K **135**
Croft Ct. *Borwd* —5D **152**
Croft Ct. Hpdn —6C **88**
(off Breadcroft La.)
Croft Ct. *Hit* —3M **33**
Croft End Rd. *Chfd* —3K **135**
Crofters. *Saw* —4G **98**
Crofters End. *Saw* —4G **98**
Crofters Rd. *N'wd* —6J **161**
Croft Fld. *Chfd* —3K **135**
Croft Fld. *Hat* —9G **110**
Croft Grn. *Dunst* —9C **44**
Croft La. *Chfd* —3K **135**
Croft La. *Let* —2G **23**
Croft Mdw. *Chfd* —3K **135**
Croft Meadows. *Ched* —9M **61**
Crofton M. *Cod* —7F **70**
Crofton Way. *Barn* —8A **154**
Crofton Way. *Enf* —4M **155**
Croft Rd. *Chal P* —9A **158**
Croft Rd. *Enf* —3J **157**
Croft Rd. *Lut* —6K **47**
Croft Rd. *Ware* —5G **95**
Crofts Path. *Hem H* —4C **124**
Crofts, The. *Hem H* —3D **124**
Crofts, The. *Stot* —6F **10**
Croft, The. *Barn* —6L **153**
Croft, The. *Brox* —5J **133**
Croft, The. *Lut* —1N **45**
Croft, The. *St Alb* —7B **126**
Croft, The. *W'side* —3B **96**

Croft, The. *Wel G* —3M **111**
(in two parts)
Croft Wlk. *Brox* —5J **133**
Croftwell. *Hpdn* —7G **88**
Crokesley Ho. *Edgw* —9C **164**
(off Burnt Oak B'way.)
Cromarty Rd. *Edgw* —2B **164**
Cromer. —5J 37
Cromer Clo. *L Gad* —1B **104**
(in two parts)
Cromer Hyde. —1C 110
Cromer Hyde La. *Wheat & Lem* —1B **110**
Cromer Rd. *New Bar* —6B **154**
Cromer Rd. *Wat* —2L **149**
Cromer Way. *Lut* —2F **46**
Crompton Pl. *Enf* —2L **157**
Crompton Rd. *Stev* —3G **51**
Cromwell Av. *Chesh* —3F **144**
Cromwell Clo. *Bis S* —1D **78**
Cromwell Clo. *Chal G* —3A **158**
Cromwell Clo. *St Alb* —6L **109**
Cromwell Ct. *Enf* —7H **157**
Cromwell Grn. *Let* —3H **23**
Cromwell Hill. *Lut* —8F **46**
Cromwell Rd. *Bar C* —7E **18**
Cromwell Rd. *Borwd* —3M **151**
Cromwell Rd. *Chesh* —1F **144**
Cromwell Rd. *Hem H* —8D **94**
Cromwell Rd. *Let* —3H **23**
Cromwell Rd. *Lut* —8F **46**
Cromwell Rd. *Stev* —4B **52**
Cromwell Rd. *Ware* —6K **95**
Cromwell Way. *Pir* —7E **20**
Crooked Mile. *Wal A* —2N **145**
Crooked Usage. *N3* —9L **165**
Crookhams. *Wel G* —7N **91**
Crop Comn. *Hat* —7H **111**
Crosbie. *NW9* —9F **164**
Crosby Clo. *Dunst* —2F **64**
Crosby Clo. *Lut* —7C **46**
Crosby Clo. *St Alb* —5K **127**
Crosfield Ct. *Wat* —7L **149**
Crossbrook. *Hat* —1E **128**
Crossbrook St. *Chesh* —4H **145**
Crossett Grn. *Hem H* —4E **124**
Crossfell Rd. *Hem H* —3E **124**
Crossfield Clo. *Berk* —1K **121**
Crossfield Rd. *Hod* —6M **115**
Crossfields. *St Alb* —5C **126**
Cross Ga. *Edgw* —3A **164**
Crossgates. *Stev* —4L **51**
Crosslands. *Cad* —5A **66**
Cross La. *Hpdn* —1C **108**
Cross La. *Hert* —9N **93**
Cross Lanes. *Chal P* —5B **158**
Cross Lanes Clo. *Chal P* —5C **158**
Crossleys. *Let* —1F **22**
Crossmead. *Wat* —8K **149**
Cross Oak Rd. *Berk* —2L **121**
Crossoaks La. *Borwd & Ridge* —8D **140**
Crosspath. *Rad* —8H **139**
Crosspaths. *Hpdn* —3L **87**
Cross Rd. *Enf* —6C **156**
Cross Rd. *Hert* —8A **94**
Cross Rd. *Wal X* —6J **145**
Cross Rd. *Wat* —8N **149**
Cross Rd. *W'stone* —9H **163**
Cross St. *Let* —4F **22**
Cross St. *Lut* —9G **46**
Cross St. *St Alb* —2E **126**
Cross St. *Ware* —6J **95**
Cross St. *Wat* —5L **149**
Cross St. N. *Dunst* —8D **44**
Crossway. *Enf* —9C **156**
Crossway. *H'low* —5F **118**
Cross Way. *Hpdn* —4D **88**
Cross Way. *Pinn* —9K **161**
Crossway. *Wel G* —5J **91**
Crossways. *N21* —8A **156**
Crossways. *Bar* —3C **16**
Crossways. *Berk* —2K **121**
Crossways. *Hem H* —2D **124**
Crossways. *H Reg* —4F **44**
Cross Way, The. *Harr* —9F **162**
Cross Way, The. *Lut* —3E **66**
Crosthwaite Ct. *Hpdn* —5C **88**
Crouch Ct. *H'low* —4M **117**
Crouchfield. *Hem H* —3L **123**
Crouchfield. *Hert* —6A **94**
Crouchfield La. *Chap E* —3C **94**
Crouch Green. —3E 70
Crouch Hall Gdns. *Redb* —9J **87**
Crouch Hall La. *Redb* —9J **87**

Crouch La. *G Oak* —1A **144**
Crowborough Path. *Wat* —4M **161**
Crow Furlong. *Hit* —4L **33**
Crowland Gdns. *N14* —9K **155**
Crowland Rd. *Lut* —4L **47**
Crow La. *Reed* —7K **15**
Crown Bldgs. *E4* —9N **157**
Crown Clo. *NW7* —2F **164**
Crown Clo. *Srng* —7L **99**
Crownfield. *Brox* —3L **133**
Crown Ga. *H'low* —6N **117**
(in two parts)
Crown La. *N14* —9N **155**
Crown Lodge. *Arl* —8A **10**
Crown Pde. *N14* —9H **155**
Crown Pas. *Wat* —6L **149**
Crown Ri. *Wat* —7L **137**
Crown Rd. *Borwd* —3A **152**
Crown Rd. *Enf* —6F **156**
Crown Rose Ct. *Tring* —3M **101**
Crown St. *Redb* —1K **107**
Crown Ter. N14 —9J **155**
(off Crown La.)
Crown Ter. *Bis S* —1J **79**
Crowshott Av. *Stan* —9K **163**
Croxdale Rd. *Borwd* —4N **151**
Croxden Clo. *Edgw* —9A **164**
Croxley Centre. —8F 148
Croxley Green. —6C 148
Croxley Vw. *Wat* —8G **148**
Croxton Clo. *Lut* —2C **46**
Croyland Rd. *N9* —9E **156**
Crozier Av. *Bis S* —9E **58**
Crunell's Grn. *Pres* —4M **49**
Crusader Way. *Wat* —8H **149**
Cuba Dri. *Enf* —4G **156**
Cubbington Clo. *Lut* —2C **46**
Cubitt Clo. *Hit* —3C **34**
Cubitts Clo. *Welw* —4M **91**
Cublands. *Hert* —9F **94**
Cuckmans Dri. *St Alb* —7B **126**
Cuckolds Cross. —5L 69
Cuckoo Hall La. *N9* —9G **156**
Cuckoo Hall Rd. *N9* —9G **157**
Cuckoo Hill. *Pinn* —9L **161**
Cuckoo's Nest. *Lut* —1J **45**
Cuffley. —2K 143
Cuffley Av. *Wat* —3M **137**
Cuffley Cen. *Cuff* —2K **143**
Cuffley Clo. *Lut* —5B **46**
Cuffley Ct. *Hem H* —6E **106**
Cuffley Hill. *G Oak* —2L **143**
Culgaith Gdns. *Enf* —6K **155**
Cullera Clo. *N'wd* —6H **161**
Cullinet Ho. *Borwd* —4D **152**
Culloden Rd. *Enf* —4N **155**
Culver Ct. *M Hud* —7J **77**
Culverden Rd. *Wat* —3K **161**
Culver Gro. *Stan* —9K **163**
Culverhouse Rd. *Lut* —5E **46**
Culverlands Clo. *Stan* —4J **163**
Culver Rd. *St Alb* —1F **126**
Culworth Clo. *Cad* —5A **66**
Cumberland Clo. *Hert* —6A **94**
Cumberland Clo. *Pim* —6G **125**
Cumberland Ct. *Hod* —7L **115**
Cumberland Ct. *St Alb* —1E **126**
Cumberland Dri. *Redb* —9K **87**
Cumberland Gdns. *NW4* —9L **165**
Cumberland St. *H Reg* —5E **44**
Cumberland St. *Lut* —2G **67**
Cumberlow Green. —9K 25
Cumberlow Pl. *Hem H* —3E **124**
Cumbria Clo. *H Reg* —4H **45**
Cunard Cres. *N21* —8B **156**
Cundalls Rd. *Ware* —5J **95**
Cunningham Av. *Enf* —9J **145**
Cunningham Av. *St Alb* —4G **127**
Cunningham Ct. *Chesh* —1J **145**
Cunningham Hill Rd. *St Alb* —4G **127**
Cunningham Rd. *Chesh* —9J **133**
Cupid Green. —6C 106
Cupid Grn. La. *Hem H* —3A **106**
Curie Gdns. *NW9* —9E **164**
Curlew Clo. *Berk* —2N **121**
Curlew Clo. *Let* —2E **22**
Curlew Clo. *Brox* —5K **133**
Curlew Cres. *R'ton* —5E **8**
Curlew Rd. *Lut* —4L **47**
Currie St. *Hert* —9C **94**
Curry Ri. *NW7* —6K **165**
Curteys. *H'low* —1F **118**
Curthwaite Gdns. *Enf* —6J **155**

Curtis Clo. *Mil E* —1K **159**
Curtis Cotts. *Ash G* —6K **121**
Curtis Rd. *Hem H* —3F **124**
Curtiss Dri. *Leav* —7H **137**
Curtis Way. *Berk* —2A **122**
Curtlington Ho. Edgw —9C **164**
(off Burnt Oak B'way.)
Curzon Av. *Enf* —7H **157**
Curzon Av. *Stan* —8H **163**
Curzon Ga. Ct. *Wat* —3J **149**
Curzon Rd. *Lut* —8E **46**
Cussans Ho. *Wat* —8G **149**
Cussons Clo. *Chesh* —2E **144**
Cusworth Wlk. *Dunst* —8B **44**
Cusworth Way. *Dunst* —8B **44**
Cutenhoe Rd. *Lut* —4G **66**
Cutforth Rd. *Saw* —4G **98**
Cuthberts Clo. *Chesh* —2D **144**
Cutlers Clo. *Bis S* —4E **78**
Cutlers Grn. *Lut* —7A **48**
Cutmore Dri. *Col H* —4B **128**
Cut Throat Av. *Dunst* —9A **64**
Cut Throat La. *Bre P* —9L **29**
Cutthroat La. *Hod* —6J **115**
Cutting Hill. —8M 53
Cuttsfield Ter. *Hem H* —3J **123**
Cutts La. *Kim* —7L **69**
Cuttys La. *Stev* —4L **51**
Cutts La. *Kim* —7L **69**
Cwmbran Ct. *Hem H* —7B **106**
Cygnet Clo. *Borwd* —3C **152**
Cygnet Clo. *N'wd* —6E **160**
Cygnet Ct. *Bis S* —2J **79**
Cygnet Way. Roy M —5D **116**
(off Swan Way)
Cylers Thicket. *Welw* —1J **91**
Cypress Av. *Enf* —8M **143**
Cypress Av. *Wel G* —1B **112**
Cypress Clo. *Wal A* —7N **145**
Cypress Rd. *Harr* —9E **162**
Cypress Wlk. *Wat* —8K **137**
Cyprus Av. *N3* —9L **165**
Cyprus Gdns. *N3* —9L **165**
Cyprus Rd. *N3* —9M **165**
Cyrils Way. *St Alb* —5E **126**

Dacorum District Sports Cen. —4M **123**
Dacorum Way. *Hem H* —2M **123**
Dacre Cres. *Kim* —7K **69**
Dacre Gdns. *Borwd* —7D **152**
Dacre Grn. *R'ton* —7F **8**
Dacre Ind. Est. *Chesh* —2K **145**
Dacre Rd. *Hal* —7D **100**
Dacre Rd. *Hit* —2A **34**
Dad's Wood. *H'low* —6M **117**
Daffodil Clo. *Hat* —5F **110**
Dagger La. *Els* —8H **151**
Daggs Dell Rd. *Hem H* —9H **105**
Dagnall. —2N 83
Dagnall Rd. *Dunst* —6N **63**
Dagnall Rd. *Gt Gad* —8D **84**
Dagnalls. *Let* —9F **22**
Dagnall Way. *Edl* —8K **63**
Dahlia Clo. *Chesh* —7A **132**
Dahlia Clo. *Lut* —6K **47**
Daintrees. *Wid* —3H **97**
Daintry Lodge. *N'wd* —7H **161**
Dairy M. *Hun* —8G **96**
Dairy M. *Wat* —7J **149**
Dairy Way. *Ab L* —2H **137**
Daisy Ct. *Let* —3G **23**
Dalby Clo. *Lut* —6L **45**
Dale Av. *Edgw* —8N **163**
Dale Av. *Wheat* —2J **89**
Dale Clo. *Dunst* —8J **45**
Dale Clo. *Hit* —6N **33**
Dale Clo. *New Bar* —8A **154**
Dale Clo. *Pinn* —8K **161**
Dale Ct. *Saw* —6F **98**
Dale Ct. *Wat* —7J **137**
Dale Rd. *Dunst* —8J **45**
Dale Rd. *Lut* —1E **66**
Daleside Dri. *Pot B* —6M **141**
Dales Path. *Borwd* —7D **152**
Dales Rd. *Borwd* —7D **152**
Dale, The. *Let* —6E **22**
Dalewood. *Hpdn* —6E **88**
Dalewood. *Wel G* —1C **112**
Dalkeith Gdns. *Stan* —5L **163**
Dalkeith Rd. *Hpdn* —5D **88**
Dalling Dri. *H Reg* —4F **44**
Dallow Rd. *Lut* —9A **46**
Dalmeny Rd. *New Bar* —8B **154**

Dalroad Ind. Est.—Dorchester Ct.

Dalroad Ind. Est. Lut —9D 46
Dalrymple Clo. N14 —9J 155
Dalston Gdns. Stan —8M 163
Dalton Clo. Lut —9D 30
Dalton Gdns. Bis S —4G 79
Dalton Rd. W'stone —9E 162
Dalton St. St Alb —1E 126
Daltons Wharf. Berk —1A 122
Dalton Way. W'wll —1M 69
Daltry Clo. Stev —8J 35
Daltry Rd. Stev —8J 35
Damask Clo. Tring —2A 102
Damask Clo. W'ton —2A 36
Damask Green. —2A 36
Damask Grn. Hem H —3H 123
Damask Grn. Rd. W'ton —2A 36
Dammersey Clo. Mark —3B 86
Damson Wlk. A'wl —1F 12
Damson Way. St Alb —9K 109
Danby Ct. Enf —5A 156
(off Horseshoe La.)
Dancersend. —5H 101
Dancers End La. Tring —3G 101
Dancers Hill. —9K 141
Dancers Hill Rd. Barn —9J 141
Dancers La. Barn —8J 141
Dancote. Kneb —3M 71
Dane Acres. Bis S —9F 58
Dane Bri. La. M Hud —6L 77
Danebridge Rd. M Hud —6K 77
Dane Clo. Hpdn —3D 88
Dane Clo. Stot —4F 10
Dane Ct. Hert —9C 94
Dane End. —8F 14
(Therfield)
Dane End. —1C 74
(Watton at Stone)
Dane End Ho. Stev —9J 35
(off Coreys Mill La.)
Dane End La. Hit —6D 36
Dane End Rd. H Cro —4H 75
Danefield Rd. Pir —7D 20
Dane Ho. N14 —9J 155
Dane Ho. Bis S —9F 58
Daneland. Barn —8E 154
Danemead. Hod —5L 115
Dane O'Coys Rd. Bis S —8F 58
Dane Pk. Bis S —9F 58
Dane Rd. Bar C —8F 18
Dane Rd. Lut —7D 46
Danesbury. —9J 71
Danesbury Pk. Hert —8B 94
Danesbury Pk. Welw —9J 71
Danesbury Pk. Cvn. Site. Welw —8K 71
Danesbury Park Golf Course. —9G 70
Danesbury Pk. Rd. Welw —9H 71
Danescroft. Let —2F 22
Danesgate. Stev —5K 51
Daneshill Ho. Stev —4K 51
(off Danestrete)
Danes, The. Park —1D 138
Dane St. Bis S —1J 79
(in two parts)
Danestrete. Stev —4K 51
Daniel Ct. NW9 —8E 164
Daniells. Wel G —8N 91
Danleigh Ct. N14 —9J 155
Danraven Av. Lut —9C 46
Dansbury La. Welw —8J 71
Danvers Cft. Tring —1A 102
Danvers Dri. Lut —9E 30
Danziger Way. Borwd —3C 152
Darblay Clo. Sandr —1N 109
Darby Dri. Wal A —6N 145
Darby Dri. Welw —5L 71
Darcy Clo. Chesh —4J 145
Darkes La. Pot B —5N 141
Dark La. Chesh —3E 144
Dark La. Cod —8E 70
Dark La. Hpdn —8E 88
Dark La. Haul —4C 54
Dark La. Oving —5A 60
Dark La. S'don —2N 25
Dark La. Ware —4K 95
Darland Lake Nature Reserve. —3L 165
Darlands Dri. Barn —7K 153
Darley Cft. Park —1C 138
Darleyhall. —8D 48
Darley Rd. N9 —9D 156
Darley Rd. B Grn —8C 48
Darnhills. Rad —8G 139
Darnicle Hill. Chesh —7L 131
Darrington Rd. Borwd —3M 151
Darr's La. N'chu —9H 103
Dartford Av. N9 —8G 157
Dartmouth M. Lut —6N 45
Dart, The. Hem H —6B 106
Darwin Clo. Hem H —5D 106
Darwin Clo. St Alb —7F 108
Darwin Gdns. Wat —5L 161
Darwin Rd. Stev —3A 52
Dashes, The. H'low —5A 118
(in two parts)
Dassels. —7B 40
Datchet Clo. Hem H —6D 106
Datchworth. —5C 72
Datchworth Ct. Enf —7C 156
Datchworth Green. —7C 72
Datchworth Mus. —7C 72
Datchworth Turn. Hem H —2E 124
Dauphin Ct. Lut —8F 46
(off Earls Meade)
Davenham Av. N'wd —5H 161
Davenport. H'low —7G 118
Daventer Dri. Stan —7G 163
David Evans Ct. Let —4D 22
David Lloyd Leisure Cen. (Enfield) —4D 156
Davies St. Hert —9C 94
Davis Ct. St Alb —2F 126
Davis Cres. Pir —6E 20
Davison Clo. Chesh —1H 145
Davison Dri. Chesh —1H 145
Davis Row. Arl —8A 10
Davys Clo. Wheat —8M 89
Dawes La. Sarr —1H 147
Dawley. Wel G —6M 91
(in three parts)
Dawley Ct. Hem H —7C 106
Dawlish Clo. Stev —1B 72
Dawlish Rd. Lut —6B 46
Daw's End. —6E 28
Daws Hill. E4 —5N 157
Daws La. NW7 —5F 164
Daw's La. Bkld —3J 27
Dawson Ter. N9 —9G 156
Dayemead. Wel G —3A 112
Days Clo. Hat —9F 110
Day's Clo. R'ton —8C 8
Days Mead. Hat —9F 110
Deacon Clo. St Alb —6E 126
Deacons Clo. Els —6A 152
Deacons Clo. Pinn —9K 161
Deacons Ct. Lut —9F 46
Deaconsfield Rd. Hem H —5N 123
Deacons Heights. Els —8A 152
Deacons Hill. Borwd —8N 151
Deacons Hill. Wat —8L 149
Deacon's Hill Rd. Els —6N 151
Deacons Way. Hit —1L 33
Deadfield La. Hert —4E 112
Deadhearn La. Chal G —1B 158
Deadman's Ash La. Sarr —9L 135
Dead Woman's La. Hit —2K 49
Deakin Clo. Wat —9G 149
Deamer Ho. Ger X —4B 158
Deanacre Clo. Chal P —6B 158
Dean Ct. Edgw —6B 164
Dean Ct. Wat —6M 137
Deancroft Rd. Chal P —6B 158
Dean Dri. Stan —9M 163
Deane Ct. N'wd —8G 161
Dean Fld. Bov —9D 122
Dean La. Hem H & Mark —6J 85
Dean Moore Clo. St Alb —3D 126
Deansbrook Clo. Edgw —7C 164
Deansbrook Rd. Edgw —7B 164
Deans Clo. Ab L —5F 136
Deans Clo. Edgw —6C 164
Deans Clo. Tring —2M 101
Deanscroft. Kneb —3M 71
Deans Dri. Edgw —5D 164
Deans Furlong. Tring —2M 101
Dean's Gdns. St Alb —7H 109
Deans La. Edgw —6C 164
Deans Mdw. Dagn —2N 83
Deans Way. Edgw —5C 164
Deansway. Hem H —5B 124
Dean, The. W'grv —5A 60
Dean Wlk. Edgw —6C 164
Dean Way. Ast C —2E 100
Deard's End La. Kneb —3M 71
Deards Wood. Kneb —3M 71
Dearne Clo. Stan —5H 163
Dearsley Rd. Enf —5E 156
Debenham Ct. Barn —7J 153
Debenham Rd. Chesh —9F 132
De Bohun Av. N14 —8G 154
Deborah Lodge. Edgw —8B 164
Debussy. NW9 —9F 164
Deepdene. Pot B —4K 141
Deepdene Ct. N21 —8N 155
Deep Denes. Lut —7J 47
Deeping Clo. Kneb —4M 71
Deer Clo. Hert —9D 94
Deerfield Clo. Ware —5H 95
Deerings, The. Hpdn —1B 108
Deerleap Gro. E4 —7M 157
Deer Pk. H'low —9K 117
Deer Pk. Wlk. Che —9J 121
Deerpark Way. Wal A —9M 145
Deerswood Av. Hat —2H 129
Dee, The. Hem H —6B 106
Deeves Hall La. Ridge —6E 140
Defiant. NW9 —9F 164
(off Further Acre)
De Havilland Clo. Hat —8F 110
De Havilland Ct. Shenl —5M 139
De Havilland Rd. Edgw —9B 164
De Havilland Way. Ab L —5H 137
Deimos Dri. Hem H —8C 106
Delahay Ri. Berk —8M 103
Delamare Rd. Chesh —3J 145
Delamere Gdns. NW7 —6D 164
Delamere Rd. Borwd —3B 152
Delfcroft. Ware —4G 94
Delfield Gdns. Cad —4A 66
Delhi Rd. Enf —9D 156
Delius Clo. Els —8K 151
Dell Clo. Hpdn —4C 88
Dellcot Clo. Lut —4K 47
Dellcott Clo. Wel G —8J 91
Dell Ct. N'wd —7F 160
Dellcroft Way. Hpdn —9B 88
Dell Cut Rd. Hem H —9C 106
Dellfield. St Alb —3G 127
Dellfield. Wad —8H 75
Dellfield Av. Berk —8M 103
Dellfield Clo. Berk —8L 103
Dellfield Clo. Rad —8G 138
Dellfield Clo. Wat —4J 149
Dellfield Ct. H'low —2E 118
Dellfield Ct. Lut —7M 47
Dellfield Rd. Hat —9G 110
Dell La. Bis S —1J 79
Dell La. L Hall —8J 79
Dellmeadow. Ab L —3G 136
Dell Mdw. Hem H —6A 124
Dellmont Rd. H Reg —4E 44
Dellors Clo. Barn —7K 153
Dell Ri. Park —8C 126
Dell Rd. Enf —2G 157
Dell Rd. H Reg —4E 44
Dell Rd. N'chu —7H 103
Dell Rd. Wat —1J 149
Dells Clo. E4 —9M 157
Dellside. Wat —1J 149
Dellsome La. Col H —5E 128
(in two parts)
Dellsprings. Bunt —2J 39
Dells, The. Bis S —1H 79
(off South St.)
Dells, The. Hem H —3D 124
Dellswood Clo. Hert —1C 114
Dellswood Clo. Hod —5K 115
Dell, The. Bald —5L 23
Dell, The. Cad —5A 66
Dell, The. Chal P —6B 158
Dell, The. Hert —3A 114
Dell, The. Lut —8A 48
Dell, The. Mark —2N 85
Dell, The. N'wd —2G 160
Dell, The. Pinn —9M 161
Dell, The. Rad —9H 139
Dell, The. R'ton —8C 8
Dell, The. St Alb —9H 109
Dell, The. Stev —4L 51
Dell, The. Welw —3N 91
Dellwood. Rick —1L 159
Delmar Av. Hem H —3F 124
Delmer Ct. Borwd —2N 151
(off Aycliffe Rd.)
Delmerend La. Flam —5E 86
Delphine Clo. Lut —2C 66
Delroy Ct. N20 —9B 154
Delta Gain. Wat —2M 161
Demontfort Ri. Ware —4G 94
Denbigh Clo. Hem H —3A 124
Denbigh Rd. Lut —7D 46
Denby. Let —7H 23
Denby Grange. H'low —6G 118
Dencora Way. Lut —1L 45
Dendridge Clo. Enf —1F 156
Dene Gdns. Stan —5K 163
Dene La. Ast —7C 52
Dene Rd. N'wd —6E 160
Denes, The. Hem H —7B 124
Denewood. New Bar —7B 154
Denewood Clo. Wat —1H 149
Denham Clo. Hem H —6C 106
Denham Clo. Lut —1A 46
(in three parts)
Denham La. Chal P —6C 158
Denham Wlk. Chal P —6C 158
Denham Way. Borwd —3C 152
Denham Way. Map C & Den —6H 159
Denleigh Gdns. N21 —9M 155
Denmark Clo. Lut —9A 30
Denmark St. Wat —4K 149
Dennis Clo. Ast C —2F 100
Dennis Gdns. Stan —5K 163
Dennis La. Stan —3J 163
Dennis Pde. N14 —9J 155
Denny Av. Wal A —7N 145
Denny Ct. Bis S —7K 59
Denny Ga. Chesh —9K 133
Denny Rd. N9 —9F 156
Denny's La. Berk —3K 121
Densley Clo. Wel G —7K 91
Denton Clo. Barn —7J 153
Denton Clo. Lut —5L 45
Denton Rd. Stev —5L 51
Dents Clo. Let —8J 23
Denvers Yd. Ware —5A 76
Derby Av. Harr —8E 162
Derby Ho. Pinn —9M 161
Derby Lodge. N3 —9M 165
Derby Rd. Enf —7F 156
Derby Rd. Hod —9A 116
Derby Rd. Lut —7M 45
Derby Rd. Wat —5L 149
(in two parts)
Derby Way. Stev —1A 52
Derwent Av. NW7 —6D 164
Derwent Av. Barn —9E 154
Derwent Av. Lut —2D 46
Derwent Av. Pinn —6N 161
Derwent Cres. Stan —9K 163
Derwent Dri. Dunst —3F 64
Derwent Rd. Hpdn —3L 87
Derwent Rd. Hem H —3E 124
Derwent Rd. Lut —9J 47
Desborough Clo. Hert —6A 94
Desborough Dri. Tew —2B 92
Desborough Rd. Hit —2C 34
Des Fuller Ct. Lut —2H 67
(off Chequer St.)
Desmond Ho. Barn —8D 154
Desmond Rd. Wat —9H 137
De Tany Ct. St Alb —3E 126
Deva Clo. St Alb —4B 126
Devereux Dri. Wat —2G 149
De Vere Wlk. Wat —4G 149
Devil's La. Hert —3N 131
Devoils La. Bis S —1H 79
Devon Ct. St Alb —3F 126
Devon Rd. Lut —1K 67
Devon Rd. Wat —3M 149
Devonshire Clo. Stev —9N 51
Devonshire Ct. Pinn —8A 162
(off Devonshire Rd.)
Devonshire Cres. NW7 —7K 165
Devonshire Gdns. N21 —9A 156
Devonshire Rd. N9 —9G 157
Devonshire Rd. NW7 —7K 165
Devonshire Rd. Hpdn —5C 88
Devonshire Rd. Pinn —8A 162
Dewars Clo. Welw —1J 91
Dewes Green. —1B 42
Dewes Grn. Rd. Ber —1B 42
Dewgrass Gro. Wal X —8H 145
Dewhurst Rd. Chesh —2F 144
Dewpond Clo. Stev —1J 51
Dewsbury Rd. Lut —3D 46
Dexter Clo. Lut —9D 30
Dexter Clo. St Alb —3H 127
Dexter Rd. Barn —8K 153
Dexter Rd. Hare —9M 159
Dialmead. Ridge —6F 140
Diamond End. —2D 68
Diamond Ind. Cen. Let —4J 23
Diamond Rd. Wat —2J 149
Dianne Way. Barn —6D 154
Dickens Clo. Chesh —8E 132
Dickens Clo. St Alb —1E 126
Dickens Ct. Hem H —5D 106
Dicker Mill. Hert —8B 94
Dicket Mead. Welw —2J 91
Dickinson Av. Crox G —8C 148
Dickinson Sq. Crox G —8D 148
Dick Smiths Wlk. A'wl —8L 5
Dickson. Chesh —9D 132
Dig Dag Hill. Chesh —9D 132
Digswell. —4L 91
Digswell Clo. Borwd —2A 152
Digswell Ct. Wel G —7L 91
Digswell Hill. Welw —6G 91
Digswell Ho. Wel G —5K 91
Digswell Ho. M. Wel G —5K 91
Digswell La. Wel G —5M 91
Digswell Park. —5K 91
Digswell Pk. Rd. Wel G —4K 91
(in two parts)
Digswell Pl. Wel G —6H 91
Digswell Ri. Wel G —7K 91
Digswell Rd. Wel G —8K 91
Digswell Water. —5M 91
Dimmocks La. Sarr —9L 135
Dimsdale Cres. Bis S —3K 79
Dimsdale Dri. Enf —9E 156
Dimsdale St. Hert —9A 94
Dinant Link Rd. Hod —7L 115
Dingle Clo. Barn —8F 152
Dingles Ct. Pinn —8M 161
Dinmore. Bov —1C 134
Dinsdale Gdns. New Bar —7A 154
Dione Rd. Hem H —8B 106
Dishforth La. NW9 —7E 164
Dison Clo. Enf —3H 157
Ditchfield Rd. Hod —5L 115
Ditchling Clo. Lut —6L 47
Ditchmore La. Stev —3K 51
Ditton Grn. Lut —6N 47
Divot Pl. Hert —8F 94
Dixies Clo. A'wl —1C 12
Dixon Pl. Bunt —3J 39
Dixons Hill Clo. N Mym —7H 129
Dixons Hill Rd. N Mym —7H 129
Dobbin Clo. Harr —9H 163
Dobbins La. Wend —9A 100
Dobbs Weir. —9A 116
Dobb's Weir Rd. Hod —9N 115
Docklands. Pir —7E 20
Doctor's Commons Rd. Berk —1M 121
Dodds La. Pic E —7M 105
Dodgen La. Bis S —8G 43
Dodwood. Wel G —1A 112
Doggetts Courts. Barn —7D 154
Doggetts Way. St Alb —4D 126
Doggetts Wood La. Chal G —6A 146
Dog Kennel La. Chor —6J 147
Dog Kennel La. Hat —8G 111
Dog Kennel La. R'ton —7D 8
Dognell Grn. Wel G —8H 91
Dolesbury Dri. Welw —8L 71
Dollis Av. N3 —8M 165
Dollis Brook Wlk. Barn —8L 153
Dolliscroft. NW7 —7L 165
Dollis M. N3 —8N 165
Dollis Pk. N3 —8M 165
Dollis Rd. NW7 & N3 —7L 165
Dollis Valley Dri. Barn —8M 153
Dollis Valley Way. Barn —8M 153
Dolphin Dri. H Reg —4H 45
Dolphin Sq. Tring —3M 101
(off Church Yd.)
Dolphin Way. Bis S —9J 59
Dolphin Yd. Hert —9B 94
Dolphin Yd. St Alb —3E 126
(off Holywell Hill)
Dolphin Yd. Ware —6H 95
Dome, The. —9L 137
Dominic Ct. Wal A —6M 145
Domitian Pl. Enf —7D 156
Doncaster Clo. Stev —1B 52
Doncaster Grn. Wat —5L 161
Doncaster Rd. N9 —9F 156
Donkey La. Enf —4E 156
Donkey La. Tring —3K 101
(in two parts)
Donnefield Av. Edgw —7M 163
Doo Lit. La. Tot —3M 63
Doolittle Meadows. Hem H —7A 124
Dorant Ho. St Alb —7E 108
Dorchester Av. Hod —6L 115
Dorchester Clo. Dunst —8E 44
Dorchester Ct. N14 —9G 155

A-Z Hertfordshire 181

Dorchester Ct.—Eatongate Clo.

Dorchester Ct. St Alb —3H 127
(off Dexter Clo.)
Dorchester Ct. Wat —8N 149
(off Chalk Hill)
Dordans Rd. Lut —5A 46
Dorel Clo. Lut —7H 47
Dormans Clo. N'wd —7F 160
Dormer Clo. Barn —7K 153
Dormers. Bov —9H 123
Dormie Clo. St Alb —9D 108
Dorriens Cft. Berk —7K 103
Dorrington Clo. Lut —8E 46
Dorrofield Clo. Crox G —7E 148
Dorset Clo. Berk —9K 103
Dorset Ct. Lut —2H 67
(off Kingsland Rd.)
Dorset Ct. N'wd —8H 161
Dorset Dri. Edgw —6N 163
Dorset Ho. Bis S —1H 79
(off Portland Rd.)
Dorset M. N3 —8N 165
Douglas Av. Wat —1M 149
Douglas Clo. Stan —5H 163
Douglas Cres. H Reg —6D 44
Douglas Dri. Stev —1N 51
Douglas Gdns. Berk —9K 103
Douglas Rd. Hpdn —5A 88
Douglas Rd. Lut —7C 46
Douglas Way. Wel G —9B 92
Doulton Clo. H'low —7G 118
Dove Clo. NW7 —7F 164
Dove Clo. Bis S —5G 78
Dove Clo. Stans —2N 59
Dovecotes. A'wl —9M 5
Dovecott, The. Pir —7D 20
Dove Ct. Hat —1G 129
Dovedale. Lut —3G 46
Dovedale. Stev —5A 52
Dovedale. Ware —4G 94
Dovedale Clo. Hare —9M 159
Dovehouse Clo. Edl —4K 63
Dovehouse Cft. H'low —4C 118
Dovehouse Hill. Lut —7K 47
Dovehouse La. Kens —9F 64
Dovehouse La. Stev —8F 36
Dove La. Pot B —7B 142
Dove Pk. Chor —8E 146
Dove Pk. Pinn —7B 162
Dover Clo. Lut —6C 46
Dovercourt Gdns. Stan —5M 163
Doverfield. G Oak —2A 144
Dove Rd. Stev —7M 35
Dover Way. Crox G —6E 148
Dowding Pl. Stan —6H 163
Dowding Way. Leav —7H 137
Dower Ct. Hit —5N 33
(off London Rd.)
Dower M. Berk —1N 121
Dowling Ct. Hem H —5N 123
Downage. NW4 —9J 165
Downalong. Bus H —1E 162
Downe Clo. R'ton —5C 8
Down Edge. Redb —1H 107
Downedge. St Alb —1C 126
Downer Dri. Sarr —9K 135
Downes Ct. N21 —9M 155
Downes Rd. St Alb —7J 109
Downfield Clo. Hert H —2G 114
Downfield Ct. Thun —2F 94
Downfield Rd. Chesh —4J 145
Downfield Rd. Hert H —2G 114
Downfields. Wel G —2H 111
Down Grn. La. Wheat —7J 89
Downhall Ley. Bunt —3J 39
Downhurst Av. NW7 —5D 164
Downhurst Ct. NW4 —9J 165
Downings Wood. Map C —5G 159
Downland Clo. N20 —9B 154
Downlands. Bald —2N 23
Downlands. Lut —2M 45
Downlands. R'ton —7C 8
Downlands. Stev —2C 52
Downlands Ct. Lut —7K 45
Downlands Pk. Homes. Pep —8E 66
Downsfield. Hat —3H 129
Downside. —1H 65
Downside. Hem H —1A 124
Downs La. Hat —2G 128
Downs Rd. Dunst —9G 44
Downs Rd. Enf —6C 156
Downs Rd. Lut —1E 66
Downs, The. H'low —6A 118
Downs, The. Hat —2G 128
Downs Vw. Dunst —1G 65
Downs Vw. Lut —5N 45
Downswat Ct. R'ton —7C 8
Downton Ct. Lut —9F 46
Downview. Lut —7L 45
Dowry Wlk. Wat —2H 149
Drakes Clo. Chesh —1H 145
Drakes Dri. N'wd —8D 160
Drakes Dri. St Alb —5J 127
Drakes Dri. Stev —2A 52
Drakes Mdw. H'low —2G 118
Drake St. Enf —3B 156
Drakes Way. Hat —2H 129
Drapers' Cottage Homes. NW7
(in two parts) —4G 164
Drapers M. Lut —8E 46
Drapers Rd. Enf —4N 155
Drapers Way. Stev —2J 51
Draymans Clo. Bis S —3D 78
Drayton Av. Pot B —5L 141
Drayton Beauchamp. —1H 101
Drayton Ford. Rick —2K 159
Drayton Gdns. N21 —9N 155
Drayton Hollow. Tring —6K 101
(in two parts)
Drayton Rd. Borwd —6A 152
Drayton Rd. Lut —6J 45
Drew Av. NW7 —6L 165
Drey, The. Chal P —5B 158
Driffield Ct. NW9 —8E 164
(off Pageant Av.)
Drift Way. Bunt —9M 13
(in two parts)
Driftway. Reed —8J 15
Driftway, The. Hem H —2B 124
Driftwood Av. St Alb —8B 126
Drive Ct. Edgw —5A 164
Driver's End. —4G 70
Driver's End La. Cod —4F 70
Drive, The. N3 —7N 165
Drive, The. Brk P —7N 129
Drive, The. Chal P —7B 158
Drive, The. Chesh —9F 132
Drive, The. Edgw —5A 164
Drive, The. Enf —3B 156
Drive, The. G Oak —1N 143
Drive, The. H'low —5A 118
Drive, The. Hpdn —6B 88
Drive, The. Hert —7A 94
Drive, The. High Bar —5L 153
Drive, The. Hod —6L 115
Drive, The. L Buz —7E 62
Drive, The. Naps —7H 127
Drive, The. New Bar —8B 154
Drive, The. N'wd —9G 161
Drive, The. Pot B —6M 141
Drive, The. Rad —7H 139
Drive, The. Rick —7L 147
Drive, The. Ridg —8G 142
Drive, The. Saw —5G 98
Drive, The. Wat —1F 148
Drive, The. Welw —7N 71
Drive, The. Wheat —9J 69
Driveway, The. Cuff —1K 143
Driveway, The. Hem H —3L 123
Dromey Gdns. Harr —7G 162
Drop La. Brick W —3C 138
Drover La. Bis S & Saf W —2G 42
Drovers La. Wheat —1L 109
Drovers Way. Bis S —3E 78
Drovers Way. Dunst —9C 44
Drovers Way. Hat —6H 111
Drovers Way. St Alb —2E 126
Drummond Dri. Stan —7G 163
Drummond Ride. Tring —1M 101
Drummonds, The. Lut —7M 45
Drury Clo. H Reg —4F 44
Drury La. H Reg —4F 44
Drury La. Hun —6G 97
Dryburgh Gdns. NW9 —9A 164
Drycroft. Wel G —4L 111
Dryden Cres. Stev —1A 52
Dryden Rd. Enf —8C 156
Dryden Rd. Harr —8G 163
Dryfield Rd. Edgw —6C 164
Drysdale Av. E4 —9M 157
Drysdale Clo. N'wd —7G 160
Dubbs Knoll Rd. G Mor —1A 6
Dubrae Clo. St Alb —4B 126
Duchess Clo. Bis S —1D 78
Duchess Ct. Dunst —8F 44
Duchy Rd. Barn —2C 154
Duck End. —8N 59
Ducketts La. M Hud —7N 77
Ducketts Mead. Roy —5E 116
Ducketts Wharf. Bis S —2H 79
Ducketts Wood. Thun —9H 75
Duck La. B'tn —5J 53
Duck Lees La. Enf —6J 157
Duckling La. Saw —5G 99
Duckmore La. Tring —5K 101
Ducks' Grn. Ther —7D 14
Duck's Hill Rd. N'wd & Ruis —8D 160
Ducks Island. —8K 153
Duck St. Fur P —5H 41
Du Cros Dri. Stan —6L 163
Dudley Av. Harr —9K 163
Dudley Av. Wal X —5H 145
Dudley Clo. Bov —9D 122
Dudley Hill Clo. Welw —8L 71
Dudley Rd. N3 —9N 165
Dudley St. Lut —9G 46
Dudswell. —6H 103
Dudswell Corner. Dud —6G 103
Dudswell La. Dud —6H 103
Dudswell Mill. Dud —6G 103
Dugdale Ct. Hit —1K 33
Dugdale Hill. —6L 141
Dugdale Hill La. Pot B —6L 141
Dugdales. Crox G —6C 148
Dukeminster Trad. Est. Dunst —8F 44
Dukes Av. N3 —8N 165
Duke's Av. Edgw —6N 163
Dukes Av. Kens —8A 64
Dukes Ct. Dunst —8F 44
(off Mall, The)
Duke's La. Hit —2N 33
Dukes Ride. Bis S —9E 58
Dukes Ride. Lut —8F 46
(off Knights Fld.)
Duke St. Hod —7L 115
Duke St. Lut —9G 47
Duke St. Wat —5L 149
Dukes Way. Berk —8L 103
Dulwich Way. Crox G —7C 148
Dumbarton Av. Wal X —7H 145
Dumbletons, The. Map C —4H 159
Dumfries Clo. Wat —3H 161
Dumfries Ct. Lut —2F 66
(off Dumfries St.)
Dumfries St. Lut —2F 66
(in two parts)
Dunblane Clo. Edgw —2B 164
Duncan Clo. Barn —6B 154
Duncan Clo. Wel G —1L 111
Duncan Ct. St Alb —4G 127
Duncan Way. Bush —4A 150
Duncombe Clo. Hert —7A 94
Duncombe Clo. Lut —3E 46
Duncombe Ct. Dunst —7H 45
Duncombe Dri. Dunst —7H 45
Duncombe Rd. Hert —8A 94
Duncombe Rd. N'chu —8J 103
Duncots Clo. Ickl —8M 21
Dundale Rd. Tring —1L 101
Dundee Way. Enf —5J 157
Dunford Ct. Pinn —7A 162
Dunham's La. Let —4H 23
Dunkirks M. Hert —2B 114
Dunlin. Let —2E 22
Dunlin Rd. Hem H —6A 106
Dunmow Ct. Lut —7F 46
Dunmow Rd. Bis S —1J 79
Dunmow Rd. L Hall —1N 79
Dunn Clo. Stev —6L 51
Dunn Mead. NW9 —7F 164
Dunnock Clo. Borwd —6A 152
Dunny La. Chfd —6H 135
Dunraven Dri. Enf —4M 155
Dunsby Rd. Lut —3C 46
Dunsley Pl. Tring —3N 101
Dunsmore Clo. Bush —8E 150
Dunsmore Rd. Lut —2D 66
Dunsmore Way. Bush —8E 150
Dunstable. —9E 44
Dunstable Clo. Lut —8C 46
Dunstable Ct. Lut —8B 46
Dunstable Downs Golf Course. —3D 64
Dunstable Leisure Cen. —8E 44
Dunstable Pk. Recreational Cen. —7E 44
Dunstable Pl. Lut —1F 66
Dunstable Rd. Dagn —2N 83
Dunstable Rd. Dunst & Cad —3K 65
Dunstable Rd. Eat B —3L 63
Dunstable Rd. Flam —5G 87
Dunstable Rd. H Reg —6E 44
Dunstable Rd. Kens —4C 64
Dunstable Rd. Lut —7L 45
Dunstable Rd. Redb —8J 87
Dunstable Rd. Tod —1C 44
Dunstable Rd. Tot —1N 63
Dunstable St. Mark —8M 65
Dunstable Town F.C. —7C 44
Dunstall Rd. Bar C —9E 18
Dunstalls. H'low —9J 117
Dunster Clo. Barn —6K 153
Dunster Clo. Hare —8L 159
Dunster Ct. Borwd —5D 152
Dunster Rd. Hem H —5D 106
Dunsters Mead. Wel G —2N 111
Dunston Hill. Tring —2M 101
Dunton. —1F 4
Dunton La. Big —1A 4
Durants Pk. Av. Enf —6H 157
Durants Rd. Enf —6G 157
Durban Rd. E. Wat —6J 149
Durban Rd. W. Wat —6J 149
Durbar Rd. Lut —8C 46
Durham Clo. Saw —6E 98
Durham Clo. Stan A —1M 115
Durham Ho. Borwd —4A 152
(off Canterbury Rd.)
Durham Rd. Borwd —5C 152
Durham Rd. Lut —9J 47
Durham Rd. Stev —9N 35
Durler Gdns. Lut —3F 66
Durrant Ct. Har W —9F 162
Durrants Dri. Crox G —5E 148
Durrants Hill Rd. Hem H —5N 123
Durrants La. Berk —1J 121
Durrants Path. Che —9E 120
Durrants Rd. Berk —9K 103
Dury Rd. Barn —3M 153
Duxford Clo. Lut —2D 46
Duxons Turn. Hem H —1D 124
Dwight Rd. Wat —9F 148
Dyers Rd. Eat B —1J 63
Dyes La. Hit —5E 50
Dyke La. Wheat —9L 89
Dylan Clo. Els —9L 151
Dylan Ct. H Reg —4F 44
Dymoke Grn. St Alb —7H 109
Dymoke M. Stev —1J 51
Dymokes Way. Hod —5L 115
Dyrham La. Barn —9G 141
Dyrham Pk. —2H 153
Dyrham Pk. Golf Course. —1G 153
Dyson Ct. Wat —7L 149
Dysons Clo. Wal X —6H 145

Eagle Cen. Way. Lut —2L 45
Eagle Clo. Enf —6G 157
Eagle Clo. Lut —5K 45
Eagle Ct. Bald —2L 23
Eagle Ct. Hert —8F 94
Eagle Dri. NW9 —9E 164
Eagle Way. Hat —2G 128
Ealing Clo. Borwd —3D 152
Earls Clo. Bis S —2F 78
Earls Ct. Dunst —8F 44
Earls Hill Gdns. R'ton —7C 8
Earls La. S Mim —5E 140
Earlsmead. Let —8F 22
Earls Meade. Lut —8F 46
Earl St. Wat —5L 149
Easedale Clo. Dunst —2F 64
Easington Rd. D End —1C 74
Easingwold Gdns. Lut —9B 46
Easneye. —8N 95
East Barnet. —8D 154
E. Barnet Rd. Barn —6C 154
Eastbourne Av. Stev —3G 50
Eastbrook Av. N9 —9G 157
Eastbrook Way. Hem H —2A 124
East Burrowfield. Wel G —2K 111
Eastbury. —4H 161
Eastbury Av. Enf —3D 156
Eastbury Av. N'wd —5H 161
Eastbury Ct. New Bar —7B 154
(off Lyonsdown Rd.)
Eastbury Ct. St Alb —1G 126
Eastbury Ct. Wat —9L 149
Eastbury Pl. N'wd —5H 161
Eastbury Rd. N'wd —6G 160
Eastbury Rd. Wat —9K 149
Eastcheap. Let —5F 22
East Clo. Barn —6F 154
East Clo. Hit —1B 34
East Clo. St Alb —7C 126
East Clo. Stev —4M 51
East Comn. Redb —2J 107
Eastcote Dri. Hpdn —9E 88
Eastcott Clo. Lut —8M 47
East Cres. Enf —7D 156
East Dri. Naps —9H 127
East Dri. N'wd —2G 161
East Dri. Oakl —1M 127
East Dri. Saw —6G 98
East Dri. Wat —9K 137
E. Duck Lees La. Enf —6J 157
Eastend. —5H 117
East End. H Reg —4F 44
E. End Farm. Pinn —9A 162
East End Green. —4J 113
E. End Rd. N3 & N2 —9N 165
E. End Way. Pinn —9N 161
Eastern Av. Dunst —9G 44
Eastern Av. Henl —1K 21
Eastern Av. Wal X —6J 145
Eastern Av. Ind. Est. Dunst —9G 45
Eastern Way. Let —3G 22
Eastfield Av. Wat —3M 149
Eastfield Clo. Lut —5L 47
Eastfield Ct. St Alb —8L 109
Eastfield Pde. Pot B —5C 142
Eastfield Rd. Enf —2H 157
Eastfield Rd. R'ton —7E 8
Eastfield Rd. Wal X —4K 145
East Flint. Hem H —1J 123
(in two parts)
East Ga. H'low —5N 117
Eastgate. Stev —5K 51
Eastglade. N'wd —5H 161
Eastglade. Pinn —9A 162
East Grn. Hem H —7B 124
Easthall. —7B 50
Easthall Ho. Stev —8J 35
(off Coreys Mill La.)
Eastham Clo. Barn —7M 153
East Herts Golf Course. —4M 55
East Hill. Lut —3D 46
Easthill Rd. H Reg —4F 44
Eastholm. Let —3G 22
Eastholm Grn. Let —3G 22
East Hyde. —9A 68
East Hyde Pk. —9B 68
East La. Bedm & Wat —1H 137
(in two parts)
East La. Wheat —6L 89
Eastlea Av. Wat —1N 149
E. Lodge La. Enf —9J 143
Eastman Way. Hem I —8C 106
Eastman Way. Stev —8B 36
East Mead. Wel G —3A 112
East Mimms. Hem H —1A 124
Eastmoor Ct. Hpdn —9D 88
Eastmoor Pk. Hpdn —8D 88
East Mt. Wheat —6L 89
Eastnor. Bov —1D 134
Easton Gdns. Borwd —6E 152
Eastor. Wel G —6N 91
East Pk. H'low —3E 118
East Pk. Saw —6G 98
East Reach. Stev —7N 51
East Ridgeway. Cuff —1K 143
East Riding. Tew —2C 92
East Rd. Barn —9F 154
East Rd. Bis S —1K 79
East Rd. Edgw —8B 164
East Rd. Enf —2G 157
East Rd. H'low —2D 118
East St. Hem H —2N 123
East St. Lil —8M 31
East St. Ware —6H 95
East Vw. Barn —4M 153
East Vw. Ess —8E 112
East Vw. St I —8C 34
East Wlk. E Barn —9F 154
East Wlk. H'low —5N 117
Eastwick. —2L 117
Eastwick Cres. Mil E —2J 159
Eastwick Hall La. H'low —9K 97
Eastwick Rd. Gil —1N 117
Eastwick Rd. H'low —2L 117
Eastwick Rd. Hun —8G 96
Eastwick Row. Hem H —3C 124
East Wing. N'chu —7H 103
Eastwood Ct. Hem H —1C 124
Easy Way. Lut A —2M 67
Eaton Bray. —2J 63
Eaton Bray Rd. N'all —4G 62
Eaton Clo. Stan —4J 163
Eaton Ga. N'wd —6E 160
Eatongate Clo. Eat B —4J 63

Eaton Grn. Rd.—Exhims M.

Eaton Grn. Rd. Lut —9L 47
Eaton Grn. Roundabout. Lut —9L 47
Eaton Ho. Bis S —9K 59
(off Stortford Hall Rd.)
Eaton Pk. Eat B —2K 63
Eaton Pl. Lut —8M 47
Eaton Rd. Enf —5C 156
Eaton Rd. Hem I —8D 106
Eaton Rd. St Alb —2J 127
Eaton Valley Rd. Lut —8K 47
Ebberns Rd. Hem H —5N 123
Ebenezer St. Lut —2F 66
Ebury App. Rick —1N 159
Ebury Clo. N'wd —5E 160
Ebury Rd. Rick —1N 159
Ebury Rd. Wat —5L 149
Eccleston Clo. Cockf —6E 154
Echo Hill. R'ton —8C 8
Eddiwick Av. H Reg —2G 44
Eddy St. Berk —9L 103
Edenbridge Rd. Enf —8C 156
Eden Clo. Enf —1L 157
Edenhall Clo. Hem H —3F 124
Edens Clo. Bis S —1K 79
Edens Mt. Saw —3H 99
Edgars Ct. Wel G —1L 111
Edgbaston Dri. Shenl —5M 139
Edgbaston Rd. Wat —3K 161
Edgecote Clo. Cad —5A 66
Edgecott Clo. Lut —9D 30
Edgehill Gdns. Lut —1M 45
Edgewood Dri. Lut —3L 47
Edgeworth Clo. Stev —8B 52
Edgeworth Ct. Barn —6D 154
(off Fordham Rd.)
Edgeworth Rd. Cockf —6D 154
Edgware. —6A 164
Edgware Bury. —3B 164
Edgwarebury Gdns. Edgw —5A 164
Edgwarebury Golf Course. —3M 163
Edgwarebury La. Edgw —1N 163
(in two parts)
Edgwarebury La. Els —9M 151
Edgwarebury Pk. —3N 163
Edgware Ct. Edgw —6A 164
Edgware Rd. NW9 —9C 164
Edgware Way. Edgw & NW7 —4N 163
Edgware Way. Els —1L 163
Edinburgh Av. Mil E —8K 147
Edinburgh Cres. Wal X —6J 145
Edinburgh Dri. Ab L —5J 137
Edinburgh Gdns. Bis S —2F 78
Edinburgh Ga. H'low —3N 117
Edinburgh Pl. H'low —2C 118
Edinburgh Way. H'low —3N 117
Edington Rd. Enf —4G 157
Edison Clo. St Alb —3K 127
Edison Rd. Enf —4K 157
Edison Rd. Stev —3A 52
Edith Bell Ho. Ger X —6B 158
Edkins Clo. Lut —4G 46
Edlesborough. —4J 63
Edlyn Clo. Berk —9K 103
Edmonds Dri. Stev —5C 52
Edmund Beaufort Dri. St Alb —9E 108
Edmunds Rd. Hert —8L 93
Edmund's Tower. H'low —6M 117
Edrick Rd. Edgw —6C 164
Edrick Wlk. Edgw —6C 164
Edridge Clo. Bush —7D 150
Edulf Rd. Borwd —3B 152
Edward Amey Clo. Wat —9L 137
Edward Clo. N9 —9D 156
Edward Clo. Ab L —5H 137
Edward Clo. St Alb —3G 127
Edward Cotts. Ware —6G 54
Edward Ct. Chesh —3J 145
Edward Ct. Hem H —6N 123
Edward Gro. Barn —7C 154
Edward Rd. Barn —7C 154
Edwards Green. —7B 114
Edwards Ho. Stev —3L 51
Edward St. Dunst —8D 44
Edward St. Lut —8H 47
Edwick Ct. Chesh —2H 145
Edwin Rd. Edgw —6D 164
Edwin Ware Ct. Pinn —9L 161
Edworth. —7C 4
Edworth Rd. Lang —8A 4
Edwyn Clo. Barn —8J 153
Egdon Dri. Lut —3F 46
Egerton Rd. Berk —8L 103
Eglington Rd. E4 —9N 157
Eight Acres. Tring —2M 101
(in three parts)
Eighth Av. Lut —2N 45
Eisenberg Clo. Bald —2A 24
Elaine Gdns. Wood —7C 66
Elbourn Way. Bass —1N 7
Elbow La. Hert H —8F 114
Elbow La. Stev —9A 52
Elbrook La. A'wl —8M 5
Eldefield. Let —4C 22
Elderbek Clo. Chesh —1E 144
Elderberry Clo. Lut —5K 47
Elderberry Dri. St I —6A 34
Elderberry Way. Wat —8K 137
Elder Clo. N20 —2N 165
Elder Ct. Bush —2F 162
Elderfield. H'low —2F 118
Elder Rd. Ware —4K 95
Elder Way. Stev —6K 51
Eldon Av. Borwd —4A 152
Eldon Rd. Hod —9A 116
Eldon Rd. Lut —7M 45
Eleanor Av. St Alb —9E 108
Eleanor Cres. NW7 —5K 165
Eleanor Cross Rd. Wal X —7J 145
(in two parts)
Eleanor Gdns. Barn —7K 153
Eleanor Rd. Chal P —8A 158
Eleanor Rd. Hert —8A 94
Eleanor Rd. Wal X —6J 145
Eleanors Ct. Dunst —9E 44
Eleanors Cross. Dunst —9E 44
Eleanor Way. Wal X —7K 145
Electric Av. Enf —9K 145
Elfrida Rd. Wat —7L 149
Elgar Clo. Els —9L 151
Elgar Path. Lut —8G 46
Elgin Av. Harr —9J 163
Elgin Dri. N'wd —7G 160
Elgin Ho. Hit —4A 34
Elgin Rd. Brox —6K 133
Elgin Rd. Chesh —3G 145
Elgood Av. N'wd —6H 161
Eliot Rd. R'ton —5D 8
Eliot Rd. Stev —3B 52
Elizabeth Av. Amer —3A 146
Elizabeth Av. Enf —5N 155
Elizabeth Clo. Barn —5K 153
Elizabeth Clo. Wel G —9B 92
Elizabeth Ct. Dunst —9F 44
(off Englands La.)
Elizabeth Ct. Lut —2F 66
(off Chapel St.)
Elizabeth Ct. St Alb —8L 109
(in two parts)
Elizabeth Ct. Wat —2H 149
Elizabeth Dri. Tring —9N 81
Elizabeth Gdns. Stan —6K 163
Elizabeth Ho. Wat —4L 149
Elizabeth Ho. Wel G —9B 92
Elizabeth Ride. N9 —9F 156
Elizabeth Rd. Bis S —3G 79
Elizabeth St. Lut —2F 66
Elizabeth Way. H'low —7J 117
Ella Ct. Lut —8H 47
Ellenborough Clo. Bis S —3F 78
Ellenbrook. —9D 110
Ellenbrook Clo. Wat —3L 149
Ellenbrook Cres. Hat —9G 110
Ellenbrook La. Hat —9D 110
Ellen Clo. Hem H —1B 124
Ellen Ct. E4 —9N 157
(off Ridgeway, The)
Ellen Friend Ho. Bis S —2K 79
Ellenhall Clo. Lut —8E 46
Ellen M. Hem H —1B 124
Ellerdine Clo. Lut —5D 46
Ellerton Lodge. N3 —9N 165
Ellesborough Clo. Wat —5L 161
Ellesfield. Welw —2H 91
Ellesmere Av. NW7 —3D 164
Ellesmere Clo. Tot —2N 63
Ellesmere Gro. Barn —7M 153
Ellesmere Rd. Berk —1A 122
Ellice. Let —7H 23
Ellingham Clo. Hem H —9C 106
Ellingham Rd. Hem H —1B 124
Elliott Clo. Wel G —3K 111
Elliott Rd. Stan —6H 163
Ellis Av. Chal P —8C 158
Ellis Av. Stev —1L 51
Ellis Clo. Edgw —6E 164
Elliswick Rd. Hpdn —5C 88
Ellwood Ct. Wat —7K 137
Ellwood Gdns. Wat —7L 137
Ellwood Ri. Chal G —2A 158
Elm Av. Cad —5A 66
Elm Av. Wat —9N 149
Elm Bank. N14 —9K 155
Elmbank Av. Barn —6J 153
Elmbridge. H'low —3H 119
Elmbrook Clo. Bis S —4G 78
Elmbrook Dri. Bis S —5G 78
Elmcote. Pinn —9M 161
Elmcote Way. Crox G —8B 148
Elm Ct. Berk —1M 121
Elm Ct. Wat —5K 149
Elmcroft Av. N9 —8F 156
Elm Dri. Chesh —1J 145
Elm Dri. Hat —1G 129
Elm Dri. St Alb —2K 127
Elmer Clo. Enf —5L 155
Elmer Gdns. Edgw —7B 164
Elmfield Clo. Pot B —6L 141
Elmfield Ct. Lut —8J 47
Elmfield Rd. Pot B —5L 141
Elm Gdns. Enf —2B 156
Elm Gdns. Wel G —9H 91
Elmgate Gdns. Edgw —5C 164
Elm Grn. Hem H —9H 105
Elm Gro. Berk —1N 121
Elm Gro. Bis S —1K 79
Elm Gro. Wat —1J 149
Elm Hatch. H'low —7B 118
Elm Hatch. Pinn —7A 162
(off Westfield Pk.)
Elmhurst Clo. Bush —6N 149
Elmhurst Gdns. Shil —2A 20
Elmhurst Rd. Enf —1G 157
Elmoor Av. Welw —2H 91
Elmoor Clo. Welw —3H 91
Elmore Rd. Enf —2H 157
Elmore Rd. Lut —8J 47
Elm Pk. Bald —3M 23
Elm Pk. Stan —5J 163
Elm Pk. Clo. H Reg —3G 44
Elm Pk. Ct. Pinn —9L 161
Elm Pk. Rd. N3 —7M 165
Elm Pk. Rd. N21 —9A 156
Elm Pk. Rd. Pinn —9L 161
Elm Pas. Barn —6M 153
Elm Rd. Barn —6M 153
Elm Rd. Bis S —9G 59
Elmroyd Av. Pot B —6M 141
Elmroyd Clo. Pot B —6M 141
Elms Clo. L Wym —7E 34
Elmscott Gdns. N21 —8A 156
Elmscroft Gdns. Pot B —5M 141
Elmside. Kens —8H 65
Elmside Wlk. Hit —2M 33
Elms Rd. Chal P —7B 158
Elms Rd. Harr —7F 162
Elms Rd. Ware —5L 95
Elmstead Clo. N20 —2N 165
Elms, The. Cod —6F 70
Elms, The. Hert —9E 94
Elmswell Ct. Hert —8L 93
Elm Ter. Harr —8E 162
Elm Ter. Stan —5K 163
Elmtree Av. C'hoe —6N 47
Elm Tree Dri. Bass —1N 7
Elm Tree Wlk. Chor —5J 147
Elm Tree Wlk. Tring —1M 101
Elm Wlk. Rad —9G 138
Elm Wlk. R'ton —6F 8
Elm Wlk. Stev —6A 52
Elm Way. Rick —1L 159
Elmwood. Saw —6H 99
Elmwood. Wel G —1H 111
Elmwood Av. Bald —4M 23
Elmwood Av. Borwd —6B 152
Elmwood Ct. Bald —3M 23
Elmwood Cres. Lut —5G 46
Elppin Ct. Brox —2K 133
Elsenham Rd. Stans —2N 59
Elsiedene Rd. N21 —9A 156
Elsinge Rd. Enf —9F 144
Elstree. —8L 151
Elstree Distribution Pk. Borwd —5D 152
Elstree Golf Course. —3L 151
Elstree Hill N. Els —7L 151
Elstree Hill S. Els —9L 151
Elstree Ho. Borwd —4D 152
(off Elstree Way)
Elstree Pk. Mobile Homes. Barn —8D 152
Elstree Rd. Bus H & Els —9E 150
Elstree Rd. Hem H —5C 106
Elstree Studios. Borwd —5B 152
Elstree Tower. Borwd —4D 152
(off Elstree Way)
Elstree Way. Borwd —5B 152
Elton Av. Barn —7M 153
Elton Ct. Hert —8A 94
Elton Pk. Wat —4J 149
Elton Rd. Hert —8A 94
Elton Way. Wat —3B 150
Elveden Clo. Lut —3G 46
Elvington Gdns. Lut —9D 30
Elvington La. NW9 —8E 164
Elwood. H'low —7G 118
Ely Clo. Hat —8F 110
Ely Clo. Stev —8A 36
Ely Gdns. Borwd —7D 152
Ely Rd. St Alb —3J 127
Ely Way. Lut —5N 45
Ember Ct. NW9 —9E 164
Embleton Rd. Wat —3J 161
Embry Clo. Stan —4H 163
Embry Dri. Stan —6H 163
Embry Way. Stan —5H 163
Emerald Ct. Borwd —3N 151
(off Aycliffe Rd.)
Emerald Rd. Lut —7J 45
Emerton Ct. N'chu —7J 103
Emerton Gth. N'chu —7J 103
Emilia Clo. Enf —7F 156
Emmanuel Lodge. Chesh —3G 144
Emmanuel Rd. N'wd —7H 161
Emma Rothschild Ct. Tring —1M 101
Emma's Cres. Stan A —2M 115
Emmer Grn. Lut —7A 48
Emmett Clo. Shenl —6M 139
Emperor Clo. Berk —7K 103
Emperors Ga. Stev —1C 52
Empire Cen. Wat —3L 149
Empress Rd. Lut —5A 46
Emsworth Clo. N9 —9G 156
Endeavour Rd. Chesh —9J 133
Enderby Rd. Lut —2E 46
Enderley Clo. Harr —9F 162
Enderley Rd. Harr —8F 162
Endersby Rd. Barn —7J 153
Endymion Ct. Hat —8J 111
Endymion M. Hat —8J 111
Endymion Rd. Hat —8J 111
Enfield. —5B 156
Enfield Bus. Cen. Enf —4G 156
Enfield Clo. H Reg —3G 45
Enfield Crematorium. Enf —1F 156
Enfield Golf Course. —6M 155
Enfield Highway. —4H 157
Enfield Island Village. —2L 157
Enfield Lock. —1K 157
Enfield Retail Pk. Enf —5F 156
Enfield Rd. Enf —6J 155
Enfield Town. —5B 156
Enfield Wash. —1H 157
Engel Pk. NW7 —6J 165
Englands Av. Dunst —6C 44
Englands La. Dunst —9F 44
Englefield. Lut —6J 47
Englefield Clo. Enf —4M 155
Englehurst. Hpdn —6E 88
Enid Clo. Brick W —4A 138
Enjakes Clo. Stev —1A 72
Ennerdale Av. Dunst —1E 64
Ennerdale Av. Stan —9K 163
Ennerdale Clo. St Alb —4J 127
Ennis Clo. Hpdn —9E 88
Ennismore Grn. Lut —8A 48
Ennsmore Clo. Let —8H 23
Enslow Clo. Cad —5A 66
Enstone Rd. Enf —5J 157
Enterprise Cen., The. Pot B —3L 141
Enterprise Way. Hem I —9E 106
Enterprise Way. Lut —1D 46
Epping Glade. E4 —8N 157
Epping Green. —3H 131
Epping Grn. Hem H —6D 106
Epping Rd. Roy —6E 116
Epping Way. E4 —8M 157
Epping Way. Lut —1M 45
Ereswell Rd. Lut —2C 46
Eric Steele Ho. Park —9C 126
Erin Clo. Lut —7C 46
Erin Ct. Lut —7C 46
Ermine Clo. Chesh —4F 144
Ermine Clo. R'ton —5D 8
Ermine Clo. St Alb —3B 126
Ermine Ct. Bunt —2J 39
Ermine Pl. Lut —8F 46
(off Earls Meade)
Ermine Point Bus. Pk. Ware —3F 94
Ermine Side. Enf —7E 156
Ermine St. Bunt —3J 39
(off High St.)
Ermine St. Thun —9H 75
Escarpment Av. Dunst —8A 64
Escot Way. Barn —7J 153
Esdaile La. Hod —9L 115
Eskdale. Lon C —9N 127
Eskdale. Lut —4M 45
Eskdale Ct. Hem H —8A 106
Esporta Riverside Northwood. —6D 160
Essendon. —8D 112
Essendon Gdns. Wel G —9M 91
Essendon Hill. Ess —8D 112
Essex Clo. Lut —2H 67
Essex Ct. Lut —2G 67
Essex Ho. Stev —3H 51
Essex La. K Lan —6F 136
Essex Mead. Hem H —5C 106
Essex Pk. N3 —6N 165
Essex Rd. Borwd —5A 152
Essex Rd. Enf —6B 156
Essex Rd. Hod —7M 115
(in two parts)
Essex Rd. Stev —1H 51
Essex Rd. Wat —4J 149
Essex Schools Sailing Club. —2N 133
Essex St. St Alb —1F 126
Essoldo Way. Edgw —9N 163
Estcourt Rd. Wat —5L 149
Estfeld Clo. Hod —5M 115
Esther Clo. N21 —9M 155
Ethelred Clo. Wel G —1M 111
Etna Rd. St Alb —1E 126
Eton Av. Barn —8D 154
Europa Rd. Hem H —8B 106
European Bus. Cen. NW9 —9C 164
(Carlisle Rd.)
European Bus. Cen. NW9 —9D 164
(Edgware Rd.)
Euston Av. Wat —7H 149
Evans Av. Wat —8H 137
Evans Clo. Crox G —7C 148
Evans Clo. H Reg —5H 45
Evans Gro. St Alb —7K 109
Evans Way. Tring —2N 101
Evedon Clo. Lut —3B 46
Evelyn Dri. Pinn —7M 161
Evelyn Rd. Cockf —6E 154
Evelyn Rd. Dunst —7J 45
Evelyn Sharp Ho. Hem H —3D 124
Evensyde. Wat —8E 148
Everall Ct. Hod —7L 115
Everard Clo. St Alb —4E 126
Everest Clo. Arl —7B 10
Everest Way. Hem H —1C 124
Everett Clo. Bus H —1F 162
Everett Clo. Chesh —7A 132
Everett Ct. Rad —7H 139
Everglade Strand. NW9 —8F 164
Evergreen Clo. Wool G —6N 71
Evergreen Rd. Ware —4K 95
Evergreen Wlk. Hem H —4A 124
Evergreen Way. Lut —1C 46
Everlasting La. St Alb —1D 126
(in two parts)
Eversfield Gdns. NW7 —6E 164
Eversleigh Rd. N3 —7M 165
Eversleigh Rd. New Bar —7B 154
Eversley Clo. N21 —8L 155
Eversley Cres. N21 —8L 155
Eversley Lodge. Hod —8L 115
Eversley Mt. N21 —8L 155
Eversley Pk. Rd. N21 —8L 155
Everton Dri. Stan —9M 163
Evron Pl. Hert —9B 94
(off Wash, The)
Exchange Rd. Stev —4M 51
Exchange Rd. Wat —5K 149
Exchange Yd. Hit —3M 33
Executive Pk. St Alb —2J 127
Exeter Clo. Stev —8A 36
Exeter Clo. Wat —4L 149
Exeter Ho. Borwd —4A 152
Exeter Rd. N14 —9G 154
Exeter Rd. Enf —5H 157
Exhims M. N'chu —8J 103

Explorer Dri. *Wat* —8H **149**
Extension Rd. *Hert* —9D **94**
Exton Av. *Lut* —8J **47**
Eyncourt Rd. *Dunst* —7F **44**
Eynesford Rd. *Leag* —6N **45**
Eynsford Ct. *Hit* —4N **33**
Eysham Ct. *New Bar* —7A **154**
Eywood Rd. *St Alb* —4D **126**

Faggots Clo. *Rad* —8K **139**
Faggotters La. *Mat T* —5N **119**
Faints Clo. *Chesh* —2D **144**
Fairacre. *Hem H* —6B **124**
Fairacre. *N'wd* —7G **160**
Fairacres Clo. *Pot B* —6M **141**
Fairburn Clo. *Borwd* —3A **152**
Fairchild Ho. *N3* —8N **165**
Fair Clo. *Bush* —9C **150**
Faircross Way. *St Alb* —9H **109**
Fairfax Av. *Lut* —2N **45**
Fairfax Rd. *Hert* —8D **94**
Fairfield. *N20* —9C **154**
Fairfield. *Bunt* —4J **39**
Fairfield Av. *Edgw* —6B **164**
Fairfield Av. *Wat* —1L **149**
Fairfield Clo. *Dunst* —8J **45**
Fairfield Clo. *Enf* —6H **157**
Fairfield Clo. *Hpdn* —6E **88**
Fairfield Clo. *Hat* —6J **111**
Fairfield Clo. *N'wd* —5E **160**
Fairfield Clo. *Rad* —1F **150**
Fairfield Ct. *N'wd* —9J **161**
Fairfield Cres. *Edgw* —6B **164**
Fairfield Dri. *Brox* —6K **133**
Fairfield Rd. *Dunst* —8H **45**
Fairfield Rd. *Hod* —6L **115**
Fairfield Wlk. *Chesh* —1J **145**
Fairfield Way. *Barn* —7N **153**
Fairfield Way. *Hit* —2D **34**
Fairfield Way. *Stev* —7B **36**
Fairfolds. *Wat* —9N **137**
Fairford Av. *Lut* —4G **47**
Fairgreen. *Barn* —5E **154**
Fairgreen Ct. *Barn* —5E **154**
Fairgreen E. *Barn* —5E **154**
Fairgreen Rd. *Cad* —5E **86**
Fairhaven. *Chal P* —8A **158**
Fairhaven. *Park* —9E **126**
Fairhaven Cres. *Wat* —3J **161**
Fairhill. *Hem H* —6B **124**
Fairholme Ct. *H End* —6A **162**
Fairlands Valley Pk. —6M **51**
(Shephall)
Fairlands Valley Pk. —4N **51**
(Stevenage)
Fairlands Way. *Stev* —4J **51**
Fairlawn Clo. *Pinn* —9M **161**
Fairlawns. *Pinn* —9M **161**
Fairlawns. *Wat* —2H **149**
Fairley Way. *Chesh* —1F **144**
Fairmead Av. *Hpdn* —7D **88**
Fairmead Cres. *Edgw* —3C **164**
Fair Oak Ct. *Lut* —6H **47**
(off Fair Oak Dri.)
Fair Oak Dri. *Lut* —6H **47**
Fairoaks Gro. *Enf* —1H **157**
Fairseat Clo. *Bus H* —2F **162**
Fairthorn Clo. *Tring* —3K **101**
Fair Vw. *Pot B* —2A **142**
Fairview. *NW4* —9K **165**
Fairview Dri. *Wat* —9G **137**
Fairview Rd. *Enf* —3M **155**
Fairview Rd. *Stev* —1H **51**
Fairview Way. *Edgw* —4A **164**
Fairway. *Bis S* —2L **79**
Fairway. *Hem H* —6B **124**
Fairway. *Saw* —5G **99**
Fairway. *Ware* —7G **95**
Fairway Av. *Borwd* —4B **152**
Fairway Clo. *Hpdn* —1B **108**
Fairway Clo. *Park* —9D **126**
Fairway Ct. *NW7* —3D **164**
Fairway Ct. *Hem H* —6B **124**
Fairway Ct. *New Bar* —8A **154**
Fairway Ho. Borwd —5B **152**
(off Eldon Av.)
Fairways. *Chesh* —8H **133**
Fairways. *Stan* —9M **163**
Fairway, The. *N14* —8G **154**
Fairway, The. *NW7* —3D **164**
Fairway, The. *Ab L* —5F **136**
Fairway, The. *H'low* —8C **118**
Fairway, The. *New Bar* —8A **154**
Fairway, The. *N'wd* —4G **160**

Faithfield. *Bush* —7N **149**
Fakenham Clo. *NW7* —7G **164**
Fakeswell La. *L Ston* —1F **20**
Falcon Clo. *Dunst* —8D **44**
Falcon Clo. *Hat* —2G **128**
Falcon Clo. *N'wd* —7G **160**
Falcon Clo. *Saw* —6E **98**
Falcon Clo. *Stev* —7E **52**
Falcon Ct. *New Bar* —6B **154**
Falcon Ct. *Ware* —4G **94**
Falcon Cres. *Enf* —7H **157**
Falconer Rd. *Bush* —8A **150**
Falconers Fld. *Hpdn* —4M **87**
Falconers Pk. *Saw* —6F **98**
Falconers Rd. *Lut* —8K **47**
Falconer St. *Bis S* —3E **78**
Falcon Ridge. *Berk* —2N **121**
Falcon Rd. *Enf* —7H **157**
Falcon Way. *NW9* —9E **164**
Falcon Way. *Wat* —7N **137**
Falcon Way. *Wel G* —7L **91**
Faldo Rd. *Bar C* —7C **18**
(in two parts)
Falkirk Gdns. *Wat* —5M **161**
Falkland Av. *N3* —7N **165**
Falkland Rd. *Barn* —4L **153**
Fallowfield. *Lut* —5D **46**
Fallowfield. *Stan* —4H **163**
Fallowfield. *Stev* —6B **52**
Fallowfield. *Wel G* —6M **91**
Fallowfield Clo. *Hare* —8M **159**
Fallowfield Ct. *Stan* —3H **163**
Fallowfield Wlk. *Hem H* —8K **105**
Fallow Ri. *Hert* —9D **94**
Fallows Grn. *Hpdn* —4C **88**
Falman Clo. *N9* —9E **156**
Falmer Rd. *Enf* —6C **156**
Falmouth Ct. *St Alb* —9D **108**
Falmouth Ho. *Pinn* —7A **162**
Falstaff Gdns. *St Alb* —5C **126**
Falstone Grn. *Lut* —8N **47**
Fanhams Grange. *Ware* —3L **95**
Fanhams Hall Rd. *Ware* —4J **95**
Fanhams Rd. *Ware* —5J **95**
Fanshawe Ct. *Hert* —8A **94**
Fanshawe Cres. *Ware* —5G **94**
Fanshawe St. *Hert* —8N **93**
Fanshaws La. *Brick* —9A **114**
Fantail La. *Tring* —2L **101**
Faraday Clo. *Lut* —8M **45**
Faraday Clo. *Wat* —8F **148**
Faraday Rd. *Stev* —3A **52**
Fareham Way. *H Reg* —4H **45**
Far End. *Hat* —3H **129**
Faringdon Rd. *Lut* —6M **45**
Faringford Clo. *Pot B* —4C **142**
Farland Rd. *Hem H* —2D **124**
Farley Ct. *Lut* —3E **66**
Farley Farm Rd. *Lut* —3D **66**
Farley Hill. —2D **66**
Farley Hill. *Lut* —4D **66**
Farley Lodge. *Lut* —2F **66**
Farm Av. *Hpdn* —3M **87**
Farmbrook. *Lut* —2F **46**
Farm Clo. *N14* —8G **154**
Farm Clo. *Amer* —3A **146**
Farm Clo. *Barn* —7J **153**
Farm Clo. *Borwd* —2L **151**
Farm Clo. *Chesh* —3G **145**
Farm Clo. *Chris* —1M **17**
Farm Clo. *Cuff* —9K **131**
Farm Clo. *Hpdn* —3M **87**
Farm Clo. *Hert* —9M **93**
Farm Clo. *H Reg* —4F **45**
Farm Clo. *Let* —2G **22**
Farm Clo. *Roy* —5E **116**
Farm Clo. *Shenl* —3M **139**
Farm Clo. *Stev* —5L **51**
Farm Clo. *Wel G* —9J **91**
Farm Ct. *NW4* —9G **165**
Farm End. *N'wd* —8D **160**
Farmers Clo. *Wat* —6K **137**
Farmfield. *Wat* —2G **149**
Farm Grn. *Lut* —3E **66**
Farm Hill Rd. *Wal A* —6N **145**
Farm Ho. Clo. *Brox* —7K **133**
Farm Ho. Ct. *NW7* —7G **164**
Farmhouse La. *Hem H* —9C **106**
Farmlands. *Enf* —3M **155**
Farm La. *Hod* —6N **115**
Farm La. *Loud* —5M **147**
Farm La. *Old G* —9N **131**
Farmleigh. *N14* —9H **155**
Farm Pl. *Berk* —9K **103**
Farm Rd. *Chor* —6D **146**

Farm Rd. *Edgw* —6B **164**
Farm Rd. *Lut* —8J **67**
Farm Rd. *N'wd* —5D **160**
Farm Rd. *St Alb* —1J **127**
Farmstead Rd. *Harr* —8E **162**
Farm Way. *Bush* —6C **150**
Farm Way. *N'wd* —4G **161**
Farnham. —3F **58**
Farnham Clo. *N20* —9B **154**
Farnham Clo. *Bov* —1D **134**
Farnham Clo. *Saw* —6E **98**
Farnham Green. —2D **58**
Farnham La. *Bis S* —5H **59**
Farorna Wlk. *Enf* —3M **155**
Farquhar St. *Hert* —8A **94**
Farraline Rd. *Wat* —6K **149**
Farrant Way. *Borwd* —3M **151**
Farrer Top. *Mark* —2A **86**
Farriday Clo. *St Alb* —7F **108**
Farriers. *Gt Amw* —9L **95**
Farriers Clo. *Bald* —2L **23**
Farriers Clo. *Bov* —1E **134**
Farriers Clo. *Cod* —7F **70**
Farriers Ct. *Leav* —5K **137**
Farriers End. *Brox* —8K **133**
Farriers Way. *Borwd* —7D **152**
Farringford Clo. *St Alb* —8B **126**
Farrington Pl. *N'wd* —4H **161**
Farrow Clo. *Lut* —9E **30**
Farr Rd. *Enf* —3B **156**
Farr's La. *E Hyde* —9A **68**
Farthing Dri. *Let* —8J **23**
Farthings. *Chal G* —5A **146**
Farthings, The. *Hem H* —2L **123**
Faulkner Ct. *St Alb* —9F **108**
(off Boundary Rd.)
Faverolle Grn. *Chesh* —1G **145**
Faversham Av. *Enf* —8B **156**
Faversham Clo. *Tring* —2M **101**
Fawcett Rd. *Stev* —1A **52**
Fawkon Wlk. *Hod* —6L **115**
Fawn Ct. *Hat* —7J **111**
Fayerfield. *Pot B* —4C **142**
Fay Grn. *Ab L* —6F **136**
Feacey Down. *Hem H* —9K **105**
Fearney Mead. *Mil E* —1K **159**
Fearnley Rd. *Wel G* —1J **111**
Fearnley St. *Wat* —6K **149**
Fears Grn. *R'ton & Bunt* —8B **14**
Featherbed La. *Bedm* —8K **125**
Featherbed La. *Fel & Hem H* —7K **123**
Feathers Dell. *Hat* —9F **110**
Featherstone Gdns. *Borwd* —6D **152**
Featherstone Rd. *NW7* —6H **165**
Featherston Rd. *Stev* —6B **52**
Federal Way. *Wat* —3L **149**
Felbridge Av. *Stan* —3H **163**
Felbrigg Ct. *Lut* —7A **48**
Felden. —6K **123**
Felden Clo. *Pinn* —7N **161**
Felden Clo. *Wat* —7M **137**
Felden Dri. *Fel* —6K **123**
Felden La. *Fel* —5J **123**
Feline Ct. *Barn* —8D **154**
Felix Av. *Lut* —7J **47**
Fellowes La. *Col H* —5D **128**
Fellowes Way. *Stev* —7M **51**
Fell Path. Borwd —7D **152**
(off Clydesdale Clo.)
Fells Clo. *Hit* —9N **33**
Fell Wlk. *Edgw* —8C **164**
Felmersham Ct. *Lut* —1D **66**
Felmersham Rd. *Lut* —1C **66**
Felmongers. *H'low* —4D **118**
Felstead Clo. *Lut* —6G **47**
Felstead Rd. *Wal X* —5J **145**
Felstead Way. *Lut* —6H **47**
Felton Clo. *Borwd* —2M **151**
Felton Clo. *Brox* —7K **133**
Felton Clo. *Lut* —8M **47**
Fen End. *Stot* —4F **10**
Fennycroft Rd. *Hem H* —8J **105**
Fensome All. *Hem H* —1N **123**
Fensomes Clo. *Hem H* —1N **123**
Fentiman Wlk. Hert —9B **94**
(off Fore St.)
Fenton Grange. *H'low* —6E **118**
Fenwick Clo. *Lut* —4D **46**
Fenwick Path. *Borwd* —2N **151**
Fenwick Rd. *H Reg* —4H **45**
Ferguson Gro. *Chesh* —2H **145**
Fermor Cres. *Lut* —8L **47**

Fern Clo. *Brox* —5K **133**
Fern Ct. *Berk* —1M **121**
Ferndale. *M Hud* —6J **77**
Ferndale Rd. *Enf* —1J **157**
Ferndale Rd. *Lut* —1D **66**
Fern Dri. *Hem H* —3A **124**
Fern Dells. *Hat* —1F **128**
Ferndene. *Brick W* —4A **138**
Ferndown. *N'wd* —9J **161**
Ferndown Clo. *Pinn* —7N **161**
Ferndown Rd. *Wat* —4L **161**
Fernecroft. *St Alb* —5E **126**
Ferney Rd. *Chesh* —8B **132**
Ferney Rd. *E Barn* —9F **154**
Fern Gro. *Wel G* —5K **91**
Fernheath. *Lut* —9C **30**
Fernhill. *H'low* —9A **118**
Fernhills. *K Lan* —7F **136**
Fernhurst Gdns. *Edgw* —6A **164**
Fernleigh Ct. *Harr* —9C **162**
Fernleys. *St Alb* —8K **109**
Ferns Clo. *Enf* —9J **145**
Fernside Av. *NW7* —3D **164**
Fernside Ct. NW4 —9K **165**
(off Holders Hill Rd.)
Fernsleigh Clo. *Chal P* —6B **158**
Fernville La. *Hem H* —2N **123**
Fern Way. *Wat* —8K **137**
Ferny Hill. *Barn* —2E **154**
Ferrars Clo. *Lut* —8L **45**
Ferrers La. *Hpdn & Wheat* —1G **109**
Ferrier Rd. *Stev* —3B **52**
Ferryhills Clo. *Wat* —3L **161**
Feryings Clo. *H'low* —2F **118**
Fesants Cft. *H'low* —3D **118**
Fetherstone Clo. *Pot B* —5C **142**
Fiddlebridge Ind. Area. *Hat* —8F **110**
Fiddle Bri. La. *Hat* —8F **110**
Fidler Pl. *Bush* —8C **150**
Field Clo. *Bald* —2N **23**
Field Clo. *Che* —9J **121**
Field Clo. *Hpdn* —6E **88**
Field Clo. *Sandr* —7H **109**
Field Cres. *R'ton* —6F **8**
(in two parts)
Field End. *Barn* —6H **153**
Field End Clo. *Lut* —5L **47**
Field End Clo. *Wat* —9N **149**
Field End Clo. *Wig* —5B **102**
Fielders Clo. *Enf* —6C **156**
Fielders Way. *Shenl* —6M **139**
Fieldfare. *Let* —6C **22**
Fieldfare. *Stev* —6C **52**
Field Fare Grn. *Lut* —4K **45**
Fieldfares. *Lon C* —9L **127**
Fieldfare Way. *R'ton* —5E **8**
Fieldgate Ho. *Stev* —4M **51**
Fieldgate Rd. *Lut* —6N **45**
Field Ho. Ct. *Hpdn* —5B **88**
Field La. *Let* —7F **22**
Field Mead. *NW7* —7E **164**
Field Rd. *Hem H* —3C **124**
Field Rd. *Wat* —8N **149**
Fields Ct. *Pot B* —6C **142**
Fields End. —9G **105**
Fields End. *Tring* —9M **81**
Fields End La. *Hem H* —9G **105**
Fieldside Rd. *Pull* —2A **18**
Field Vw. Ri. *Brick W* —2N **137**
Field Vw. Rd. *Pot B* —6N **141**
Fieldway. *Berk* —3B **122**
Field Way. *Bov* —9D **122**
Field Way. *Chal P* —7A **158**
Field Way. *Hod* —4N **115**
Field Way. *Rick* —1L **159**
Fieldway. *Stan A* —2M **115**
Fieldway. *Wig* —5B **102**
Fifth Av. *H'low* —2M **117**
(Eastwick Rd.)
Fifth Av. *H'low* —4N **117**
(Elizabeth Way)
Fifth Av. *Let* —5J **23**
Fifth Av. *Wat* —8M **137**
Fig Tree Cotts. *Tring* —5B **102**
Figtree Hill. *Hem H* —1N **123**
Filey Clo. *Stev* —2G **51**
Fillebrook Av. *Enf* —4C **156**
Filliano Ct. Lut —8F **46**
(off Cromwell Hill)
Filmer Rd. *Lut* —5A **46**
Finch Clo. *Barn* —7N **153**
Finch Clo. *Hat* —2G **129**

Finch Clo. *Lut* —5K **45**
Finchdale. *Hem H* —2K **123**
Finches, The. *Hert* —9F **94**
Finches, The. *Hit* —3A **34**
Finch Grn. *Chor* —6J **147**
Finch La. *Bush* —3A **150**
(in two parts)
Finchley. —8N **165**
Finchley Ct. *N3* —6N **165**
Finchley Golf Course. —5M **165**
Finchley Way. *N3* —7N **165**
Finchmoor. *H'low* —9N **117**
Finch Rd. *Berk* —9L **103**
Findon Rd. *N9* —9F **156**
Finley Rd. *Hpdn* —4E **88**
Finsbury Ct. *Wal X* —7J **145**
Finsbury Rd. *Lut* —4N **45**
Finucane Ri. *Bus H* —2D **162**
Finway. *Lut* —9B **46**
Finway Ct. *Wat* —7H **149**
Finway Rd. *Hem I* —7D **106**
Fiona Ct. *Enf* —5N **155**
Firbank Clo. *Enf* —6A **156**
Firbank Clo. *Lut* —1M **45**
Firbank Dri. *Wat* —9N **149**
Firbank Ho. *Wel G* —9J **91**
Firbank Ind. Est. *Lut* —9C **46**
Firbank Rd. *St Alb* —7G **108**
Fir Clo. *Stev* —8M **51**
Firecrest. *Let* —2E **22**
Fire Sta. All. *High Bar* —5L **153**
Firethorn Clo. *Edgw* —4C **164**
Firlands. *Bis S* —2G **79**
Firlands Ho. *Bis S* —2G **78**
Fir Pk. *H'low* —9L **117**
Firs Clo. *Hat* —1H **129**
Firs Clo. *Hit* —2L **33**
Firs Dri. *Wheat* —2K **89**
Firs La. *N21* —9A **156**
Firs La. *Pot B* —6A **142**
Firs Pk. Av. *N21* —9A **156**
Firs Pk., The. *Hat* —5N **129**
First Av. *Dunst* —1E **64**
First Av. *Enf* —7D **156**
First Av. *H'low* —9N **117**
(in two parts)
First Av. *Wat* —8L **137**
First Garden City Heritage Mus. —6G **22**
Firs, The. *Bis S* —2G **78**
(in two parts)
Firs, The. *Chesh* —9C **132**
Firs, The. *Hpdn* —5E **88**
Firs, The. *St Alb* —6J **127**
Firs, The. *Tring* —5B **102**
Firs, The. *Wel G* —5J **91**
Firs Wlk. *N'wd* —6F **160**
Firs Wlk. *Tew* —1D **92**
Firs Wood Clo. *Pot B* —5E **142**
Fir Tree Clo. *Hem H* —3C **124**
Firtree Ct. *Borwd* —6N **151**
Fir Tree Hill. *Chan X* —2B **148**
Fir Tree Wlk. *Enf* —5B **156**
Firway. *Welw* —9M **71**
Firway Clo. *Welw* —9M **71**
Firwood Av. *St Alb* —2M **127**
Fisher Clo. *Bar C* —8D **18**
Fisher Clo. *Enf* —1C **156**
Fisher Clo. *K Lan* —2C **136**
Fisherman's Way. *Hod* —6A **116**
Fisher Rd. *Harr* —9G **163**
Fishers Clo. *Bush* —5N **149**
Fishers Clo. *Puck* —6A **56**
Fishers Clo. *Wal X* —7L **145**
Fisher's Green. —1H **51**
(Stevenage)
Fishers Green. —2M **145**
(Waltham Cross)
Fishers Grn. *Stev* —9G **34**
(in two parts)
Fishersgreen La. *Stev* —9H **35**
Fishers Grn. La. *Wal A* —2M **145**
Fisher's Grn. Rd. *Stev* —1H **51**
Fishers Hatch. H'low —5A **118**
(off St Michaels Clo.)
Fisher's Ind. Est. *Wat* —7L **149**
Fishers Mead. *Puck* —6A **56**
Fishers Cotts. *Hem H* —4K **123**
Fishery Pas. *Hem H* —4K **123**
Fishery Rd. *Hem H* —4K **123**
Fish Hill. *R'ton* —7D **8**
Fishponds Rd. *Hit* —2M **33**
Fishpool St. *St Alb* —2C **126**
Fish St. *Redb* —1K **107**
Fish St. Farm. *Redb* —1K **107**

Fitzalan Rd. *N3* —9L **165**
Fitzjohn Av. *Barn* —7L **153**
Fitzroy Av. *Lut* —6D **46**
Fitzwarin Clo. *Lut* —2A **46**
Fitzwilliam Ct. *H'low* —2H **119**
Five Acre. *NW9* —9F **164**
Five Acres. *H'low* —9A **118**
Five Acres. *K Lan* —2B **36**
Five Acres. *Lon C* —7L **127**
Five Acres. *Stans* —1N **59**
Five Acres Av. *Brick W* —2A **138**
Five Fields Clo. *Wat* —2A **162**
Five Oaks. *Cad* —4B **66**
Five Oaks. *Hat* —3H **129**
(off Sandifield)
Five Springs. *Lut* —3A **46**
Five Springs Ct. *Lut* —3A **46**
Fiveways Corner. —8H **165**
Flagstaff Clo. *Wal A* —6M **145**
Flagstaff Rd. *Wal A* —6M **145**
Flags, The. *Hem H* —2D **124**
Flamstead. —5D **86**
Flamsteadbury. *Redb* —1G **106**
Flamsteadbury La. *Redb* —2J **107**
Flamstead End. —2F **144**
Flamstead End Rd. *Chesh* —1F **144**
Flanders Green. —4B **38**
Flash La. *Enf* —1N **155**
Flatfield Rd. *Hem H* —4C **124**
Flats, The. *Chal G* —7A **146**
Flaunden. —5E **134**
Flaunden Bottom. *Lat* —1B **146**
Flaunden Hill. *Flau* —6C **134**
Flaunden Ho. *Wat* —8G **149**
Flaunden La. *Bov* —5E **134**
Flaunden La. *Sarr* —6G **135**
Flaunden Pk. *Bov* —4D **134**
Flavian Clo. *St Alb* —4A **126**
Flax M. *Mark* —2A **86**
Flecker Clo. *Stan* —5G **163**
Fleece La. *Ware* —2B **56**
Fleet, The. *R'ton* —7C **8**
Fleetville. —2J **127**
Fleetwood. *Let* —7H **23**
Fleetwood Cres. *Stev* —1H **51**
Fleetwood Way. *Wat* —4L **161**
Fleming Clo. *Chesh* —8E **132**
Fleming Cres. *Hert* —8M **93**
Fleming Dri. *N21* —7L **155**
Fleming Wlk. *NW9* —9E **164**
Fletcher Way. *Hem H* —9M **105**
Flete Ho. *Wat* —8G **149**
Flexley Wood. *Wel G* —6M **91**
Flex Mdw. *H'low* —7H **117**
Flight App. *NW9* —9F **164**
Flinders Clo. *St Alb* —4H **127**
Flinders Clo. *Stev* —4B **52**
Flint Clo. *Lut* —2A **46**
(in three parts)
Flint Copse. *Redb* —9L **87**
Flint Ct. *Dunst* —8D **44**
Flint Ct. *Lut* —3F **66**
(off Farley Hill)
Flintings, The. *Gad R* —7J **85**
Flint Rd. *Let* —3J **23**
Flints, The. —8B **32**
Flint Way. *St Alb* —7D **108**
Flitton Rd. *Pull* —2A **18**
Flora Gro. *St Alb* —3G **127**
Floral Clo. *Lon C* —8L **127**
Florence Av. *Enf* —5A **156**
Florence Av. *Lut* —2N **45**
Florence Clo. *H'low* —8E **118**
Florence Clo. *Wat* —8J **137**
Florence Ct. *St Alb* —3F **126**
Florence Dri. *Enf* —5A **156**
Florence St. *Hit* —2N **33**
Florence Wlk. *Bis S* —1H **79**
(off North St.)
Florida Clo. *Bus H* —2E **162**
Floriston Clo. *Stan* —8J **163**
Floriston Gdns. *Stan* —8J **163**
Flowerfield Cotts. *Mark* —1N **85**
Flower La. *NW7* —5F **164**
Flowers Ind. Est. *Lut* —2G **67**
Flowers Way. *Lut* —1G **66**
Flowton Gro. *Hpdn* —8B **88**
Flogerty Clo. *Enf* —1M **157**
Foldcroft. *H'low* —5K **117**
Foldingshott. *D'wth* —5C **72**
Folkingham La. *NW9* —8B **164**
Folkington Corner. *N12* —5M **165**
Folland. *NW9* —9F **164**
(off Hundred Acre)
Follet Dri. *Ab L* —4H **137**

Folly Av. *St Alb* —1D **126**
Folly Clo. *Hit* —5A **34**
Folly Clo. *Rad* —9G **138**
Folly Fields. *Wheat* —5J **89**
Folly La. *Cad* —4A **66**
Folly La. *St Alb* —1D **126**
Folly Path. *Hit* —4N **33**
Folly Pathway. *Rad* —8G **138**
Folly, The. —5J **89**
Folly, The. *Bunt* —3H **39**
Folly, The. *Hem* —9B **94**
Folly Vw. *Stan A* —2M **115**
Fontmell Clo. *St Alb* —8F **108**
Fontwell Clo. *Harr* —7F **162**
Football Clo. *Bald* —2L **23**
Forbes Av. *Pot B* —6C **142**
Ford Clo. *Bush* —6D **150**
Ford End. —1C **82**
(Leighton Buzzard)
Ford End. —7N **29**
(Pleshey)
Ford End. *Clav* —6N **29**
Ford Fld. *L Had* —9K **57**
Fordham Clo. *A'wl* —8M **5**
Fordham Clo. *Barn* —5D **154**
Fordham Rd. *Barn* —5D **154**
Fordham Rd. *R'ton* —8E **8**
Ford Hill. *L Had* —9L **57**
Ford Ho. *Barn* —5A **154**
Fords Gro. *N21* —9A **156**
Ford St. *Brau* —3B **56**
Fordwich Clo. *Hert* —9M **93**
Fordwich Hill. *Hert* —9M **93**
Fordwich Ri. *Hert* —9M **93**
Fordwich Rd. *Wel G* —1J **111**
Forebury Av. *Saw* —5H **99**
Forebury Cres. *Saw* —5H **99**
Forebury, The. *Saw* —5G **99**
(in two parts)
Forefield. *St Alb* —9B **126**
Foreland Ct. *NW4* —8K **165**
Forelands Pl. *Saw* —5G **98**
Forest Av. *Hem H* —4N **123**
Forest Clo. *Wend* —9A **100**
Foresters Clo. *Chesh* —9C **132**
Foresthall Rd. *Stans* —5M **59**
Fore St. *H'low* —2E **118**
Fore St. *Hat* —8J **111**
Fore St. *Hert* —9B **94**
Fore St. *W'ton* —1A **36**
Forest Rd. *N9* —9F **156**
Forest Rd. *Chesh* —2H **145**
Forest Rd. *Enf* —9J **145**
Forest Rd. *Wat* —6K **137**
Forest Row. *Hem* —8M **51**
Forest Vw. *E4* —9N **157**
Forest Wlk. *Bush* —3A **150**
Forge Clo. *Chfd* —4K **135**
Forge Clo. *Hit* —2N **33**
Forge Cotts. *Ess* —8D **112**
(off Essendon Hill)
Forge End. *St Alb* —8B **126**
Forge La. *N'wd* —7G **161**
Forge La. *Welw* —2J **91**
Formby Av. *Stan* —9K **163**
Forres Clo. *Hod* —6L **115**
Forrest Cres. *Lut* —6J **47**
Foresters Dri. *Wel G* —1B **112**
Forsyth Pl. *Enf* —7C **156**
Fortescue Rd. *Edgw* —8D **164**
Fortnum's Acre. *Stan* —6G **163**
Fortuna Clo. *Stev* —1B **52**
Fortune La. *Els* —8L **151**
Fortunes, The. *H'low* —8B **118**
Fortune Way. *Bass* —1M **7**
Forty Hall & Mus. —1D **156**
Forty Hill. —2C **156**
Forty Hill. *Enf* —2C **156**
Forum Pl. *Hat* —8G **110**
Forumside. *Edgw* —6A **164**
Forum, The. *Stev* —4K **51**
Forum Way. *Edgw* —6A **164**
Fosman Clo. *Lut* —1J **33**
Foster Av. *H Reg* —6F **44**
Foster Clo. *Stev* —9K **35**
Foster Dri. *Hit* —5A **34**
Foster Rd. *Hem H* —4L **123**
Fosters Clo. *Chesh* —3H **145**
Foster Street. —8H **119**
Foster St. *H'low* —8B **119**
Foston Clo. *Lut* —3B **46**
Fothergill Dri. *N21* —7K **155**
Fotheringham Rd. *Enf* —6D **156**

Fotherley Rd. *Mil E* —2J **159**
Founceley Av. *D End* —9D **54**
Founders Rd. *Hod* —5M **115**
Fountain Dri. *Hert* —8D **94**
Fountain Farm. *H'low* —8B **118**
Fountain Pl. *Wal A* —7N **145**
Fountains Cres. *N14* —9K **155**
Fountains Rd. *Lut* —6E **46**
Fountains, The. *N3* —7N **165**
(off Ballards La.)
Fouracres. *Enf* —3J **157**
Fouracres. *Let* —8G **22**
Four Acres. *Stev* —2K **51**
Four Acres. *Wel G* —2M **111**
Fouracres Dri. *Hem H* —4B **124**
Fouracres Wlk. *Hem H* —4B **124**
Fourland Wlk. *Edgw* —6C **164**
Four Limes. *Wheat* —7L **89**
Fourth Av. *H'low* —6J **117**
Fourth Av. *Let* —4J **23**
Fourth Av. *Lut* —2M **45**
Fourth Av. *Wat* —8M **137**
Four Trees. *St Alb* —7C **126**
Four Tubs, The. *Bush* —9E **150**
Fourways. *B'frd* —9M **113**
Fourways Ct. *Hod* —7L **115**
Fourways Mkt. *N Mym* —6J **129**
(off Dellsome La.)
Fovant. *Stev* —9H **35**
Fovant Clo. *Hpdn* —9D **88**
Fowley Clo. *Wal X* —7H **145**
Fowley Mead Pk. *Wal X* —7L **145**
Fox All. *Wat* —7L **149**
Foxbury Clo. *Lut* —3F **46**
Fox Clo. *Bush* —7C **150**
Fox Clo. *Dun* —1F **4**
Fox Clo. *Els* —8L **151**
Fox Clo. *Wig* —5B **102**
Foxcroft. *St Alb* —4H **127**
Foxdell. *N'wd* —6F **160**
Foxdells. *Bir G* —3H **113**
Fox Dells. *Dunst* —3F **64**
Foxdells La. *Bis S* —7H **59**
Foxdell Way. *Chal P* —5A **158**
Foxes Clo. *Hert* —9F **94**
Foxes Dri. *Wal X* —2E **144**
Foxes La. *Cuff* —1K **143**
Foxfield. *Stev* —6B **52**
Foxfield Clo. *N'wd* —6H **161**
Foxglove Bank. *R'ton* —8F **8**
Foxglove Clo. *Bis S* —2E **78**
Foxglove Clo. *Hat* —1H **129**
Foxglove Clo. *Hod* —9N **115**
Foxgloves, The. *Hem H* —3H **123**
Foxglove Way. *Welw* —8L **71**
Foxgrove Path. *Wat* —5M **161**
Foxhill. *Lut* —4G **47**
Foxhill. *Wat* —9J **137**
Fox Hill Rd. *G Mor* —1B **6**
Foxholes Av. *Hert* —9D **94**
Foxholes Bus. Pk. *Hert* —1D **114**
Foxhollows. *Hat* —7H **111**
Foxlands Clo. *Leav* —7J **137**
Fox La. *R'ton* —5D **14**
Fox La. *Tring* —4J **101**
(in two parts)
Foxley Dri. *Bis S* —9J **59**
Foxley Gro. *Welw* —3M **91**
Foxleys. *Wat* —3N **161**
Foxmead Clo. *Enf* —5L **155**
Fox Rd. *Stev* —4L **51**
Fox Rd. *Wig* —4A **102**
Fox's La. *N Mym* —5K **129**
Foxton Rd. *Hod* —8L **115**
Foxtree Ho. *Wat* —9N **137**
Foxwood Chase. *Wal A* —8N **145**
Foxwood Clo. *NW7* —4E **164**
Foxwood Grn. Clo. *Enf* —8C **156**
Foyle Clo. *Stev* —7B **36**
Framfield Clo. *N12* —3N **165**
Framfield Ct. *Enf* —8C **156**
(off Queen Annes Gdns.)
Frampton Rd. *Pot B* —3B **142**
Frampton St. *Hert* —9B **94**
Frances Ashton Ho. *Dunst* —9E **44**
(off Bullpond La.)
Francis Av. *St Alb* —8E **108**
Francis Clo. *Hit* —5A **34**
Francis Clo. *Stot* —6E **10**
Francis Ct. *NW7* —5F **164**
(off Watford Way)
Francis Ct. *H'low* —4L **117**
Francis Greene Ho. *Wal A*
(off Grove Ct.)   —6M **145**

Francis Rd. *Hinx* —7E **4**
Francis Rd. *Ware* —5H **95**
Francis Rd. *Wat* —6K **149**
Francis St. *Lut* —9E **46**
Francklyn Gdns. *Edgw* —3A **164**
Frank Hamel Ct. *Bar C* —9E **18**
Frankland Clo. *Crox G* —9C **148**
Frankland Rd. *Crox G* —8D **148**
Frank Lester Way. *Lut* —9M **47**
Franklin Av. *Bar C* —8D **18**
Franklin Av. *Chesh* —3F **144**
Franklin Clo. *N20* —9B **154**
Franklin Clo. *Col C* —4E **128**
Franklin Clo. *Hem H* —5A **124**
Franklin Clo. *Pir* —7E **20**
Franklin Cotts. *Stan* —4J **163**
Franklin Gdns. *Hit* —1B **34**
Franklin Rd. *Dunst* —9C **44**
Franklin Rd. *Wat* —4K **149**
Franklin's Rd. *Stev* —1J **51**
Frank Martin Ct. *Chesh* —3F **144**
Fraser Corner. *Stev* —1A **52**
Fraser Rd. *Chesh* —1J **145**
Frederica Rd. *E4* —9N **157**
Frederick Cres. *Enf* —4G **157**
Frederick St. *Lut* —9G **46**
Frederick St. Pas. *Lut* —8G **46**
Fred Millard Ct. *Stev* —4L **51**
Freeland Pk. *NW4* —9L **165**
Freeman Av. *Lut* —1D **46**
Freeman's Clo. *Hit* —1L **33**
Freemans Clo. *H Reg* —5D **44**
Freemantle Av. *Enf* —7H **157**
Freewaters Clo. *Ickl* —7M **21**
Freezy Water. —9H **145**
Freman Dri. *Bunt* —2H **39**
French Horn La. *Hat* —8H **111**
French Row. *St Alb* —2E **126**
French's Av. *Dunst* —7B **44**
(in two parts)
French's Clo. *Stan A* —2M **115**
Frensham. *Chesh* —9D **132**
Frensham Dri. *Hit* —9C **22**
Frere Ct. *Bis S* —8H **59**
Freshfield Dri. *N14* —9G **155**
Freshwater Clo. *Lut* —2B **46**
Freshwaters. *H'low* —5A **118**
Freston Gdns. *Barn* —7F **154**
Freston Pk. *N3* —9M **165**
Fretherne Rd. *Wel G* —9K **91**
Friars Clo. *Lut* —3D **66**
Friars Ct. *Lut* —3D **66**
Friarscroft. *Brox* —2L **133**
Friars Fld. *N'chu* —7J **103**
Friars La. *Bunt* —5A **39**
Friars Mead. *K Lan* —3C **136**
Friars Rd. *Brau* —2C **56**
Friars Rd. *W'ton* —1A **36**
Friars, The. *Hat* —8K **117**
Friars Wlk. *N14* —9G **154**
Friars Wlk. *Dunst* —1E **64**
Friars Wlk. *Tring* —3M **101**
Friar's Wash. —4E **86**
Friars Way. *Bush* —3A **150**
Friars Way. *K Lan* —3C **136**
Friars Way. *Lut* —3D **66**
Friars Wood. *Bis S* —9L **59**
Friary Fld. *Dunst* —9E **44**
Friary, The. *Wal X* —6K **145**
Friday Furlong. *Hit* —2K **33**
Friedberg Av. *Bis S* —3F **78**
Friendless La. *Flam* —3N **85**
Friends Av. *Chesh* —5H **145**
Friern Mt. Dri. *N20* —9B **154**
Friesian Clo. *Lut* —6K **45**
Frimley Rd. *Hem H* —1H **123**
Fringewood Clo. *N'wd* —8D **160**
Frinton Clo. *Wat* —2K **161**
Friston Grn. *Lut* —8M **47**
Frith Ct. *NW7* —7L **165**
Frith La. *NW7* —7L **165**
Frithsden. —6E **104**
Frithsden Copse. *Pott E* —6C **104**
Frithsden Gdns. *F'den* —5B **104**
Frithwood Av. *N'wd* —6G **161**
Frobisher Clo. *Bush* —8B **150**
Frobisher Ct. *NW9* —9E **164**
Frobisher Dri. *Stev* —2A **52**
Frobisher Rd. *St Alb* —4K **127**
Frobisher Way. *Hat* —6D **110**
Froghall La. *Walk* —9F **36**
Frogmore. —1F **138**
(St Albans)
Frogmore. —6K **49**
(Whitwell)

Frogmore. *Park* —9E **126**
Frogmore Cotts. *Wat* —7M **149**
Frogmore Ct. *B Hth* —2N **159**
Frogmore End. —5N **123**
Frogmore Hill. *Wat S* —9F **52**
Frogmore Home Pk. *Frog* —9E **126**
Frogmore Ho. *Stev* —8J **35**
(off Coreys Mill La.)
Frogmore La. *Rick* —2N **159**
Frogmore Rd. *Hem H* —5N **123**
Frogmore Rd. Ind. Est. *Hem H*
—6N **123**
Frogmore St. *Tring* —2M **101**
Frogs Hall La. *Haul* —6D **54**
Frome Clo. *Lut* —5A **46**
Frome Sq. *Hem H* —6C **106**
Front St. *S End* —7E **66**
Front, The. *Pott E* —7E **104**
Frowick Clo. *N Mym* —5H **129**
Frowyke Cres. *S Mim* —5G **140**
Fry Rd. *Stev* —4B **52**
Frythe, The. *Welw* —5H **91**
Fryth Mead. *St Alb* —1C **126**
Fulbeck Dri. *NW9* —8E **164**
Fulbeck Wlk. *Edgw* —2B **164**
Fulbeck Way. *Harr* —9D **162**
Fulbourne Clo. *Lut* —7A **46**
Fulford Gro. *Wat* —2K **161**
Fuller Ct. *Bis S* —1J **79**
Fuller Gdns. *Wat* —1K **149**
Fuller Rd. *Wat* —1K **149**
Fullers Ct. *Let* —4E **22**
Fullers Mead. *H'low* —7E **118**
Fuller Way. *Crox G* —7C **148**
Fulling Mill La. *Welw* —9H **71**
Fulmar Cres. *Hem H* —2K **123**
Fulmore Clo. *Hpdn* —3E **88**
Fulton Clo. *Stev* —4J **51**
Fulton Ct. *Borwd* —2N **151**
(off Aycliffe Rd.)
Fulton Cres. *Bis S* —9L **59**
Furham Fld. *Pinn* —7B **162**
Furlay Clo. *Let* —4D **22**
Furlong La. *Tot* —1N **63**
Furlongs. *Hem H* —1K **123**
Furlongs, The. *Tring* —3M **101**
Furlong Way. *Gt Amw* —9K **95**
Furmston Ct. *Let* —4G **23**
Furness Av. *Dunst* —1F **64**
Furneux Pelham. —6K **41**
Furriers Clo. *Bis S* —3E **78**
Furrowfield. *Hat* —7H **111**
Furrows, The. *Lut* —2D **46**
Fursby Av. *N3* —6N **165**
Furse Av. *St Alb* —8H **109**
Further Acre. *NW9* —9F **164**
Furtherfield. *Ab L* —5G **137**
Further Ford End. —5N **29**
Furtherground. *Hem H* —3A **124**
Furzebushes La. *St Alb* —7N **125**
Furze Clo. *Lut* —2F **46**
Furze Clo. *Wat* —5L **161**
Furzedown. *Stev* —5A **52**
Furzedown Ct. *Hpdn* —7C **88**
Furzefield. *Chesh* —1F **144**
Furzefield Ct. *Pot B* —4L **141**
Furzefield Leisure Cen. —4K **141**
Furzefield Rd. *Wel G* —1L **111**
Furze Gro. *R'ton* —8E **8**
Furzehill Pde. *Borwd* —5A **152**
Furzehill Rd. *Borwd* —6A **152**
(in two parts)
Furzen Clo. *Dunst* —3F **64**
Furzen Cres. *Hat* —3F **128**
Furze Rd. *Hem H* —3H **123**
Furze Vw. *Chor* —8F **146**
Fyfield Rd. *Enf* —5C **156**

Gable Clo. *Ab L* —5G **136**
Gable Clo. *Pinn* —7B **162**
Gables Av. *Borwd* —5N **151**
Gables Clo. *Chal P* —4B **158**
Gables Clo. *Wend* —9A **100**
Gables Lodge. *Barn* —2B **154**
Gables, The. *Hem H* —1N **123**
Gables, The. *Leav* —6M **137**
Gables, The. *Saw* —5G **99**
Gables, The. *Wat* —9L **149**
Gable Way. *H Reg* —3G **44**
(off Sycamore Rd.)
Gaddesden Cres. *Wat* —7M **137**
Gaddesden Gro. *Wel G* —9A **92**
Gaddesden La. *Hem H & Redb*
—2B **106**

Gaddesden Row. —8L **85**
Gaddesden Row. Hem H —7K **85**
Gade Av. Wat —6G **148**
Gade Bank. Wat —6F **148**
Gadebridge. —9K **105**
Gadebridge Ct. Hem H —1M **123**
Gadebridge La. Hem H —9K **105**
(in three parts)
Gadebridge Rd. Hem H —9K **105**
Gade Clo. Hem H —8L **105**
Gade Clo. Wat —6G **149**
Gade Side. Wat —8G **137**
Gade Tower. Hem H —7C **124**
Gade Valley Clo. K Lan —1C **136**
Gade Valley Cotts. Hem H —2H **105**
Gadeview. Hem H —2M **123**
Gade Vw. Gdns. K Lan —5E **136**
Gade Vw. Rd. Hem H —2M **123**
Gadmore La. Hast —7K **101**
Gadsby Ct. Lut —2F **66**
(off Wellington St.)
Gadswell Clo. Wat —9M **137**
Gage Clo. R'ton —5D **8**
Gainsborough Ct. St Alb —1G **126**
Gainsborough Ct. N12 —5N **165**
Gainsborough Ct. Lut —7H **47**
Gainsborough Dri. H Reg —4G **45**
Gainsborough Gdns. Edgw
—9N **163**
Gainsford Cres. Hit —9C **22**
Gainswood. Wel G —1L **111**
Gaitskill Ter. Lut —9H **47**
Galdana Av. Barn —5B **154**
Gale Ct. Bar C —9E **18**
Gallants Farm Rd. E Barn —9D **154**
Gall End La. Stans —2N **59**
Galleria, The. Hat —9E **110**
Gallery, The. Lut —1G **67**
(off Arndale Cen., The)
Galleycroft. Hat —8G **110**
Galley Grn. Hail —4L **115**
Galley Hill. Hem H —9J **105**
Galley La. Barn —2G **152**
Galleywood. Ickl —7L **21**
Galliard Clo. N9 —8G **156**
Galliard Clo. Lut —5D **46**
Galliard Ct. N9 —8E **156**
Galliard Rd. N9 —9E **156**
Galloway Clo. Bis S —9H **59**
Galloway Clo. Brox —8K **133**
Galloway Rd. Bis S —8H **59**
Gallows Hill. K Lan —5E **136**
Gallows Hill La. Ab L —5E **136**
Gallus Clo. N21 —8L **155**
Galston Rd. Lut —1N **45**
Galva Clo. Barn —6F **154**
Galy. N9 —9F **164**
Games Rd. Barn —5E **154**
Gammon Clo. Hem H —3C **124**
Gammons Farm Clo. Wat —9M **137**
Gammon's La. Chesh —7C **132**
Gammons La. Wat —9G **137**
(in two parts)
Gamnel. Tring —8M **81**
Gamnel Ter. Tring —8N **81**
Ganders Ash. Wat —6J **137**
Gandhi Ct. Wat —4M **149**
Gangies Hill. Saw —4B **98**
Ganton Wlk. Wat —4M **161**
Ganwick Corner. —9A **142**
Ganymede Pl. Hem H —8B **106**
Gaping La. Hit —1J **33**
Garden Av. Hat —4G **128**
Garden Bus. Cen. Wel G —8L **91**
Garden City. Edgw —6A **164**
Garden Clo. Ark —6J **153**
Garden Clo. Hal —6B **100**
Garden Clo. Hpdn —1B **108**
Garden Clo. R'ton —6E **8**
Garden Clo. St Alb —1J **127**
Garden Clo. Wat —4H **149**
Garden Clo. Wool G —6N **71**
Garden Cotts. Frog —9E **126**
Garden Ct. Lut —5C **46**
(off Gardenia Av.)
Garden Ct. Stan —5K **163**
Garden Ct. Wel G —8L **91**
Garden Ct. Wheat —6L **89**
Gardeners Cottage. Hert —1G **131**
Garden Fld. Ast —7D **52**
Garden Fld. La. Berk —3C **122**
Garden Houses, The. Saw —4K **99**
Gardenia Av. Lut —5B **46**
Gardenia Av. Pas. Lut —5C **46**
Gardenia Rd. Enf —8C **156**

Garden La. R'ton —8D **8**
Garden Pl. Bass —1M **7**
Garden Reach. Chal G —5A **146**
Garden Rd. Ab L —4G **137**
Garden Rd. Bunt —2J **39**
Garden Rd. Dunst —1F **64**
Garden Rd. Wool G —6A **72**
Garden Row. Hit —2N **33**
Gardens End. H Reg —4F **44**
Gardens, The. Bald —3L **23**
Gardens, The. Brk P —9L **129**
Gardens, The. Let —7F **22**
Gardens, The. Stot —6E **10**
Gardens, The. Wat —4H **149**
Garden Ter. Chap E —3C **94**
Garden Ter. Rd. H'low —2E **118**
Garden Wlk. R'ton —6E **8**
Garden Wlk. Stev —4L **51**
Gardiner Clo. Enf —8H **157**
Gardiners La. A'wl —9M **5**
Gardiners, The. H'low —7D **118**
Gardner Ct. Lut —4G **66**
Gardners Clo. Dunst —1B **64**
Gardners End. —7N **37**
Gareth Ct. Borwd —2N **151**
(off Aycliffe Rd.)
Garfield. Enf —7B **156**
(off Private Rd.)
Garfield Ct. Lut —6M **47**
Garfield Rd. Enf —6G **157**
Garland Clo. Chesh —4J **145**
Garland Clo. Hem H —1N **123**
Garland Rd. Stan —8M **163**
Garland Rd. Ware —6J **95**
Garland Way. Ast C —1D **100**
Garnault Rd. Enf —2D **156**
Garner Dri. Brox —8J **133**
Garners Clo. Chal P —6C **158**
Garners End. Chal P —6B **158**
Garners Rd. Chal P —6B **158**
Garnett Clo. Wat —1M **149**
Garnett Dri. Brick W —2A **138**
Garrard Way. Wheat —7L **89**
Garratt Rd. Edgw —7A **164**
Garratts Rd. Bush —9D **150**
Garrett Clo. Dunst —3G **65**
Garretts Clo. Hert —9N **93**
Garretts Mead. Lut —6K **47**
Garrick Dri. NW4 —9J **165**
Garrick Pk. NW4 —9K **165**
Garrison Ct. Hit —3N **33**
Garrowsfield. Barn —8M **153**
Garsmouth Way. Wat —9M **137**
Garston. —8L **137**
Garston Cres. Wat —7L **137**
Garston Dri. Wat —7L **137**
Garston La. Wat —7M **137**
Garston Pk. Pde. Wat —7M **137**
Garter Ct. Lut —8F **46**
(off Knights Fld.)
Garthland Dri. Barn —7H **153**
Garth Rd. Let —8E **22**
Garth, The. Ab L —6F **136**
Gartlet Rd. Wat —5L **149**
Gartons Clo. Enf —6G **157**
Gaskarth Rd. Edgw —8C **164**
Gas La. B'wy —9N **15**
Gaston Green. —9K **79**
Gaston Hill. L Hall —9K **79**
Gatcombe Ct. St Alb —3H **127**
(off Dexter Rd.)
Gatcombe Way. Barn —5E **154**
Gate Clo. Borwd —3C **152**
Gatecroft. Hem H —4B **124**
(in two parts)
Gate End. N'wd —7J **161**
Gatehill Gdns. Lut —9D **30**
Gatehill Rd. N'wd —7H **161**
Gatehouse M. Bunt —3J **39**
Gater Dri. Enf —3B **156**
Gates. NW9 —9F **164**
Gatesbury Way. Puck —6A **56**
Gatesdene Clo. L Gad —7N **83**
Gateshead Rd. Borwd —3N **151**
Gates Way. Stev —3J **51**
Gateway Clo. N'wd —6E **160**
Gateways, The. G Oak —1B **144**
Gatley End. —7D **6**
Gatley End Farm. R'ton —7D **6**
Gatting Clo. Edgw —7C **164**
Gatward Clo. N21 —8N **155**
Gatwick Clo. Bis S —8K **59**

Gauldie Way. Stdn —7A **56**
Gaumont App. Wat —5K **149**
Gauntlet. NW9 —9F **164**
(off Five Acre)
Gaunts Way. Let —1F **22**
Gaveston Dri. Berk —8M **103**
Gawlers. Ber —2C **42**
Gawthorne Av. NW7 —5L **165**
Gaydon La. NW9 —8E **164**
Gayland Av. Lut —9K **47**
Gayton Clo. Lut —5D **46**
Gaywood Av. Chesh —3H **145**
Gean Wlk. Hat —3G **129**
Geddes Rd. Bush —6D **150**
Geddings Rd. Hod —8M **115**
Gelding Clo. Lut —4J **45**
General's Wlk., The. Enf —1J **157**
Genotin Rd. Enf —5B **156**
Genotin Ter. Enf —6B **156**
Gentle Ct. Bald —3L **23**
Gentlemans Row. Enf —5A **156**
Gentlemens Fld. Ware —4F **94**
George Clo. Let —5F **22**
George V Av. Pinn —9A **162**
George V Way. Sarr —9L **135**
George Gange Way. Harr —9G **162**
George Grn. L Hall —7K **79**
George Grn. Bungalows. L Hall
—8K **79**
George Grn. Vs. L Hall —8K **79**
George La. R'ton —7D **8**
George Leighton Ct. Stev —4A **52**
George Lovell Dri. Enf —1L **157**
George M. Enf —5B **156**
(off Town, The)
Georges Mead. Els —8M **151**
George St. Berk —1A **122**
George St. Dunst —8E **44**
George St. Hem H —1N **123**
George St. Hert —9A **94**
George St. Lut —1G **66**
George St. Mark —2A **86**
George St. St Alb —2E **126**
George St. Wat —6L **149**
George St. W. Lut —1G **66**
George's Wood Rd. Brk P
—8N **129**
George Wlk. Ware —6H **95**
(off High St.)
Georgewood Rd. Hem H —7B **124**
Georgian Clo. Stan —7H **163**
Georgian Clo. N3 —8M **165**
Georgian Ct. New Bar —6B **154**
Georgina Ct. Arl —9A **10**
Gerard Av. Bis S —4G **78**
Gerard Ct. Hpdn —5B **88**
Gernon Rd. Let —6F **22**
Gernon Wlk. Let —6F **22**
Gerrards La. N14 —7H **155**
Gerrards Cross Golf Course.
—9C **158**
Gertrude Peake Pl. Redb —1K **107**
(off High St.)
Gervase Rd. Edgw —8C **164**
Gews Corner. Chesh —2H **145**
Giant Tree Hill. Bus H —1E **162**
Gibbons Clo. Borwd —3M **151**
Gibbons Clo. Sandr —5K **109**
Gibbons Way. Kneb —3M **71**
Gibbs Clo. Chesh —2H **145**
Gibbs Couch. Wat —3M **161**
Gibbs Fld. Bis S —3F **78**
Gibbs Grn. Edgw —4C **164**
Gibraltar Lodge. Hpdn —4E **88**
Gibson Clo. N21 —8M **155**
Gibson Clo. Hit —3B **34**
Gidian Ct. Park —9E **126**
Gifford's La. Ware —6D **54**
Gilbert Ct. Hpdn —3C **88**
Gilbert Gro. Edgw —8D **164**
Gilbert Rd. Hare —9N **159**
Gilbert St. Enf —1G **157**
Gilbert Way. Berk —1L **121**
Gilbey Av. Bis S —2K **79**
Gilbey Cres. Stans —1N **59**
Gilda Av. Enf —7J **157**
Gilda Ct. NW7 —8G **164**
Gildea Clo. Pinn —7B **162**
Gilded Acre. Dunst —3F **64**
Gilden Clo. H'low —2G **118**
Gilden Way. H'low —3E **118**
Gilder Clo. Lut —1C **46**
Gilderdale. Lut —3L **45**
Gilders. Saw —5F **98**
Giles Clo. Sandr —5K **109**

Gillam St. Lut —9G **47**
Gillan Grn. Bus H —2D **162**
Gillan Way. H Reg —3H **45**
(off Houghton Pk. Rd.)
Gill Clo. Wat —8E **148**
Gillian Av. St Alb —6D **126**
Gillian Ho. Har W —6F **162**
Gilliflower Ho. Hod —9L **115**
Gillings Ct. Barn —6L **153**
(off Wood St.)
Gillison Clo. Let —6H **23**
Gills Hill. Mark —6M **85**
Gills Hill. Rad —8G **139**
Gills Hill La. Rad —9G **138**
Gills Hollow. Rad —9G **139**
Gillum Clo. E Barn —9E **154**
Gilmour Clo. Enf —8E **144**
Gilpin Clo. H Reg —4G **45**
Gilpin Grn. Hpdn —6D **88**
Gilpin Rd. Ware —7J **95**
Gilpin's Gallop. Stan A —1M **115**
Gilpin's Ride. Berk —9B **104**
Gilpin St. Dunst —7D **44**
Gilston. —9N **97**
Gilwell Clo. E4 —6M **157**
Gilwell La. E4 —6M **157**
(in two parts)
Gilwell Park. —6N **157**
Gilwell Pk. E4 —5N **157**
Gingers Clo. Ast C —1D **100**
Ginns Rd. Stoc P —5N **41**
Gippeswyck Clo. Pinn —8M **161**
Gipsy La. Bis S —5K **59**
Gipsy La. Kneb —3L **71**
Gipsy La. Lut —2J **67**
Girdle Rd. Hit —9A **22**
Girons Clo. Hit —4B **34**
Girtin Rd. Bush —7C **150**
Girton Ct. Chesh —3J **145**
Girton Way. Crox G —7E **148**
Gisburne Way. Wat —1J **149**
Gladbeck Way. Enf —6N **155**
Gladden Ct. H'low —9A **118**
Gladding Rd. Chesh —7N **131**
Gladeside. N21 —8L **155**
Gladeside. St Alb —8L **109**
Gladesmere Ct. Wat —9K **137**
Glades, The. Hem H —1H **123**
Glade, The. N21 —8L **155**
Glade, The. Bald —4L **23**
Glade, The. Enf —5M **155**
Glade, The. Let —8F **22**
Glade, The. Wel G —7J **91**
Gladsmuir Rd. Barn —4L **153**
Gladstone Av. Lut —1E **66**
Gladstone Ct. Stev —9N **51**
Gladstone Pl. Barn —6K **153**
Gladstone Rd. D End —9D **54**
Gladstone Rd. Hod —7M **115**
Gladstone Rd. Ware —5G **95**
Gladstone Rd. Wat —5L **149**
Gladwyns Cotts. Hat H —4N **99**
Glaisdale. Lut —4M **45**
Glamis Clo. Chesh —2E **144**
Glamis Clo. Hem H —5D **106**
Glan Avon M. H'low —7E **118**
Glanfield. Hem H —8A **106**
Glanleam Rd. Stan —4L **163**
Gleave St. St Alb —1J **127**
Glebe Av. Arl —5A **10**
Glebe Av. Enf —5N **155**
Glebe Clo. Chal P —7A **158**
Glebe Clo. Ess —8E **112**
Glebe Clo. Hem H —5A **124**
Glebe Clo. Hert —7B **94**
Glebe Clo. Pit —2B **82**
Glebe Clo. Wat S —5J **73**
Glebe Cotts. Ess —8E **112**
Glebe Ct. Bis S —9K **59**
Glebe Ct. Hat —8J **111**
Glebe Ct. Stan —5K **163**
Glebe Ct. Wat S —5K **73**
Glebe Houses. Ess —8E **112**
Glebeland. Hat —9J **111**
Glebelands. H'low —3B **118**
Glebe La. Barn —7G **152**
Glebe Rd. Chal P —8A **158**
Glebe Rd. Hert —7B **94**
Glebe Rd. Let —4G **22**
Glebe Rd. Stan —5K **163**
Glebe Rd. Welw —2H **91**
Glebe, The. H'low —4A **118**
Glebe, The. K Lan —2C **136**
Glebe, The. Mag L —9M **119**
Glebe, The. St I —8C **34**

Glebe, The. Stev —3B **52**
Glebe, The. Wat —6M **137**
Gleed Av. Bus H —2E **162**
Glemsford Clo. Lut —3L **45**
Glemsford Dri. Hpdn —5E **88**
Glenbower Ct. St Alb —2L **127**
Glenbrook N. Enf —6L **155**
Glenbrook S. Enf —6L **155**
Glencoe Rd. Bush —8B **150**
Glencourse Grn. Wat —4M **161**
Glendale. Hem H —2L **123**
Glendale Av. Edgw —4N **163**
Glendale Wlk. Chesh —3J **145**
Glendean Ct. Enf —9J **145**
Glendevon Clo. Edgw —3B **164**
Glendor Gdns. NW7 —4D **164**
Glendower Rd. E4 —9N **157**
Gleneagles. Stan —7J **163**
Gleneagles Clo. Wat —4M **161**
Gleneagles Dri. Lut —3G **47**
Glenester Clo. Hod —5L **115**
(in two parts)
Glen Faba. —8B **116**
Glen Faba Rd. Roy —8B **116**
Glenferrie Rd. St Alb —2H **127**
Glenfield Ct. Hert —8L **93**
Glenfield Rd. Lut —3E **46**
Glengall Pl. St Alb —5F **126**
Glengall Rd. Edgw —3B **164**
Glenhaven Av. Borwd —5A **152**
Glenhill Clo. N3 —9N **165**
Glenister Rd. Che —9G **120**
Glenloch Rd. Enf —4G **157**
Glenlyn Av. St Alb —3J **127**
Glenmere Av. NW7 —7G **164**
Glenmire Ter. Stan A —2A **116**
Glenmore Gdns. Ab L —5J **137**
Glenn Cft. Lut —8F **46**
Glenshee Clo. N'wd —6E **160**
Glen, The. Cad —5A **66**
Glen, The. Enf —6N **155**
Glen, The. Hem H —6B **106**
Glen, The. N'wd —7F **160**
Glenview Gdns. Hem H —2L **123**
Glenview Rd. Hem H —2L **123**
Glenville Av. Enf —2A **156**
Glen Way. Wat —2G **149**
Glenwood. Brox —1K **133**
Glenwood. Wel G —1C **112**
Glenwood Clo. Stev —7B **52**
Glenwood Rd. NW7 —3E **164**
Glevum Clo. St Alb —4A **126**
Globe Clo. Hpdn —6C **88**
Globe Ct. Brox —5J **133**
Globe Ct. Hert —7A **94**
Globe Cres. Farnh —3F **58**
Gloucester Av. Wal X —6J **145**
Gloucester Clo. Stev —8L **35**
Gloucester Gdns. Cockf —6F **154**
Gloucester Gro. Edgw —8D **164**
Gloucester Ho. Borwd —4M **152**
Gloucester Rd. Barn —7A **154**
Gloucester Rd. Enf —2A **156**
Gloucester Rd. Lut —2H **67**
Gloucester Ter. N14 —9J **155**
(off Crown La.)
Glover Clo. Chesh —9D **132**
Glovers Clo. Hert —2A **114**
Glovers Ct. Hit —1N **33**
Glovers La. Tring —3M **101**
Glyn Av. Barn —6C **154**
Glynde, The. Stev —9A **52**
Glyn Rd. Enf —6G **156**
Glynswood. Chal P —7C **158**
Goat La. Enf —2D **156**
Gobions Way. Pot B —1A **142**
Goblins Grn. Wel G —1K **111**
Goddard Ct. W'stone —9H **163**
Goddard End. Stev —8B **52**
Goddards Clo. L Berk —1H **131**
Godfrey Clo. Stev —6A **52**
Godfreys Clo. Lut —2D **66**
Godfreys Ct. Lut —2D **66**
Godfries Clo. Tew —4D **92**
Godsafe. H'low —3G **118**
Godwin Clo. E4 —3N **157**
Goffs Cres. G Oak —2A **144**
Goff's La. Chesh —2A **144**
Goff's Oak. —1A **144**
Goffs Oak Av. G Oak —1N **143**
Golda Clo. Barn —8K **153**
Golda Ct. N3 —9M **165**
Goldbeaters Gro. Edgw —6E **164**
Gold Clo. Brox —2J **133**
Goldcrest Clo. Lut —4K **45**

Goldcrest Way—Green Oaks

Goldcrest Way. Bush —1D 162
Goldcroft. Hem H —4C 124
Golden Ct. Barn —6D 154
Golden Dell. Wel G —4M 111
Golden Willows Site. Ickl —5M 21
Golders Clo. Edgw —5B 164
Goldfield Rd. Tring —3L 101
Goldfinch Way. Borwd —6A 152
Gold Hill. Edgw —6D 164
Gold Hill E. Chal P —9A 158
Gold Hill N. Chal P —8A 158
Gold Hill W. Chal P —8A 158
Goldings. Bis S —9K 59
Goldings Cres. Hat —8H 111
Goldings Ho. Hat —8H 111
Goldings La. W'frd —6M 93
Goldington Clo. Hod —5K 115
Gold La. Edgw —6D 164
Goldon. Let —7J 23
Goldsdown Clo. Enf —4J 157
Goldsdown Rd. Enf —4H 157
Goldsmiths. H'low —8A 118
Goldsmith Way. St Alb —1D 126
Goldstone Clo. Ware —5H 95
Goldstone Cres. Dunst —7G 45
Golf Clo. Bush —5M 149
Golf Clo. Stan —7K 163
Golf Club Rd. Brk P —8N 129
Golf Club Rd. L Gad —7L 83
Golf Driving Range. —2J 111 (Welwyn Garden City)
Golf Ride. Enf —8M 143
Gombards. St Alb —1E 126
Gomer Clo. Cod —6E 70
Gonville Av. Crox G —8D 148
Gonville Cres. Stev —7B 52
Goodey Meade. B'tn —7L 53
Good Intent. Edl —4J 63
Goodliffe Pk. Bis S —7K 59
Goodrich Clo. Wat —8J 137
Goodwin Ct. Barn —8D 154
Goodwin Ct. Chesh —1J 145
Goodwin Ho. Wat —8G 149
Goodwins Mead. Ched —9M 61
Goodwin Stile. Bis S —3F 78
Goodwood Av. Enf —1G 156
Goodwood Av. Wat —8G 137
Goodwood Clo. Hod —7L 115
Goodwood Clo. Stan —5K 163
Goodwood Pde. Wat —9G 137
Goodwood Path. Borwd —4A 152
Goodwood Rd. R'ton —7F 8
Goodwyn Av. NW7 —5E 164
Goodyers Av. Rad —6G 138
Goose Acre. Ched —9L 61
Gooseacre. Wel G —2M 111
Gooseberry Hill. Lut —3D 46
Goosecroft. Hem H —1J 123
Goosefields. Rick —8M 147
Goose Green. —7G 115
Goose La. L Hall —9M 79
Goral Mead. Rick —1N 159
Gordian Way. Stev —9B 36
Gordon Av. Stan —7G 163
Gordon Clo. St Alb —3J 127
Gordon Ct. Edgw —5M 163
Gordon Ct. Kneb —3N 71
Gordon Gdns. Edgw —9B 164
Gordon Hill. Enf —3A 156
Gordon Ho. St Alb —3J 127
Gordon Rd. N3 —7M 165
Gordon Rd. Enf —3A 156
Gordon Rd. Harr —9F 162
Gordon Rd. Wal A —7L 145
Gordon St. Lut —1F 66
Gordons Wlk. Hpdn —7D 88
Gordon Way. Barn —6M 153
Gorelands La. Chal G —1A 158
Gore La. Ware —5N 75
Gorhambury. —1L 125
Gorham Dri. St Alb —5F 126
Gorham Way. Dunst —7J 45
Gorle Clo. Wat —8J 137
Gorleston Clo. Stev —9G 35
Gorse Clo. Hat —3F 128
Gorse Corner. Hpdn —7D 88 (off Barnfield Rd.)
Gorse Corner. St Alb —9E 108
Gorselands. Hpdn —8D 88
Gorst Clo. Let —6E 22
Gosford Ho. Wat —8G 149
Gosforth La. Wat —3J 161
Gosforth Path. Wat —3J 161
Goshawk Clo. Lut —5K 45
Gosling Av. Offl —8D 32
Gosling Stadium, The. —2K 111
Gosmore. —7N 33
Gosmore. Stev —8J 35 (off Coreys Mill La.)
Gosmore Ley Clo. Gos —7N 33
Gosmore Rd. Hit —5N 33
Gossamers, The. Wat —7N 137
Gosselin Rd. Hert —7A 94
Gossom's End. Berk —9L 103
Gossoms Ryde. Berk —9L 103
Gothic Cotts. Enf —4A 156 (off Chase Grn. Av.)
Gothic Way. Arl —7A 10
Gough Rd. Enf —4F 156
Gould Clo. N Mym —6H 129
Government Row. Enf —2L 157
Gover's Green. —8C 72
Gowar Fld. S Mim —5G 141
Gower Rd. R'ton —6C 8
Gowers, The. H'low —4C 118
Grace Av. Shenl —6L 139
Grace Clo. Borwd —3D 152
Grace Clo. Edgw —7C 164
Grace Gdns. Bis S —4H 79
Grace's Maltings. Tring —3M 101
Grace Way. Stev —9L 35
Graeme Rd. Enf —4B 156
Graemesdyke Rd. Berk —2L 121
Grafton Clo. St Alb —3L 127
Grafton Rd. Enf —5L 155
Graham Av. Brox —2J 133
Graham Clo. St Alb —4E 126
Grahame Park. —8F 164
Grahame Pk. Est. NW9 —8E 164
Grahame Pk. Way. NW7 & NW9 —7F 164
Graham Gdns. Lut —5E 46
Graham Rd. Dunst —1H 65
Graham Rd. Harr —9F 162
Grailands. Bis S —9F 58
Grammar Sch. Wlk. Hit —3M 33
Grampian Way. Lut —1M 45
Granard Bus. Cen. NW7 —6E 164
Granary Clo. N9 —9G 156
Granary Clo. Wheat —7L 89
Granary Ct. Saw —5G 99
Granary La. Hpdn —6C 88
Granary, The. Roy —5E 116
Granary, The. Stan A —3N 115
Granby Av. Hpdn —5D 88
Granby Pk. Rd. Chesh —1D 144
Granby Rd. Lut —6N 45
Granby Rd. Stev —8J 35
Grandfield Av. Wat —3H 149
Grange Av. N20 —9L 153
Grange Av. E Barn —9D 154
Grange Av. Lut —5N 45
Grange Av. Stan —9J 163
Grange Bottom. R'ton —8E 8
Grange Clo. Chal P —8B 158
Grange Clo. Edgw —5C 164
Grange Clo. Hem H —3C 124
Grange Clo. Hert —9N 93
Grange Clo. Hit —6A 34
Grange Clo. Mark —1N 85
Grange Clo. Wat —3J 149
Grange Ct. Hert —8A 94
Grange Ct. Let —2G 22
Grange Ct. St Alb —1E 126
Grange Ct. Wal A —7N 145
Grange Ct. Rd. Hpdn —9D 88
Grangedale Clo. N'wd —8G 160
Grange Dri. Chart —9B 120
Grange Dri. Stot —7F 10
Grange Fields. Ger X —8B 158
Grange Gdns. Ware —7J 95
Grange Gdns. Wend —9A 100
Grange Hill. Edgw —5C 164
Grange Hill. Welw —1J 91
Grange La. Let H —3E 150
Grange La. Roy —6F 116
Grange Park. —8N 155
Grange Pk. Bis S —8H 59
Grange Pk. Av. N21 —8A 156
Grange Ri. Cod —7F 70
Grange Rd. Bar C —8D 18
Grange Rd. Bis S —1J 79
Grange Rd. Bush —7N 149
Grange Rd. Chal P —8B 158
Grange Rd. Edgw —6D 164
Grange Rd. Els —7N 151
Grange Rd. Let —3F 22
Grange Rd. Pit —2B 82
Grange Rd. Tring —2A 102
Grange Rd. Wils —6H 81
Grangeside. Bis S —7J 59
Grange St. St Alb —1E 126
Grange, The. N20 —9B 154
Grange, The. Ab L —4G 137
Grange, The. Bis S —8H 59
Grange, The. Col H —5D 128
Grange, The. Hod —9L 115
Grange, The. Stev —1J 51
Grange, The. Ther —6D 14
Grangeview Rd. N20 —9B 154
Grange Wlk. Bis S —1J 79
Grange Way. H Reg —3H 45
Grangeway, The. N21 —8N 155
Grangewood. Pot B —3A 142
Gransden Clo. Lut —2C 46
Grant Clo. N14 —9H 155
Grant Ct. E4 —9N 157 (off Ridgeway, The)
Grant Gdns. Hpdn —5C 88
Grantham Clo. Edgw —3M 163
Grantham Clo. R'ton —5B 8
Grantham Gdns. Ware —5J 95
Grantham Grn. Borwd —7C 152
Grantham M. Berk —1A 122
Grantham Rd. Lut —8C 46
Grant Rd. Harr —9G 162
Grants Clo. NW7 —7J 165
Granville Ct. St Alb —2G 126 (off Granville Rd.)
Granville Dene. Bov —9D 122
Granville Gdns. Hod —4L 115
Granville Pl. Pinn —9M 161
Granville Rd. Barn —6J 153
Granville Rd. Hit —1C 34
Granville Rd. Lut —9D 46
Granville Rd. N'chu —8J 103
Granville Rd. St Alb —2G 126
Granville Rd. Wat —6L 149
Graphic Clo. Dunst —2G 64
Grasmere. Stev —7B 36
Grasmere Av. Hpdn —5D 88
Grasmere Av. Lut —2D 46
Grasmere Clo. Dunst —1E 64
Grasmere Clo. Hem H —1D 124
Grasmere Clo. Wat —5K 137
Grasmere Gdns. Harr —9H 163
Grasmere Rd. Lut —2D 46
Grasmere Rd. St Alb —4J 127
Grasmere Rd. Ware —4J 95
Grasmere Wlk. H Reg —3F 44 (off Sycamore Rd.)
Grassingham End. Chal P —7B 158
Grassingham Rd. Chal P —7B 158
Grassington Clo. Brick W —3B 138
Grass Meadows. Stev —2C 52
Grass Pk. N3 —8M 165
Grass Warren. Tew —6D 92
Grassy Clo. Hem H —1K 123
Grasvenor Av. Barn —7N 153
Graveley. —6J 35
Graveley Av. Borwd —7C 152
Graveley Clo. Stev —8J 35 (off Coreys Mill La.)
Graveley Dell. Wel G —1A 112
Graveley La. Gt Wym —5F 34
Graveley Rd. Gt Wym —4E 34
Graveley Rd. Stev & G'ley —7H 35
Gravel Hill. N3 —9M 165
Gravel Hill. Chal P —6B 158
Gravel Hill. Hem H —2K 123
Gravelhill Ter. Hem H —3K 123
Gravel La. Hem H —3K 123
Gravelly La. Ware —2B 56
Gravel Path. Berk —1A 122
Gravel Path. Hem H —2K 123
Gravely Ct. Hem H —3E 124
Gravesend. —1L 57
Grayling Ct. Berk —8K 103
Graylings, The. Ab L —6F 136
Grays Clo. Bar C —8E 18
Grays Clo. R'ton —5C 8
Grays Ct. Bis S —9G 59
Graysfield. Wel G —3N 111
Gray's La. Hit —3L 33
Grazings, The. Hem H —9B 106
Great Amwell. —1K 115
Gt. Ashby Way. Stev —8L 35 (SG1)
Gt. Ashby Way. Stev —7A 36 (SG4)
Gt. Augur St. H'low —5F 118
Gt. Braitch La. Hat —4E 110
Great Brays. H'low —7C 118
Great Break. Wel G —1A 112
Gt. Cambridge Ind. Est. Enf —7F 156
Gt. Cambridge Rd. N18 & N9 —9C 156
Gt. Cambridge Rd. Chesh —7G 144
Great Chishill. —2H 17
Gt. Conduit. Wel G —8B 92
Great Cutts. —9C 68
Gt. Dell. Wel G —7K 91
Gt. Eastern Clo. Bis S —2J 79
Gt. Elms Rd. Hem H —6B 124
Great Fld. NW9 —8E 164
Greatfield Clo. Hpdn —3L 87
Great Gaddesden. —3G 105
Gt. Ganett. Wel G —2A 112
Great Gap. —1C 82
Great Grn. Pir —7E 20
Great Gro. Bush —6C 150
Gt. Groves. G Oak —1C 144
Great Hadham Golf Course. —4M 77
Gt. Hadham Rd. M Hud & Bis S —4A 78
Great Hallingbury. —4N 79
Greatham Rd. Bush —5M 149
Great Heart. Hem H —9A 106
Gt. Heath. Hat —6H 111
Great Hivings. —9E 120
Gt. Hivings. Che —9E 120
Great Hormead. —2D 40
Gt. Innings N. Wat S —5J 73
Gt. Innings S. Wat S —5J 73
Great Lawne. D'wth —6C 72
Great Ley. Wel G —2L 111
Great Leylands. H'low —7C 118
Great Mdw. Brox —4L 133
Great Molewood. Hert —6N 93
Great Munden. —4H 55
Gt. Northern Rd. Dunst —1F 64
Gt. North Rd. Barn —4M 153
Gt. North Rd. Hat —5H 111
Gt. North Rd. Hinx —9L 11
Gt. North Rd. Lwr C & Stot —8B 4
Gt. North Rd. New Bar —7N 153
Gt. North Rd. Stev —8J 35
Gt. North Rd. Wel G —7G 91 (in two parts)
Gt. North Way. NW4 —9H 165
Great Offley. —7D 32
Gt. Palmers. Hem H —6B 106
Great Pk. K Lan —3B 136
Great Parndon. —8L 117
Gt. Plumtree. H'low —4B 118
Great Rd. Hem H —1B 124
Great Seabrook. —1N 81
Great Slades. Pot B —6M 141
Gt. Stockwood Rd. Chesh —8B 132
Great Strand. NW9 —8F 164
Gt. Sturgess Rd. Hem H —2J 123
Gt. Whites Rd. Hem H —4B 124
Great Wymondley. —4E 34
Greenacre Clo. Barn —2M 153
Greenacres. N3 —9M 165
Greenacres. Bus H —2E 162
Greenacres. Hem H —3F 124
Greenacres. L Buz —3A 82
Green Acres. Lil —8M 31
Green Acres. Stev —8B 52
Green Acres. Wel G —3M 111
Greenacres Cvn. Site. Kens —8J 65
Greenacres Dri. Stan —6J 163
Greenall Clo. Chesh —3J 145
Green Av. NW7 —4D 164
Greenbank. Chesh —1F 144
Greenbank Rd. Wat —9F 136
Greenbanks. Mel —1J 9
Greenbanks. St Alb —4G 127
Greenbrook Av. Barn —3B 154
Greenbury Clo. Bar —3C 16
Greenbury Clo. Chor —6F 146
Green Bushes. Lut —3N 45
Green Clo. Brk P —8L 129
Green Clo. Chesh —4J 145
Green Clo. Lut —4M 45
Green Clo. Stev —7N 51
Greencoates. Hert —1C 114
Green Ct. Lut —4L 45
Greencourt Av. Edgw —8B 164
Greencroft. Edgw —5C 164
Green Cft. Hat —6G 111
Greencroft Gdns. Enf —5C 156
Greendale. NW7 —4E 164
Grn. Dell Way. Hem H —3E 124
Grn. Dragon La. N21 —8M 155
Green Drift. R'ton —7B 8
Green Edge. Wat —8J 137
Greene Fld. Rd. Berk —1N 121
Green End. —2B 56 (Braughing)
Green End. —8B 54 (Dane End)
Green End. —3K 123 (Hemel Hempstead)
Green End. —4B 26 (Sandon)
Green End. —9B 24 (Weston)
Green End. Welw —3H 91
Grn. End Gdns. Hem H —3K 123
Grn. End La. Hem H —2J 123
Grn. End Rd. Hem H —2K 123 (in two parts)
Grn. End St. Ast C —1C 100
Greenes Ct. Berk —9N 103
Greene Wlk. Berk —2A 122
Greenfield. R'ton —6B 8
Greenfield. Wel G —6K 91
Greenfield Av. Ickl —7L 21
Greenfield Av. Wat —2M 161
Greenfield Clo. Dunst —8B 44
Greenfield Cotts. Thro —1D 38
Greenfield End. Chal P —7C 158
Greenfield La. Ickl —7M 21
Greenfield Rd. Pull —1A 18 (in two parts)
Greenfield Rd. Stev —2L 51
Greenfields. Cuff —3K 143
Greenfields. Hat —6K 111
Greenfields. Shil —2N 19
Greenfields. Stans —2N 59
Greenfield St. Wal A —7N 145
Greenfield Way. Harr —9C 162
Greengage Ri. Mel —1J 9
Greengate. Lut —1M 45
Greenheys Clo. N'wd —8G 160
Greenhill Av. Lut —6F 46
Green Hill Clo. Brau —2C 56
Greenhill Ct. Hem H —3L 123
Greenhill Ct. New Bar —7A 154
Greenhill Cres. Wat —8F 148
Greenhill Pde. New Bar —7A 154
Greenhill Pk. Bis S —3F 78
Greenhill Pk. New Bar —7A 154
Greenhill Rd. Wat —8G 148
Greenhills. H'low —6A 118
Greenhills. Ware —4G 95
Greenhills Clo. Rick —7L 147
Green Ho. Ger X —4B 158
Greenland Rd. Barn —8J 153
Green La. A'wl —8N 5
Green La. Bov —3A 134
Green La. Brau —2C 56
Green La. Brox —5M 133
Green La. Cod —7C 70
Green La. Crox G —7B 148
Green La. D'wth & Wat S —4E 72
Green La. Dunst —8A 44
Green La. Dun & Hinx —4D 4
Green La. Eat B —1H 63
Green La. Edgw —4N 163
Green La. Flam —9B 86
Green La. Hpdn —8E 88
Green La. Hem H —3E 124
Green La. Hit —1B 34
Green La. I'hoe —2C 82
Green La. Kens —8H 65
Green La. Lut —5K 47
Green La. Mark —3B 86 (in two parts)
Green La. N'wd —6F 160
Green La. Rush —7M 25
Green La. St Alb —6H 127 (AL1)
Green La. St Alb —8D 108 (AL3)
Green La. Stan —4J 163
Green La. Thr B —7J 119
Green La. Wat —9L 149
Green La. Wel G —1C 112
Green La. Clo. Hpdn —7F 88
Green La. Cotts. Stan —4J 163
Green La. Ct. Hit —1B 34
Greenlane Ind. Est. Let —4J 23
Green Lanes. Lem & Hat —2F 110
Green Mdw. Pot B —3N 141
Green Moor Link. N21 —9N 155
Greenmoor Rd. Enf —4G 157
Greenoak Pl. Cockf —4E 154
Green Oaks. Lut —6H 47

Greenriggs—Halls Clo.

Greenriggs. Lut —7A 48
Green Rd. N14 —8G 154
Green Rd. Bis S —9F 42
Greenside. Borwd —2A 152
Greenside Dri. Hit —2L 33
Greenside Pk. Lut —6G 46
Greensleeves Clo. St Alb —3K 127
Greenstead. Saw —6G 99
Green Street. —8A 58
Green St. Chen & Chor —3F 146
Green St. Enf —4G 156
Green St. H'low —5E 118
Green St. Hat —2N 129
Green St. R'ton —5D 8
Green St. Shenl & Borwd —8A 140
Green St. Stev —2J 51
Greensward. Bush —8C 150
Green, The. E4 —9N 157
Green, The. N21 —9M 155
Green, The. Ald —1G 103
Green, The. Ard —7L 37
Green, The. Bis S —4H 79
Green, The. Cad —4A 66
Green, The. Ched —9M 61
Green, The. Chesh —1G 144
Green, The. Chris —1N 17
Green, The. Cod —7E 70
Green, The. Crox G —8B 148
Green, The. Edl —4K 63
Green, The. Hare —8M 159
Green, The. H Reg —5F 44
Green, The. Kim —7L 69
Green, The. Let H —3F 150
Green, The. Lon C —9L 127
Green, The. Lut —4M 45
Green, The. Mat T —3N 119
Green, The. Newn —5L 11
Green, The. Old K —3H 71
Green, The. P Grn —5D 68
Green, The. Pit —3B 82
Green, The. Pott E —8E 104
Green, The. R'ton —7D 8
Green, The. Sarr —8K 135
(in two parts)
Green, The. Stpl M —4D 6
Green, The. Stot —5F 10
Green, The. Wal A —7N 145
Green, The. Ware —4H 95
Green, The. Welw —2H 91
Green, The. Wel G —2N 111
Green, The. Widd —2M 43
Green, The. Wils G —7J 81
Green Tye. —7M 77
Green. Va. Wel G —1N 111
Green Verges. Stan —7L 163
Green Vw. Clo. Bov —2D 134
Green Wlk. R'ton —9D 8
Green Wlk., The. E4 —9N 157
Greenway. N20 —2N 165
Greenway. Berk —1K 121
Greenway. Bis S —2L 79
Greenway. Che —9F 120
Greenway. H'low —6H 117
Greenway. Hpdn —7E 88
Greenway. Hem H —2D 124
Greenway. Let —9G 22
Greenway. Pinn —9K 161
Greenway. Walk —1G 53
Greenway Clo. N20 —2N 165
Greenway Clo. NW9 —9D 164
Greenway Gdns. NW9 —9D 164
Greenway Gdns. Harr —9F 162
Greenway Pde. Che —9F 120
Greenways. Ab L —5G 136
Greenways. Bunt —2H 39
Greenways. Eat B —1H 63
Greenways. G Oak —2N 143
Greenways. Hert —9N 93
Greenways. Lut —4K 47
Greenways. Stev —3L 51
Greenways. Welw —4L 91
Greenway, The. NW9 —9D 164
Greenway, The. Enf —8H 145
Greenway, The. Pot B —6N 141
Greenway, The. Rick —9K 147
Greenway, The. Tring —1L 101
Green Way, The. W'stone —8F 162
Greenwich Ct. St Alb —3H 127
Greenwich Ct. Wal X —7J 145
Greenwich Way. Wal A —9N 145
Greenwood Av. Chesh —4F 144
Greenwood Av. Enf —4J 157
Greenwood Clo. Bus H —9F 150
Greenwood Clo. Chesh —4F 144
Greenwood Dri. Wat —7K 137
Greenwood Gdns. Shenl —6M 139
Greenwood Pk. Leisure Cen. —7C 126
Greenyard. Wal A —6N 145
Greer Rd. Harr —8D 162
Gregories Clo. Lut —8F 46
Gregory Av. Pot B —6B 142
Gregory M. Wal A —5M 145
Gregson Clo. Borwd —3C 152
Grenadier Clo. St Alb —3K 127
Grenadine Clo. Chesh —9D 132
Grenadine Way. Tring —1M 101
Grendon Lodge. Edgw —2C 164
Grenfell Clo. Borwd —3C 152
Grenfell Ct. NW7 —6H 165
Grenville Av. Brox —3K 133
Grenville Av. Wend —8A 100
Grenville Clo. N3 —8L 165
Grenville Clo. Wal X —5H 145
Grenville Pl. NW7 —5D 164
Grenville Way. Stev —8N 51
Gresford Clo. St Alb —2L 127
Gresham Clo. Enf —5A 156
Gresham Clo. Lut —9M 47
Gresham Ct. Berk —2M 121
Gresham Rd. Edgw —6N 163
Gresley Clo. Wel G —8L 91
Gresley Ct. Enf —8G 144
Gresley Ct. Pot B —3B 142
Gresley Lodge. R'ton —6C 8
Gresley Way. Ast —8B 52
(in two parts)
Gresley Way. Stev —9B 36
Greville Clo. N Mym —6J 129
Greville Lodge. Edgw —4B 164
(off Broadhurst Av.)
Greycaine Rd. Wat —1M 149
Greycaine Trad. Est. Wat —1M 149
Greydells Rd. Stev —2L 51
Greyfell Clo. Stan —5K 163
Greyfriars. Ware —4F 94
Greyfriars La. Hpdn —8B 88
Greygoose Pk. H'low —9K 117
Greyhound La. S Mim —6G 141
Grey Ho., The. Wat —4J 149
Greys Hollow. R Grn —2M 43
Greystoke Av. Pinn —9B 162
Greystoke Clo. Berk —2L 121
Greystoke Gdns. Enf —6J 155
Griffin Golf Course. —1M 65
Griffiths Way. St Alb —4D 126
Griffon Way. Leav —7H 137
Grimsdyke Cres. Barn —5J 153
Grim's Dyke Golf Course. —4B 162
Grimsdyke Lodge. St Alb —2H 127
Grimsdyke Rd. Pinn —7N 161
Grimsdyke Rd. Wig —5B 102
Grimstone Rd. L Wym —6E 34
Grimston Rd. St Alb —3G 126
Grimthorpe Clo. St Alb —8E 108
Grindcobbe. St Alb —5E 126
Grinders End. G'ley —6H 35
Grinstead La. L Hall —1L 99
Groom Ct. St Alb —1H 127
Groom Rd. Brox —8K 133
Groomsby Dri. I'hoe —2C 82
Grosvenor Av. K Lan —1E 136
Grosvenor Clo. Bis S —4F 78
Grosvenor Ct. N14 —9H 155
Grosvenor Ct. NW7 —5D 164
(off Hale La.)
Grosvenor Ct. Crox G —7F 148
Grosvenor Ct. Stev —2G 51
Grosvenor Gdns. N14 —7J 155
Grosvenor Ho. Bis S —9K 59
Grosvenor Rd. N3 —7M 165
Grosvenor Rd. N9 —9F 156
Grosvenor Rd. Bald —2M 23
Grosvenor Rd. Borwd —5A 152
Grosvenor Rd. Brox —2K 133
Grosvenor Rd. Lut —4D 46
Grosvenor Rd. N'wd —5H 161
Grosvenor Rd. St Alb —3F 126
Grosvenor Rd. Wat —6L 149
Grosvenor Rd. W. Bald —2M 23
Grosvenor Sq. K Lan —1E 136
Grosvenor Ter. Hem H —3K 123
Grotto, The. Ware —7H 95
Ground La. Hat —7H 111
Grove Av. N3 —7N 165
Grove Av. Hpdn —8E 88
Grove Bank. Wat —1M 161
Grovebury Clo. Dunst —2G 64
Grovebury Ct. N14 —9J 155
Grovebury Gdns. Park —9D 126
Grove Cvn. Site. Wood —5D 66
Grove Clo. N14 —9H 155
Grove Ct. Arl —5A 10
Grove Ct. Wal A —6M 145
Grove Cres. Crox G —6C 148
Grovedale Clo. Chesh —3D 144
Grove End. Chal P —8A 158
Grove End. Lut —3D 66
Grove Farm Pk. N'wd —5F 160
Grove Gdns. Enf —2H 157
Grove Gdns. Tring —1N 101
Grove Grn. N'wd —5F 160
Grove Hall Rd. Bush —6N 149
Grovehill. —7B 106
Grove Hill. Chal P —7A 158
Grove Hill. Stans —2N 59
Grove Ho. Bush —8A 150
Grove Ho. Chesh —3F 144
Grove Ho. Hit —9A 22
Grovelands. Hem H —9E 106
Grovelands. Park —9C 126
Grovelands Av. Hit —9B 22
Grovelands Bus. Cen. Hem H —9E 106
Grovelands Ct. N14 —9J 155
Grovelands Pk. —9L 155
Groveland Way. Stot —7G 10
Grove La. Chal P —8A 158
Grove La. Che —9L 121
Grove Lea. Hat —3G 128
Grovells, The. L Gad —8C 84
Grove Mead. Hat —9F 110
Grove Mdw. Wel G —9B 92
Grove Mill La. Wat —1D 148
Grove Pk. Tring —1A 102
Grove Pk. Rd. Wood —5D 66
Grove Path. Chesh —4E 144
Grove Pl. Bis S —1H 79
Grove Pl. Kens —7H 65
Grove Pl. N Mym —6J 129
Grover Clo. Hem H —9N 105
Grove Rd. Borwd —3A 152
Grove Rd. Cockf —5D 154
Grove Rd. Dunst —1G 64
Grove Rd. Edgw —6A 164
Grove Rd. Hpdn —8D 88
Grove Rd. Hem H —4K 123
Grove Rd. Hit —2N 33
Grove Rd. H Reg —2F 44
Grove Rd. Lut —1F 66
Grove Rd. Mil E —2K 159
Grove Rd. N'wd —5F 160
Grove Rd. St Alb —3E 126
Grove Rd. S End —6D 66
Grove Rd. Stev —2J 51
Grove Rd. Tring —9N 81
Grove Rd. Ware —5K 95
Grove Rd. W. Enf —1G 157
Grover Rd. Wat —9M 149
Groves Rd. Hal —7D 100
Grove, The. N3 —8N 165
Grove, The. N14 —7H 155
Grove, The. Brk P —8N 129
Grove, The. Crox G —6C 148
(off Dugdales)
Grove, The. Edgw —4B 164
Grove, The. Enf —4M 155
Grove, The. Lat —9A 134
Grove, The. L Had —1A 78
Grove, The. Lut —3D 66
Grove, The. Pot B —5B 142
Grove, The. Rad —7H 139
Grove, The. Stan —2H 163
Grove, The. Tring —1A 102
Grove Wlk. Hert —7A 94
Grove Way. Chor —7E 146
Grovewood Clo. Chor —7E 146
Grubbs La. Hat —4N 129
Gruneisen Rd. N3 —7N 165
Gryphon Ind. Pk., The. Port W —7G 108
Guardian Ind. Est. Lut —9E 46
Gubblecote. —5J 81
Guernsey Clo. Lut —6J 45
Guernsey Ho. Enf —2H 157
(off Eastfield Rd.)
Guessens Ct. Wel G —9J 91
Guessens Gro. Wel G —9J 91
Guessens Wlk. Wel G —8J 91
Guilden Morden. —1A 6
Guildford Clo. Stev —8M 35
Guildford Rd. St Alb —3J 127
Guildford St. Lut —9G 46
Guildown Av. N12 —4N 165
Guilfords. H'low —1F 118
Guilfoyle. NW9 —9F 164
Guinery Gro. Hem H —6B 124
Guinevere Gdns. Wal X —4J 145
Guinness Ho. Wel G —8B 92
Gulland Clo. Bush —7D 150
Gullbrook. Hem H —2K 123
Gullet Wood Rd. Wat —8J 137
Gulphs, The. Hert —9B 94
Gun La. Kneb —3M 71
Gun Mdw. Av. Kneb —4N 71
Gunnels Wood Pk. Stev —6K 51
Gunnels Wood Rd. Stev —2H 51
Gunner Dri. Enf —1L 157
Gun Rd. Kneb —4N 71
Gun Rd. Gdns. Kneb —4M 71
Gunter Gro. Edgw —8D 164
Gurney Ct. Eat B —2K 63
Gurney Ct. Rd. St Alb —9G 109
Gurney's La. Hol —4J 21
Gustard Wood. —2K 89
Gweneth Cotts. Edgw —6A 164
Gwent Clo. Wat —7M 137
Gwynfa Clo. Welw —9K 71
Gwynne Clo. Tring —1M 101
Gwynn's Wlk. Hert —1C 114
Gyfford Wlk. Chesh —4F 144
Gyhll Gdns. N'chu —7H 103
(off Meadowcroft)
Gyles Pk. Stan —8K 163
Gypsy Clo. Gt Amw —2K 115
Gypsy La. Gt Amw —2K 115
Gypsy La. K Lan —8F 136
Gypsy La. Wel G & Hat —4M 111

Hackforth Clo. Barn —7H 153
Hackney Clo. Borwd —7D 152
Hadar Clo. N20 —1N 165
Haddenham Ct. Wat —3M 161
Haddestoke Ga. Chesh —8K 133
Haddington Clo. Hal C —9C 100
Haddon Clo. Borwd —4A 152
Haddon Clo. Enf —8E 156
Haddon Clo. Hem H —3C 124
Haddon Clo. Stev —1B 72
Haddon Ct. Hpdn —6C 88
Haddon Rd. Chor —7F 146
Haddon Rd. Lut —9H 47
Hadham Ct. Bis S —9F 58
Hadham Cross. —6J 77
Hadham Ford. —9L 57
Hadham Gro. Bis S —9E 58
Hadham Pk. Cotts. Ware —9B 58
Hadham Rd. Bis S —8C 58
Hadham Rd. Stdn —8C 56
Hadland Clo. Bov —8D 122
Hadleigh. Let —7H 23
Hadleigh Ct. Brox —4K 133
Hadleigh Ct. Hpdn —8F 88
Hadleigh Rd. N9 —9F 156
Hadley. —5M 153
Hadley Clo. N21 —8M 155
Hadley Clo. Els —8N 151
Hadley Comn. Barn —4N 153
Hadley Ct. Lut —8F 46
(off Malzeard Rd.)
Hadley Ct. New Bar —5A 154
Hadley Grange. H'low —6E 118
Hadley Grn. Rd. Barn —4M 153
Hadley Grn. W. Barn —4M 153
Hadley Gro. Barn —4L 153
Hadley Highstone. Barn —3M 153
Hadley Mnr. Trad. Est. Barn —5M 153
Hadley M. Barn —5M 153
Hadley Pde. Barn —5L 153
(off High St.)
Hadley Ridge. Barn —5M 153
Hadley Rd. Barn —4A 154
Hadley Rd. Barn & Enf —2F 154
Hadley Way. N21 —8M 155
Hadley Wood. —2B 154
Hadley Wood Golf Course. —3C 154
Hadley Wood Rd. Barn —4B 154
Hadlow Down Clo. Lut —4C 46
Hadrian Av. Dunst —7H 45
Hadrian Clo. St Alb —4A 126
Hadrians Ride. Enf —7D 156
Hadrians Wlk. Stev —1B 52
Hadrian Way. Let —4K 23
Hadwell Clo. Stev —6N 51
Hagdell Rd. Lut —3E 66
Hagden La. Wat —6H 149
Haggerston Rd. Borwd —2M 151
Haglis Dri. Wend —8A 100
Hagsdell La. Hert —1B 114
Hagsdell Rd. Hert —1B 114
Haig Clo. St Alb —3J 127
Haig Ho. St Alb —3J 127
Haig Rd. Stan —5K 163
Hailey. —4L 115
Hailey Av. Hod —4L 115
Haileybury Av. Enf —8D 156
Haileybury College. —4H 115
Hailey Clo. Hail —4J 115
Hailey La. Hail —5H 115
Hailmores. Brox —1L 133
Hailsham Dri. Harr —9E 162
Haines Way. Wat —7J 137
Halcyon. Enf —7C 156
(off Private Rd.)
Haldane Clo. Enf —2M 157
Haldens. —6M 91
Haldens Houses. Wel G —6M 91
Hale Clo. Edgw —5C 164
Hale Ct. Edgw —5C 164
Hale Ct. Hert —1B 114
(off Hale Rd.)
Hale Dri. NW7 —6C 164
Hale Gro. Gdns. NW7 —5E 164
Hale La. NW7 —5D 164
Hale La. Edgw —5B 164
Hale Rd. Hert —1B 114
Hale Rd. Wend —9B 100
Hales Mdw. Hpdn —5B 88
Hales Pk. Hem H —1E 124
Hales Pk. Clo. Hem H —1E 124
Haleswood Rd. Hem H —1D 124
Hale, The. —5C 164
Half Acre. Hit —4L 33
Half Acre. Stan —6K 163
Half Acre Hill. Chal P —8C 158
Half Acre La. Gt Hor —1D 40
Half Acres. Bis S —9H 59
Halfhide La. Chesh —9H 133
Halfhides. Wal A —6N 145
Half Moon La. Dunst —1G 64
Half Moon La. Mark & Pep —1B 86
Half Moon La. Pep —8E 66
Half Moon Mdw. Hem H —6E 106
Half Moon M. St Alb —2E 126
Half Moon Pl. Dunst —1G 64
Halford Clo. Edgw —9B 164
Halfway Av. Lut —8N 45
Halifax. NW9 —9F 164
Halifax Clo. Leav —7H 137
Halifax Ho. L Chal —3A 146
Halifax Rd. Enf —4A 156
Halifax Rd. Herons —9F 146
Halifax Way. Wel G —9D 92
Hallam Clo. Wat —4L 149
Hallam Gdns. Pinn —7N 161
Halland Way. N'wd —6F 160
Hall Barns, The. Fur P —6J 41
Hall Clo. Mil E —1K 159
Hall Ct. A'wl —1B 12
Hall Dri. Hare —8M 159
Halley Rd. Wal A —9M 145
Halleys Ridge. Hert —1M 113
Halley's Way. H Reg —5G 44
Hall Farm Clo. Stan —4J 163
Hall Gdns. Col H —5D 128
Hall Grn. L Hall —2M 99
Hall Grove. —2A 112
Hall Gro. Wel G —2A 112
Hall Heath Clo. St Alb —9J 109
Halliday Clo. Shenl —5M 139
Hallingbury Clo. L Hall —7K 79
Hallingbury Rd. Bis S —2J 79
Hallingbury Rd. Saw —3J 99
Halling Hill. H'low —4B 118
(in two parts)
Hall La. NW4 —8G 165
Hall La. Gt Chi —2H 17
Hall La. Gt Hor —1D 40
Hall La. Kim —8K 69
Hall La. Wool G —6N 71
Hall Mead. Let —5C 22
Hallowell Rd. N'wd —7G 161
Hallowes Cres. Wat —3J 161
Hall Pk. Berk —2B 122
Hall Pk. Ga. Berk —3B 122
Hall Pk. Hill. Berk —3B 122
Hall Pl. Clo. St Alb —1F 126
Hall Pl. Gdns. St Alb —1F 126
Hall Rd. Hem I —9D 106
Halls Clo. Welw —3J 91

alls Green. —9F 116
(Roydon)
ll's Green. —4D 36
(Weston)
allside. Dun —1E 4
allside Rd. Enf —2D 156
allwicks Rd. Lut —6K 47
allworth Dri. Stot —6E 10
alsbury Clo. Stan —4J 163
alsbury Ct. Stan —5J 163
alsey Dri. Hem H —9J 105
alsey Dri. Hit —3B 34
alsey Pl. Lon C —1N 139
alsey Pl. Wat —2K 149
alsey Rd. Wat —5K 149
alstead Gdns. N21 —9B 156
alstead Hill. G Oak —2C 144
alstead Rd. N21 —9B 156
alstead Rd. Enf —6C 156
alter Clo. Borwd —7D 152
alton. —7C 100
alton Ct. Park —1D 138
alton La. Wend —7A 100
alton Wood Rd. Hal C —9D 100
altside. Hat —1E 128
alyard Clo. Lut —3D 46
amberlins La. N'chu —8F 102
amble Ct. Wat —6J 149
ambledon Pl. Rad —8G 139
ambling Pl. Dunst —9C 44
amblings Clo. Shenl —6L 139
ambridge Way. Pir —7E 20
(in two parts)
ambro Clo. E Hyde —9A 68
amburgh Ct. Chesh —1H 145
amels Dri. Hert —8F 94
amels La. W'mll —1K 55
amels Pk. —4L 55
amer Clo. Bov —1D 134
amer Ct. Lut —1F 46
amilton Av. N9 —9E 156
amilton Av. Hod —6L 115
amilton Clo. Brick W —4B 138
amilton Clo. Cockf —6D 154
amilton Clo. Dagn —2N 83
amilton Clo. S Mim —6G 140
amilton Clo. Stan —2F 162
amilton Ct. Hat —2H 129
amilton Mead. Bov —9D 122
amilton Rd. N9 —9E 156
amilton Rd. Berk —1M 121
amilton Rd. Cockf —6D 154
amilton Rd. K Lan —6E 136
amilton Rd. St Alb —1H 127
amilton Rd. Wat —3K 161
amilton St. Wat —7L 149
amilton Way. N3 —6N 165
amlet Clo. Brick W —3A 138
amlet Ct. Enf —7C 156
amlet Hill. Roy —9D 116
amlet, The. Pott E —7D 104
amlyn Clo. Edgw —3M 163
ammarskjold Rd. H'low —4N 117
ammerdell. Let —4D 22
ammerfield. —2L 123
ammer La. Hem H —1B 124
ammers Ga. St Alb —8B 126
ammers La. NW7 —5G 164
ammersmith Clo. H Reg —4F 44
ammersmith Gdns. H Reg
—3F 44
ammond Clo. Barn —7L 153
ammond Clo. Chesh —8C 132
ammond Clo. Stev —3K 51
ammond Ct. S End —7E 66
ammond Rd. Enf —4F 156
ammonds End La. Hpdn
—1N 107
ammond's La. Sandr & Hat
—3L 109
ammond Street. —8C 132
ammondstreet Rd. Chesh
—7N 131
ammondswick. Hpdn —2A 108
amonde Clo. Edgw —2B 164
amonte. Let —7J 45
ampden. Kim —7K 69
ampden Clo. Let —3H 23
ampden Cres. Chesh —4F 144
ampden Hill. Ware —5K 95
ampden Hill Clo. Ware —5K 95
ampden Pl. Frog —2F 138
ampden Ri. R'ton —9D 8

Hampden Rd. Chal P —8A 158
Hampden Rd. Harr —8D 162
Hampden Rd. Hit —1C 34
Hampden Rd. Let —3H 23
Hampden Rd. Wend —9B 100
Hampden Way. Wat —9G 136
Hampermill La. Wat —2H 161
Hampshire Ho. Ger X —5B 158
Hampshire Way. Lut —9A 30
Hampson Pk. —1M 51
Hampton Clo. Stev —1B 72
Hampton Gdns. Saw —8D 98
Hampton Rd. Lut —8D 46
Hamstel Rd. H'low —5L 117
Hamsworth Ct. Hert —8L 93
Hanaper Dri. Bar —2C 16
Hanbury Clo. Chesh —2J 145
Hanbury Clo. Ware —6J 95
Hanbury Cotts. Ess —8D 112
Hanbury Dri. N21 —7L 155
Hanbury Dri. Thun —2G 94
Hanbury La. Ess —8D 112
Hanbury Manor Golf Course.
—2G 94
Hanbury M. Thun —2G 94
Hancock Ct. Borwd —3C 152
Hancock Dri. Lut —3G 46
Handa Clo. Hem H —5D 124
Handcross Rd. Lut —6M 47
Handel Clo. Edgw —6N 163
Handel Pde. Edgw —7A 164
(off Whitchurch La.)
Handel Way. Edgw —7A 164
Hand La. Saw —6E 98
Handley Ga. Brick W —2A 138
Handpost Hill. N'thaw —1G 143
Handside. —9J 91
Handside Clo. Wel G —9J 91
Handside Grn. Wel G —8J 91
Handside La. Wel G —9J 91
Handsworth Clo. Wat —3J 161
Hangar Ruding. Wat —3A 162
Hanger Clo. Hem H —3L 123
Hanghill. —6J 101
Hangmans La. Welw —8M 71
Hankins La. NW7 —2E 164
Hanover Clo. Stev —8M 51
Hanover Ct. Hod —8L 115
Hanover Ct. Lut —4N 45
Hanover Ct. Wal A —6N 145
(off Quakers La.)
Hanover Gdns. Ab L —3H 137
Hanover Grn. Hem H —4K 123
Hanover Ho. Wel G —2M 111
Hanover Pl. Bar C —7E 18
Hanover Wlk. Hat —3F 128
Hansart Way. Enf —3M 155
Hanscombe End. —3M 19
Hanscombe End Rd. Shil —3M 19
Hanselin Clo. Stan —5G 163
Hansells Mead. Roy —6E 116
Hansen Dri. N21 —7L 155
Hanshaw Dri. Edgw —8D 164
Hanswick Clo. Lut —7K 47
Hanworth Clo. Lut —2F 46
Hanyards End. Cuff —1K 143
Hanyards La. Cuff —1J 143
Happy Valley Ind. Est. K Lan
—1D 136
Harbert Gdns. Park —2C 138
Harberts Rd. H'low —6L 117
Harborne Clo. Wat —5L 161
Harbury Dell. Lut —2D 46
Harcourt Av. Edgw —3C 164
Harcourt Rd. Bush —7C 150
Harcourt Rd. Tring —2A 102
Harcourt St. Lut —3G 66
Harding Clo. Lut —2A 46
Harding Clo. Redb —1K 107
Harding Clo. Wat —6L 137
Harding Pde. Hpdn —6C 88
(off Station Rd.)
Hardings. Wel G —8B 92
Hardingstone Ct. Wal X —7K 145
Hardwick Clo. Stan —5K 163
Hardwick Clo. Stev —1B 72
Hardwicke Pl. Lon C —9L 127
Hardwick Grn. Lut —2C 46
Hardy Clo. Barn —8L 153
Hardy Clo. Hit —3C 34
Hardy Dri. R'ton —5D 8
Hardy Rd. Hem H —1B 124
Hardy Way. Enf —3M 155
Harebell. Wel G —3L 111

Harebell Clo. Hert —9F 94
Harebreaks, The. Wat —1J 149
Hare Cres. Wat —5J 137
Harefield. —8M 159
Harefield. H'low —5C 118
Harefield. Stev —6B 52
Harefield Clo. Enf —3M 155
Harefield Grn. NW7 —6J 165
Harefield Pl. St Alb —8L 109
Harefield Rd. Lut —9B 46
Harefield Rd. Rick —2N 159
Harefield Rd. Ind. Est. Rick
—4A 160
Hare La. Hat —2H 129
Harepark Clo. Hem H —1J 123
Harepark Ter. Up Ston —1F 20
Haresfoot Park. —4M 121
Hare Street. —2A 40
(Buntingford)
Hare Street. —4L 37
(Cottered)
Hare Street. —6L 117
(Harlow)
Hare St. H'low —6L 117
Hare St. Rd. Bunt —3K 39
Hare St. Springs. H'low —6M 117
Harewood. Rick —6L 147
(in two parts)
Harewood Rd. Chal G —5A 146
Harewood Rd. Wat —3K 161
Harford Clo. E4 —9M 157
Harford Dri. Wat —2G 149
Harforde Rd. Hert —9E 94
Harford Rd. E4 —9M 157
Hargrave Ho. Stans —1N 59
Hargreaves Av. Chesh —4F 144
Hargreaves Clo. Chesh —4F 144
Hargreaves Rd. R'ton —8D 8
Harkett Clo. Harr —9G 162
Harkett Ct. W'stone —9G 162
Harkness. Chesh —2F 144
Harkness Ct. Hit —1B 34
(off Franklin Gdns.)
Harkness Ind. Est. Borwd —7A 152
Harkness Way. Hit —9C 22
Harlech Rd. Ab L —4J 137
Harlequin, The. Wat —6L 149
Harlesden Rd. St Alb —2H 127
Harlestone Clo. Lut —9C 30
Harley Ct. NW7 —5F 164
Harley Ho. Borwd —4B 152
(off Brook Clo.)
Harling Rd. Enf —4L 63
Harlings, The. Hert H —4G 115
Harlington Rd. S'hoe —8A 18
Harlow. —5N 117
Harlow Bus. Pk. H'low —6H 117
Harlow Common. —9F 118
Harlow Comn. H'low —9E 118
Harlow Ct. Hem H —7C 106
Harlow Greyhound Stadium.
—5H 117
Harlow Mus. —7M 117
Harlow Outdoor Pursuits Cen.
—3M 117
Harlow Pk. —9F 118
Harlow Pool & Fitness Cen.
—4A 118
Harlow Rd. Mat T —3L 119
Harlow Rd. Roy —6F 116
Harlow Rd. Saw —8E 98
Harlow Rd. Srng —8K 99
Harlow Seedbed Cen. H'low
(off Lovet Rd.) —7K 117
Harlow Sports Cen. —4M 117
Harlow Study & Vis. Cen.
—7B 118
Harlow Tye. —3K 119
Harlyn Dri. Pinn —9K 161
Harman Rd. Enf —7D 156
Harmer Dell. Welw —3M 91
Harmer Green. —2N 91
Harmer Grn. La. Welw —4M 91
Harmony Clo. Hat —7G 110
Harmsworth Way. N20 —1M 165
Harness Way. St Alb —8L 109
Harold Clo. H'low —7J 117
Harold Cres. Wal A —5N 145
Harold Rd. Bar C —9B 18
Harolds Rd. H'low —7J 117
Harpenden. —6B 88
Harpenden. —7J 87
Harpenden Common. —8C 88
Harpenden Common Golf
Course. —1C 108

Harpenden Golf Course. —1N 107
Harpenden La. Redb —9K 87
Harpenden Ri. Hpdn —4N 87
Harpenden Rd. Childw —2C 108
Harpenden Rd. Wheat —7H 89
Harpenden Rugby Club. —9N 87
Harper Clo. N14 —7H 155
Harper Ct. Stev —4M 51
Harper La. Rad & Shenl —5G 139
Harpsfield B'way. Hat —8F 110
Harps Hill. Mark —2A 86
Harptree Way. St Alb —9H 109
Harrier Rd. NW9 —9E 164
Harriet Walker Way. Rick —9J 147
Harriet Way. Bush —9E 150
Harrington Clo. Bis S —1J 79
Harrington Ct. Hert H —3G 115
Harrington Heights. H Reg —4D 44
Harris Clo. Enf —3N 155
Harris Ct. Bar C —7D 18
Harris La. Lut —5J 47
Harris La. Offl —8E 32
Harris La. Shenl —7A 140
Harrison Clo. N'wd —6E 160
Harrison Clo. Hit —3N 33
Harrisons. Bchgr —7M 59
Harrison Wlk. Chesh —3H 145
Harris Rd. Wat —8J 137
Harris's La. Ware —5G 94
Harrogate Rd. Wat —3L 161
Harrow Av. Enf —8D 156
Harrowbond Rd. H'low —5E 118
Harrow Ct. Stev —4L 51
Harrowden. Stev —5B 52
Harrowden Rd. Lut —9K 47
Harrow Dri. N9 —9D 156
Harrowes Meade. Edgw —3A 164
Harrow Rd. NW7 —9D 162
Harrow Vw. Harr —9D 162
Harrow Way. Wat —3N 161
Harrow Weald. —8F 162
Harrow Weald Pk. Harr —6E 162
Harrow Yd. Tring —3M 101
Harry Scott Ct. Lut —3M 45
Harston Dri. Enf —2L 157
Hartfield Av. Els —6A 152
Hartfield Clo. Els —7A 152
Hartfield Ct. Ware —5H 95
Hartford Av. Harr —9J 163
Hartforde Rd. Borwd —4A 152
Harthall La. K Lan —1D 136
Hartham. —8B 94
Hartham La. Hert —9A 94
Hart Hill. —9H 47
Hart Hill Dri. Lut —9H 47
Hart Hill La. Lut —9H 47
Hart Hill Path. Lut —9H 47
Hartland Clo. N21 —8A 156
Hartland Clo. Edgw —2A 164
Hartland Ct. Hit —3L 33
Hartland Dri. Edgw —2A 164
Hartland Rd. Chesh —3H 145
Hart La. Lut —8J 47
Hartley Av. NW7 —5F 164
Hartley Clo. NW7 —5F 164
Hartley Rd. Lut —9H 47
Hart Lodge. High Bar —5L 153
Hartmoor M. Enf —1H 157
Hartop Ct. Lut —9M 47
Hart Rd. H'low —1E 118
Hart Rd. St Alb —3E 126
Hartsbourne Av. Bus H —2D 162
Hartsbourne Clo. Bus H —2E 162
Hartsbourne Country Club Golf
Courses. —2B 162
Hartsbourne Pk. Bush —2F 162
Hartsbourne Rd. Bus H —2E 162
Hartsbourne Way. Hem H —3E 124
Harts Clo. Bush —4B 150
Hartsfield Rd. Lut —7K 47
Hartspring Ind. Est. Wat —4B 150
Hartspring La. Bush & Wat
—4B 150
Hartsway. Enf —6G 156
Hart Wlk. Lut —8J 47
Hartwell Gdns. Hpdn —6N 87
Hartwood. Lut —9H 47
(off Hart Hill Dri.)
Hartwood Grn. Bush —2E 162
Harvest Clo. Lut —6K 45
Harvest Ct. St Alb —7L 109
Harvest Ct. Welw —9L 71
Harvest End. Wat —9M 137
Harvesters. St Alb —7K 109
(off Harvest Ct.)

Harvest La. Stev —2C 52
Harvest Mead. Hat —8H 111
Harvest Rd. Bush —6C 150
Harvey Cen. App. H'low —6N 117
Harvey Cen. (Shop. Cen.) H'low
—6M 117
Harveyfields. Wal A —7N 145
Harvey Rd. Crox G —8C 148
Harvey Rd. Dunst —1A 64
Harvey Rd. Lon C —8K 127
Harvey Rd. Stev —3A 52
Harveys Cotts. Ware —9B 58
Harvey's Hill. Lut —4H 47
Harvingwell Pl. Hem H —9D 106
Harwood Clo. Tew —5D 92
Harwood Clo. Wel G —5L 91
Harwood Hill. Wel G —5L 91
Harwood Pk. Crematorium. Kneb
—1B 72
Harwoods Rd. Wat —6J 149
Harwoods Yd. N21 —9M 155
Hasedines Rd. Hem H —1K 123
Haseldine Meadows. Hat —1F 128
Haseldine Rd. Lon C —8L 127
Haselfoot. Let —5E 22
Haselwood Dri. Enf —6N 155
Haskelon Dri. Lut —3L 45
Haslemere. Bis S —4J 79
Haslemere Bus. Cen. Enf —6F 156
Haslemere Est., The. Hod —8A 116
Haslemere Ind. Est. Bis S —4J 79
Haslemere Ind. Est. Wel G —8M 91
Haslemere Pinnacles Est., The.
H'low —7K 117
Haslewood Av. Hod —8L 115
Haslingden Clo. Hpdn —4M 87
Hasluck Gdns. New Bar —8A 154
Haste Hill Golf Course. —9G 161
Hastings Clo. Barn —6B 154
Hastings Clo. Stev —1G 50
Hastings Rd. Bar C —8E 18
Hastings St. Lut —2F 66
Hastings Way. Bush —6N 149
Hastings Way. Crox G —6E 148
Hastingwood. —9H 119
Hastingwood Rd. H'wd —9H 119
Hastoe. —7L 101
Hastoe Hill. Tring —6L 101
Hastoe La. Tring —4M 101
Hastoe Row. Tring —7M 101
Hatch End. —7A 162
Hatch Grn. L Hall —8K 79
Hatching Grn. Clo. Hpdn —9B 88
Hatch La. W'ton —6M 23
Hatch, The. Enf —3H 157
Hatfield. —8H 111
Hatfield Aerodrome. —8E 110
Hatfield Av. Hat —5D 110
Hatfield Bus. Pk. Hat —6D 110
Hatfield Cres. Hem H —7B 106
Hatfield Garden Village. —6E 110
Hatfield Heath Rd. Saw —4J 99
Hatfield House. —9K 111
Hatfield Hyde. —3M 111
Hatfield Leisure Cen. —2H 129
Hatfield London Country Club.
—9E 112
Hatfield Pk. —9L 111
Hatfield Rd. Ess —5D 112
Hatfield Rd. Pot B —3B 142
Hatfield Rd. St Alb & Smal
—2F 126
Hatfield Rd. Wat —3K 149
Hatfield Swimming Pool.
—8G 110
Hathaway Clo. Lut —1K 45
Hathaway Clo. Stan —5H 163
Hathaway Ct. St Alb —2M 127
Hatherleigh Gdns. Pot B —5C 142
Hatters La. Wat —8M 149
Hatters Way. Lut —8L 45
Hatton Rd. Chesh —2H 145
Haultwick. —6D 54
Havelock Ri. Lut —8G 47
Havelock Rd. Harr —9F 162
Havelock Rd. K Lan —1B 136
Havelock Rd. Lut —8G 46
Haven Clo. Hat —8F 110
Havenhurst Ri. Enf —4M 155
Haven Lodge. Enf —8C 156
(off Village Rd.)
Havensfield. Chfd —4L 135
Haven, The. N14 —8G 155
Haven, The. Flam —7D 86

Havercroft Clo. *St Alb* —4C **126**
Haverdale. *Lut* —5M **45**
Haverford Way. *Edgw* —8N **163**
Havers La. *Bis S* —3H **79**
Havers Pde. *Bis S* —3H **79**
(off Thorley Hill)
Hawbush Clo. *Welw* —3H **91**
Hawbush Ri. *Welw* —2G **91**
Hawes Clo. *N'wd* —7H **161**
Hawes La. *E4* —2N **157**
Haweswater Dri. *Wat* —6L **137**
Hawfield Gdns. *Park* —8E **126**
Hawkdene. *E4* —8M **157**
Hawkenbury. *H'low* —8L **117**
Hawkesworth Clo. *N'wd* —7G **160**
Hawkfield. *Let* —3E **22**
Hawkfields. *Lut* —3G **47**
Hawkins Clo. *NW7* —5D **164**
Hawkins Clo. *Borwd* —4C **152**
Hawkins Hall La. *D'wth* —6D **72**
Hawkins Way. *Bov* —9D **122**
Hawkshead La. *N Mym* —1J **141**
Hawkshead Rd. *Pot B* —1M **141**
Hawkshill. *St Alb* —3H **127**
Hawkshill Dri. *Fel* —5J **123**
Hawksmead Clo. *Enf* —9H **145**
Hawksmoor. *Shenl* —6A **140**
Hawksmouth. *E4* —9N **157**
Hawkwell Dri. *Tring* —2A **102**
Hawkwood Cres. *E4* —8M **157**
Hawridge. —4D **120**
Hawridge La. *Bell* —5C **120**
Hawridge Va. *Hawr* —4D **120**
Hawsley Rd. *Hpdn* —2B **108**
Hawter. *NW9* —8F **164**
Hawthorn Av. *Lut* —5K **47**
Hawthorn Clo. *Ab L* —5J **137**
Hawthorn Clo. *Dunst* —1F **64**
Hawthorn Clo. *Hpdn* —8E **88**
Hawthorn Clo. *Hert* —8M **93**
Hawthorn Clo. *Hit* —4L **33**
Hawthorn Clo. *R'ton* —6F **8**
Hawthorn Clo. *Wat* —2H **149**
Hawthorn Ct. *Pinn* —9L **161**
(off Rickmansworth Rd.)
Hawthorn Cres. *Cad* —5A **66**
Hawthorne Av. *Chesh* —4F **144**
Hawthorne Clo. *Chesh* —4F **144**
Hawthorne Ct. *N'wd* —9J **161**
Hawthorne Rd. *Rad* —7H **139**
Hawthornes. *Hat* —2F **128**
Hawthorn Gro. *Barn* —8F **152**
Hawthorn Gro. *Enf* —2B **156**
Hawthorn Hill. *Let* —4E **22**
Hawthorn La. *Hem H* —1J **123**
Hawthorn M. *NW7* —8L **165**
Hawthorn Ri. *Thor* —5H **79**
Hawthorn Rd. *Hod* —6M **115**
Hawthorns. *Wel G* —7K **91**
Hawthorns, The. *Berk* —9L **103**
Hawthorns, The. *Chal G* —4A **146**
Hawthorns, The. *Hem H* —6J **123**
Hawthorns, The. *Rick* —5G **158**
Hawthorns, The. *Stev* —5N **51**
Hawthorns, The. *Ware* —4F **94**
Hawthorn Way. *L Ston* —1F **20**
Hawthorn Way. *R'ton* —6F **8**
Hawthorn Way. *St Alb* —6B **126**
Hawtrees. *Rad* —8G **138**
Haybourn Mead. *Hem H* —3L **123**
Hay Clo. *Borwd* —4C **152**
Haycroft. *Bis S* —1L **79**
Haycroft. *Lut* —3G **46**
Haycroft Rd. *Stev* —2K **51**
Hayden Rd. *Wal A* —8N **145**
Haydens La. *H'low* —6M **117**
Haydock Rd. *R'ton* —7F **8**
Haydon Clo. *Enf* —8C **156**
Haydon Rd. *Wat* —8N **149**
Hayes. *K Lan* —2C **136**
Hayes Clo. *Lut* —4K **47**
Hayes Wlk. *Brox* —7K **133**
Hayes Wlk. *Pot B* —6A **142**
Hayfield. *Stev* —2C **52**
Hayfield Clo. *Bush* —6C **150**
Haygarth. *Kneb* —4N **71**
Hay Green. —6E **14**
Hayhurst Rd. *Lut* —7L **45**
Hay La. *Hpdn* —6B **88**
Hayley Bell Gdns. *Bis S* —5H **79**
Hayley Comn. *Stev* —6B **52**
Hayley Ct. *H Reg* —3F **44**
Hayling Dri. *Lut* —6M **47**
Hayling Rd. *Wat* —3J **161**
Hayllar Ct. *Hod* —8L **115**

Haymarket Rd. *Lut* —5H **45**
Haymeads. *Wel G* —6L **91**
Haymeads La. *Bis S* —1L **79**
Haymoor. *Let* —4E **22**
Haynes Clo. *Wel G* —1N **111**
Haynes Mead. *Berk* —8L **103**
Haysman Clo. *Let* —4H **23**
Hay Street. —9B **40**
Hay St. *Stpl M* —3C **6**
Hayton Clo. *Lut* —8D **30**
Hayward Rd. *Hod* —6N **115**
Haywood Clo. *Pinn* —9M **161**
Haywood Dri. *Hem H* —5J **123**
Haywood La. *Ther* —6E **14**
Haywood Pk. *Chor* —7J **147**
Haywoods La. *R'ton* —6E **8**
Hayworth Clo. *Enf* —4N **155**
Hazelbury Av. *Ab L* —5E **136**
Hazelbury Ct. *Lut* —9E **46**
(off Hazelbury Cres.)
Hazelbury Cres. *Lut* —9E **46**
Hazel Clo. *Wal X* —8C **132**
Hazel Clo. *Welw* —4L **91**
Hazel Clo. *Hit* —3A **34**
Hazel Ct. *Shenl* —6N **139**
Hazel Cft. *Pinn* —6C **162**
Hazeldell. *Wat* —5J **73**
Hazeldell Link. *Hem H* —3H **123**
Hazeldell Rd. *Hem H* —3H **123**
Hazeldene. *Wal X* —5J **145**
Hazeldene Dri. *Pinn* —9L **161**
Hazel End. —4K **59**
Hazelend Rd. *Bis S* —4K **59**
Hazel Gdns. *Edgw* —4B **164**
Hazel Gdns. *Saw* —6H **99**
Hazelgreen Clo. *N21* —9N **155**
Hazel Gro. *Hat* —3F **128**
Hazel Gro. *Stot* —7E **10**
Hazel Gro. *Wat* —8K **137**
Hazel Gro. *Wel G* —8A **92**
Hazel Gro. Ho. *Hat* —2F **128**
Hazel Mead. *Barn* —7H **153**
Hazelmere Rd. *St Alb* —8K **109**
Hazelmere Rd. *Stev* —9N **51**
Hazel Rd. *Berk* —2A **122**
Hazel Rd. *Park* —1C **138**
Hazels, The. *Tew* —5D **92**
Hazel Tree Rd. *Wat* —1K **149**
Hazelwood Clo. *Hit* —2N **33**
Hazelwood Clo. *Lut* —5K **47**
Hazelwood Dri. *Pinn* —9K **161**
Hazelwood Dri. *St Alb* —9K **109**
Hazelwood La. *Ab L* —5N **137**
Hazelwood Rd. *Crox G* —8E **148**
Hazelwood Rd. *Enf* —8D **156**
Hazely. *Tring* —2A **102**
Heacham Clo. *Lut* —5L **45**
Headingley Clo. *Chesh* —8D **132**
Headingley Clo. *Shenl* —5M **139**
Headingley Clo. *Stev* —1L **51**
Headstone La. *Harr* —7C **162**
Healey Rd. *Wat* —8H **149**
Heath Av. *R'ton* —7C **8**
Heath Av. *St Alb* —9E **108**
Heathbourne Rd. *Bus H* —1F **162**
Heath Brow. *Hem H* —4M **123**
Heathbrow Rd. *Welw* —8L **71**
Heath Clo. *Hpdn* —8D **88**
Heath Clo. *Hem H* —3M **123**
Heath Clo. *Lut* —2D **66**
Heath Clo. *Pot B* —3A **142**
Heathcote Av. *Hat* —7G **111**
Heathcote Gdns. *H'low* —6G **118**
Heath Ct. *Hem H* —8L **93**
(off Ridgeway, The)
Heathcroft. *Wel G* —9B **92**
Heathdene Mnr. *Wat* —3H **149**
Heath Dri. *Pot B* —3N **141**
Heath Dri. *Ware* —4H **95**
Heath End. —2D **120**
Heather Av. *Ab L* —5J **137**
Heather Clo. *Bis S* —2F **78**
Heather Ct. *Lon C* —9L **127**
Heather Dri. *Enf* —4N **155**
Heather La. *Wat* —9H **137**
Heather Mead. *Eat B* —3J **63**
Heather Ri. *Bush* —4A **150**
Heather Rd. *Wel G* —2J **111**
Heathers, The. *Hert* —9C **94**
Heather Wlk. *Edgw* —5B **164**
Heather Way. *Hem H* —1N **123**
Heather Way. *Pot B* —5M **141**
Heather Way. *Stan* —6G **163**
Heath Farm Ct. *Wat* —1F **148**
Heath Farm La. *St Alb* —9F **108**

Heathfield. *R'ton* —7B **8**
Heathfield Clo. *Cad* —4B **66**
Heathfield Clo. *Pot B* —3A **142**
Heathfield Ct. *St Alb* —1F **126**
(off Avenue Rd.)
Heathfield Path. *Lut* —4B **66**
Heathfield Rd. *Bush* —6N **149**
Heathfield Rd. *Hit* —1M **33**
Heathfield Rd. *Lut* —5E **46**
Heathgate. *Hert H* —4F **114**
Heath Hall. *Bald* —4M **23**
Heath Hill. *Cod* —7D **70**
Heathlands. *Welw* —7M **71**
Heathlands Dri. *St Alb* —9F **108**
Heath La. *Cod* —7E **70**
Heath La. *Hem H* —4M **123**
Heath La. *Hert H* —4G **114**
Heath Lodge. *Bush* —1F **162**
Heathmere. *Let* —2F **22**
Heath Rd. *B Grn* —8E **48**
Heath Rd. *Pot B* —3N **141**
Heath Rd. *St Alb* —1F **126**
Heath Rd. *Wat* —9M **149**
Heath Rd. *Welw & Wool G* —7L **71**
Heath Row. *Bis S* —8K **59**
Heaths Clo. *Enf* —4C **156**
Heathside. *Col H* —5B **128**
Heathside. *St Alb* —9B **108**
Heathside Clo. *N'wd* —5F **160**
Heathside Rd. *N'wd* —4F **160**
Heath, The. —7E **48**
Heath, The. *B Grn* —7E **48**
Heath, The. *Rad* —6H **139**
Heathview. *Hpdn* —6C **88**
(off Milton Rd.)
Heaton Ct. *Chesh* —2H **145**
Heaton Dell. *Lut* —8N **47**
Heay Fields. *Wel G* —8B **92**
Hebden Clo. *Lut* —5L **45**
Hebing End. —7M **53**
Heckford Clo. *Wat* —8E **148**
Hector. *NW9* —8F **164**
(off Five Acre)
Heddon Ct. Av. *Barn* —7E **154**
Heddon Ct. Pde. *Barn* —7F **154**
Heddon Rd. *Cockf* —7E **154**
Hedgebrooms. *Wel G* —8B **92**
Hedge Hill. *Enf* —3N **155**
Hedgerow. *Chal P* —6B **158**
Hedge Row. *Hem H* —9K **105**
Hedgerow Clo. *Stev* —1B **52**
Hedgerow La. *Ark* —7H **153**
Hedgerows. *Saw* —5H **99**
Hedgerows, The. *Bis S* —2K **79**
Hedgerows, The. *Stev* —1C **52**
Hedgerow, The. *Lut* —4N **45**
Hedgerow Wlk. *Chesh* —3H **145**
Hedges Clo. *Hat* —8H **111**
Hedgeside. *Pott E* —7D **104**
Hedgeside Rd. *N'wd* —5E **160**
Hedley Ri. *Lut* —7N **47**
Hedley Rd. *St Alb* —2J **127**
Hedworth Av. *Wal X* —6H **145**
Heene Rd. *Enf* —3B **156**
Heighams. *H'low* —9J **117**
Heights, The. *Hem H* —9B **106**
(off Jupiter Dri.)
Heights, The. *Lut* —4A **46**
(off Marsh Rd.)
Helena Clo. *Barn* —2C **154**
Helena Pl. *Hem H* —9N **105**
Helens Ga. *Chesh* —8K **133**
Helham Green. —3C **96**
Helions Rd. *H'low* —6L **117**
Hellards Rd. *Stev* —2K **51**
Hellebore Ct. *Stev* —1A **52**
Helmsley Clo. *Lut* —4M **45**
Helston Clo. *Pinn* —7A **162**
Helston Gro. *Hem H* —6N **105**
Helston Pl. *Ab L* —5H **137**
Hemel Hempstead. —1N **123**
Hemel Hempstead Ind. Est.
(Maylands Av.) *Hem H* —1D **124**
Hemel Hempstead Ind. Est.
Hem H —7D **106**
(Swallowdale La.)
Hemel Hempstead Ind. Est.
Hem I —8D **106**
Hemel Hempstead Leisure
Cen. —3B **124**
Hemel Hempstead Rd. *Berk*
—4A **84**
Hemel Hempstead Rd. *Hem H
& Redb* —6E **106**

Hemel Hempstead Rd. *Redb*
—3H **107**
Hemel Hempstead Rd. *St Alb*
—4L **125**
Hemingford Dri. *Lut* —3F **46**
Hemingford Rd. *Wat* —9G **136**
Heming Rd. *Edgw* —7B **164**
Hemmings, The. *Berk* —2K **121**
Hemming Way. *Wat* —8J **137**
Hempstall. *Wel G* —2A **112**
Hempstead La. *Pott E* —8E **104**
Hempstead Rd. *Bov* —9D **122**
Hempstead Rd. *Wat* —9F **136**
Hemstead Rd. *K Lan* —8B **124**
Hemswell Dri. *NW9* —8E **164**
Henbury Way. *Wat* —3M **161**
Henderson Clo. *St Alb* —7D **108**
Henderson Pl. *Bedm* —9H **125**
Henderson Rd. *N9* —9F **156**
Hendon Av. *N3* —8L **165**
Hendon Crematorium. *NW4*
—8K **165**
Hendon Golf Course. —8J **165**
Hendon Hall Ct. *NW4* —9K **165**
Hendon La. *N3* —9L **165**
Hendon Lodge. *NW4* —9H **165**
Hendon Wood La. *NW7* —8F **152**
Henge Way. *Lut* —4M **45**
Henley Clo. *H Reg* —4H **45**
Henley Ct. *N14* —9H **155**
Henry Clo. *Enf* —2C **156**
Henry Darlot Dri. *NW7* —5K **165**
Henry Rd. *Barn* —7C **154**
Henrys Grant. *St Alb* —3F **126**
Henry St. *Hem H* —6N **123**
Henry St. *Tring* —3M **101**
Henry Wells Sq. *Hem H* —7B **106**
Hensley Clo. *Hit* —4B **34**
Hensley Clo. *Welw* —1J **91**
Henstead Pl. *Lut* —8M **47**
Heracles. *NW9* —8F **164**
(off Five Acre)
Herald Clo. *Bis S* —2F **78**
Herbert St. *Hem H* —1N **123**
Hereford Rd. *Lut* —6K **45**
Hereward Clo. *Wal A* —5N **145**
Herga Ct. *Wat* —4J **149**
Heriots Clo. *Stan* —4H **163**
Heritage Clo. *St Alb* —2E **126**
Heritage Wlk. *Chor* —5H **147**
Herkomer Clo. *Bush* —8C **150**
Herkomer Rd. *Bush* —7B **150**
Herm Ho. *Enf* —2H **157**
Hermitage Clo. *Enf* —4N **155**
Hermitage Ct. *Pot B* —4B **142**
Hermitage Rd. *Hit* —3N **33**
Hermitage Way. *Stan* —8H **163**
Herne Ct. *Bush* —9D **150**
Herne Rd. *Bush* —8C **150**
Herne Rd. *Stev* —9H **35**
Herneshaw. *Hat* —2F **128**
Herns La. *Wel G* —8A **92**
Herns Way. *Wel G* —7N **91**
Heron Clo. *Hem H* —7B **124**
Heron Clo. *Rick* —2N **159**
Heron Clo. *Saw* —6F **98**
Heron Ct. *Bis S* —1J **79**
Heron Dri. *Lut* —3G **47**
Heron Dri. *Stan A* —3N **115**
Heronfield. *Pot B* —3B **142**
Herongate Clo. *Enf* —4D **156**
Herongate Rd. *Chesh* —9J **133**
Heron Path. *Wend* —9A **100**
Heron Pl. *Hare* —6K **159**
Herons Elm. *N'chu* —7J **103**
Heronsgate. —9F **146**
Herons Ga. *Edgw* —5A **164**
Heronsgate Rd. *Chor* —8E **146**
Herons Lea. *Wat* —9L **137**
Heronslea Dri. *Stan* —5M **163**
Herons Ri. *New Bar* —6D **154**
Herons Way. *St Alb* —6H **127**
(in two parts)
Herons Wood. *H'low* —4L **117**
Heronswood Pl. *Wel G* —1N **111**
Heronswood Rd. *Wel G* —9N **91**
Heron Trad. Est., The. *Lut* —2M **45**
Heron Wlk. *N'wd* —4G **161**
Heron Way. *Hat* —2G **128**
Heron Way. *Roy M* —5D **116**
Herringworth Hall. —6G **55**
Hertford. —9A **94**
Hertford Castle. —9A **94**
(Site of)

Hertford Clo. *Barn* —5C **154**
Hertford Heath. —2G **114**
Hertford Ho. *Stev* —3H **51**
Hertford M. *Pot B* —4B **142**
Hertford Museum. —9B **94**
Hertford Rd. *N9* —9F **156**
Hertford Rd. *Barn* —5B **154**
Hertford Rd. *Dig* —2J **91**
Hertford Rd. *Gt Amw* —2K **115**
Hertford Rd. *Hat* —5J **111**
Hertford Rd. *Hod* —5H **115**
Hertford Rd. *Stev* —8M **51**
Hertford Rd. *Tew* —5D **92**
(School La.)
Hertford Rd. *Tew* —6A **92**
(Waterside)
Hertford Rd. *Ware* —7G **95**
Hertfordshire & Middlesex
Country Club. —5D **162**
Hertfordshire Bus. Cen. *Lon C*
—8L **127**
Hertfordshire Golf & Country
Club, The. —2F **132**
Hertfordshire Showground.
—6H **87**
Hertingfordbury. —1L **113**
Hertingfordbury Hill. *Hert* —2J **113**
Hertingfordbury Rd. *Hert* —1L **113**
(Hertford)
Hertingfordbury Rd. *Hert* —2K **113**
(Hertingfordbury)
Herts Country Club. —3J **111**
Hertsmere Ind. Pk. *Borwd*
—5D **152**
Hertswood Ct. *Barn* —6L **153**
Hervey Clo. *N3* —8N **165**
Hervey Way. *N3* —8N **165**
Hester Ho. *H'low* —4M **117**
Heswall Ct. *Lut* —2H **67**
(off Bailey St.)
Heswall Grn. *Wat* —3J **161**
Hetchleys. *Hem H* —8K **105**
Hewett Clo. *Stan* —4J **163**
Hewitt Clo. *Wheat* —8L **89**
Hewlett Rd. *Lut* —4A **46**
Hexham Rd. *Barn* —6A **154**
Hexton. —9K **19**
Hexton Rd. *Bar C* —9E **18**
Hexton Rd. *Hit* —2E **32**
Hexton Rd. *Lil* —6K **31**
Heybridge Clo. *Redb* —1J **107**
Heybridge Ct. *Hert* —8L **93**
Heydon Rd. *Gt Chi* —2H **61**
Heydons Clo. *St Alb* —9E **108**
Heyford End. *Park* —1D **138**
Heyford Rd. *Rad* —1G **150**
Heyford Way. *Hat* —7J **111**
(Birchwood)
Heyford Way. *Hat* —8G **111**
(Roe Green)
Heysham Dri. *Wat* —5L **161**
Heywood Av. *NW9* —8E **164**
Heywood Ct. *Stan* —5K **163**
Heywood Dri. *Lut* —7H **47**
Hibbert Av. *Wat* —2M **149**
Hibbert Rd. *Harr* —9G **163**
Hibbert St. *Lut* —2G **66**
Hibbert St. Almshouses. *Lut*
(off Hibbert St.) —2G **66**
Hibbert St. Pas. *Lut* —2G **66**
(off Hibbert St.)
Hibiscus Clo. *Edgw* —4C **164**
Hickling Clo. *Lut* —8M **47**
Hickling Way. *Hpdn* —4D **88**
Hickman Clo. *Brox* —2H **133**
Hickman Ct. *Lut* —1N **45**
Hickory Clo. *N9* —9E **156**
Hicks Rd. *Mark* —2A **86**
Hidalgo Ct. *Hem H* —9B **106**
Hideaway, The. *Ab L* —4H **137**
Hides, The. *H'low* —5N **117**
Higgins Rd. *Chesh* —8B **132**
High Acres. *Ab L* —5F **136**
High Acres. *Enf* —5N **155**
Higham Dri. *Lut* —8M **47**
Higham Gobion. —5J **19**
Higham Gobion Rd. *Bar C &
H Gob* —7E **18**
Higham Rd. *H Gob* —5J **19**
High Ash Rd. *Wheat* —8K **89**
High Av. *Let* —6D **22**
Highbanks Rd. *Pinn* —6C **162**
High Barnet. —4K **153**
Highbarns. *Hem H* —7C **124**

gh Beech. N21 —8L **155**
gh Beech Rd. Lut —2N **45**
gh Birch Ct. New Bar —6D **154**
(off Park Rd.)
ghbridge Retail Pk. Wal A
　　　　　　　—7M **145**
ghbridge St. Wal A —6M **145**
(in two parts)
ghbury Av. Hod —6L **115**
ghbury Rd. Hit —4A **34**
ghbury Rd. Lut —8E **46**
ghbush Rd. Stot —7E **10**
gh Canons. Borwd —1C **152**
ghclere Ct. St Alb —1F **126**
(off Avenue Rd.)
ghclere Dri. Hem H —6C **124**
gh Clo. Rick —7M **147**
ghcroft. Stev —8M **51**
ghcroft Rd. Fel —6K **123**
ghcroft Trailer Gdns. Hem H
　　　　　　　—8E **122**
gh Cross. —6J **75**
(Ware)
gh Cross. —1E **150**
(Watford)
gh Cross. A'ham —1E **150**
gh Dane. Hit —1A **34**
gh Dells. Hat —1F **128**
gh Elms. Hpdn —9B **88**
gh Elms Clo. N'wd —6E **160**
gh Elms La. Wat —4K **137**
gh Elms La. Wat S & B'tn
　　　　　　　—9K **53**
ghfield. —9B **106**
ghfield. Bus H —2F **162**
ghfield. Chal G —1A **158**
ghfield. H'low —7C **118**
ghfield. K Lan —1A **136**
ghfield. Let —7D **22**
ghfield. Saw —4G **98**
ghfield. Wat —3A **162**
ghfield Av. Bis S —2L **79**
ghfield Av. Hpdn —7D **88**
ghfield Clo. N'wd —7G **161**
ghfield Ct. N14 —8H **155**
ghfield Ct. Ger X —5C **158**
ghfield Ct. Stev —2L **51**
ghfield Cres. N'wd —8G **160**
ghfield Dri. Brox —3J **133**
ghfield Hall. St Alb —4M **127**
ghfield La. Hem H —9B **106**
ghfield La. Tyngr —4K **127**
ghfield Oval. Hpdn —4B **88**
ghfield Pk. Dri. St Alb —5J **127**
ghfield Rd. Berk —2A **122**
ghfield Rd. Bush —7N **149**
ghfield Rd. Chesh —8C **132**
ghfield Rd. Hert —2B **114**
ghfield Rd. Lut —8D **46**
ghfield Rd. N'wd —8G **161**
ghfield Rd. Sandr —5J **109**
ghfield Rd. Tring —3K **101**
ghfield Rd. Wig —5A **102**
ghfields. Cuff —1K **143**
ghfields. Deb —2N **29**
ghfields. Rad —8G **139**
ghfields Clo. Dunst —7K **45**
ghfield Way. Pot B —5A **142**
ghfield Way. Rick —8K **147**
gh Firs. Rad —8H **139**
gh Firs Cres. Hpdn —7E **88**
ghgate Gro. Saw —5F **98**
gh Gro. St Alb —9E **108**
gh Gro. Wel G —8J **91**
ghgrove Ct. Wal X —7G **145**
gh Ho. Est. H'low —2H **119**
ghland Dri. Bush —9C **150**
ghland Dri. Hem H —2D **124**
ghland Rd. N'wd —9H **161**
ghland Rd. Thor —5H **79**
ghlands. Hat —6J **111**
ghlands. R'ton —7E **8**
ghlands. Wat —1L **161**
ghlands Av. N21 —7L **155**
ghlands Clo. Chal P —7C **158**
ghlands End. Chal P —7C **158**
ghlands La. Chal P —7C **158**
ghlands Rd. Barn —7N **153**
ghlands, The. Barn —6N **153**
ghlands, The. Edgw —9B **164**
ghlands, The. Pot B —3B **142**
ghlands, The. Rick —7L **147**
ghlands Village. —7L **155**
gh La. Srng —9N **99**
gh La. Stans —9N **43**

Highlea Clo. NW9 —7E **164**
High Leigh (Conference Cen.)
　　　　　　　—8J **115**
High Mead. Lut —6C **46**
Highmead. Stans —1N **59**
High Meads. Wheat —7K **89**
Highmill. Ware —4H **95**
Highmoor. Hpdn —3B **88**
High Moors. Hal —6A **100**
High Oak Rd. Ware —5H **95**
High Oaks. Enf —2L **155**
High Oaks. N'wd —5H **161**
High Oaks. St Alb —6D **108**
High Oaks Rd. Wel G —8H **91**
Highover Clo. Lut —8K **47**
Highover Rd. Let —6D **22**
Highover Way. Hit —1B **34**
High Pastures. Srng —6M **99**
High Plash. Stev —4L **51**
High Point. Lut —2F **66**
(off Ruthin Clo.)
High Ridge. Cuff —9K **131**
High Ridge. Hpdn —4N **87**
High Ridge. Lut —8L **47**
High Ridge Clo. Hem H —7N **123**
High Ridge Pl. Enf —2L **155**
(off Oak Av.)
High Ridge Rd. Hem H —7N **123**
High Rd. Brox —7J **133**
High Rd. Bus H —1E **162**
High Rd. Ess —3D **130**
High Rd. Harr —7F **162**
High Rd. H Cro —7J **75**
High Rd. Leav —8H **137**
High Rd. Shil —4N **19**
High Rd. Stap —9M **73**
High Rd. Turnford. Turn —8J **133**
High Rd. Whetstone. N20
　　　　　　　—9B **154**
High St. NW7 —5H **165**
High St. Ab L —4G **137**
High St. Arl —6A **10**
High St. A'wl —9M **5**
High St. Bald —3M **23**
High St. B'wy —9N **15**
High St. Bar —3C **16**
High St. Barn —5L **153**
High St. Bass —1M **7**
High St. Bedm —9H **125**
High St. Berk —7J **103**
High St. Bis S —1H **79**
High St. Bov —9D **122**
High St. Bunt —2J **39**
High St. Bush —8B **150**
High St. Chal P —8B **158**
High St. Ched —9M **61**
High St. Chesh —2H **145**
High St. Chris —1N **17**
High St. Cod —6E **70**
High St. Col H —4B **128**
High St. Dun —1F **4**
High St. Eat B —2H **63**
High St. Edgw —6A **164**
High St. Edl —5J **63**
High St. Els —8L **151**
High St. Enf —8G **156**
High St. Flam —5D **86**
High St. Gos —7N **33**
High St. G'ley —5J **35**
High St. G Mor —1A **6**
High St. Hare —9M **159**
High St. Hem H —1M **123**
High St. Hinx —7E **4**
High St. Hit —3M **33**
High St. Hod —8L **115**
High St. H Reg —5E **44**
High St. Hun —7G **96**
High St. I'hoe —2C **82**
High St. Kim —7J **69**
High St. K Lan —2C **136**
High St. Lon C —7K **127**
High St. Lut —6M **45**
High St. Mark —1N **85**
High St. M Hud —5J **77**
High St. N'wd —8H **161**
High St. Offl —7D **32**
High St. Pir —7E **20**
High St. Pot B —6A **142**
High St. Puck —6N **55**
High St. Pull —3A **18**
High St. Redb —1K **107**

High St. Reed —7J **15**
High St. Rick —1N **159**
High St. Roy —5E **116**
High St. R'ton —7D **8**
High St. St Alb —2E **126**
High St. Sandr —5J **109**
High St. Stdn —8C **56**
High St. Stan A —2N **115**
High St. Stev —2J **51**
High St. Stot —6E **10**
High St. Tring —3M **101**
High St. Walk —1K **52**
High St. Wal X —6J **145**
(in two parts)
High St. Ware —6H **95**
High St. Wat —5K **149**
(in four parts)
High St. Wat S —4J **73**
High St. Welw —2J **91**
High St. Wend —9A **100**
High St. Wheat —7L **89**
High St. W'wll —1M **69**
High St. Wid —3H **97**
High St. Grn. Hem H —9C **106**
High St. N. Dunst —7C **44**
High St. S. Dunst —9E **44**
High, The. —5N **117**
High Town. —8G **46**
High Town Enterprise Cen. Lut
(off York St.)　　　—9H **47**
Hightown Recreation Cen.
　　　　　　　—9G **46**
High Town Rd. Lut —9G **47**
High Trees. Barn —7D **154**
High Trees. Hem H —2N **123**
Highview. NW7 —3D **164**
High Vw. Bchgr —6L **59**
High Vw. Chal G —2A **158**
High Vw. Chor —6K **147**
High Vw. Hat —2F **128**
High Vw. Hit —4L **33**
High Vw. Mark —3A **86**
High Vw. Wat —8H **149**
Highview Av. Edgw —4C **164**
Highview Clo. Pot B —6B **142**
High Vw. Ct. Har W —7F **162**
Highview Gdns. Edgw —4C **164**
Highview Gdns. Pot B —6B **142**
Highview Gdns. St Alb —6K **109**
Highview Lodge. Enf —5N **155**
(off Ridgeway, The)
High Vw. Pk. K Lan —1F **136**
Highway, The. Stan —8G **163**
High Wickfield. Wel G —1B **112**
Highwood Av. Bush —3A **150**
High Wood Clo. Lut —1B **66**
Highwood Ct. Barn —7N **153**
Highwood Gro. NW7 —5D **164**
Highwoodhall La. Hem H —7C **124**
Highwood Hill. —3F **164**
Highwood Hill. NW7 —2F **164**
High Wood Rd. Hod —5K **115**
High Wych. —6C **98**
High Wych La. H Wych —6C **98**
High Wych Rd. Saw —9A **98**
High Wych Way. Hem H —5C **106**
Hilary Ri. Arl —7B **10**
Hilbury. Hat —1F **128**
Hilfield La. A'ham —3C **150**
Hilfield La. S. Bush —8G **150**
Hiliary Gdns. Stan —9K **163**
Hiljon Cres. Chal P —8B **158**
Hillary Clo. Lut —2N **45**
Hillary Cres. Lut —2E **66**
Hillary Ho. Borwd —5B **152**
(off Eldon Av.)
Hillary Ri. Barn —6N **153**
Hillary Rd. Hem H —1C **124**
Hillborough Cres. H Reg —2F **44**
Hillborough Rd. Lut —2F **66**
Hillbrow. Let —6D **22**
Hill Clo. Barn —7J **153**
Hill Clo. Hpdn —3D **88**
Hill Clo. Lut —2E **46**
Hill Clo. Stan —4J **163**
Hill Clo. W'fld —1B **44**
Hill Comn. Hem H —6C **124**
Hill Ct. Barn —6D **154**
Hillcourt Av. N12 —6N **165**
Hill Cres. N20 —2N **165**
Hill Cres. Pot B —7B **142**
Hillcrest. N21 —9M **155**
Hillcrest. Bald —4M **23**
Hillcrest. Hat —9G **110**
Hillcrest. St Alb —4C **126**

Hillcrest. Stev —4L **51**
Hill Crest. W'wll —2M **69**
Hillcrest Av. Edgw —4B **164**
Hillcrest Av. Lut —1E **46**
Hillcrest Cvn. Site. Wood
　　　　　　　—6B **66**
Hillcrest Pk. Let —5B **22**
Hillcrest Rd. Shenl —6A **140**
Hillcroft. Dunst —8B **44**
Hill Cft. Rad —6H **139**
Hillcroft Clo. Lut —3M **45**
Hillcroft Cres. Wat —1K **161**
Hilldown Rd. Hem H —9K **105**
Hill Dyke Rd. Wheat —8L **89**
Hille Bus. Cen. Wat —3K **149**
Hill End. —8N **111**
(Hatfield)
Hill End. —6L **159**
(Uxbridge)
Hill End La. St Alb —5J **127**
Hill End Rd. Hare —7M **159**
Hillersdon Av. Edgw —5N **163**
Hill Farm Av. Wat —5J **137**
Hill Farm Clo. Wat —6J **137**
Hill Farm Ind. Est. Wat —6J **137**
Hill Farm La. St Alb —6K **107**
Hill Farm La. Welw —1B **90**
Hill Farm Rd. Chal P —7B **158**
Hillfield. Hat —6H **111**
Hillfield Av. Hit —9A **22**
Hillfield Ct. Hem H —2A **124**
Hillfield Rd. Chal P —7B **158**
Hillfield Rd. Hem H —2N **123**
Hillfield Sq. Chal P —7B **158**
Hillfoot End. —2N **19**
Hillfoot Rd. Shil —2N **19**
Hillgate. Hit —8A **22**
Hill Grn. La. Wig —5D **102**
Hillgrove. Chal P —8B **158**
Hillgrove Bus. Pk. Naze
　　　　　　　—4N **133**
Hill Ho. Hert —1A **114**
Hillhouse Av. Stan —7G **163**
Hill Ho. Clo. N21 —9M **155**
Hill Ho. Clo. Chal P —7B **158**
Hilliard Rd. N'wd —8H **161**
Hillier Clo. New Bar —8A **154**
Hillingdon Rd. Wat —7J **137**
Hill Ley. Hat —9F **110**
Hill Leys. Cuff —1K **143**
Hill Mead. Berk —2L **121**
Hillmead. Stev —3N **51**
Hillpath. Let —5H **23**
Hill Ri. N9 —8F **156**
Hill Ri. Chal P —9A **158**
Hill Ri. Cuff —9J **131**
Hill Ri. Lut —2M **45**
Hill Ri. Pot B —7B **142**
Hill Ri. Rick —8L **147**
Hillrise Av. Wat —2M **149**
Hill Ri. Cres. Chal P —9B **158**
Hill Rd. Cod —7E **70**
Hill Rd. N'wd —6F **160**
Hillsborough Grn. Wat —3J **161**
Hillshott. Let —5G **22**
Hill Side. Ched —6L **61**
Hillside. Cod —7F **70**
Hillside. H'low —8E **118**
Hillside. Hod —7K **115**
Hill Side. H Reg —4E **44**
Hillside. New Bar —7B **154**
Hillside. R'ton —8D **8**
Hillside. Stev —4M **51**
Hillside. Ware —7H **95**
Hillside. Wel G —3A **112**
Hillside Av. Bis S —1J **79**
Hillside Av. Borwd —6B **152**
Hillside Av. Chesh —4H **145**
Hillside Clo. Ab L —5G **136**
Hillside Clo. Chal P —6B **158**
Hillside Clo. Shil —2N **19**
Hillside Cotts. Bis S —6L **59**
Hillside Cotts. Hem H —3E **124**
Hillside Cotts. W'side —3C **96**
Hillside Ct. Chesh —4H **145**
Hillside Cres. Chesh —4H **145**
Hillside Cres. Enf —2B **156**
Hillside Cres. N'wd —8J **161**
Hillside Cres. Stan A —2M **115**
Hillside Cres. Wat —8N **149**
Hillside Dri. Edgw —6A **164**
Hillside End. Bis S —6L **59**
Hillside Gdns. Barn —6L **153**
Hillside Gdns. Berk —2A **122**

Hillside Gdns. Edgw —4N **163**
Hillside Gdns. N'wd —7J **161**
Hillside Gro. N14 —9J **155**
Hillside Gro. NW7 —7G **164**
Hillside Ho. Stev —4M **51**
Hillside La. Gt Amw —1L **115**
Hillside Mans. Barn —6M **153**
Hillside Pk. Bald —4N **23**
Hillside Ri. N'wd —7J **161**
Hillside Rd. Bush —7N **149**
Hillside Rd. Chor —7F **146**
Hillside Rd. Dunst —1G **65**
Hillside Rd. Hpdn —4A **88**
Hillside Rd. Lut —8F **46**
Hillside Rd. N'wd —7J **161**
Hillside Rd. Pinn —7K **161**
Hillside Rd. Rad —8J **139**
Hillside Rd. St Alb —1F **126**
Hillside Rd. Shil —2N **19**
Hillside Rd. Up Ston —1F **20**
Hillside Ter. Hert —2A **114**
Hillside Way. Welw —8N **71**
Hills La. N'wd —8G **160**
Hill St. St Alb —2D **126**
Hill, The. H'low —2E **118**
Hill, The. Wheat —7L **89**
Hill Top. Bald —4L **23**
Hilltop. Redb —9H **87**
Hilltop Clo. Chesh —8D **132**
Hilltop Cotts. Offl —7D **32**
Hilltop Cotts. Ware —5H **55**
Hilltop Ct. Lut —1E **66**
Hilltop Gdns. NW4 —9H **165**
Hilltop Rd. Berk —2N **121**
Hilltop Rd. K Lan —9F **124**
Hill Top Vw. Wheat —8K **89**
Hilltop Way. Stan —3H **163**
Hill Tree Clo. Saw —6F **98**
Hill Vw. Berk —7H **103**
Hill Vw. Bkld —3H **27**
Hill Vw. W'wll —2M **69**
Hillview Clo. Pinn —6A **162**
Hillview Cres. Lut —2E **46**
Hillview Gdns. Chesh —9H **133**
Hillview Vw. NW7 —4K **165**
Hillview Rd. Pinn —7A **162**
Hillyfields. Dunst —2F **64**
Hilly Fields. Wel G —8B **92**
Hilly Fields Pk. —2A **156**
Hilmay Dri. Hem H —3L **123**
Hilton Av. Dunst —2E **64**
Hilton Clo. Stev —2H **51**
Himalayan Way. Wat —8H **149**
Hindhead Grn. Wat —5L **161**
Hine Ho. St Alb —3L **127**
Hine Way. Hit —1K **33**
Hintons. H'low —9K **117**
Hinton Wlk. H Reg —3H **45**
Hinxworth. —7E **4**
Hinxworth Rd. A'wl —9H **5**
(Ashwell)
Hinxworth Rd. A'wl —2H **11**
(Hinxworth)
Hipkins. Bis S —4G **78**
Hipkins Pl. Brox —2J **133**
Hitchens Clo. Hem H —1J **123**
Hitchin. —3M **33**
Hitchin Bus. Cen., The. Hit —8A **22**
Hitchin Hill. —5N **33**
Hitchin Hill. Hit —4N **33**
Hitchin Hill Path. Hit —5N **33**
Hitchin La. Lut —2F **70**
Hitchin Mus. & Art Gallery.
　　　　　　　—3M **33**
Hitchin Rd. Arl —1A **22**
Hitchin Rd. Gos —6N **33**
Hitchin Rd. Hit —4D **34**
(SG4)
Hitchin Rd. Hit —1K **31**
(SG5)
Hitchin Rd. Kim —5L **69**
Hitchin Rd. Let —8E **22**
Hitchin Rd. Lut —6J **47**
Hitchin Rd. Pir —8E **20**
Hitchin Rd. Stev —8H **35**
Hitchin Rd. Stot —9D **10**
Hitchin Rd. W'ton —9L **23**
Hitchin St. Bald —3L **23**
Hitchin Town F.C. —2M **33**
Hitchwood La. Pres —4N **49**
Hitherbaulk. Wel G —2L **111**
Hither Fld. Ware —4J **95**
Hitherfield La. Hpdn —5B **88**
Hither Mdw. Chal P —8B **158**
Hitherway. Wel G —5K **91**

Hitherwell Dri. *Harr* —8E **162**
Hive Clo. *Bus H* —2E **162**
Hive Rd. *Bus H* —2E **162**
  (in two parts)
Hivings Hill. *Che* —9E **120**
Hivings Pk. *Che* —9F **120**
Hixberry La. *St Alb* —3L **127**
Hoare's La. *Ware* —7E **40**
Hoar's La. *Hit* —6J **33**
Hobart Wlk. *St Alb* —7G **108**
Hobbs Clo. *Chesh* —2H **145**
Hobbs Clo. *Hit* —9B **34**
Hobbs Clo. *St Alb* —3M **127**
Hobbs Ct. *Stev* —1N **51**
Hobbs Cross. —5J **119**
Hobbs Cross. *H'low* —3H **119**
Hobbs Hill. —3J **91**
Hobbs Cross Rd. *H'low* —5J **119**
Hobbs Hill Rd. *Hem H* —6A **124**
Hobbs Way. *Wel G* —1J **111**
Hobby Horse Clo. *Chesh*
  —8B **132**
Hobletts Rd. *Hem H* —1B **124**
Hobsons Clo. *Hod* —5K **115**
Hobsons Wlk. *Tring* —1L **101**
Hobtoe Rd. *H'low* —5K **117**
Hockerill. —1J **79**
Hockerill. *Wat S* —5K **73**
**Hockerill Anglo-European
  School.** —1J **79**
Hockerill Ct. *Bis S* —1J **79**
Hockerill St. *Bis S* —1J **79**
Hockington Ct. *New Bar*
  —6A **154**
Hocklands. *Wel G* —8B **92**
Hockwell Ring. *Lut* —4L **45**
Hoddesdon. —8L **115**
Hoddesdon Bus. Cen. *Hod*
  —8L **115**
**Hoddesdon Pk. Wood Nature
  Reserve.** —8F **114**
Hoddesdon Rd. *Stan A* —2N **115**
Hoddeson Ind. Cen. *Hod*
  —7N **115**
Hodges Way. *Wat* —8J **149**
Hodings Rd. *H'low* —5L **117**
Hodson Pl. *Enf* —2L **157**
Hodwell. *A'wl* —9M **5**
Hoecroft Ct. Enf —2G **157**
  (off Hoe La.)
Hoecroft La. *Ware* —9L **57**
Hoe La. *Enf* —2E **156**
Hoe La. *Ware* —9H **95**
Hoestock Rd. *Saw* —5F **98**
Hoe, The. *Wat* —2M **161**
Hogarth Ct. *Bush* —9C **150**
Hogarth Rd. *Edgw* —9A **164**
Hogg End La. *Hem H &
  St Alb* —8G **106**
Hogges Clo. *Hod* —8L **115**
Hog Hall La. *Dunst* —3L **83**
Hog La. *Ash G* —4G **121**
Hog La. *Els* —6H **151**
Hogpits Bottom. —5E **134**
Hogsdell La. *Hert H* —2F **114**
Hog's La. *Chris* —1N **17**
Hogtrough La. *Ware* —2C **96**
Holbeck La. *Chesh* —8D **132**
Holbein Ga. *N'wd* —5G **161**
Holborn Ct. *St Alb* —6L **109**
Holbrook Clo. *Enf* —2D **156**
Holcombe Hill. *NW7* —3G **164**
Holcroft Rd. *Hpdn* —4E **88**
Holdbrook. —7K **145**
Holdbrook. *Hit* —3B **34**
Holdbrook N. *Wal X* —6K **145**
Holdbrook S. *Wal X* —7K **145**
Holden Av. *N12* —5N **165**
Holden Clo. *Hert* —8C **94**
Holden Clo. *Hit* —3C **34**
Holden Rd. *N12* —5N **165**
Holders Hill. —9K **165**
Holder's Hill Av. *NW4* —9K **165**
Holders Hill Cir. *NW7* —7L **165**
Holders Hill Cres. *NW4* —9K **165**
Holders Hill Dri. *NW4* —9K **165**
Holder's Hill Gdns. *NW4*
  —9L **165**
Holders Hill Pde. *NW4* —8L **165**
Holders Hill Rd. *NW4 & NW7*
  —9K **165**
Holders La. *Ast E* —4D **52**
Holdings, The. *Hat* —7J **111**
Holford Clo. *Lut* —3F **66**
Holford Way. *Lut* —9D **30**

Holgate Dri. *Lut* —6L **45**
Holkham Clo. *Lut* —5K **45**
Holland Clo. *New Bar* —9C **154**
Holland Clo. *Stan* —5J **163**
Holland Clo. *Wend* —9A **100**
Holland Ct. *NW7* —6G **165**
Holland Gdns. *Wat* —8L **137**
Holland Rd. *Lut* —7D **46**
Holland's Cft. *Hun* —6G **97**
Holland Wlk. *Stan* —5H **163**
Hollick's La. *Kens* —7G **64**
Holliday St. *Berk* —1A **122**
Hollier Ct. *Hat* —8H **111**
Holliers Way. *Hat* —9G **110**
Hollies Clo. *R'ton* —7E **8**
Hollies End. *NW7* —5H **165**
Hollies, The. *Bov* —2D **134**
Hollies, The. *St Alb* —1F **126**
Hollies, The. *Tring* —5B **102**
Hollies Way. *Pot B* —4B **142**
Holliwick Rd. *Dunst* —7H **45**
Holloway La. *Chen* —2E **146**
Holloways La. *N Mym* —5K **129**
Holloway, The. *Ast C* —2H **101**
Hollow La. *Hit* —3N **33**
Hollow Rd. *R'ton* —3N **17**
Holly Av. *Stan* —9M **163**
Hollybank. *Hem H* —7A **124**
Hollybush Av. *St Alb* —6B **126**
Hollybush Clo. *Harr* —8F **162**
Hollybush Clo. *Pott E* —7G **104**
Hollybush Clo. *Wat* —9L **149**
Hollybush Clo. *Welw* —8L **71**
Hollybush Hill. *Lut* —9A **32**
Hollybush Ho. *Wel G* —2L **111**
Hollybush La. *Bend* —9J **49**
Hollybush La. *D'wth* —5B **72**
Hollybush La. *Flam* —4C **86**
Holly Bush La. *Hpdn* —4A **88**
Hollybush La. *Hem H* —1J **123**
Hollybush La. *Wel G* —2L **111**
  (in two parts)
Hollybush Rd. *Che* —9E **120**
Hollybush Rd. *Lut* —8L **47**
Hollybush Row. *Wig* —6B **102**
Hollybush Way. *Chesh* —1E **144**
Holly Clo. *Hat* —1F **128**
Holly Copse. *Stev* —5M **51**
Hollycross Rd. *Ware* —6K **95**
Hollydell. *Hert* —2A **114**
Holly Dri. *E4* —9M **157**
Holly Dri. *Berk* —2A **122**
Holly Dri. *Pot B* —6A **142**
Holly Fld. *H'low* —9M **117**
Hollyfield. *Hat* —3G **111**
Hollyfield. *Tring* —1A **102**
Hollyfield Clo. *Tring* —1A **102**
Hollyfields. *Brox* —8J **133**
Hollygrove. *Bush* —9E **150**
Holly Gro. *Pinn* —8N **161**
Holly Gro. Rd. *B'fld* —4H **93**
Holly Hall Ct. Welw —2J **91**
  (off Church St.)
Holly Hedges La. *Bov* —3F **134**
Holly Hill. *N21* —8L **155**
Hollyhock Clo. *Hem H* —9H **105**
Holly Ind. Pk. *Wat* —3L **149**
Holly La. *Hpdn* —9F **68**
Holly Leys. *Stev* —9A **52**
Holly Pk. Gdns. *N3* —9N **165**
Holly Rd. *Enf* —9H **145**
Holly Rd. *Wool G* —7N **71**
Hollyshaws. *Stev* —7A **52**
Holly St. *Lut* —2G **66**
Holly St. Trad. Est. *Lut* —2G **66**
Holly Tree Clo. *Chal P* —5B **158**
Holly Tree Ct. *Hem H* —2D **124**
Hollytree Ho. *Wat* —9G **137**
Holly Wlk. *Enf* —5A **156**
Holly Wlk. *Hpdn* —6E **88**
Holly Wlk. *Wel G* —5J **91**
Hollywell Clo. *Stud* —1F **84**
Hollywood Ct. *Borwd* —6A **152**
Holmbridge Gdns. *Enf* —6H **157**
Holmbrook Av. *Lut* —4E **46**
Holmdale. *Let* —6G **23**
Holmdale Clo. *Borwd* —4N **151**
Holmdene. *N12* —5N **165**
Holmdene Av. *NW7* —6G **164**
Holmdene Av. *Harr* —9C **162**
Holmebury Clo. *Bush* —2F **162**
Holme Clo. *Chesh* —4J **145**
Holme Clo. *Hat* —6F **110**

Holme Lea. *Wat* —7L **137**
Holme Pk. *Borwd* —4N **151**
Holme Pl. *Hem H* —1E **124**
Holme Rd. *Hat* —6F **110**
Holmes Av. *NW7* —5L **165**
Holmes Ct. St Alb —1F **126**
  (off Carlisle Av.)
Holmesdale. *Wal X* —8G **145**
Holmesdale Tunnel. *Wal X*
  —7H **145**
Holme Way. *Stan* —6G **163**
Holmleigh Ct. *Enf* —6G **156**
Holm Oak Pk. *Wat* —7H **149**
Holmscroft Rd. *Lut* —3B **46**
Holmshill La. *Borwd* —9E **140**
Holmside Ri. *Wat* —3K **161**
Holmstall Av. *Edgw* —9C **164**
Holmstall Pde. *Edgw* —9C **164**
Holmwood Clo. *Dunst* —7G **45**
Holmwood Clo. *Harr* —9D **162**
Holmwood Gdns. *N3* —9N **165**
Holmwood Gro. *NW7* —5D **164**
Holmwood Rd. *Enf* —9H **145**
Holroyd Cres. *Bald* —4L **23**
Holt Clo. *Els* —6N **151**
Holts Ct. *Dunst* —8E **44**
Holts Mdw. *Redb* —9K **87**
Holtsmere Clo. *Lut* —8M **47**
Holtsmere Clo. *Wat* —8L **137**
Holt, The. *Hem H* —3A **124**
Holt, The. *Kim* —6H **69**
Holt, The. *Wel G* —1C **112**
Holtwhites Av. *Enf* —4A **156**
Holtwhite's Hill. *Enf* —3N **155**
Holwell. —5D **112**
  (Hatfield)
Holwell. —4J **21**
  (Hitchin)
Holwell. Stev —8J **35**
  (off Coreys Mill La.)
Holwellbury. —1J **21**
Holwell Ct. *Hat* —5E **112**
Holwell Hyde. *Wel G* —1B **112**
Holwell Hyde La. *Wel G & Ess*
  —3B **112**
Holwell La. *Ess* —5D **112**
Holwell Rd. *Hol* —4J **21**
Holwell Rd. *Pir* —6F **20**
Holwell Rd. *Wel G* —1L **111**
Holy Acre. *Roy M* —5D **116**
Holybush. *Chesh* —1F **144**
Holy Cross Hill. *Brox* —6E **132**
Holyfield. —2N **145**
Holyfield Rd. *Wal A* —2N **145**
Holyrood Ct. *Wat* —6K **149**
Holyrood Cres. *St Alb* —5F **126**
Holyrood Gdns. *Edgw* —9B **164**
Holyrood Rd. *New Bar* —8B **154**
Holywell. —8H **149**
Holywell Ct. *Lut* —5D **46**
Holywell Hill. *St Alb* —3E **126**
Holywell Rd. *Stud* —9E **64**
Holywell Rd. *Wat* —7J **149**
Homebush Ho. *E4* —9M **157**
Home Clo. *Brox* —6K **133**
Home Clo. *Cot* —3A **38**
Home Clo. *H'low* —6B **118**
Home Clo. *Lut* —4M **45**
Home Clo. *Stot* —6F **10**
Home Ct. *Lut* —5M **45**
Homedale Dri. *Lut* —7N **45**
Homedell Ho. *Hpdn* —4N **87**
Home Farm. *N'chu* —7H **103**
  (off West Wing)
Home Farm. *Tring* —4M **101**
Home Farm Ct. *Bov* —3B **134**
Home Farm Ct. *Puck* —6A **56**
Home Farm Ind. Pk. *Stan A*
  —1C **116**
Home Farm Rd. *N'chu* —7H **103**
Home Farm Rd. *Rick* —4C **160**
Home Fld. *Barn* —7M **153**
Homefield. *Bov* —1E **134**
Homefield. *Hinx* —7F **4**
Homefield. *Pott E* —7E **104**
Homefield La. *Hit* —7F **50**
Homefield Rd. *Bush* —6B **150**
Homefield Rd. *Chor* —6G **146**
Homefield Rd. *Edgw* —6D **164**
Homefield Rd. *Hem H* —2C **124**
Homefield Rd. *Rad* —1G **151**
Homefield Rd. *Ware* —5J **95**
Homefields. *H'low* —3N **119**
Homeleigh Ct. *Chesh* —2F **144**
Homeleigh St. *Chesh* —3F **144**

Home Ley. *Wel G* —9L **91**
Homemanor Ho. Wat —5K **149**
  (off Cassio Rd.)
Home Mead. *Stan* —8K **163**
Home Mdw. *Wel G* —9M **91**
Home Pk. —7L **111**
Home Pk. Cotts. *K Lan* —3D **136**
Home Pk. Ind. Est. *K Lan*
  —4D **136**
Home Pk. Mill Link Rd. *K Lan*
  —3D **136**
Homerfield. *Wel G* —9J **91**
Homerswood La. *Welw* —5G **90**
Homerton Rd. *Lut* —3C **46**
Homestead Clo. *Park* —9D **126**
Homestead Ct. *Barn* —7N **153**
Homestead Ct. *Wel G* —2M **111**
Homestead La. *Wel G* —3M **111**
Homestead Moat. *Stev* —4L **51**
Homestead Paddock. *N14*
  —7G **155**
Homestead Rd. *Hat* —6G **111**
Homestead Rd. *Rick* —9N **147**
Homesteads, The. *Hun* —7G **96**
Homestead Way. *Lut* —3E **66**
Home Way. *Mill E* —1J **59**
Homewillow Clo. *N21* —8N **155**
Homewood Av. *Cuff* —9K **131**
Homewood Ct. *Chor* —6J **147**
Homewood La. *N'thaw* —9H **131**
Homewood Rd. *St Alb* —8J **109**
Honeybourne. *Bis S* —4G **78**
Honeycroft. *Wel G* —1J **111**
Honeycroft Dri. *St Alb* —5K **127**
Honeycross Rd. *Hem H* —3H **123**
Honeygate. *Lut* —5G **47**
Honey La. *Bunt* —2J **39**
Honey La. *Cot* —7A **38**
Honey La. Hert —9B **94**
  (off Market Pl.)
Honeymead. *Welw* —4M **91**
Honeymeade. *Saw* —8E **98**
  (in two parts)
Honeypot Bus. Cen. *Stan*
  —8M **163**
Honeypot La. *Stan & NW9*
  —7L **163**
Honeysuckle Clo. *Bis S* —2E **78**
Honeysuckle Clo. *Hert* —9E **94**
Honeysuckle Gdns. *Hat* —1H **129**
Honeysuckle La. *Offl* —7B **32**
Honeyway. *R'ton* —7E **8**
Honeywick. —1J **63**
Honeywick La. *Eat B* —1J **63**
Honeywood Clo. *Pot B* —6C **142**
Honister Clo. *Stan* —8J **163**
Honister Gdns. *Stan* —7J **163**
Honister Pl. *Stan* —8J **163**
Honor St. *H'low* —5E **118**
Honors Yd. *Tring* —3M **101**
Honours Mead. *Bov* —9D **122**
Hoo Cotts. *Offl* —9E **32**
Hood Av. *N14* —8G **155**
Hoodcote Gdns. *N21* —9N **155**
Hoo End. —4L **69**
Hoo Farm Cotts. *Offl* —9E **32**
Hook Fld. *H'low* —8A **118**
Hook Ga. *Enf* —9F **144**
Hook La. *N'thaw* —5E **142**
Hook's Cross. —2E **72**
Hook, The. *New Bar* —8C **154**
Hook Wlk. *Edgw* —6C **164**
Hoo La. *Offl* —9E **32**
Hoo Pk. —4A **70**
Hoops La. *Ther* —6D **14**
Hoo St. *Lut* —3G **66**
Hoo, The. *H'low* —1E **118**
Hope Grn. *Wat* —6J **137**
Hopewell Rd. *Bald* —3K **23**
Hop Garden Way. *Wat* —4L **137**
Hopground Clo. *St Alb* —4H **127**
Hopkins Cres. *Sandr* —5J **109**
Hopkins Yd. *St Alb* —3F **126**
Hoppers Rd. *N21* —9M **155**
Hopton Rd. *Stev* —2G **51**
Hopwood Clo. *Wat* —9G **136**
Horace Brightman Clo. *Lut*
  —2C **46**
Horace Gay Gdns. *Let* —6E **22**
Hordle Gdns. *St Alb* —4G **127**
Horn & Horseshoe La. *H'low*
  —8G **119**
Hornbeam Clo. *NW7* —3F **164**
Hornbeam Clo. *Borwd* —3A **152**
Hornbeam Clo. *Hert* —8N **93**

Hornbeam Ct. *Gt Wym* —5E **34**
Hornbeam La. *Ess* —3D **130**
Hornbeams. *Brick W* —3A **138**
Horn Beams. *Wel G* —1A **112**
Hornbeams Av. *Enf* —8G **144**
Hornbeam Spring. *Kneb* —4M **71**
Hornbeams, The. *H'low* —4M **117**
Hornbeams, The. *Stev* —5A **52**
Hornbeam Way. *Wal X* —2D **144**
Hornets, The. *Wat* —6K **149**
Horneywood La. *Bunt* —1N **37**
Horn Hill. —4E **158**
Horn Hill. *W'wll* —2L **69**
Horn Hill La. *Chal P* —5C **158**
Hornhill Rd. *Rick & Map C*
  —5E **15\.**
Hornsby Clo. *Lut* —8L **47**
Horns Clo. *Hert* —2A **114**
Hornsfield. *Wel G* —8B **92**
Horns Mill Rd. *Hert* —3N **113**
  (in two parts)
Horns Rd. *Hert* —1A **114**
Horrocks Clo. *Ware* —4H **95**
Horsecroft Rd. *Edgw* —7D **164**
Horsecroft Rd. *H'low* —6H **117**
Horsecroft Rd. *Hem H* —4K **123**
Horse Hill. *Lat* —5A **134**
Horselers. *Hem H* —5C **124**
Horsemans Ride. *St Alb* —8B **126**
Horseshoe Bus. Pk. *Brick W*
  —3C **13\.**
Horseshoe Clo. *Bar* —3C **16**
Horseshoe Clo. *Ched* —9L **61**
Horseshoe Ct. Stan A —2A **116**
  (off Thele Av.)
Horseshoe Hill. *Gt Hor* —2D **40**
Horseshoe La. *N20* —1K **165**
Horseshoe La. *Enf* —5A **156**
Horseshoe La. *Gt Hor* —3C **40**
Horseshoe La. *Wat* —5K **137**
Horseshoe, The. *Hem H* —4E **124**
Horsham Clo. *Lut* —7M **47**
Horshams. *H'low* —6M **117**
Horsler Clo. *Bar C* —9E **18**
Horsleys. *Map C* —5G **158**
Horton. —5M **61**
Horton Gdns. *Hem H* —5C **106**
Horton Rd. *Ment* —5M **61**
Horton Rd. *Slap* —2A **62**
Horwood Clo. *Rick* —9K **147**
Horwood Ct. *Wat* —1M **149**
Hospital Circular Rd. *Hal C*
  —8C **10\.**
Hospital Rd. *Arl* —8A **10**
Houghton Ct. *H Reg* —5F **44**
Houghton Hall Park. —5F **44**
Houghton M. Lut —2F **66**
  (off Windsor St.)
Houghton Pde. *Dunst* —7D **44**
Houghton Park. —3H **45**
Houghton Pk. Rd. *H Reg* —3H **45**
Houghton Regis. —5E **44**
Houghton Regis Ind. Est. *H Reg*
  —5E **4\.**
Houghton Regis Leisure Cen.
  —2H **4\.**
Houghton Rd. *Chal* —1J **45**
Houghton Rd. *Dunst* —7D **44**
Houndsden Rd. *N21* —8L **155**
Houndsfield Rd. *N9* —9F **156**
Housden Clo. *Wheat* —8M **89**
Housefield Way. *St Alb* —5K **127**
House La. *Arl* —5A **10**
House La. *Sandr* —5K **109**
Housewood End. *Hem H* —8L **105**
Housham Tye. —4M **119**
Housham Tye Rd. *H'low* —3L **119**
Housman Av. *R'ton* —4C **8**
Howard Agne Clo. *Bov* —9D **122**
Howard Bus. Pk. *Wal A* —7N **145**
Howard Cen., The. *Wel G* —9K **91**
Howard Clo. *Bus H* —9F **150**
Howard Clo. *Lut* —5C **46**
Howard Clo. *St Alb* —4K **127**
Howard Clo. *Stot* —7E **10**
Howard Clo. *Wal A* —7N **145**
Howard Clo. *Wat* —1J **149**
Howard Ct. *Let* —7H **23**
Howard Dri. *Borwd* —6D **152**
Howard Gardens. —6G **22**
Howard Ga. *Let* —7H **23**
Howard Ho. *Wel G* —9K **91**
Howard Pk. —5G **22**
Howard Pk. Corner. *Let* —5G **22**
Howard Pl. *Dunst* —1G **64**

Howard Rd. *Che* —9F **120**
Howards Clo. *Pinn* —9K **161**
Howards Dri. *Hem H* —8J **105**
Howardsgate. *Wel G* —8K **91**
(in two parts)
Howards Wood. *Let* —8H **23**
Howard Way. *Barn* —7K **153**
Howard Way. *H'low* —3B **118**
Howberry Clo. *Edgw* —6L **163**
Howberry Rd. *Stan & Edgw*
—6L **163**
Howcroft Cres. *N3* —7N **165**
Howe Clo. *Shenl* —5M **139**
Howe Dell. *Hat* —9H **111**
Howe Green. —6M **79**
(Bishop's Stortford)
Howe Green. —7F **112**
(Hertford)
Howell Hill Clo. *Ment* —3J **61**
Howe Rd. *Hem H* —4C **124**
Howes Clo. *N3* —9N **165**
Howey Banks. *Wend* —9B **100**
Howfield Grn. *Hod* —5L **115**
Howicks Grn. *Wel G* —3N **111**
Howland Gth. *St Alb* —6D **126**
Howlands. *Wel G* —3L **111**
Howlands Ho. *Wel G* —3N **111**
Howlett's Cotts. *Bre P* —1L **41**
Howse Rd. *Wal A* —8M **145**
Howton Pl. *Bus H* —1E **162**
How Wood. —1C **138**
Howe Wood. *Park* —1C **138**
Hoylake Ct. *Lut* —3H **67**
Hoylake Gdns. *Wat* —4M **161**
Hubbards Rd. *Chor* —7G **146**
Huckleberry Clo. *Lut* —1C **46**
Hudnall. —8C **84**
Hudnall La. *L Gad* —9A **84**
Hudnall Pk. Outdoor Cen. —9D **84**
Hudson. NW9 —8F **164**
(off Near Acre)
Hudson Clo. *St Alb* —5E **126**
Hudson Clo. *Wat* —9H **137**
Hudson Rd. *Stev* —2A **52**
Hudsons Ct. *Pot B* —4N **141**
Huggins La. *N Mym* —5J **129**
Hughenden Rd. *St Alb* —8J **109**
Hughendon. *New Bar* —6A **154**
Hugh's Tower. *H'low* —5N **117**
Hugh Vs. *Bis S* —3J **79**
Hugo Gryn Way. *Shenl* —4M **139**
Hull Clo. *Chesh* —8B **132**
Hull La. *Brau* —2B **56**
Humber Ct. *Stev* —7M **35**
Humberstone Clo. *Lut* —7A **46**
Humberstone Rd. *Lut* —7A **46**
Humphrey Talbot Av. *Kens* —9C **64**
Humphrys Rd. *Wood E* —6G **44**
Hundred Acre. *NW9* —9F **164**
Hundred Acres. *Wal X* —7L **145**
Hungerdown. *E4* —9N **157**
Hunsdon. —6G **96**
Hunsdon. *Wel G* —9C **92**
Hunsdonbury. —8G **96**
Hunsdon Rd. *Stan A* —2B **116**
Hunsdon Rd. *Wid* —4G **97**
Hunston Clo. *Lut* —4L **45**
Hunt Clo. *St Alb* —8L **109**
Hunt Ct. *N14* —9G **155**
Hunter Clo. *Borwd* —7C **152**
Hunter Clo. *Pot B* —6A **142**
Huntercrombe Gdns. *Wat* —4L **161**
Hunters Clo. *Bov* —2D **134**
Hunters Clo. *Stev* —2C **52**
Hunters Clo. *Stot* —6E **10**
Hunters Clo. *Tring* —1N **101**
Hunter's La. *Leav* —6H **137**
Hunters Pk. *Berk* —9B **104**
Hunters Reach. *Wal X* —2D **144**
Hunters Ride. *Brick W* —4B **138**
Hunters Way. *Enf* —3M **155**
Hunters Way. *R'ton* —7E **8**
Hunters Way. *Wel G* —3M **111**
Hunter Wlk. *Borwd* —7D **152**
Huntingdon Clo. *Brox* —6J **133**
Huntingdon Rd. *Stev* —1H **51**
Hunting Ga. *Hem H* —7A **106**
Hunting Ga. *Hit* —8A **22**
Hunting Ga. Clo. *Enf* —5M **155**
Huntley Dri. *N3* —6N **165**
Hunton Bridge. —6E **112**
Hunton Bridge. —9F **136**
Hunton Bri. Hill. *K Lan* —6E **136**

Hunton Bri. Ind. Est. *K Lan*
—6E **136**
Hunts Clo. *Lut* —2E **66**
Huntsman Clo. *Puck* —6A **56**
Huntsmans Clo. *Dagn* —2N **83**
Hunts Mead. *Enf* —5H **157**
Huntsmill Rd. *Hem H* —3H **123**
Hurlock Clo. *Dunst* —2D **64**
Hurlock Way. *Lut* —4M **45**
Hurricane Way. *Ab L* —6J **137**
Hurst Clo. *Bald* —2N **23**
Hurst Clo. *Bis S* —1G **79**
Hurst Clo. *Wel G* —1B **112**
Hurst Dri. *Wal X* —7H **145**
Hurstlings Way. *Wel G* —1A **112**
Hurstmead Ct. *Edgw* —4B **164**
Hurst Pl. *N'wd* —8D **160**
Hurst Ri. *Barn* —5N **153**
Hurst Way. *Lut* —4A **46**
Hutchings Lodge. *Rick* —1A **160**
Hutton Clo. *Hert* —9M **93**
Hutton Ct. N9 —9G **156**
(off Tramway Av.)
Hutton Gdns. *Harr* —7D **162**
Hutton La. *Harr* —7D **162**
Hutton Row. *Edgw* —7C **164**
Hutton Wlk. *Harr* —7D **162**
Hyatt Trad. Est. *Stev* —4G **51**
Hyburn Clo. *Brick W* —3A **138**
Hyburn Clo. *Hem H* —3D **124**
Hydean Way. *Stev* —6N **51**
Hyde Av. *Pot B* —6A **142**
Hyde Av. *Stot* —7E **10**
Hyde Clo. *Barn* —5M **153**
Hyde Clo. *Hpdn* —3C **88**
Hyde Ct. *Wal X* —7J **145**
Hyde Grn. E. *Stev* —6A **52**
Hyde Grn. N. *Stev* —6A **52**
Hyde Grn. S. *Stev* —6A **52**
Hyde La. *Bov* —9C **122**
Hyde La. *Lut* —6C **68**
Hyde La. *Nash M* —9C **124**
Hyde La. *Park* —1D **138**
(in three parts)
Hyde Meadows. *Bov* —1D **134**
Hyde Rd. *Cad* —4A **66**
Hyde Rd. *Wat* —4J **149**
Hyde, The. *Stev* —6B **52**
Hyde, The. *Ware* —5F **94**
Hyde Valley. *Wel G* —2M **111**
Hyde Vw. Rd. *Hpdn* —3C **88**
Hyde Way. *Wel G* —9L **91**
Hyperion Ct. *Hem H* —8B **106**
Hyver Hill. *NW7* —8D **152**

Ian Sq. *Enf* —3H **157**
Ibberson Way. *Hit* —3A **34**
Ibsley Way. *Cockf* —7D **154**
Ickleford. —7M **21**
Ickleford. Stev —8J **35**
(off Coreys Mill La.)
Ickleford Bury. *Ickl* —8M **21**
Ickleford Rd. *Hit* —1N **33**
Ickley Clo. *Lut* —4L **45**
Icknield Clo. *St Alb* —4A **126**
Icknield Clo. *Wend* —9B **100**
Icknield Grn. *Let* —5E **22**
Icknield Grn. *Tring* —9M **81**
Icknield Rd. *Lut* —5B **46**
Icknield St. *Dunst* —9E **44**
Icknield Vs. Dunst —9E **44**
(off Icknield St.)
Icknield Wlk. *R'ton* —6E **8**
Icknield Way. *Bald* —2L **23**
Icknield Way. *Let* —5C **22**
Icknield Way. *Lut* —3C **46**
Icknield Way. *Tring* —3J **101**
Icknield Way E. *Bald* —2M **23**
Icknield Way Ind. Est. *Tring*
—3K **101**
Idenbury Ct. *Lut* —1E **66**
Ilex Ct. *Berk* —1M **121**
Ilford Clo. *Lut* —6L **47**
Ilkley Rd. *Wat* —5M **161**
Illingworth Way. *Enf* —7C **156**
Imber Clo. *N14* —9H **155**
Imberfield. *Lut* —6M **45**
Imperial Pk. Way. *Wat* —3L **149**
Imperial Pl. *Borwd* —5B **152**
Imperial Way. *Wat* —3L **149**
Indells. *Hat* —1F **128**
Index Ct. *Dunst* —1G **64**
Index Dri. *Dunst* —1G **64**

Ingelheim Ct. *Stev* —2K **51**
Ingersoll Rd. *Enf* —2G **157**
Inglefield. *Pot B* —3N **141**
Ingles. *Wel G* —6K **91**
Ingleside Dri. *Stev* —8G **35**
Ingram Clo. *Stev* —5K **163**
Ingram Gdns. *Lut* —2F **46**
Inkerman Rd. *St Alb* —3F **126**
Inkerman St. *Lut* —1F **66**
Innes Ct. *Hem H* —5N **123**
Innova Bus. Pk. *Enf* —9K **145**
Innova Way. *Enf* —9K **145**
Inn's Clo. *Stev* —3K **51**
Inskip Cres. *Stev* —4L **51**
Inverness Dri. *Enf* —3C **156**
Iona Clo. *Stev* —8M **35**
Ionian Way. *Hem H* —8B **106**
Iredale Vw. *Bald* —2N **23**
Irene Stebbings Ho. *St Alb*
—1K **127**
Iris Wlk. *Edgw* —4C **164**
Irkdale Av. *Enf* —3D **156**
Iron Dri. *Hert* —8F **94**
Irvine Av. *Harr* —9H **163**
Irvine Clo. *Bis S* —4F **78**
Irving Cres. *Ched* —8M **61**
Isabel Ga. *Chesh* —8K **133**
Isabella Clo. *N14* —9H **155**
Isabella Clo. *G Oak* —2A **144**
Isenburg Way. *Hem H* —6N **105**
Isherwood Clo. *R'ton* —5C **8**
Isle of Wight La. *Kens* —4C **64**
Islip Gdns. *Edgw* —7D **164**
Isopad Ho. Borwd —5B **152**
(off Shenley Rd.)
Italstyle Bldgs. *Saw* —9E **98**
Itaska Cotts. *Bush* —1F **162**
Itch La. *Ware* —2M **57**
Ivanhoe Dri. *Harr* —9H **163**
Ivatt Ct. *Hit* —3C **34**
Iveagh Clo. *N'wd* —8D **160**
Iveagh Ct. *Hem H* —1N **123**
Iveagh Ho. *Wel G* —8B **92**
Ivel Clo. *Bar C* —8F **18**
Ivel Ct. *Let* —7J **23**
Ivel Rd. *Stev* —2J **51**
Ivel Way. *Bald* —5N **23**
Ivel Way. *Stot* —4F **10**
Ivere Dri. *New Bar* —8A **154**
Ives Rd. *Hert* —8N **93**
Ivinghoe. —2C **62**
Ivinghoe Aston. —7E **62**
Ivinghoe Bus. Cen. *H Reg* —6E **44**
Ivinghoe Clo. *Enf* —3C **156**
Ivinghoe Clo. *St Alb* —6K **109**
Ivinghoe Clo. *Wat* —8M **137**
Ivinghoe Golf Course. —1C **82**
Ivinghoe Rd. *Bush* —9E **150**
Ivinghoe Rd. *Mil E* —9K **147**
Ivinghoe Way. *Edl* —7J **63**
Ivory Clo. *St Alb* —4K **127**
Ivory Ct. *Hem H* —5A **124**
Ivybridge. *Brox* —1L **133**
Ivy Clo. *Dunst* —8B **44**
Ivy Ct. *Lut* —9D **46**
Ivy Ct. *Stot* —5F **10**
Ivy Ho. Flats. *Wat* —8M **149**
Ivy Ho. La. *Berk* —1B **122**
Ivy Lea. *Rick* —1K **159**
Ivy Rd. *N14* —9H **155**
Ivy Rd. *Lut* —9B **46**
Ivy Ter. *Hod* —6N **115**
Ivy Wlk. *N'wd* —8G **160**

Jackdaw Clo. *Stev* —5C **52**
Jackdaws. *Wel G* —9B **92**
Jackets La. *Hare & N'wd* —7C **160**
(in two parts)
Jacketts Fld. *Ab L* —4H **137**
Jackman's Pl. *Let* —5H **23**
Jacks Hill Pk. *G'ley* —3J **35**
Jacks La. *Hare* —8K **159**
Jackson Rd. *Barn* —8D **154**
Jacksons Clo. *Edl* —4J **63**
Jacksons Dri. *Chesh* —1E **144**
Jacksons Hill. *H'low* —4A **118**
Jackson's La. *Reed* —7J **15**
Jackson Sq. *Bis S* —1H **79**
Jackson St. *Bald* —2L **23**
Jack Stevens Clo. *H'low* —8E **118**
Jacob's Ladder. Hat —9J **111**
(off Broadway, The)
James Bedford Clo. *Pinn* —9L **161**
James Clo. *Bush* —7N **149**

James Ct. *NW9* —9E **164**
James Ct. *Lut* —7L **45**
James Ct. *N'wd* —8H **161**
James Foster Ho. *Hit* —1M **33**
James Lee Sq. *Enf* —1L **157**
James Marshall Commercial Cen.
Hpdn —6B **88**
Jameson Ct. St Alb —1G **126**
(off Avenue Rd.)
Jameson Rd. *Hpdn* —4C **88**
James St. *Enf* —7D **156**
James Way. *Stev* —2J **51**
Jane Clo. *Hem H* —6D **106**
Japanese Garden, The. —3E **70**
Jarden. *Let* —7J **23**
Jardine Way. *Dunst* —1H **65**
Jarman Clo. *Hem H* —4A **124**
Jarman Pk. *Hem H* —3B **124**
Jarman Way. *Hem H* —3B **124**
Jarman Way. *R'ton* —6B **8**
Jarvis Cleys. *Chesh* —8D **132**
Jarvis Clo. *Barn* —7K **153**
Jasmin Clo. *Bis S* —2E **78**
Jasmin Clo. *N'wd* —6H **161**
Jasmine Clo. *Lut* —5H **47**
Jasmine Dri. *Hert* —9E **94**
Jasmine Gdns. *Hat* —7G **110**
Jasmine Gdns. *Hem H* —1H **123**
Jasmin Way. *Hem H* —1H **123**
Jasper Clo. *Enf* —2G **157**
Jay Clo. *Let* —3E **22**
Jay Ct. *H'low* —5A **118**
Jaycroft. *Enf* —3M **155**
Jaywood. *Lut* —8K **45**
Jeans La. *Bis S* —1G **79**
Jeans Way. *Dunst* —9H **45**
Jeffrey Clo. *R'ton* —5C **8**
Jeffreys Rd. *Enf* —6J **157**
Jeffries Rd. *Ware* —6J **95**
Jellicoe Gdns. *Stan* —6G **163**
Jellicoe Rd. *Wat* —8J **149**
Jenkins Av. *Brick W* —3N **137**
Jenkins Ct. *W'grv* —5B **60**
Jenkins La. *Bis S* —4K **79**
Jennings Clo. *Stev* —6L **51**
Jennings Rd. *St Alb* —1G **127**
Jennings Way. *Barn* —5J **153**
Jennings Way. *Hem H* —4A **124**
Jenning Wood. *Welw* —9M **71**
Jepps Clo. *Chesh* —9C **132**
Jepps La. *R'ton* —7D **8**
Jeremiah Clo. *Bar C* —8E **18**
Jerome Dri. *St Alb* —4B **126**
Jerounds. *H'low* —8L **117**
Jersey Av. *Stan* —9J **163**
Jersey Clo. *Hod* —7L **115**
Jersey Ho. Enf —2H **157**
(off Eastfield Rd.)
Jersey La. *St Alb* —9J **109**
(AL1, in two parts)
Jersey La. *St Alb* —7K **109**
(AL4)
Jersey La. *Sandr* —6K **109**
Jersey Rd. *Lut* —6K **45**
Jervis Av. *Enf* —8J **145**
Jervis Rd. *Bis S* —2H **79**
Jesmond Way. *Stan* —5M **163**
Jessop Rd. *Stev* —1N **51**
Jeve Clo. *Bald* —2N **23**
Jill Grey Pl. *Hit* —4N **33**
Jillifer Rd. *Lut* —6K **45**
Jim Desormeaux Bungalows.
H'low —4A **118**
Jinnings, The. *Wel G* —3A **112**
Jocelyns. *H'low* —2E **118**
Jocketts Hill. *Hem H* —2J **123**
Jocketts Rd. *Hem H* —3J **123**
Jockey End. —7K **85**
Jodies Ct. *St Alb* —9K **109**
Joel St. *N'wd & Pinn* —9J **161**
Johnathhan Ho. *Wel G* —8B **92**
John Barker Pl. *Hit* —1K **33**
Johnby Clo. *Enf* —1J **157**
John Ct. *Hod* —5L **115**
John Gooch Dri. *Enf* —3N **155**
John Henry Leisure Cen. —9H **35**
John Lamb Ct. *Harr* —8F **162**
Johns La. *Ash G* —5H **121**
Johnson Ct. *Hem H* —4A **124**
Johnson Ct. *H Reg* —4G **44**
Johns Rd. *Bis S* —8J **59**
John St. *Enf* —7D **156**
John St. *Lut* —1G **67**
John St. *R'ton* —7D **8**
John Tate Rd. *Fox P* —1D **114**
Joiners Clo. *Chal P* —7C **158**

Joiner's La. *Chal P* —8B **158**
Joiners Way. *Chal P* —7B **158**
Joint, The. *Reed* —6H **15**
Jones Cotts. *Barn* —7G **152**
Jones Rd. *G Oak* —3N **143**
Jonquil Clo. *Wel G* —2A **112**
Jordan Clo. *Leav* —8H **137**
Jordans. *Wel G* —8B **92**
Jordans Rd. *Rick* —9K **147**
Jordan's Way. *Brick W* —3N **137**
Joshua Wlk. *Wal X* —7L **145**
Joslyn Clo. *Enf* —2L **157**
Jowitt Ho. *Stev* —3L **51**
Joyce Ct. *Wal A* —7N **145**
Joystone Ct. *New Bar* —6D **154**
(off Park Rd.)
Jubilee Av. *Lon C* —8L **127**
Jubilee Av. *Ware* —5K **95**
Jubilee Clo. *Pinn* —9L **161**
Jubilee Cotts. *Gt Hor* —2D **40**
Jubilee Ct. *Hpdn* —4D **88**
Jubilee Ct. *Hat* —6H **111**
Jubilee Cres. *N9* —9E **156**
Jubilee Cres. *Arl* —1N **21**
Jubilee End. *Stpl M* —3C **6**
Jubilee Memorial Av. *Stev* —1K **51**
(in two parts)
Jubilee Rd. *Let* —4J **23**
Jubilee Rd. *Stev* —1H **51**
Jubilee Rd. *Wat* —2J **149**
Jubilee St. *Lut* —8H **47**
Jubilee Trade Cen. *Let* —4K **23**
Jubilee Wlk. *Wat* —4K **161**
Jubilee Way. *Stpl M* —3C **6**
Judge's Hill. *N'thaw* —2D **142**
Judge St. *Wat* —2K **149**
Jules Thorn Av. *Enf* —6E **156**
Julia Ct. *Lut* —5D **46**
Julia Ga. *Stev* —1B **52**
Julian Clo. *New Bar* —5A **154**
Julian's Clo. *Stev* —1J **51**
Julian's Rd. *Stev* —1H **51**
Julie Ho. *Hod* —6N **115**
Julius Gdns. *Lut* —2B **46**
Juniper Av. *Brick W* —4B **138**
Juniper Clo. *Barn* —7K **153**
Juniper Clo. *Brox* —7K **133**
Juniper Clo. *Lut* —7A **46**
Juniper Clo. *Rick* —3N **159**
Juniper Ct. *Harr* —8G **162**
Juniper Ct. *N'wd* —8J **161**
Juniper Gdns. *Shenl* —6M **139**
Juniper Gdns. *Welw* —9L **71**
Juniper Ga. *Rick* —3N **159**
Juniper Grn. *Hem H* —2H **123**
Juniper Gro. *Wat* —2J **149**
Juno Rd. *Hem H* —8B **106**
Jupiter Dri. *Hem H* —9B **106**
Jupiter Ga. *Stev* —1C **52**
Jute La. *Brim* —4J **157**
(in two parts)
Juxon Clo. *Harr* —8C **162**

Kangles, The. *Saf W* —1N **29**
Kaplan Dri. *N21* —7L **155**
Kardwell Clo. *Hit* —4A **34**
Kates Clo. *Barn* —7G **152**
Katescroft. *Wel G* —4L **111**
Katherine Clo. *Hem H* —5A **124**
Katherine Dri. *Dunst* —7H **45**
Katherine Pl. *Ab L* —5J **137**
Katherines. —9K **117**
Katherines Hatch. H'low —8K **117**
(off Brookside)
Katherines Ho. H'low —8K **117**
(off Brookside)
Katherine's Way. *H'low* —9K **117**
Katrine Sq. *Hem H* —7A **106**
Kay Wlk. *St Alb* —2L **127**
Keaton Clo. *H Reg* —4G **45**
Keats Clo. *Enf* —7H **157**
Keats Clo. *Hem H* —5D **106**
Keats Clo. *R'ton* —5C **8**
Keats Clo. *Stev* —2B **52**
Keats Way. *Hit* —3C **34**
Keble Ter. *Ab L* —5H **137**
Kebworth House. —2J **71**
Kecksy's. *Saw* —3H **99**
Kedyngton Ho. Edgw —9C **164**
(off Burnt Oak B'way.)
Keeble Clo. *Lut* —8N **47**
Keele Clo. *Wat* —4L **149**
Keely Clo. *Barn* —7D **154**
Keepers Clo. *Ched* —9M **61**

Keepers Clo. *Lut* —7L **47**
Keevil Clo. *Bis S* —8L **59**
Kefford Clo. *Bass* —1N **7**
Keiths Rd. *Hem H* —3C **124**
Keiths Wood. *Kneb* —3M **71**
Kelbys. *Wel G* —8B **92**
Keller Clo. *Stev* —5A **52**
Kelling Clo. *Lut* —1E **46**
Kelly Ct. *Borwd* —4D **152**
Kelly Rd. *NW7* —6L **165**
Kelman Clo. *Wal X* —4H **145**
Kelmscott Clo. *Wat* —7J **149**
Kelmscott Cres. *Wat* —7J **149**
Kelshall. —7B 14
Kelshall. *Wat* —9N **137**
Kelshall La. *R'ton* —8D **14**
Kelshall St. *Ther* —7B **14**
Kelvin Clo. *Lut* —2G **66**
Kelvin Cres. *Harr* —7F **162**
Kemble Clo. *Pot B* —6C **142**
Kemble Pde. *Pot B* —5B **142**
Kemp. NW9 —8F **164**
  (off Concourse, The)
Kempe Clo. *St Alb* —6D **126**
Kempe Rd. *Enf* —9F **144**
  (in two parts)
Kemp Pl. *Bush* —8B **150**
Kemprow. —9E 138
Kemprow. *A'ham* —9E **138**
Kemps Dri. *N'wd* —7H **161**
Kempsey Clo. *Lut* —7M **47**
Kendal Clo. *Lut* —2N **45**
Kendal Ct. *Borwd* —4C **152**
Kendale. *Hem H* —3D **124**
Kendale Rd. *Hit* —4N **33**
Kendale Rd. *Lut* —7L **45**
Kendall Clo. *Wel G* —4M **111**
Kendal Rd. *Wal A* —8N **145**
Kendals Clo. *Rad* —9F **138**
Ken Davis Ct. *St Alb* —7G **108**
Kenerne Dri. *Barn* —7L **153**
Kenford Clo. *Wat* —5K **137**
Kenilworth Clo. *Borwd* —5C **152**
Kenilworth Clo. *Hem H* —3A **124**
Kenilworth Clo. *Stev* —1B **72**
Kenilworth Ct. *Wat* —3J **149**
Kenilworth Cres. *Enf* —3C **156**
Kenilworth Dri. *Borwd* —5C **152**
Kenilworth Dri. *Crox G* —6D **148**
Kenilworth Gdns. *Wat* —5L **161**
Kenilworth Rd. *Edgw* —3C **164**
Kenilworth Rd. *Lut* —9E **46**
Kenley Av. *NW9* —8E **164**
Kenley Clo. *Barn* —6D **154**
Kenmare Clo. *Stev* —7M **35**
Kenmore Gdns. *Edgw* —9B **164**
Kenmore Rd. *Harr* —9L **163**
Kennedy Av. *Enf* —8G **157**
Kennedy Av. *Hod* —8K **115**
Kennedy Clo. *Chesh* —1J **145**
Kennedy Clo. *Pinn* —6A **162**
Kennedy Ct. *Bush* —2E **162**
Kennedy Rd. *D End* —1C **74**
Kennel La. *Hpdn* —2H **87**
Kennelwood La. *Hat* —8H **111**
Kenneth Gdns. *Stan* —6H **163**
Kenneth Rd. *Lut* —8J **47**
Kennett Ct. Wat —6K 149
  (off Whippendell Rd.)
Kennet Way. *Stev* —7N **35**
Kenning Rd. *Hod* —6L **115**
Kennington Rd. *Lut* —6D **46**
Kenny Rd. *NW7* —6L **165**
Kensington Av. *Wat* —6H **149**
Kensington Clo. *H Reg* —5H **45**
Kensington Clo. *St Alb* —4H **127**
Kensington Way. *Borwd* —5D **152**
Kensworth. —7H 65
Kensworth Common. —8H 65
Kensworth Ho. *Kens* —6K **65**
Kensworth Lynch. —7K 65
Kensworth Rd. *Stud* —3F **84**
Kent Clo. *Borwd* —2D **152**
Kent Ct. *NW9* —9E **164**
Kent Cres. *Bis S* —4G **78**
Kent Dri. *Cockf* —6F **154**
Kent Ho. *Ger X* —5B **158**
Kentish La. *Brk P* —8B **130**
Kenton Gdns. *St Alb* —3G **126**
Kenton La. *Harr* —6G **162**
Kent Pl. *Hit* —2L **33**
Kent Rd. *N21* —9B **156**
Kent Rd. *H Reg* —3G **44**
  (in two parts)

Kent Rd. *Lut* —9B **46**
Kents Av. *Hem H* —6N **123**
Kent's La. *Shen* —7B **56**
Kentwick Sq. *H Reg* —2G **44**
Kenwood Av. *N14* —7J **155**
Kenwood Dri. *Mil E* —2J **159**
Kenworth Clo. *Wal X* —6H **145**
Kerdistone Clo. *Pot B* —3A **142**
Kernow Ct. *Lut* —8J **47**
Kerr Clo. *Kneb* —3M **71**
Kerri Clo. *Barn* —6J **153**
Kerril Cft. *H'low* —5K **117**
Kerry Av. *Stan* —4K **163**
Kerry Ct. *Stan* —4L **163**
Kershaw Clo. *Lut* —1C **46**
Kershaw's Hill. *Hit* —4N **33**
  (in two parts)
Kerslake Ho. *Ger X* —5B **158**
Keston M. *Wat* —4K **149**
Kestral Clo. *Wat* —7N **137**
Kestrel Clo. *NW9* —9E **164**
Kestrel Clo. *Berk* —2N **121**
Kestrel Clo. *Stev* —7C **52**
Kestrel Ct. *Ware* —4G **95**
Kestrel Gdns. *Bis S* —2E **78**
Kestrel Grn. *Hat* —1G **129**
Kestrels, The. *Brick W* —4A **138**
Kestrel Wlk. *Let* —8H **23**
Kestrel Way. *Lut* —4K **45**
Kestrel Way. *Wel G* —7M **91**
Kestrel Way. *R'ton* —5E **8**
Keswick Clo. *Dunst* —1E **64**
Keswick Clo. *St Alb* —3J **127**
Keswick Dri. *Enf* —9G **145**
Kettering Rd. *Enf* —1H **157**
Kettle Green. —7G 76
Kettle Grn. Rd. *M Hud* —6J **77**
Ketton Clo. *Lut* —1J **67**
Ketton Ct. *Lut* —1J **67**
Kevere Ct. *N'wd* —5D **160**
Kewa Ct. Berk —1M 121
  (off Cross Oak Rd.)
Kewferry Dri. *N'wd* —5D **160**
Kewferry Rd. *N'wd* —6E **160**
Keyfield Ter. *St Alb* —3E **126**
Keymer Clo. *Lut* —6L **47**
Keynton Clo. *Hert* —8L **93**
Keysers Estate. —4L 133
Keysers Rd. *Brox* —4L **133**
Kibes La. *Ware* —6J **95**
Kidlington Way. *NW9* —9D **164**
Kidner Clo. *Lut* —4G **46**
Kilbride Ct. *Hem H* —7A **106**
Kilby Clo. *Wat* —8M **137**
Kildonan Clo. *Wat* —3H **149**
Kilfillan Gdns. *Berk* —2L **121**
Kilfillan Pk. *Berk* —1L **121**
Killem's Green. —8K 17
Kilmarnock Dri. *Lut* —4G **47**
Kilmarnock Rd. *Wat* —4M **161**
Kiln Clo. *Pott E* —8E **104**
Kiln Cotts. *Hem H* —1D **124**
Kilncroft. *Hem H* —4D **124**
Kilnfield. *Wel G* —6M **91**
Kiln Ground. *Hem H* —4C **124**
Kiln Ho. Clo. *Ware* —5J **95**
Kiln La. *H'low* —7E **118**
Kiln Rd. *Hast* —7N **101**
Kiln Way. *N'wd* —6G **161**
Kilsmore La. *Chesh* —1H **145**
Kilvinton Dri. *Enf* —2B **156**
Kilworth Clo. *Wel G* —2A **112**
Kimberley. *Let* —2F **22**
Kimberley Clo. *Bis S* —3J **79**
Kimberley Clo. *Lut* —6H **45**
Kimberley Gdns. *Enf* —5D **156**
Kimberley Rd. *St Alb* —1D **126**
Kimberley Vs. Bis S —3J 79
  (off Southmill Rd.)
Kimble Clo. *Wat* —9G **149**
Kimble Cres. *Bush* —9D **150**
Kimbolton Cres. *Stev* —9M **51**
Kimbolton Grn. *Borwd* —6C **152**
Kimps Way. *Hem H* —5C **124**
Kimpton. —7K 69
Kimpton. Stev —8J 35
  (off Coreys Mill La.)
Kimpton Bottom. *Hpdn & Kim*
  —9E **68**
Kimpton Clo. *Hem H* —6D **106**
Kimpton Pl. *Wat* —7M **137**
Kimpton Rd. *Cod* —7M **69**
Kimpton Rd. *Kim* —8J **69**

Kimpton Rd. *Lut* —2J **67**
Kimpton Rd. *P Grn & Kim* —5D **68**
Kimpton Rd. *Welw* —8D **70**
Kimptons Clo. *Pot B* —5K **141**
Kimptons Mead. *Pot B* —6K **141**
Kinderscout. *Hem H* —4C **124**
Kindersley Clo. *Welw* —1J **91**
Kindersley Way. *Ab L* —4E **136**
Kinetic Bus. Cen. *Borwd* —5A **152**
Kinetic Cres. *Enf* —9K **145**
King Arthur Ct. *Chesh* —4J **145**
King Charles Rd. *Shenl* —5M **139**
King Cft. Rd. *Hpdn* —8E **88**
King Edward Rd. *Barn* —6N **153**
King Edward Rd. *Shenl* —6N **139**
King Edward Rd. *Wal X* —6J **145**
King Edward Rd. *Wat* —8N **149**
King Edward's Rd. *N9* —9F **156**
King Edward's Rd. *Enf* —6H **157**
King Edward's Rd. *Ware* —5J **95**
King Edward St. *Hem H* —6M **123**
Kingfisher Clo. *Har W* —7G **162**
Kingfisher Clo. *Hit* —4A **34**
Kingfisher Clo. *N'wd* —8D **160**
Kingfisher Clo. *Stan A* —3N **115**
Kingfisher Clo. *Wheat* —6L **89**
Kingfisher Ct. *Enf* —2L **155**
Kingfisher Ct. *Let* —3E **22**
Kingfisher Dri. *Hem H* —7B **124**
Kingfisher Lure. *K Lan* —2D **136**
Kingfisher Lure. *Loud* —6L **147**
Kingfisher Ri. *Stev* —7C **52**
Kingfisher Wlk. *NW9* —9E **164**
Kingfisher Way. Roy M —5D 116
  (off Heron Way)
King George Av. *Bush* —8C **150**
King George Clo. *Stev* —3L **51**
King George V Playing Field.
  —9L **21**
King George Rd. *Wal A* —7N **145**
King George Rd. *Ware* —5J **95**
  (in three parts)
King George's Av. *Wat* —7G **149**
King Georges Clo. *Hit* —9L **21**
King George's Way. *W'will* —2M **69**
Kingham Rd. *W'side* —2B **96**
Kingham Way. *Lut* —8G **46**
King Harold Ct. Wal A —6N 145
  (off Sun St.)
King Harry La. *St Alb* —3B **126**
King Harry St. *Hem H* —3N **123**
King Henry's M. Enf —1L 157
  (off Mollison Av.)
King James Av. *Cuff* —2K **143**
King James Way. *R'ton* —7D **8**
Kings Av. *N21* —9N **155**
Kings Av. *Hem H* —6B **124**
King's Av. *Wat* —8H **147**
Kingsbridge Rd. *Bis S* —9J **59**
Kingsbury Av. *Dunst* —8H **45**
Kingsbury Av. *St Alb* —1D **126**
Kingsbury Ct. *Dunst* —9F **44**
Kingsbury Gdns. *Dunst* —8J **45**
Kingsbury Watermill Mus.
  —2C **126**
Kings Chase Vw. *Ridg* —4M **155**
Kingsclere Pl. *Enf* —4A **156**
Kings Clo. *Chal G* —2A **158**
King's Clo. *Chfd* —4L **135**
Kings Clo. *N'wd* —6H **161**
Kings Clo. *Wat* —6K **149**
King's Cotts. Bis S —2H 79
  (off South St.)
Kings Ct. *Berk* —9N **103**
Kings Ct. *Bis S* —9J **59**
Kings Ct. *Dunst* —8F **44**
Kings Ct. *Stev* —5K **51**
Kingscroft. *Wel G* —8A **92**
Kingscroft Av. *Dunst* —8E **44**
Kingsdale Ho. *Welw* —4H **91**
Kingsdale Rd. *Berk* —2L **121**
Kingsdon La. *H'low* —7E **118**
Kingsdown. *Hit* —4B **34**
Kingsdown Av. *Lut* —5F **46**
King's Dri. *Edgw* —4N **163**
Kings Farm Rd. *Chor* —8G **146**
Kingsfield. *Hod* —6L **115**
Kingsfield Ct. *Wat* —9M **149**
Kingsfield Dri. *Enf* —8H **145**
Kingsfield Rd. *D End* —1C **74**
Kingsfield Rd. *Wat* —9M **149**
Kingsfield Way. *Enf* —8H **145**
Kingsgate. *St Alb* —4C **126**
Kings Head Ct. *Saw* —5G **98**

Kings Head Hill. *E4* —9M **157**
Kings Hedges. *Hit* —1K **33**
  (in two parts)
Kingshill. *Berk* —2M **121**
Kingshill Av. *St Alb* —8J **109**
Kingshill Ct. *Barn* —6L **153**
Kingshill Dri. *Harr* —9J **163**
Kingshill La. *Lut* —7L **31**
Kingshill Way. *Berk* —3L **121**
Kingsland. *H'low* —8M **117**
Kingsland. *Pot B* —6M **141**
Kingsland Clo. *H Reg* —5H **45**
Kingsland Ct. Lut —2H 67
  (off Kingsland Rd.)
Kingsland Rd. *Hem H* —4K **123**
Kingsland Rd. *Lut* —2H **67**
Kingsland Way. *A'wl* —9M **5**
King's La. *Chfd* —4K **135**
Kings Langley. —2C 136
Kings Langley By-Pass. *Hem H*
  —4G **123**
Kingsley Av. *Borwd* —4N **151**
Kingsley Av. *Chesh* —2F **144**
Kingsley Ct. *Edgw* —3B **164**
Kingsley Ct. *Wel G* —4M **111**
Kingsley Rd. *Lut* —4C **46**
Kingsley Wlk. *Tring* —2M **101**
Kingsmead. *Barn* —6N **153**
Kingsmead. *Cuff* —1K **143**
Kings Mead. *Edl* —5J **63**
Kingsmead. *St Alb* —8L **109**
Kingsmead. *Saw* —6G **98**
Kingsmead. *Wal X* —1H **145**
Kingsmead Clo. *Roy* —7E **116**
Kingsmead Ct. Dunst —7D 44
  (off High St. N.)
Kingsmead Hill. —7E 116
Kings Mdw. *K Lan* —1C **136**
Kingsmead Rd. *Bis S* —9J **59**
Kingsmill Ct. *Hat* —2H **129**
Kingsmoor. —9L 117
Kingsmoor Rd. *H'low* —8L **117**
King's Oak. *Crox G* —6C **148**
King's Pde. Edgw —5A 164
  (off Edgwarebury La.)
Kings Pk. Ind. Est. *K Lan* —2D **136**
Kings Rd. *Barn* —5J **153**
Kings Rd. *Berk* —2L **121**
Kings Rd. *Chal G* —2A **158**
King's Rd. *Hert* —8E **94**
King's Rd. *Hit* —2N **33**
King's Rd. *Lon C* —8K **127**
King's Rd. *St Alb* —2C **126**
Kings Rd. *Wal X* —6J **145**
Kingston Pl. *Harr* —7G **162**
Kingston Rd. *Barn* —7C **154**
Kingston Rd. *Lut* —8H **47**
Kingston Va. *R'ton* —8E **8**
King St. *Bis S* —1H **79**
King St. *Dunst* —1F **64**
  (Dunstable)
King St. *Dunst* —5E **44**
  (Houghton Regis)
King St. *Lut* —1G **66**
King St. *Mark* —2A **86**
King St. *Tring* —3M **101**
King St. *Wat* —6L **149**
King St. M. *Bis S* —1H **79**
King's Walden. —5H 49
Kingswalden Pk. —6H 49
  (Deer Pk.)
Kings Walden Ri. *Stev* —2B **52**
King's Walden Rd. *Offl* —8D **32**
Kings Wlk. *R'ton* —7D **8**
Kingsway. *Chal P* —9B **158**
Kingsway. *Cuff* —3K **143**
Kingsway. *Dunst* —8F **44**
Kingsway. *Enf* —7F **156**
Kingsway. *Lut* —8C **46**
Kingsway. *R'ton* —5C **8**
Kingsway. *Stot* —5F **10**
Kingsway. *Ware* —4H **95**
Kingsway Gdns. *Stot* —5E **10**
Kingsway Ind. Est. *Lut* —9C **46**
Kingsway N. Orbital Rd. *Wat*
  —8H **137**
Kingswell End. —3F 48
Kingswell Ride. *Cuff* —3K **143**
Kingswood. —7K 137
Kingswood Av. *Hit* —1D **34**
Kingswood Clo. *N20* —9B **154**
Kingswood Clo. *Enf* —7C **156**
Kingswood Pk. *N3* —8M **165**

Kingswood Rd. *Wat* —7K **137**
Kingwell Rd. *Barn* —2C **153**
King William Clo. *Bar C* —7F **18**
Kinloch Ct. *Hpdn* —5C **88**
Kinmoor Clo. *Lut* —1N **45**
Kinross Clo. *Edgw* —2B **164**
Kinross Cres. *Lut* —1M **45**
Kinsbourne Clo. *Hpdn* —3L **87**
Kinsbourne Cres. *Hpdn* —3M **87**
Kinsbourne Green. —3K 87
Kinsbourne Grn. La. *Hpdn* —2K **87**
Kipling Clo. *Hit* —3C **34**
Kipling Gro. *Hem H* —5D **106**
Kipling Pl. *Stan* —6G **163**
Kipling Rd. *R'ton* —4E **8**
Kipling Way. *Hpdn* —6C **88**
Kirby Clo. *N'wd* —6H **161**
Kirby Dri. *Lut* —9B **30**
Kirby Rd. *Dunst* —9D **44**
Kirkcaldy Grn. *Wat* —3L **161**
Kirkdale Ct. *Lut* —2G **67**
  (off Albert Rd.)
Kirkdale Rd. *Hpdn* —5B **88**
Kirklands. *Wel G* —5K **91**
Kirkstone Dri. *Dunst* —2E **64**
Kirkwick Av. *Hpdn* —6A **88**
Kirkwood Rd. *Lut* —6H **45**
Kirton Wlk. *Edgw* —7C **164**
Kirton Way. *H Reg* —3H **45**
Kitchener Clo. *St Alb* —3J **127**
Kitchener Ho. *Ger X* —4B **158**
Kitcheners La. *Walk* —9G **37**
Kitching La. *Stev* —4F **50**
Kite Fld. *N'chu* —7J **103**
Kite Way. *Let* —3E **22**
Kitsbury Ct. *Berk* —1M **121**
Kitsbury Rd. *Berk* —1M **121**
Kitsbury Ter. *Berk* —1M **121**
Kit's La. *Wlgtn* —3H **25**
Kitson Way. *H'low* —5M **117**
Kitswell Rd. *Rad* —6G **139**
Kitswell Way. *Rad* —6G **139**
Kitters Grn. *Ab L* —4G **137**
Kitt's End. —1L 153
Kitts End Rd. *Barn* —9K **141**
Kiwi Ct. *Hit* —1N **33**
Knap Clo. *Let* —3J **23**
Knebworth. —3N 71
Knebworth Country Pk. —1H 71
Knebworth Ct. *Bis S* —2F **78**
Knebworth Golf Course. —1L 71
Knebworth House. —2J 71
Knebworth Path. *Borwd* —6D **152**
Kneesworth. —1C 8
Kneesworth St. *R'ton* —6C **8**
Knella Grn. *Wel G* —9N **91**
Knella Rd. *Wel G* —1L **111**
Knella Rd. Workshops. *Wel G*
  —9N **91**
Knight Ct. E4 —9N 157
  (off Ridgeway, The)
Knightsbridge Way. *Hem H*
  —1A **124**
Knights Clo. *Bis S* —9D **58**
Knights Clo. *Bunt* —4J **39**
Knights Clo. *Eat B* —3J **63**
**Knightscote Farm & Agricultural
  Mus. —9N 159**
Knights Ct. *Eat B* —3J **63**
Knights Ct. *Saw* —5G **99**
Knights Ct. *Stdn* —8C **56**
Knights Fld. *Lut* —8F **46**
Knightsfield. *Wel G* —5J **91**
Knights Orchard. *Hem H* —9J **105**
Knights Orchard. *St Alb* —2D **126**
Knights Rd. *Stan* —4K **163**
Knights Templar La. *Stev* —1B **52**
Knight St. *Saw* —5G **99**
  (in two parts)
Knightswood Clo. *Edgw* —2C **164**
Knoll Cres. *N'wd* —8G **161**
  (in two parts)
Knoll Dri. *N14* —9F **154**
Knolles Cres. *N Mym* —5H **129**
Knoll Grn. *Hem H* —9A **106**
Knoll Ho. *Pinn* —9A **162**
Knoll Ri. *Lut* —5G **47**
Knolls Clo. *W'grv* —5A **60**
Knoll, The. *Hert* —4A **94**
Knotts Clo. *Dunst* —3F **64**
Knowle. *Stev* —9H **35**
Knowle Dri. *Hpdn* —8E **88**
Knowle, The. *Hod* —9L **115**
Knowl Pk. *Els* —7M **151**
Knowl Piece. *Hit* —8A **22**

Knowl Way. *Els* —7N **151**
Knutsford Av. *Wat* —2M **149**
Knutsford Rd. *Bass* —1M **7**
Koh-I-Nor Av. *Bush* —8B **150**
Kristiansand Way. *Let* —3J **23**
Kymswell Rd. *Stev* —5B **52**
Kynance Clo. *Lut* —6J **47**
Kynance Gdns. *Stan* —8K **163**
Kynaston Clo. *Harr* —7E **162**
Kynaston Rd. *Enf* —3B **156**
Kynaston Wood. *Harr* —7E **162**
Kyrkeby. *Let* —7J **23**
Kytes Dri. *Wat* —6M **137**
Kytes Est. *Wat* —6M **137**

Laburnum Clo. *Chesh* —4H **145**
Laburnum Clo. *Lut* —2E **46**
Laburnum Ct. *Stan* —4K **163**
Laburnum Gro. *Lut* —2D **46**
Laburnum Gro. *St Alb* —7C **126**
Laburnum Lodge. *N3* —9M **165**
Laburnum Rd. *Hod* —6M **115**
Laburnum Way. *G Oak* —1N **143**
Lacey Dri. *Edgw* —4N **163**
Lachbury Clo. *Lut* —2C **66**
Lackmore Rd. *Enf* —8G **144**
Lacre Way. *Let* —4J **23**
Ladbroke Rd. *Enf* —8D **156**
Ladbrooke Clo. *Pot B* —5N **141**
Ladbrooke Dri. *Pot B* —5N **141**
Ladies Gro. *St Alb* —1C **126**
(in two parts)
Ladycroft Wlk. *Stan* —8L **163**
Lady Gro. *Wel G* —4L **111**
Ladyhill. *Lut* —3L **45**
Ladymeadow. *K Lan* —9N **123**
Lady's Clo. *Lut* —6L **149**
Ladyshot. *H'low* —5D **118**
Ladysmith Clo. *NW7* —7G **165**
Ladysmith Rd. *Enf* —5C **156**
(in two parts)
Ladysmith Rd. *Harr* —9F **162**
Ladysmith Rd. *I'hoe* —2C **82**
Ladysmith Rd. *St Alb* —1E **126**
Lady Spencer's Gro. *St Alb*
—3D **126**
Ladywalk. *Map C* —5H **159**
Ladywell Prospect. *Saw* —6J **99**
Ladywood Clo. *Rick* —5L **147**
Ladywood Rd. *Hert* —9L **93**
Lady Yules Wlk. *Kens* —8B **64**
Laelia Houses. *St Alb* —3H **127**
Laidlaw Dri. *N21* —7L **155**
Laidon Sq. *Hem H* —7N **105**
Laing Sports Club Golf Course.
—7E **152**
Lake Dri. *Bush* —2E **162**
Lakeland Clo. *Harr* —6E **162**
Lakeman Ho. *Ger X* —5C **158**
Lakenheath. *N14* —7J **155**
Lakes Ct. *Stan A* —2M **115**
Lakeside. *N3* —9N **165**
Lakeside. *Enf* —6J **155**
Lakeside. *Tring* —1M **101**
Lakeside. *Els* —7A **152**
Lakeside Ct. *Els* —7A **152**
Lakeside Cres. *Barn* —7E **154**
Lakeside Pl. *Lon C* —9L **127**
Lakeside Rd. *Chesh* —1G **144**
Lake, The. *Bush* —1E **162**
Lake Vw. *Edgw* —5N **163**
Lake Vw. *K Lan* —1D **136**
Lake Vw. *Pot B* —6B **142**
(in two parts)
Laleham Av. *NW7* —3D **164**
Lalleford Rd. *Lut* —8L **47**
Lamb Clo. *Hat* —1H **129**
Lamb Clo. *Wat* —7L **137**
Lamb Ct. *Wheat* —8M **89**
Lambe Rd. *Hal C* —4D **10**
Lambert Ct. *Wat* —6M **149**
Lamberton Ct. *Borwd* —3A **152**
(off Gateshead Rd.)
Lamb La. *Redb* —1K **107**
Lamb Mdw. *Arl* —9A **10**
Lambourn Chase. *Rad* —9G **138**
Lambourn Dri. *Lut* —3G **46**
Lambourne Gdns. *Enf* —4D **156**
Lambourn Gdns. *Hpdn* —4A **88**
Lambourn Gro. *St Alb* —3H **127**
Lambs Clo. *Cuff* —2L **143**
Lambs Clo. *Dunst* —8J **45**
Lambscroft Way. *Chal P* —9B **158**
Lambs Gdns. *Wid* —3G **97**
Lamb's Wlk. *Enf* —4A **156**

Lambton Av. *Wal X* —5H **145**
Lamer La. *Wheat* —2K **89**
Lamer Pk. —3M **89**
Lamers Rd. *Lut* —7K **47**
Lamerwood Country Club.
—4N **89**
Lammasmead. *Brox* —5K **133**
Lammas Mead. *Hit* —9M **21**
Lammas Path. *Stev* —5A **52**
Lammas Rd. *Ched* —9M **61**
Lammas Rd. *Wat* —1H **149**
Lammas Rd. *Wat S* —4J **73**
Lammas Way. *Let* —3F **22**
Lamorna Clo. *Lut* —3B **46**
Lamorna Clo. *Rad* —7J **139**
Lamorna Gro. *Stan* —8L **163**
Lampits. *Hod* —8M **115**
Lamsey Rd. *Hem H* —4N **123**
Lanacre Av. *HA8* —8D **164**
Lancaster Av. *Barn* —2C **154**
Lancaster Av. *Hit* —2M **33**
Lancaster Av. *Lut* —1E **46**
Lancaster Clo. *NW9* —7F **164**
Lancaster Clo. *Bar C* —7F **18**
Lancaster Clo. *Stev* —8L **35**
Lancaster Dri. *Bov* —9C **122**
Lancaster Ho. *Enf* —3B **156**
Lancaster Rd. *Barn* —6C **154**
(in two parts)
Lancaster Rd. *Enf* —3B **156**
Lancaster Rd. *Hit* —2M **33**
Lancaster Rd. *St Alb* —9G **109**
Lancaster Way. *Ab L* —4H **137**
Lancaster Way. *Bis S* —9E **58**
Lancaster Way. *Welw* —4J **91**
Lancelot Gdns. *E Barn* —9F **154**
Lancing Ho. *Wat* —4L **149**
(off Hallam Clo.)
Lancing Rd. *Lut* —6M **47**
Lancing Way. *Crox G* —7D **148**
Lancot Av. *Dunst* —1B **64**
Lancotbury Clo. *Tot* —1M **63**
Lancot Dri. *Dunst* —9B **44**
Lancrets Path. *Lut* —1F **66**
Landau Way. *Brox* —7K **133**
Landford Clo. *Rick* —2A **160**
Landmead Rd. *Chesh* —2J **145**
Landrace Rd. *Lut* —5H **45**
Landra Gdns. *N21* —8N **155**
Landridge Dri. *Enf* —2F **156**
Landseer Clo. *Edgw* —9A **164**
Landseer Rd. *Enf* —7E **156**
Lands End. *Els* —8L **151**
Lane App. *NW7* —5L **165**
Lane End. *Berk* —1K **121**
Lane End. *H'low* —7C **118**
Lane End. *Hat* —3F **128**
Lanefield Wlk. *Wel G* —9J **91**
Lane Gdns. *Bus H* —9F **150**
Lanercost Clo. *Welw* —9N **71**
Lanercost Gdns. *N14* —9K **155**
Laneside. *Edgw* —5C **164**
Langbridge Clo. *Hit* —5A **34**
Langdale Av. *Hpdn* —5E **88**
Langdale Clo. *Dunst* —1F **64**
Langdale Ct. *Hem H* —8A **106**
Langdale Gdns. *Wal X* —8H **145**
Langdale Rd. *Dunst* —1E **64**
Langdale St. *H'low* —5E **118**
Langdon St. *Tring* —3M **101**
Langford Dri. *Lut* —6J **47**
Langford Rd. *Cockf* —6E **154**
Langham Clo. *Lut* —2F **46**
Langham St. *St Alb* —6L **109**
Langham Gdns. *N21* —7M **155**
Langham Gdns. *Edgw* —7C **164**
Langham Rd. *Edgw* —6C **164**
Langholme. *Bush* —1D **162**
Langland Ct. *N'wd* —7E **160**
Langland Cres. *Stan* —9L **163**
Langland Dri. *Pinn* —7N **161**
Langleigh. *Let* —2F **22**
Langley. —8E **50**
(Hitchin)
Langley. —1M **29**
(Saffron Walden)
Langley Av. *Hem H* —5A **124**
Langleybury. —7D **136**
Langleybury La. *Wat* —1D **148**
Langley Ct. *G Oak* —1N **143**
Langley Cres. *Edgw* —5C **164**
Langley Cres. *K Lan* —3C **136**
Langley Cres. *St Alb* —9D **108**
Langley Grn. *Naze* —4N **133**

Langley Gro. *Sandr* —4K **109**
Langley Hill. *K Lan* —2B **136**
Langley Hill Clo. *K Lan* —2C **136**
Langley La. *Ab L* —4H **137**
Langley La. *L'ly* —7D **50**
Langley Lodge La. *K Lan*
—4A **136**
Langley Pk. *NW7* —6E **164**
Langley Rd. *Ab L* —4G **137**
Langley Rd. *Chfd* —3L **135**
Langley Rd. *Wat* —3H **149**
Langley Row. *Barn* —3M **153**
Langley St. *Lut* —2G **67**
Langley Ter. Ind. Pk. *Lut* —2G **67**
(off Latimer Rd.)
Langley Way. *Wat* —4G **148**
Langley Wharf. *K Lan* —9C **124**
Langmead Dri. *Bus H* —1F **162**
Langridge Ct. *Dunst* —8C **44**
Langthorne Av. *Stev* —3L **51**
Langton Av. *N20* —9B **154**
Langton Gro. *N'wd* —5E **160**
Langton Ho. *Hod* —8K **115**
Langton Rd. *Harr* —7D **162**
Langton Rd. *Hod* —7K **115**
Langton's La. *Ware* —1F **74**
Langwood Gdns. *Wat* —3J **149**
Langworthy. *Pinn* —6B **162**
Lankester Rd. *R'ton* —8C **8**
Lannock. *Let* —7K **23**
Lannock Hill. *Let* —9K **23**
Lanrick Copse. *Berk* —1K **121**
Lansbury Rd. *Enf* —3H **157**
Lansdowne Clo. *Wat* —8M **137**
Lansdowne Ct. *Brox* —1L **133**
Lansdowne Pl. *St Alb* —2E **126**
Lansdowne Rd. *N3* —7N **165**
Lansdowne Rd. *Lut* —8E **46**
Lansdowne Rd. *Stan* —6K **163**
Lansdown Rd. *Chal P* —8A **158**
Lanterns. *Stev* —2B **52**
Lanterns La. *Ast E* —3C **52**
Lanterns, The. *R'ton* —7D **8**
Lanthony Ct. *Arl* —8A **10**
Lanthorn Clo. *Brox* —1J **133**
Laporte Way. *Lut* —8B **46**
Lapwing Clo. *Hem H* —7A **106**
Lapwing Dell. *Let* —9J **23**
Lapwing Pl. *Wat* —5L **137**
Lapwing Ri. *Stev* —6C **52**
Lapwing Rd. *Lut* —5K **45**
Lapwing Way. *Ab L* —4J **137**
Larch Av. *Brick W* —3N **137**
Larch Av. *St I* —6A **34**
Larch Clo. *Chesh* —9C **132**
Larches Av. *Enf* —8G **144**
Larches, The. *Berk* —9H **103**
Larches, The. *Bush* —7M **149**
Larches, The. *Lut* —8F **46**
Larches, The. *N'wd* —6E **160**
Larches, The. *St Alb* —7L **109**
Larches, The. *Ware* —3G **94**
Larch Grn. *NW9* —8E **164**
Larch La. *Welw* —8M **71**
Larch Ri. *Berk* —9H **103**
Larch Vw. *Hem H* —3L **123**
Larchwood. *Bis S* —3F **78**
Larchwood Rd. *Hem H* —9B **106**
Large Clo. *Pir* —7D **20**
Larken Clo. *Bush* —1D **162**
Larken Dri. *Bush* —1D **162**
Larkens Clo. *Puck* —6A **56**
Larkfield Av. *Harr* —9J **163**
Larkin Dri. *R'ton* —4D **8**
Larkins Clo. *Bald* —2M **23**
Larkinson. *Stev* —2J **51**
Lark Ri. *Hat* —2G **128**
Larksfield. *Ware* —4J **95**
Larksfield Gro. *Enf* —3F **156**
Larkspur Clo. *Bis S* —2F **78**
Larkspur Clo. *Hem H* —1H **123**
Larkspur Gdns. *Lut* —7B **46**
Larkspur Gro. *Edgw* —4C **164**
Larks Ridge. *St Alb* —9B **126**
Larksway. *Bis S* —2E **78**
Larkswood. *H'low* —8E **118**
Larkswood Ri. *St Alb* —6K **109**
Larmans Rd. *Enf* —9G **145**
Larwood Gro. *Stev* —1N **51**
Latchford. —3B **76**
Latchford M. *Wheat* —6L **89**
Latchmore Bank. —6K **79**
Latchmore Bank. *L Hall* —7K **79**
Latchmore Bank Cotts. *L Hall*
—6K **79**

Latchmore Clo. *Hit* —5N **33**
Latchmore Common. —7K **79**
Lathkill Clo. *Enf* —9E **156**
Latimer. —1B **146**
Latimer Clo. *Amer* —3A **146**
Latimer Clo. *Hem H* —6C **106**
Latimer Clo. *Pinn* —8L **161**
Latimer Clo. *Wat* —9G **148**
Latimer Ct. *Wal X* —7K **145**
Latimer Gdns. *Pinn* —8L **161**
Latimer Gdns. *Wel G* —9A **92**
Latimer Pk. —9A **134**
Latimer Rd. *Barn* —5A **154**
Latimer Rd. *Che & Chen* —1A **146**
Latimer Rd. *Lut* —2G **67**
Latium Clo. *St Alb* —3E **126**
Lattimore Rd. *St Alb* —3F **126**
Lattimore Rd. *Wheat* —7K **89**
Latton Bush. —9C **118**
Latton Bush Cen. *H'low* —9A **118**
Latton Common. —9D **118**
Latton Comn. Rd. *H'low* —9C **118**
Latton Grn. *H'low* —9B **118**
Latton Hall Clo. *H'low* —5C **118**
Latton Ho. *H'low* —9D **118**
Latton St. *H'low* —5C **118**
(in four parts)
Latymer Gdns. *N3* —9L **165**
Latymer Rd. *N9* —9D **156**
Lauder Ct. *N14* —9K **155**
Lauderdale Rd. *K Lan* —6E **136**
Laughton Ct. *Borwd* —4C **152**
Launton Clo. *Lut* —9D **30**
Laura Clo. *Enf* —7C **156**
Laureate Way. *Hem H* —9L **105**
Laurel Av. *Pot B* —5M **141**
Laurel Bank. *Fel* —5J **123**
Laurel Bank Rd. *Enf* —3A **156**
Laurel Clo. *Hem H* —1B **124**
Laurel Clo. *Wat* —9M **149**
Laurel Ct. *Cuff* —2L **143**
Laureldene. *M Hud* —7J **77**
Laurel Dri. *N21* —9M **155**
Laurel Edge. *St Alb* —1G **126**
(off Avenue Rd.)
Laurel Fields. *Pot B* —4M **141**
Laurel Gdns. *E4* —9M **157**
Laurel Gdns. *NW7* —3D **164**
Laurel Lodge La. *Barn* —9J **141**
Laurel M. *Bald* —2M **23**
Laurel Pk. *Harr* —7G **162**
Laurel Rd. *Chal P* —8A **158**
Laurel Rd. *St Alb* —2G **127**
Laurelsfield. *St Alb* —5C **126**
Laurelside Wlk. *Dunst* —7K **45**
Laurels, The. *Borwd* —3A **152**
Laurels, The. *Bush* —2F **162**
Laurels, The. *Lut* —5N **45**
Laurels, The. *Pott E* —8E **104**
Laurels, The. *Wal X* —9C **132**
Laurel Vw. *N12* —3N **165**
Laurel Way. *N20* —3N **165**
Laurel Way. *Ickl* —8M **21**
Laurimel Clo. *Stan* —6J **163**
Laurino Pl. *Bush* —2D **162**
Lavender Av. *Bis S* —2F **78**
Lavender Clo. *Chesh* —9D **132**
Lavender Clo. *H'low* —5A **118**
Lavender Clo. *Lut* —2G **46**
Lavender Ct. *Bald* —2L **23**
Lavender Gdns. *Enf* —3N **155**
Lavender Gdns. *Har W* —6F **162**
Lavender Hill. *Enf* —3M **155**
Lavender Rd. *Enf* —3B **156**
Lavender Wlk. *Hem H* —9N **105**
Lavender Way. *Hit* —3L **33**
Lavinia Av. *Wat* —7M **137**
Lavrock La. *Rick* —9B **148**
Lawford Av. *Chor* —8F **146**
Lawford Clo. *Chor* —8F **146**
Lawford Clo. *Lut* —1E **66**
Law Hall La. *Bend* —9H **49**
Law Hall La. Cotts. *Bend* —9H **49**
Lawley Rd. *N14* —9G **154**
Lawn Av. *Kim* —7K **69**
Lawn Clo. *N9* —9D **156**
Lawn Gdns. *Lut* —3F **66**
Lawn La. *Hem H* —4N **123**
Lawn Path. *Lut* —5G **66**
Lawns Clo. *Offl* —8D **32**
Lawns Clo., The. *Mel* —1H **9**
Lawns Ct. *R'ton* —8D **8**
Lawns Dri., The. *Brox* —3K **133**
Lawns, The. *Dunst* —8E **44**
Lawns, The. *Hem H* —1H **123**

Lawns, The. *Mel* —1J **9**
Lawns, The. *Pinn* —7C **162**
Lawns, The. *St Alb* —1D **126**
Lawns, The. *Shenl* —6M **139**
Lawns, The. *Stev* —5C **52**
Lawns, The. *Wel G* —6K **91**
Lawnswood. *Barn* —7L **153**
Lawn, The. *H'low* —3D **118**
Lawn Va. *Pinn* —9N **161**
Lawrence Gdns. *Chesh* —1H **145**
Lawrance Rd. *St Alb* —7D **108**
Lawrence Av. *NW7* —4E **164**
Lawrence Av. *Let* —7G **23**
Lawrence Av. *Saw* —3G **99**
Lawrence Av. *Stan A* —2N **115**
Lawrence Av. *Stev* —2L **51**
Lawrence Clo. *Hert* —8K **93**
Lawrence Ct. *NW7* —5E **164**
Lawrence Cres. *Edgw* —9A **164**
Lawrence End Park. —4D **68**
Lawrence End Rd. *P Grn* —5D **68**
Lawrence Gdns. *NW7* —5F **164**
Lawrence Ho. *Saw* —8G **98**
Lawrence Ind. Est. *Dunst* —7C **44**
Lawrence Mead. *L Wym* —6F **34**
Lawrence Moorings. *Saw* —6H **99**
Lawrence St. *NW7* —4F **164**
Lawrence Way. *Dunst* —7C **44**
Lawson Gdns. *Pinn* —9K **161**
Lawson Rd. *Enf* —3G **156**
Lawton Rd. *Cockf* —5C **154**
Laxton Clo. *Lut* —8N **47**
Laxton Gdns. *Bald* —4N **23**
Laxton Gdns. *Shenl* —5M **139**
Layard Rd. *Enf* —3D **156**
Lay Brook. *St Alb* —7H **109**
Layham Dri. *Lut* —8M **47**
Layhill. *Hem H* —9N **105**
Layston Mdw. *Bunt* —4K **39**
Layston Pk. *R'ton* —8D **8**
Layter's Av. *Chal P* —9A **158**
Layter's Av. S. *Chal P* —9A **158**
Layter's Clo. *Chal P* —9A **158**
Layter's End. *Chal P* —9A **158**
Layter's Green. —5N **119**
Leabank. *Lut* —3A **46**
(off Penhill)
Lea Bank Ct. *Lut* —3A **46**
Lea Bushes. *Wat* —8N **137**
Lea Clo. *Bis S* —8K **59**
Lea Clo. *Bush* —7C **150**
Leacroft. *Hpdn* —4E **88**
Leaders Clo. *W'grv* —5A **60**
Leaf Clo. *N'wd* —7F **160**
Leafield. *Lut* —3A **46**
(Five Springs)
Leafield. *Lut* —5B **46**
(Marsh Rd.)
Leafields. *H Reg* —3F **44**
Leaford Ct. *Wat* —1H **149**
Leaford Cres. *Wat* —1H **149**
Leaforis Rd. *Chesh* —1E **144**
Leaf Rd. *H Reg* —3E **44**
Leaf Way. *St Alb* —5E **126**
Leafy La. *W Lth* —5K **101**
Leagrave. —5M **45**
Leagrave High St. *Lut* —6J **45**
Leagrave Rd. *Lut* —6C **46**
Lea Green. —5L **111**
Lea Gro. *Bis S* —8K **59**
Leahoe Gdns. *Hert* —1A **114**
Lea Ind. Est. *Hpdn* —3D **88**
Lea Manning Cen. *H'low* —4N **117**
Lea Manor Recreation Cen.
—1A **46**
Leamington Ho. *Edgw* —5N **163**
Leamington Rd. *Lut* —2C **46**
Lea Mt. *G Oak* —1C **144**
Leander Gdns. *Wat* —1N **149**
Lea Rd. *Enf* —3B **156**
Lea Rd. *Hpdn* —4C **88**
Lea Rd. *Hod* —6N **115**
Lea Rd. *Lut* —1H **67**
Lea Rd. *Wal A* —7L **145**
Lea Rd. *Wat* —2K **149**
Lea Rd. Ind. Pk. *Wal A* —7L **145**
Lea Rd. Trad. Est. *Wal A* —7L **145**
Leasey Bri. La. *Wheat* —6G **89**
Leasey Dell Dri. *Wheat* —5H **89**
Leaside. *Hem H* —3E **124**
Leaside. *H Reg* —3H **45**
Leaside Bus. Cen. *Enf* —4K **157**
Leaside Ct. *Hpdn* —4D **88**
Leaside Wlk. *Ware* —6H **95**
(off East St.)

Leas, The. *Bald* —4L **23**
Leas, The. *Bush* —3A **150**
Leas, The. *Hem H* —6C **124**
Leat Clo. *Saw* —4H **99**
Leathersellers Clo. *Barn* —5L **153**
Leathwaite Clo. *Lut* —3B **46**
Leavesden. —5H **137**
Lea Valley. —5G **88**
Lea Valley Rd. *Enf & E4* —7J **157**
Leavesden Green. —6J **137**
Leavesden Green. —8G **137**
Leavesden Rd. *Stan* —6H **163**
Leavesden Rd. *Wat* —2K **149**
Leavesden Studios. *Leav* —6H **137**
Leaves Spring. *Stev* —7M **51**
Lea Vw. *Wal A* —6M **145**
Lea Wlk. *Hpdn* —3D **88**
Lebanon Clo. *Wat* —9F **136**
Le Corte Clo. *K Lan* —2B **136**
Lectern La. *St Alb* —6F **126**
Leda Av. *Enf* —2H **157**
Ledburn. —1H **61**
Ledgemore La. *Gt Gad* —3H **105**
Ledwell Rd. *Cad* —5B **66**
Leeches Way. *Ched* —9M **61**
Lee Clo. *Barn* —6B **154**
Lee Clo. *Hert* —2A **114**
Lee Clo. *Stan A* —2N **115**
Leecroft Rd. *Barn* —7L **153**
Leefe Way. *Pot B* —1J **143**
Leeming Rd. *Borwd* —3N **151**
Lee Rd. *NW7* —7K **165**
Lee Rd. *Enf* —8E **156**
Lees Av. *N'wd* —8H **161**
Leeside. *Barn* —7L **153**
Leeside. *Pot B* —5C **142**
Leete Pl. *R'ton* —6C **8**
Lee, The. *N'wd* —5H **161**
Lee Valley Cvn. Pk. *Hod* —1N **133**
Lee Valley Leisure Golf
        Course. —9J **157**
Lee Valley Leisure Pool.
        —3L **133**
Lee Valley Pk. —9L **95**
Lee Vw. *Enf* —3N **155**
Leeway Clo. *H End* —7A **162**
Leggatts Clo. *Wat* —9H **137**
Leggatts Ri. *Wat* —8J **137**
Leggatts Way. *Wat* —9H **137**
Leggatts Wood Av. *Wat* —9K **137**
Leggett Gro. *Stev* —1L **51**
Leggfield Ter. *Hem H* —2J **123**
Leghorn Cres. *Lut* —6K **45**
Legions Way. *Bis S* —9J **59**
Leicester Ct. *Barn* —7A **154**
Leicester Rd. *Lut* —8A **46**
Leigh Comn. *Wel G* —2L **111**
Leigh Ct. *Borwd* —4D **152**
Leigh Rodd. *Wat* —3A **162**
Leighton Av. *Pinn* —9N **161**
Leighton Buzzard Rd.
        Wat E —3H **105**
Leighton Clo. *Edgw* —9A **164**
Leighton Ct. *Chesh* —2H **145**
Leighton Ct. *Dunst* —9D **44**
Leighton Rd. *Dunst* —1D **62**
Leighton Rd. *Enf* —7D **156**
Leighton Rd. *Har W* —9E **162**
Leighton Rd. *W'grv* —5A **60**
Lemark Clo. *Stan* —6K **163**
Lemon Fld. Dri. *Wat* —5N **137**
Lemsford. —1F **110**
Lemsford Ct. *Borwd* —6C **152**
Lemsford La. *Wel G* —1H **111**
Lemsford Rd. *Hat* —8F **110**
Lemsford Rd. *St Alb* —2G **126**
Lemsford Village. *Lem* —1F **110**
  (in two parts)
Lennon Ct. *Lut* —1F **66**
Lennox Grn. *Lut* —7A **48**
Lensbury Clo. *Chesh* —1J **145**
Leonard Ct. *Har W* —8F **162**
Leonard Pulham Ho. *Hal* —7C **100**
Leonard's Clo. *Welw* —8L **71**
Lerwick Ct. *Enf* —7C **156**
Lesbury Clo. *Lut* —8N **47**
Leslie Clo. *Stev* —7B **52**
Lester Ct. *Wat* —1L **149**
Leston Clo. *Dunst* —3G **64**
Letchford Ter. *Harr* —8C **162**
Letchmore Clo. *Stev* —3K **51**
Letchmore Heath. —3F **150**
Letchmore Rd. *Rad* —9H **139**
Letchmore Rd. *Stev* —3K **51**
  (in two parts)
Letchworth. —5F **22**

Letchworth Bus. & Retail Pk.
        Let —4J **23**
Letchworth Clo. *Wat* —5M **161**
Letchworth Ga. *Let* —6H **23**
Letchworth Golf Course. —9E **22**
Letchworth La. *Let* —8F **22**
Letchworth Mus. & Art
        Gallery. —6F **22**
Letchworth Rd. *Bald* —3K **23**
Letchworth Rd. *Lut* —5C **46**
Letchworth Shop. Cen. *Let* —5F **22**
Letchworth Swimming Pool.
        —4G **22**
Letter Box Row. *Gos* —7N **33**
Letty Green. —4F **112**
Level's Green. —4F **58**
Levenage La. *Wid* —4H **97**
Leven Clo. *Wal X* —6H **145**
Leven Clo. *Wat* —5M **161**
Levendale. *Lut* —4M **45**
Leven Dri. *Wal X* —6H **145**
Levens Green. —8H **55**
Leven Way. *Hem H* —7N **105**
Leveret Clo. *Wat* —7J **137**
Leverstock Green. —3E **124**
Leverstock Grn. Rd. *Hem H*
  (in two parts) —1C **124**
Leverstock Grn Rd. *Hem H*
        —3E **124**
Leverstock Grn Way. *Hem H*
        —2E **124**
Leverton Way. *Wal A* —6M **145**
Lewes Way. *Crox G* —6E **148**
Lewins Rd. *Chal P* —9A **158**
Lewis Clo. *N14* —9H **155**
Lewis Clo. *Hare* —9M **159**
Lewis La. *Chal P* —8B **158**
Lewsey Farm. —5J **45**
Lewsey Pk. Ct. *Lut* —5K **45**
Lewsey Pk. Pool. —6K **45**
Lewsey Rd. *Lut* —6L **45**
Lexden Ter. *Wal A* —7N **145**
  (off Sewardstone Rd.)
Lexington Clo. *Borwd* —5N **151**
Lexington Way. *Barn* —6K **153**
Leyburne Rd. *Lut* —3D **46**
Leycroft Way. *Stev* —6K **51**
Leyden Rd. *Stev* —6K **51**
Ley Green. —3G **49**
Leygreen Clo. *Lut* —9J **47**
Leyhill Dri. *Lut* —4D **66**
Ley Ho. *Wel G* —2A **112**
Leyland Av. *Enf* —4J **157**
Leyland Av. *St Alb* —4E **126**
Leyland Clo. *Chesh* —1G **145**
Leys Av. *Let* —5F **22**
Leys Clo. *Hare* —8N **159**
Leysdown. *Wel G* —9C **92**
Leys Gdns. *Barn* —7F **154**
Leys Rd. *Hem H* —4A **124**
Leys Rd. E. *Enf* —3J **157**
Leys Rd. W. *Enf* —3J **157**
Leys Sq. *N3* —8N **165**
Leys, The. *Hal V* —5B **100**
Leys, The. *St Alb* —8L **109**
Leys, The. *Tring* —2N **101**
Ley Wlk. *Wel G* —9B **92**
Liberty Clo. *Hert* —3A **114**
Liberty Wlk. *St Alb* —3K **127**
Library Rd. *Lut* —1G **66**
Lichfield Clo. *Barn* —5E **154**
Lichfield Gro. *N3* —8N **165**
Lichfield Pl. *St Alb* —1G **126**
Lichfield Rd. *N'wd* —9J **161**
Lichfield Way. *Brox* —4K **133**
Lidbury Rd. *NW7* —6L **165**
Liddel Clo. *Lut* —3L **45**
Lidgate Clo. *Lut* —3L **45**
Lieutenant Ellis Way. *Chesh &*
        Wal X —3D **144**
Life Clo. *Lut* —5J **45**
Liffre Dri. *Wend* —8A **100**
Lighthorne Ri. *Lut* —1C **46**
Lightswood Clo. *Chesh* —9B **132**
Lilac Clo. *Chesh* —4F **144**
Lilac Gro. *Lut* —1M **45**
Lilac Rd. *Hod* —6M **115**
Lilacs Av. *Enf* —9G **144**
Lilac Way. *Hpdn* —9E **88**
Lilley. —9M **31**
Lilley Bottom. *Lil & K Wal* —9N **31**
Lilley Bottom Rd. *W'wll* —6F **48**

Lilleyhoo La. *Lil* —8A **32**
Lilley La. *NW7* —5D **164**
Lilley Pk. —9L **31**
Lilley Rd. *Lil & H'tn* —1K **31**
Lilliard Clo. *Hod* —5M **115**
Lilly La. *Hem H* —7F **106**
Limberlost, The. *Welw* —9H **71**
Limbrick Rd. *Hpdn* —9D **88**
Limbury. —5B **46**
Limbury Mead. *Lut* —3B **46**
Limbury Rd. *Lut* —5B **46**
Lime Av. *Lut* —6L **45**
Lime Av. *Wheat* —9J **69**
Lime Clo. *Bar C* —8E **18**
Lime Clo. *Harr* —9H **163**
Lime Clo. *Stev* —5C **52**
Lime Clo. *Ware* —5J **95**
Lime Clo. *Wat* —9M **149**
Limedene Clo. *Pinn* —8M **161**
Lime Gro. *N20* —1M **165**
Lime Gro. *R'ton* —5E **8**
Limekiln Clo. *R'ton* —8E **8**
Limekiln La. *Bald* —4M **23**
Limekiln La. *Stans* —3L **59**
Limes Av. *NW7* —6E **164**
Limes Clo. *Bass* —1M **7**
Limes Ct. *Hod* —8L **115**
Limes Cres. *Bis S* —1J **79**
Limesdale Gdns. *Edgw* —9C **164**
Limes Rd. *Chesh* —5J **145**
Limes, The. *Arl* —4A **10**
Limes, The. *Bass* —1M **7**
Limes, The. *Brox* —6K **133**
Limes, The. *Bkld* —4G **27**
Limes, The. *Hem H* —5N **123**
Limes, The. *Hit* —4L **33**
Limes, The. *St Alb* —9F **108**
Limes, The. *Wel G* —2N **111**
Limetree Av. *Lut* —9J **67**
Limetree Ct. *Pinn* —7B **162**
  (off Avenue, The)
Lime Tree Clo. *Lut* —1M **45**
Lime Tree Dri. *Dun* —1F **4**
Lime Tree Pl. *St Alb* —3G **126**
Lime Tree Wlk. *Bush* —1F **162**
Lime Tree Wlk. *Enf* —2A **156**
Lime Tree Wlk. *Rick* —7L **147**
Lime Wlk. *Dunst* —9G **44**
Lime Wlk. *Hem H* —4B **124**
Limit Home Pk. *N'chu* —7H **103**
Linacres. *Lut* —5N **45**
Linbridge Way. *Lut* —7N **47**
Linces Way. *Wel G* —2A **112**
Lincoln Clo. *Bis S* —3F **78**
Lincoln Clo. *Dunst* —2H **65**
Lincoln Clo. *Wel G* —8C **92**
Lincoln Ct. *Berk* —1M **121**
Lincoln Ct. *Borwd* —7D **152**
Lincoln Cres. *Enf* —7C **156**
Lincoln Dri. *Crox G* —6D **148**
Lincoln Dri. *Wat* —3L **161**
Lincoln M. *St Alb* —3D **126**
Lincoln Rd. *Chal P* —8B **158**
Lincoln Rd. *Enf* —6C **156**
Lincoln Rd. *Lut* —8D **46**
Lincoln Rd. *N'wd* —9H **161**
Lincoln Rd. *Stev* —8A **36**
Lincoln's Clo. *St Alb* —6K **109**
Lincolnsfield Cen., The. *Bush*
        —6A **150**
Lincolns, The. *NW7* —3F **164**
Lincoln Way. *Crox G* —6D **148**
Lincoln Way. *Enf* —7F **156**
Lincot La. *Hit* —9C **50**
Lindal Cres. *Enf* —6K **155**
Lindbergh. *Wel G* —9B **92**
Linden Av. *Enf* —3E **156**
Linden Clo. *N14* —8H **155**
Linden Clo. *Dunst* —8J **45**
Linden Clo. *Stan* —5J **163**
Linden Clo. *Wal X* —3F **144**
Linden Ct. *Hpdn* —7C **88**
Linden Ct. *Lut* —9H **47**
  (off Crescent Rd.)
Linden Cres. *St Alb* —2K **127**
Lindencroft. *Let* —2G **22**
Linden Dri. *Chal P* —8B **158**
Linden Gdns. *Enf* —3E **156**
Linden Glade. *Hem H* —3L **123**
Linden Lea. *Pinn* —7A **162**
Linden Lea. *Wat* —6J **137**
Linden Lea. *Wend* —8A **100**
Linden Rd. *Dunst* —7J **45**
Linden Rd. *Lut* —5N **45**
  (in two parts)

Linden Rd. *Redb* —9J **87**
Linden Sq. *Hare* —6K **159**
Lindens, The. *Bis S* —2H **79**
Lindens, The. *Hat* —8F **110**
Lindens, The. *Hem H* —5J **123**
Lindens, The. *H Reg* —5E **44**
Lindens, The. *Stev* —5L **51**
Linden Way. *N14* —8H **155**
Lindeth Clo. *Stan* —6J **163**
Lindhill Clo. *Enf* —4H **157**
Lindholme Ct. *NW9* —8E **164**
  (off Pageant Av.)
Lindley Clo. *Hpdn* —3B **88**
Lindley Ct. *Hpdn* —3B **88**
Lindlings. *Hem H* —3H **123**
Lindsay Av. *Hit* —5B **34**
Lindsay Clo. *R'ton* —4C **8**
Lindsay Pl. *Chesh* —3F **144**
Lindsey Clo. *Bis S* —8H **59**
Lindsey Rd. *Bis S* —8H **59**
Lindsey Rd. *Lut* —8M **47**
Lindum Pl. *St Alb* —4A **126**
Linfield Ct. *Hert* —8L **93**
Linford Clo. *H'low* —8L **117**
Linford End. *H'low* —8M **117**
Lingfield Clo. *Enf* —8C **156**
Lingfield Clo. *N'wd* —7G **160**
Lingfield Gdns. *N9* —9F **156**
Lingfield Rd. *R'ton* —7E **8**
Lingfield Rd. *Stev* —9B **36**
Lingfield Way. *Wat* —2H **149**
Lingholm Way. *Barn* —7K **153**
Lingmoor Dri. *Wat* —6L **137**
Link Clo. *Hat* —9H **111**
Link Dri. *Hat* —9H **111**
Linkfield. *Wel G* —4L **111**
Linklea Clo. *NW9* —7E **164**
Link Rd. *Bis S* —9H **59**
Link Rd. *Wat & Bush* —4M **149**
Link Rd. *Welw* —9M **71**
Links Av. *Hert* —8F **94**
Links Bus. Cen., The. *Bis S* —1L **79**
Links Dri. *N20* —1N **165**
Links Dri. *Els* —5N **151**
Links Dri. *Rad* —6G **139**
Linkside. *N12* —6N **165**
Linkside Clo. *Enf* —5L **155**
Linkside Gdns. *Enf* —5L **155**
Links Side. *Enf* —5L **155**
Links, The. *Chesh* —8H **133**
Links, The. *Wel G* —9H **91**
Links Vw. *N3* —7M **165**
Links Vw. *St Alb* —9C **108**
Links Vw. Clo. *Stan* —7H **163**
Linksway. *NW4* —9K **165**
Links Way. *Crox G* —5E **148**
Links Way. *Lut* —1F **46**
Links Way. *N'wd* —7E **160**
Link, The. *Enf* —3J **157**
Link, The. *H Reg* —4E **44**
Link, The. *Let* —2G **22**
Link Wlk. *Hat* —8H **111**
Link Way. *Bis S* —2G **78**
Linkway. *H'low* —6M **117**
  (off Kitson Way)
Link Way. *Pinn* —8M **161**
Linkways E. *Stev* —4M **51**
Linkways W. *Stev* —4M **51**
Linkway, The. *Barn* —8A **154**
Linley Ct. *St Alb* —8G **108**
Linley Dell. *Lut* —7M **47**
Linmere Wlk. *H Reg* —3H **45**
Linnet Clo. *Bush* —9D **150**
Linnet Clo. *Let* —3E **22**
Linnet Clo. *Lut* —5K **45**
Linnet Rd. *Ab L* —4J **137**
Linnet Rd. *Hat* —2G **129**
Linney Head. *Stud* —1E **84**
Linnins Pond. *Flam* —6D **86**
Linsey Clo. *Hem H* —6C **124**
Linster Gro. *Borwd* —7C **152**
Lintern Clo. *Hit* —4C **34**
Linthorpe Rd. *Cockf* —5D **154**
Linton Av. *Borwd* —3N **151**
Lintott Clo. *Stev* —3K **51**
Linwood. *Saw* —5G **99**
Linwood Cres. *Enf* —3E **156**
Linwood Rd. *Hpdn* —8D **88**
Linwood Rd. *Ware* —4K **95**
Lion Ct. *Borwd* —3C **152**
Lionel Av. *Wend* —9A **100**
Lionel Gro. *Wend* —9A **100**
Lion Yd. *Kim* —7L **69**
Liphook Rd. *Wat* —4M **161**
Lippitts Hill. *Lut* —4G **47**

Liscombe Rd. *Dunst* —8H **45**
Lismarine Ind. Pk. *Els* —8J **151**
Lismore. *Hem H* —4E **124**
Lismore. *Stev* —8B **52**
Lister Av. *Hit* —5N **33**
Lister Clo. *Stev* —8J **35**
  (off Coreys Mill La.)
Lister Cotts. *Els* —7H **151**
Liston Clo. *Lut* —4L **45**
Litlington. —3H **7**
Litlington Rd. *Stpl M* —3D **6**
Little Acre. *St Alb* —9E **108**
Little Acres. *Ware* —7H **95**
Little Almshoe. —1B **50**
Little Berkhamsted. —1H **131**
Little Berries. *Lut* —2A **46**
Lit. Birkhamsted La. *Hert* —1G **130**
Little Brays. *H'low* —7C **118**
Lit. Bridge Rd. *Berk* —1A **122**
Littlebrook Gdns. *Chesh* —3H **145**
Lit. Brook Rd. *Roy* —6F **116**
Little Burrow. *Wel G* —2K **111**
Littlebury Clo. *Stot* —7G **11**
Littlebury Ct. *Wat* —6J **149**
Lit. Bury St. *N9* —9B **156**
Lit. Bushey La. *Bush* —4B **150**
Little Catherells. *Hem H* —9J **105**
Little Chalfont. —3A **146**
Little Chalfont Golf Course.
        —4B **146**
Little Chishill. —5G **17**
Lit. Chishill Rd. *Bar* —4F **16**
Lit. Church Rd. *Lut* —6K **47**
Little Common. *Stan* —3H **163**
Littlecote Pl. *Pinn* —8N **161**
Little Ct. *Berk* —9L **103**
Little Cutts. —8D **68**
Little Dell. *Wel G* —7K **91**
Littlefield Rd. *Edgw* —7C **164**
Littlefield Rd. *Lut* —6K **47**
Little Gaddesden. —9A **84**
Little Ganett. *Wel G* —2A **112**
Little Graylings. *Ab L* —6G **136**
Little Greencroft. *Che* —9E **120**
Littlegreen La. *Cad* —6A **66**
Lit. Green La. *Crox G* —5B **148**
Little Gro. *Bush* —6C **150**
Littlegrove. *E Barn* —8D **154**
Lit. Grove Av. *Chesh* —9C **132**
Lit. Grove Fld. *H'low* —6M **117**
Little Hadham. —7M **57**
Little Hallingbury. —9L **79**
Little Hardings. *Wel G* —8B **92**
Little Hay Golf Complex. —6E **122**
Little Heath. —9E **104**
  (Berkhamsted)
Little Heath. —3B **142**
  (Potters Bar)
Lit. Heath La. *Lit H* —3E **122**
Lit. Heath Spinney. *St Alb* —9F **108**
Little Henleys. *Hun* —6G **96**
Little Hill. *Herons* —8F **146**
Little Hivings. *Che* —9E **120**
Little Hoo. *Tring* —2L **101**
Little Hormead. —4D **40**
Lit. Horse La. *Ware* —5H **95**
Lit. How Cft. *Ab L* —4E **136**
Little Hyde. *Stev* —5A **52**
Little Lake. *Wel G* —3A **112**
Little La. *Hpdn* —9D **88**
Little La. *Pir* —6E **20**
  (in two parts)
Little Larkins. *Barn* —8L **153**
Little Ley. *Wel G* —3L **111**
Little London. —3F **42**
Little Martins. *Bush* —7C **150**
Little Mead. *Hat* —6H **111**
Lit. Meadow Cvn. Pk. *Wood*
        —5C **66**
Little Mimms. *Hem H* —1N **123**
Little Mollards. *W'grv* —5A **60**
Little Moss La. *Pinn* —9N **161**
Little Mundells. *Wel G* —8M **91**
Little Orchard. *Hem H* —9C **106**
Lit. Orchard Clo. *Ab L* —5F **136**
Lit. Orchard Clo. *Pinn* —9N **161**
Lit. Oxhey La. *Wat* —5M **161**
Little Pk. *Bov* —1D **134**
Little Parndon. —5L **117**
Lit. Pipers Clo. *G Oak* —7H **129**
Little Potters. *Bush* —9E **150**
Little Pynchons. *H'low* —9C **118**
Little Ridge. *Wel G* —9N **91**
Little Rivers. *Wel G* —8N **91**

Little Rd.—Lyndhurst Ct.

ttle Rd. Hem H —1A 124
ttle Springs. Che —9F 120
ttle Stanmore. —7N 163
t. Stock Rd. Chesh —8B 132
ttle Strand. NW9 —9F 164
t. Stream Clo. N'wd —5G 161
ttle St. Wal A —9N 145
ttle Thistle. Wel G —3B 112
ttle Tring. —9K 81
t. Tring Rd. Tring —8K 81
ttle Wade. Wel G —3M 111
ttle Wlk. H'low —5N 117
ttle Widbury. Ware —6K 95
(in two parts)
t. Widbury La. Ware —6K 95
t. Windmill Hill. Chfd —5H 135
t. Wood Cft. Lut —2A 46
ttle Woodend. Mark —7M 85
ttle Wymondley. —7F 34
t. Wymondley By-Pass. Hit & Stev —6C 34
ttle Youngs. Wel G —9J 91
verpool Rd. Lut —1F 66
verpool Rd. St Alb —2F 126
verpool Rd. Wat —7K 149
vingstone Link. Stev —1A 52
vingstone Wlk. Hem H —7B 106
anbury Clo. Chal P —7B 158
oyd M. Enf —2L 157
oyd Taylor Clo. L Had —7L 57
oyd Way. Kim —7K 69
oates La. Wat —5L 149
oates Pasture. Stans —1M 59
ocal Board Rd. Wat —7L 149
ocarno Av. Lut —3M 45
ochnell Rd. Berk —8K 103
ockers Pk. La. Hem H —2L 123
ockers, The. Hem H —1L 123
(off Lockers Pk. La.)
ockers, The. Hem H —1M 123
(Bury Hill)
ocket Rd. Harr —9F 162
ockfield Av. Brim —4J 157
ockhart Clo. Dunst —2H 65
ockhart Clo. Enf —7F 156
ockington Cres. Dunst —7H 45
ockley Cres. Hat —7H 111
ockleys. —2L 91
ockleys Dri. Welw —2J 91
ockswood Clo. Barn —6E 154
ock Vw. Saw —5H 99
odge Av. Els —7N 151
odge Clo. Edgw —6N 163
odge Clo. Hert —7A 94
odge Ct. Ickl —8M 21
odge Cres. Wal X —7H 145
odge Dri. Hat —6K 111
odge Dri. Loud —6M 147
odge End. Crox G —6F 148
odge End. Rad —7J 139
odge Fld. Wel G —6L 91
odge Gdns. Hpdn —5B 88
odge La. Chal G —3B 146
odge La. Wal A —8N 145
odge, The. N'thaw —3D 142
odge, The. Wat —4L 149
(off Orphanage Rd.)
odge Way. Stev —8N 51
oftus Clo. Lut —6L 45
ogan Clo. Enf —3H 157
ollard Clo. Lut —6H 45
olleywood La. Hit —2E 36
ombard Av. Enf —3G 157
ombardy Clo. Hem H —3F 124
ombardy Dri. Berk —2A 122
ombardy Way. Borwd —3M 151
omond Rd. Hem H —7N 105
omond Way. Stev —8B 36
ondon Colney. —8L 127
ondon Colney By-Pass. Lon C —7L 127
ondon Luton Airport. —1N 67
ondon Rd. Ast C —1C 100
ondon Rd. Bald —5M 23
(in two parts)
ondon Rd. B'wy —1N 27
ondon Rd. Bar —3C 16
ondon Rd. Berk —2B 122
ondon Rd. Big —4A 4
ondon Rd. Bis S —4J 79
ondon Rd. Bunt —4K 39
ondon Rd. Bush —8N 149
ondon Rd. Chal G —2A 158
ondon Rd. Cod —5E 70
London Rd. Dunst —1G 64
(in two parts)
London Rd. Enf —5B 156
London Rd. Flam —2A 86
London Rd. Gos —5N 33
London Rd. H'low —3E 118
(Old Harlow)
London Rd. H'low —9E 118
(Potter Street)
London Rd. Hert —9C 94
(in two parts)
London Rd. Kneb —3N 71
London Rd. Lut & Hpdn —3F 66
London Rd. Rick —2A 160
London Rd. R'ton —8D 8
London Rd. St Alb —3F 126
London Rd. Saw —6F 98
London Rd. Shenl & Borwd —6N 139
London Rd. Spel —1J 79
London Rd. Stan —5K 163
London Rd. Stev —5K 51
London Rd. Tring —2N 101
London Rd. Ware —7H 95
London Rd. Welw —2J 91
London Row. Arl —9A 10
London Way. Mel —1H 9
Londrina Ct. Berk —1A 122
(off Londrina Ter.)
Londrina Ter. Berk —1A 122
Longacre. H'low —2D 118
Longacre Clo. Enf —5A 156
Longacres. St Alb —2L 127
(in two parts)
Long Arrotts. Hem H —9L 105
Long Banks. H'low —9N 117
Long Barn Clo. Wat —5J 137
Longbridge Clo. Tring —9M 81
Longbrooke. H Reg —5G 44
Long Buftlers. Hpdn —7G 88
Long Chaulden. Hem H —2H 123
Long Cliffe Path. Wat —3J 161
Long Clo. L Ston —1F 20
Long Clo. Lut —6L 47
Longcroft. Ast C —1E 100
Long Cft. Stans —1M 59
Longcroft. Wat —9K 149
Longcroft Av. Hal C —8C 100
Longcroft Av. Hpdn —6A 88
Longcroft Dri. Bar C —9D 18
Long Cft. Dri. Wal X —7K 145
Longcrofte Rd. Edgw —7L 163
Longcroft Gdns. Wel G —1K 111
Longcroft Grn. Wel G —2K 111
Longcroft Ho. Wel G —9K 91
Longcroft La. Bov —1F 134
Longcroft La. Wel G —1K 111
Long Cft. Rd. Lut —1C 66
Longcroft Rd. Map C —5G 158
Longcroft Rd. Stev —2L 51
Long Cutt. Redb —9J 87
Longdean Pk. Hem H —6C 124
Long Elmes. Harr —8C 162
Long Elms. Ab L —6F 136
Long Elms Clo. Ab L —6F 136
Long Fallow. St Alb —9B 126
Long Fld. NW9 —7E 164
Longfield. H'low —8C 118
Longfield. Hem H —4D 124
Longfield. Stev —1H 51
Longfield Av. NW7 —7G 164
Longfield Av. Enf —1G 156
Longfield Ct. Let —4D 22
Longfield Dri. Lut —8N 45
Longfield Gdns. Tring —3K 101
Longfield La. Chesh —9E 132
Longfield Rd. Hpdn —8D 88
Longfield Rd. Tring —3K 101
Longfields. Stev —8B 52
Longford Children's Farm. —3F 104
Long Gro. Clo. Brox —1J 133
Long Hale. Pit —4A 82
Long Hedge. Dunst —9G 44
Long Hyde. Stev —5A 52
Long John. Hem H —4B 124
Longland Dri. N20 —3N 165
Longlands. Hem H —2B 124
Longlands Clo. Chesh —5H 145
Longlands Rd. Wel G —1M 111
Long La. N3 & N2 —8N 165
Long La. Ast E —4C 52
Long La. Bov —4C 134
Long La. Herons —8F 146
Long La. Hit —1H 69
Long La. Mil E —1H 159
Long La. Ware —2A 96
Longleat Rd. Enf —7C 156
Long Leaves. Stev —7N 51
Longlees. Map C —5G 158
Long Ley. Ched —9M 61
Long Ley. H'low —6B 118
(in two parts)
Long Ley. Lang U —1N 29
Long Ley. Wel G —9B 92
Longmans. Brau —2C 56
Longmans Clo. Wat —8E 148
Long Marston. —3G 80
Long Marston Rd. Ched —9K 61
Long Marston Rd. Mars —4J 81
Long Mead. NW9 —8F 164
Longmead. Bunt —3H 39
Longmead. Hat —6H 111
Long Mead. H Reg —3E 44
Longmead. Let —4E 22
Longmead. Wool G —6N 71
Long Mdw. Bis S —2F 78
Long Mdw. Che —9G 120
Long Mdw. Dunst —9D 44
Longmeadow. H Reg —4H 45
Long Mdw. Mark —2A 86
Longmeadow Dri. Ickl —6M 21
Longmeadow Grn. Stev —8B 52
Long Mimms. Hem H —1A 124
Long Moor. Chesh —2J 145
Longmore Av. Barn —8B 154
Longmore Clo. Map C —4J 159
Longmore Gdns. Wel G —9M 91
Long Plough. Ast C —1C 100
Long Ride, The. Hat —7N 111
Long Ridge. Ast —8C 52
Long Spring. Port W —7G 108
Longspring. Wat —2K 149
Long Vw. Berk —8L 103
Long Wlk. Chal G —5A 146
Long Wlk. Wal A —3L 145
Longwood Rd. Hert —7L 93
Loning, The. Enf —2G 156
Lonsdale. Hem H —8A 106
Lonsdale Clo. Edgw —5N 163
Lonsdale Clo. Lut —4C 46
Lonsdale Clo. Pinn —7N 161
Lonsdale Ct. Stev —2M 51
Lonsdale Dri. Enf —6J 155
Lonsdale Rd. Stev —1M 51
Loom La. Rad —1G 150
Loom Pl. Rad —9H 139
Loraine Clo. Enf —7G 156
Lorane Ct. Wat —4J 149
Lord Mead La. Welw —1B 90
Lords Av. Bis S —1D 78
Lords Clo. Shenl —5M 139
Lordship La. Let —7H 23
Lordship Rd. Chesh —3F 144
Lords Mead. Eat B —2J 63
Lords Mdw. Redb —1J 107
Lords Ter. E Hyde —9A 68
(off Southern Ri.)
Lord St. Hod —8F 114
Lord St. Wat —5L 149
Lord's Vw. B Grn —8F 48
Lords Wood. Wel G —9B 92
Lorian Clo. N12 —4N 165
Lorimer Clo. Lut —3G 47
Loriners Link. Hem H —9A 106
Loring Rd. Berk —2N 121
Loring Rd. Dunst —8C 44
Lorne Rd. Harr —9G 162
Lorne Ter. N3 —9M 165
Lorraine Pk. Harr —7F 162
Lothair Ct. Hat —8G 111
Lothair Rd. Lut —5J 47
Loudhams Rd. Amer —3A 146
Loudhams Wood La. Chal G —4A 146
Loudwater. —5M 147
Loudwater Dri. Loud —6M 147
Loudwater Heights. Loud —5L 147
Loudwater La. Rick & Loud —7M 147
Loudwater Ridge. Loud —6M 147
Louisa Cotts. Tring —3M 101
Louise Wlk. Bov —1D 134
Lousada Lodge. N14 —8H 155
(off Avenue Rd.)
Louvain Way. Wat —5K 137
Lovatt Clo. Edgw —6B 164
Lovatts. Crox G —6C 148
Loveday Clo. R'ton —1N 17
Lovelace Rd. Barn —9D 154
Love La. Ab L —3H 137
Love La. A'wl —8J 5
Love La. Hat —1H 141
Love La. K Lan —2A 136
Love La. Pinn —9M 161
Lovel Clo. Hem H —2K 123
Lovel End. Chal P —7A 158
Lovell Clo. Hit —4A 34
Lovell Rd. Enf —8F 144
Lovel Mead. Chal P —7A 158
Lovel Rd. Chal P —7A 158
Lovering Rd. Chesh —7A 132
Lovers Wlk. N3 —7N 165
Lovers Wlk. NW7 & N3 —6M 165
Lovers Wlk. Dunst —9F 44
Lovet Rd. H'low —7K 117
Lovett Rd. Hare —9M 159
Lovett Way. Wood E —6G 44
Lowbell La. Lon C —9M 127
Lowden Rd. N9 —9F 156
Lwr. Adeyfield Rd. Hem H —1N 123
Lower Barn. Hem H —5B 124
Lwr. Bourne Gdns. Ware —4G 95
Lower Clabdens. Ware —6K 95
Lower Cotts. Bre P —9K 29
Lwr. Dagnall St. St Alb —2D 126
Lwr. Derby Rd. Wat —6L 149
Lower East End. —6A 42
Lower Emms. Hem H —6E 106
Lower End. —5L 81
Lower End. W'grv —6A 60
Lowerfield. Wel G —1N 111
Lwr. Gower Rd. R'ton —5D 8
Lower Gravenhurst. —1L 19
Lower Green. —4H 29
(Buntingford)
Lower Green. —6N 21
(Hitchin)
Lower Green. —2L 29
(Saffron Walden)
Lower Grn. Saf W —2L 29
Lower Grn. Tew —5D 92
Lower Gustard Wood. —3L 89
Lwr. Harpenden Rd. Lut —3K 67
Lwr. Hatfield Rd. Hert —6J 113
Lwr. High St. Wat —6L 149
Lwr. Icknield Way. Ast C & Mars —2E 100
Lwr. Icknield Way. Mars —8G 81
Lower Innings. Hit —2L 33
Lwr. Island Way. Wal A —8N 145
Lwr. Kenwood Av. Enf —7K 155
Lwr. Kings Rd. Berk —1N 121
Lwr. King St. R'ton —7D 8
Lwr. Luton Rd. E Hyde & Hpdn —1B 88
Lwr. Luton Rd. Hpdn & Wheat —4E 88
Lwr. Mardley Hill. Welw —8M 71
Lower Mdw. Chesh —9H 133
Lower Nazeing. —5N 133
Lower Nazeing. —5N 133
Lwr. Paddock Rd. Wat —8N 149
Lwr. Park. Cres. Bis S —3H 79
Lwr. Paxton Rd. St Alb —3F 126
Lower Plantation. Loud —5M 147
Lower Rd. B Grn —8F 48
Lower Rd. Chal P —8B 158
Lower Rd. Chor —6F 146
Lower Rd. Gt Amw —8K 95
Lower Rd. L Hall —8K 79
Lower Sales. Hem H —3J 123
Lower Sean. Stev —6N 51
Lower Sheering. —5J 99
Lower Shott. Chesh —8D 132
Lower Stondon. —1H 21
Lower Strand. NW9 —9F 164
Lower St. Stans —3N 59
Lower Tail. Wat —3N 161
Lower Titmore Green. —9E 34
Lower Tub. Bush —9E 150
Lower Woodside. —4M 129
Lower Yott. Hem H —3B 124
Lowes Clo. Stev —8B 36
Lowestoft Rd. Wat —3K 149
Loweswater Clo. Wat —6L 137
Lowewood Mus. —9L 115
Lowfield La. Hod —8L 115
Lowgate La. Ware —4E 74
(in two parts)
Low Hall Clo. E4 —9M 157
Low Hill Rd. Roy —8C 116
Lowlands. Hat —6J 111
Lowry Dri. H Reg —4G 44
Lowson Gro. Wat —9N 149
Lowswood Clo. N'wd —8E 160
Lowther Clo. Els —7N 151
Lowther Dri. Enf —6K 155
Lowther Rd. Dunst —2F 64
Lowther Rd. Stan —9N 163
Loxley Rd. Berk —8J 103
Loxwood Clo. Hem H —5J 123
Loyter's Green. —5N 119
Lucan Rd. Barn —5L 153
Lucas End. —9A 132
Lucas Gdns. Lut —1D 46
Lucas La. A'wl —9N 5
Lucas La. Hit —2L 33
Lucern Clo. Chesh —9C 132
Lucerne Way. Lut —5E 46
Lucinda Ct. Enf —7C 156
Lucks Hill. Hem H —2H 123
Ludford Clo. NW9 —9E 164
Ludgate. Tring —2L 101
Ludlow Av. Lut —4G 66
Ludlow Mead. Wat —3K 161
Ludlow Way. Crox G —6E 148
Ludun Clo. Dunst —9H 45
Ludwick Clo. Wel G —2M 111
Ludwick Grn. Wel G —1M 111
Ludwick Way. Wel G —9M 91
Luffenhall. —3H 37
Lukes La. Gub —4J 81
Lukes Lea. Mars —6M 81
Lullington Clo. Lut —6L 47
Lullington Gth. N12 —5M 165
Lullington Gth. Borwd —7B 152
Lulworth Av. G Oak —2N 143
Lumbards. Wel G —6N 91
Lumden Rd. R'ton —6D 8
Lunardi Ct. Puck —6N 55
Lundin Wlk. Wat —4M 161
Luther Clo. Edgw —2C 164
Luther King Rd. H'low —6N 117
Luton. —1G 67
Luton Airport. —1N 67
Luton Dri., The. Lut —4K 67
Luton Hoo. —6K 67
Luton Hoo Estate. —8J 67
Luton Hoo Pk. —6J 67
Luton La. Redb —8J 87
Luton Mus. & Art Gallery. —7F 46
Luton Regional Sports Cen. —4H 47
Luton Rd. Cad —4A 66
Luton Rd. C'hoe —6N 47
Luton Rd. Dunst —8G 44
Luton Rd. Hpdn —2M 87
Luton Rd. Kim —6H 69
Luton Rd. Lut —4C 30
Luton Rd. Mark —1A 86
Luton Rd. Offl —8B 32
Luton Rd. Tod —1J 45
Luton Town F.C. —9E 46
Luton White Hill. Lut & Offl —1B 48
Luxembourg Clo. Lut —1N 45
Luxford Pl. Saw —6H 99
Luynes Ri. Bunt —4H 39
Lybury La. Redb —7F 86
Lycastle Clo. St Alb —3G 127
Lych Ga. Wat —6M 137
Lycrome La. Che —9H 121
Lycrome Rd. Che —9H 121
Lydekker M. Hpdn —5B 88
Lydia Ct. N Mym —6J 129
Lydia M. N Mym —6J 129
Lye Green. —9K 121
Lye Grn. Rd. Che —9K 121
Lye Hill. Lut & B Grn —1E 68
Lye La. Brick W —1B 138
Lye La. Stev —2B 54
Lye, The. L Gad —9A 84
Lygean Av. Ware —6J 95
Lygetun Dri. Lut —3A 46
Lygrave. Stev —9B 52
Lyles La. Wel G —7L 91
Lyle's Row. Hit —4N 33
Lymans Rd. Arl —6A 10
Lyme Av. N'chu —7H 103
Lymington Ct. Wat —7J 137
Lymington Rd. Stev —1H 51
Lynbury Ct. Wat —5J 149
Lynch Hill. Kens —8K 65
Lynch, The. Hod —8M 115
Lynch, The. Kens —6J 65
Lyndale. Stev —5L 51
Lyndhurst Av. NW7 —6E 164
Lyndhurst Av. Pinn —8K 161
Lyndhurst Clo. Hpdn —5D 88
Lyndhurst Ct. Hpdn —5D 88

Lyndhurst Dri. *Hpdn* —5D **88**
Lyndhurst Gdns. *N3* —8L **165**
Lyndhurst Gdns. *Enf* —6C **156**
Lyndhurst Gdns. *Pinn* —8K **161**
Lyndhurst Rd. *Lut* —1E **66**
Lyndon Av. *Hem H* —6N **161**
Lyndon Mead. *Sandr* —4K **109**
Lyneham Rd. *Lut* —8L **47**
Lyne Way. *Hem H* —9J **105**
Lynford Clo. *Barn* —7F **152**
Lynford Clo. *Edgw* —8C **164**
Lynford Gdns. *Edgw* —3B **164**
Lynford Ter. *N9* —9D **156**
Lynmouth Av. *Enf* —8D **156**
Lynmouth Rd. *Wel G* —9M **91**
Lynn Clo. *Harr* —9E **162**
Lynn St. *Enf* —3B **156**
Lynsey Clo. *Redb* —9J **87**
Lynton Av. *Arl* —7A **10**
Lynton Av. *St Alb* —3K **127**
Lynton Ct. *Bis S* —4G **79**
Lynton Crest. *Pot B* —5N **141**
Lynton Gdns. *Enf* —9C **156**
Lynton Mead. *N20* —3N **165**
Lynton Pde. *Chesh* —3J **145**
Lynton Rd. *Che* —9F **120**
Lynwood Av. *Lut* —6H **47**
Lynwood Dri. *N'wd* —8H **161**
Lynwood Gro. *N21* —9M **155**
Lynwood Heights. *Rick* —7L **147**
Lynwood Lodge. *Dunst* —8D **44**
Lyon Meade. *Stan* —8K **163**
Lyonsdown. —7B **154**
Lyonsdown Av. *New Bar* —8B **154**
Lyonsdown Rd. *Barn* —8B **154**
Lyon Way. *St Alb* —2A **128**
Lyrical Way. *Hem H* —9L **105**
Lysander. *NW9* —8F **164**
Lysander Clo. *Bov* —9C **122**
Lysander Way. *Ab L* —5J **137**
Lysander Way. *Wel G* —8C **92**
Lys Hill Gdns. *Hert* —7N **93**
Lysley Pl. *Brk P* —9B **130**
Lytchet Way. *Enf* —3G **156**
Lytham Av. *Wat* —5M **161**
Lytton Av. *Enf* —2J **157**
Lytton Av. *Let* —6F **22**
Lytton Fields. *Kneb* —3M **71**
Lytton Gdns. *Wel G* —9K **91**
Lytton Rd. *Barn* —6B **154**
Lytton Rd. *Pinn* —7N **161**
Lyttons Way. *Hod* —5L **115**
Lytton Way. *Stev* —2J **51**

Mabbutt Clo. *Brick W* —3N **137**
Mabey's Wlk. *H Wych* —6D **98**
McAdam Clo. *Hod* —6L **115**
Macaret Clo. *N20* —9A **154**
Macaulay Rd. *Lut* —7K **45**
McClintock Pl. *Enf* —1M **157**
McDonald Ct. *Hat* —2G **128**
(in two parts)
Macdonell Gdns. *Wat* —8H **149**
McDougall Rd. *Berk* —1A **122**
Macer's Ct. *Brox* —6K **133**
Macer's La. *Brox* —6K **133**
McEwen Ride. *Hal* —6B **100**
Macfadyen Webb Ho. *Let* —4G **22**
McGredy. *Chesh* —2F **144**
Macintosh Clo. *Chesh* —8B **132**
McKellar Clo. *Bus H* —2D **162**
McKenzie Rd. *Brox* —2L **133**
Mackenzie Sq. *Stev* —6A **52**
Mackerel Hall. *R'ton* —7B **8**
Mackerye End. —3G **88**
Macleod Rd. *N21* —7K **155**
Maddles. *Let* —7K **23**
Maddox Rd. *H'low* —5A **118**
Maddox Rd. *Hem H* —2D **124**
Made Feld. *Stev* —4M **51**
Madgeways Clo. *Gt Amw* —9K **95**
Madgeways La. *Gt Amw* —1K **115**
Madresfield Ct. *Shenl* —5L **139**
Mafeking Rd. *Enf* —5D **156**
Magdalen Laver. —9M **119**
Magellan Clo. *Stev* —4C **52**
Maggots End. —6F **42**
Magna Clo. *Hpdn* —9E **88**
Magnaville Rd. *Bis S* —4G **79**
Magnaville Rd. *Bus H* —9F **150**
Magnolia Av. *Ab L* —5J **137**
Magnolia Clo. *Hert* —9E **94**
Magnolia Clo. *Park* —8E **126**
Magnolia Gdns. *Edgw* —4C **164**

Magpie Clo. *NW9* —9E **164**
Magpie Clo. *Enf* —3E **156**
Magpie Cres. *Stev* —5C **52**
Magpie Hall Rd. *Bus H* —2F **162**
Magpie Pl. *Wat* —5L **137**
Magpies, The. *Lut* —3G **46**
Magpie Wlk. *Hat* —2G **129**
Mahon Clo. *Enf* —3D **156**
Maida Av. *E4* —9M **157**
Maida Way. *E4* —9M **157**
Maidenbower Av. *Dunst* —8C **44**
Maidenhall Rd. *Lut* —7C **46**
Maidenhead St. *Hert* —9B **94**
Maidenhead Yd. Hert —9B **94**
(off Wash, The)
Maiden St. *W'ton* —1A **36**
Mailers La. *Man* —8H **43**
Main Av. *Enf* —7D **156**
Main Av. *N'wd* —3E **160**
Main Ho., The. *Saw* —4K **99**
Main Pde. *Chor* —6F **146**
Main Rd. *B'fld* —3H **93**
Main Rd. N. *Dagn* —9L **63**
Main Rd. S. *Dagn* —2N **83**
Maitland Rd. *Hal C* —7C **100**
Maitland Rd. *Stans* —3N **59**
Malcolm Ct. *Stan* —1K **163**
Malcombs Way. *N14* —7H **155**
Malden Fields. *Bush* —7M **149**
Malden Rd. *Borwd* —5A **152**
Malden Rd. *Wat* —4K **149**
Maldon Ct. *Hpdn* —5C **88**
Malham Clo. *Lut* —6B **46**
Malins Clo. *Barn* —7H **153**
Malkin Dri. *H'low* —7G **118**
Mallard Clo. *New Bar* —8C **154**
Mallard Ct. Rick —9N **147**
(off Swan Clo.)
Mallard Gdns. *Lut* —4C **46**
Mallard Rd. *Ab L* —4J **137**
Mallard Rd. *R'ton* —7C **8**
Mallard Rd. *Stev* —7C **52**
Mallards Ct. Wat —3A **162**
(off Hangar Ruding)
Mallards Ri. *H'low* —6F **118**
Mallards, The. *Hem H* —7B **124**
Mallard Way. *N'wd* —7E **160**
Mallard Way. Roy M —5D **116**
(off Swan Way)
Mallard Way. *Wat* —1N **149**
Mallory Gdns. *E Barn* —9F **154**
Mallow Mead. *NW7* —7L **165**
Mallows Green. —8E **42**
Mallows Grn. Rd. *Man* —8D **42**
Mallow, The. *Lut* —6B **46**
Mallow Wlk. *G Oak* —1B **144**
Mallow Wlk. *R'ton* —8E **8**
Mall, The. *Dunst* —8F **44**
Mall, The. *Park* —9D **126**
Malm Clo. *Rick* —3N **159**
Malmes Cft. *Hem H* —4E **124**
Malms Clo. *Kens* —7G **65**
Malmsdale. *Wel G* —5K **91**
Maltby Dri. *Enf* —2F **156**
Malthouse Ct. St Alb —3E **126**
(off Sopwell La.)
Malthouse Grn. *Lut* —8A **48**
Malthouse La. *Stot* —5G **10**
Malt Ho. Pl. *Rad* —7H **139**
Malthouse, The. Hert —9B **94**
(off Priory St.)
Malting La. *Ald* —1H **103**
Malting La. *Brau* —2B **56**
Malting La. *Dagn* —2N **83**
Malting La. *Lit* —3H **7**
Malting La. *M Hud* —6J **77**
Malting Mead. *Hat* —8J **111**
Maltings Clo. *Bald* —2N **23**
Maltings Ct. *R'ton* —6C **8**
Maltings Ct. *Ware* —7H **95**
Maltings Dri. *Wheat* —7K **89**
Maltings Ind. Est., The.
      Stan A —2A **116**
Maltings La. *Gt Chi* —2H **17**
Maltings M. Hert —1A **114**
(off Westall M.)
Maltings Orchard. *Pir* —8E **20**
Maltings, The. *Dunst* —8D **44**
Maltings, The. *Hem H* —1N **123**
Maltings, The. *K Lan* —7F **136**
Maltings, The. *Let* —2J **23**
Maltings, The. *R'ton* —6C **8**
Maltings, The. *St Alb* —2E **126**
Maltings, The. *Stev* —1G **52**
Malt La. *Rad* —8H **139**

Malus Clo. *Hem H* —1C **124**
Malvern Clo. *Bush* —8D **150**
Malvern Clo. *Enf* —4A **156**
Malvern Clo. *St Alb* —7J **109**
Malvern Clo. *Stev* —1A **72**
Malvern Ho. *Wat* —8F **148**
Malvern Rd. *Enf* —1J **157**
Malvern Rd. *Lut* —1D **66**
Malvern Way. *Crox G* —7D **148**
Malvern Way. *Hem H* —9B **106**
Malzeard Ct. Lut —8F **46**
(off Malzeard Rd.)
Malzeard Rd. *Lut* —8E **46**
Manan Clo. *Hem H* —4E **124**
Manchester Clo. *Stev* —7M **35**
Manchester Pl. *Dunst* —8E **44**
Manchester St. *Lut* —1G **66**
Mancroft Rd. *Cad* —5N **65**
Mandela Av. *H'low* —4A **118**
(in two parts)
Mandela Pl. *Wat* —4M **149**
Mandelyns. *N'chu* —7J **103**
Mandeville. *Stev* —9B **52**
Mandeville Clo. *Brox* —2K **133**
Mandeville Clo. *H'low* —8E **118**
Mandeville Clo. *Hert* —3A **114**
Mandeville Clo. *Wat* —2H **149**
Mandeville Dri. *St Alb* —5E **126**
Mandeville Ri. *Wel G* —7K **91**
Mandeville Rd. *Enf* —9H **145**
Mandeville Rd. *Hert* —3A **114**
Mandeville Rd. *Pot B* —5B **142**
Manesty Ct. N14 —9J **155**
(off Ivy Rd.)
Mangrove Dri. *Hert* —2C **114**
Mangrove Green. —5N **47**
Mangrove La. *Hert* —2C **114**
Mangrove Rd. *C'hoe* —5N **47**
Mangrove Rd. *Hert* —1C **114**
Mangrove Rd. *Lut* —6L **47**
Manland Av. *Hpdn* —5D **88**
Manland Way. *Hpdn* —5D **88**
Manley Rd. *Hem H* —1A **124**
Manly Dixon Dri. *Enf* —1J **157**
Mannicotts. *Wel G* —9H **91**
Manning Ct. *H Reg* —4F **44**
Manning Ct. *Wat* —8M **149**
Manning Pl. *Lut* —7N **47**
Manns Rd. *Edgw* —6A **164**
Manor Av. *Hem H* —5N **123**
Manor Clo. *NW7* —5D **164**
Manor Clo. *Barn* —6L **153**
Manor Clo. *Berk* —1N **121**
Manor Clo. *Hat* —6F **110**
Manor Clo. *Hert* —7B **94**
Manor Clo. *H Reg* —5E **44**
Manor Clo. *Ickl* —8M **21**
Manor Clo. *Let* —8F **22**
Manor Clo. *Pot B* —5M **141**
Manor Cotts. *N'wd* —8H **161**
Manor Ct. *Big* —1A **4**
Manor Ct. *Cad* —4B **66**
Manor Ct. *Chesh* —4H **145**
Manor Ct. *Enf* —9F **144**
Manor Ct. *Pot B* —5M **141**
Manor Cres. *Hit* —4B **34**
Manor Cres. *Wend* —9B **100**
Manorcroft Pde. *Chesh* —3H **145**
Manor Dri. *N14* —9G **155**
Manor Dri. *NW7* —5D **164**
Manor Dri. *St Alb* —9B **126**
Mnr. Farm Bus. Pk. *Shin W* —5J **19**
Mnr. Farm Clo. *Bar C* —8E **18**
Mnr. Farm Clo. *Lut* —6M **45**
Mnr. Farm Rd. *Enf* —8F **144**
Mnr. Hall Av. *NW4* —9K **165**
Mnr. Hall Dri. *NW4* —9K **165**
Manor Hatch. *H'low* —7C **118**
Mnr. Hatch Clo. *H'low* —7D **118**
Manor House. —2D **146**
Manor Ho. Dri. *N'wd* —7D **160**
Manor Ho. Dri. *Stev* —2C **52**
Manor Ho. Est. *Stan* —6J **163**
Manor Ho. Gdns. *Ab L* —4F **136**
Manor Links. *Bis S* —1L **79**
**Manor of Groves Golf &
      Country Club.** —5C **98**
Manor Pde. *Hat* —6F **110**
Manor Pk. *H Reg* —5E **44**
Mnr. Park Cres. *Edgw* —6A **164**
Mnr. Park Dri. *Harr* —9C **162**
Mnr. Park Gdns. *Edgw* —5A **164**
Mnr. Pound Rd. *Ched* —9M **61**
Manor Rd. *Barn* —6L **153**
Manor Rd. *Bar C* —8E **18**
Manor Rd. *Bis S* —1J **79**

Manor Rd. *Cad* —4A **66**
Manor Rd. *Ched* —9L **61**
Manor Rd. *Enf* —4A **156**
Manor Rd. *H'low* —1E **118**
Manor Rd. *Hat* —6F **110**
Manor Rd. *Hod* —7L **115**
Manor Rd. *Lon C* —8K **127**
Manor Rd. *Lut* —2H **67**
Manor Rd. *Pot B* —4M **141**
Manor Rd. *St Alb* —1F **126**
Manor Rd. *Stans* —4N **59**
Manor Rd. *Tring* —1M **101**
Manor Rd. *Wal A* —6N **145**
Manor Rd. *Wat* —3K **149**
Manor Rd. *Wend* —9B **100**
Manor Rd. *Wheat* —5F **88**
Manorside. *Barn* —6L **153**
Manor St. *Berk* —1A **122**
Manor Vw. *N3* —9N **165**
Manor Vw. *Stev* —3A **52**
Manorville Rd. *Hem H* —6M **123**
Manor Way. *Borwd* —5C **152**
Manor Way. *Chesh* —3J **145**
Manor Way. *Crox G* —6C **148**
Manorway. *Enf* —9C **156**
Manor Way. *Let* —8F **22**
Manor Way. *Old K* —3J **71**
Manor Way. *Pot B* —3N **141**
Mansard Clo. *Tring* —3M **101**
Manscroft Rd. *Hem H* —9L **105**
Mansdale Rd. *Redb* —2H **107**
Manse Ct. *Mark* —2A **86**
Mansells La. *Cod* —5F **70**
Mansfield. *H Wych* —6C **98**
Mansfield Av. *Barn* —8E **154**
Mansfield Clo. *N9* —8E **156**
Mansfield Ct. *Hert* —7A **94**
Mansfield Gdns. *Hert* —7A **94**
Mansfield Hill. *E4* —9M **157**
Mansfield Rd. *Bald* —4L **23**
Mansfield Rd. *Lut* —8D **46**
Manshead Ct. *Dunst* —2G **65**
Mansion Dri. *Tring* —3N **101**
Mansion Hill. *Hal* —6D **100**
Manston Clo. *Chesh* —3G **145**
Manston Ct. *Bis S* —8K **59**
Manston Rd. *H'low* —6A **118**
Manston Way. *St Alb* —3L **127**
Manton Dri. *Lut* —5F **46**
Manton Rd. *Eat B* —3A **64**
Manton Rd. *Enf* —1L **157**
Manton Rd. *Hit* —4B **34**
Manuden. —8J **43**
Manx Clo. *Lut* —7C **46**
Maple Av. *Bis S* —9F **58**
Maple Av. *St Alb* —7D **108**
Maple Clo. *N3* —6N **165**
Maple Clo. *Bis S* —9F **58**
Maple Clo. *Bush* —4N **149**
Maple Clo. *Hat* —1G **129**
Maple Clo. *Pull* —1A **18**
Maple Cotts. *Hpdn* —1C **108**
Maple Ct. Borwd —6A **152**
(off Drayton Rd.)
Maple Ct. Lut —2F **66**
(off Stockwood Cres.)
Maple Ct. *Stan A* —2A **116**
Maple Ct. *Wat* —9M **137**
Maple Cross. —5G **159**
Maple Cross Ind. Est. *Map C*
      —4J **159**
Maplefield. Park —2C **138**
Maple Gdns. *Edgw* —7E **164**
Maple Grn. *Hem H* —9H **105**
Maple Gro. *Bis S* —9F **58**
Maple Gro. *Wat* —3J **149**
Maple Gro. *Wel G* —6N **91**
Maple Hill. —3A **134**
Maple Leaf Clo. *Ab L* —5J **137**
Maplelodge Clo. *Map C* —4H **159**
**Maple Lodge Nature
      Reserve.** —5J **159**
Maple Rd. *Hpdn* —6A **88**
Maple Rd. E. *Lut* —9D **46**
Maple Rd. W. *Lut* —9D **46**
Maples. *Hpdn* —4B **88**
Maples Ct. *Hit* —3M **33**
Maple Side. *Stoc P* —3A **42**
Maple Spring. *Bis S* —9F **58**
Maples, The. *Borwd* —3A **152**
Maples, The. *G Oak* —1C **144**
Maples, The. *Hit* —5N **33**
Maples, The. *Stev* —8A **52**
Maplethorpe Ct. Ware —6G **95**
(off Priory St.)

Mapleton Cres. *Enf* —2G **156**
Mapleton Rd. *Enf* —4F **156**
Maple Way. *H Reg* —3H **45**
Maple Way. *Kens* —8H **65**
Maple Way. *Mel* —1J **9**
Maple Way. *R'ton* —5E **8**
Maplewood. *Ware* —4G **95**
Maplin Clo. *N21* —8L **155**
Maran Av. *Welw* —3J **91**
Marbury Pl. *Lut* —4B **46**
March. NW9 —8F **164**
(off Concourse, The)
Marchmont Grn. *Hem H* —9N **105**
Marconi Way. *St Alb* —2L **127**
Marcus Clo. *Stev* —1B **52**
Mardale Av. *Dunst* —2F **64**
Mardale Ct. *NW7* —7G **165**
Mardle Clo. *Cad* —6A **66**
Mardley Av. *Welw* —8M **71**
Mardleybury. —7A **72**
Mardleybury Ct. *Wool G* —7N **71**
Mardleybury Rd. *Wool G* —7N **71**
Mardley Dell. *Welw* —7M **71**
Mardley Heath. —7M **71**
Mardley Heights. *Welw* —8N **71**
Mardley Hill. *Welw* —8M **71**
Mardley Wood. *Welw* —7M **71**
Mardon. *Pinn* —7A **162**
Mardyke Rd. *H'low* —4C **118**
Marford Rd. *Wheat & Lem* —7L **8**
Margaret Av. *E4* —8M **157**
Margaret Av. *St Alb* —9E **108**
Margaret Clo. *Ab L* —5H **137**
Margaret Clo. *Pot B* —6B **142**
Margaret Clo. *Wal A* —6N **145**
Margaret Ct. *Barn* —6C **154**
Margaret Rd. *Barn* —6C **154**
Margeholes. *Wat* —2N **161**
Margery La. *Tew* —5C **92**
Margery Wood. *Wel G* —6N **91**
Margrave Gdns. *Bis S* —3G **78**
Marguerite Way. *Bis S* —2E **78**
Marian Gdns. *Leav* —6K **137**
Maricas Av. *Harr* —8E **162**
Marigold Pl. *H'low* —2D **118**
Marina Dri. *Dunst* —1B **64**
Marina Gdns. *Chesh* —3G **145**
Mariner Way. *Hem H* —3C **124**
Marion Clo. *Bush* —3A **150**
Marion Rd. *NW7* —5G **164**
Marion Wlk. *Hem H* —6B **106**
Markab Rd. *N'wd* —5H **161**
Mark Av. *E4* —8M **157**
Mark Dri. *Chal P* —4A **158**
Markeston Grn. *Wat* —4M **161**
Market Chambers. Enf —5B **156**
(off Church St.)
Market Hall. *Lut* —1G **67**
Market Hill. *Bunt* —3J **39**
Market Hill. *R'ton* —7D **8**
Market Ho. H'low —5N **117**
(off Post Office Rd.)
Market La. *Edgw* —8C **164**
Market Oak La. *Hem H* —6C **124**
Market Pl. *Chal P* —8A **158**
Market Pl. *Eat B* —2H **63**
Market Pl. *Enf* —5B **156**
Market Pl. *Hat* —8H **111**
Market Pl. *Hert* —9B **94**
Market Pl. *Hit* —3M **33**
Market Pl. *St Alb* —2E **126**
Market Pl. *Stev* —4K **51**
Market Sq. *Bis S* —1H **79**
Market Sq. *Lut* —2D **66**
Market Sq. *Stev* —4K **51**
Market Sq. *Wal A* —6N **145**
Market St. *Bis S* —1H **79**
Market St. *H'low* —2E **118**
Market St. *Hert* —9B **94**
Market St. *Wat* —6K **149**
Markfield Clo. *Lut* —3E **46**
Markfield Gdns. *E4* —9M **157**
Mark Hall Cycle Mus. —4D **118**
Mark Hall Gardens. —3C **118**
Mark Hall Moors. *H'low* —3D **118**
Mark Hall North. —3C **118**
Mark Hall South. —5C **118**
Mark Hall Sports Ground. —4E **11**
Markham Clo. *Borwd* —4N **151**
Markham Cres. *Dunst* —7H **45**
Markham Rd. *Chesh* —8A **132**
Markham Rd. *Lut* —1E **46**
Mark Lodge. Cockf —6D **154**
(off Edgeworth Rd.)
Mark Rd. *Hem I* —9C **106**

Markyate. —2A **86**
Markyatecell Pk. —9A **66**
Markyate Rd. *S End* —8C **66**
Marlands. *Saw* —3G **99**
Marlborough Av. *Edgw* —3B **164**
Marlborough Bldgs. *St Alb*
　　　　　　—2F **126**
Marlborough Clo. *Bis S* —3H **79**
Marlborough Clo. *Welw* —8M **71**
Marlborough Clo. *W'ton* —2A **36**
Marlborough Ct. *Enf* —7C **156**
Marlborough Ct. *N'wd* —7H **161**
Marlborough Footpath. *Lut* —8F **46**
Marlborough Ga. *St Alb* —2F **126**
Marlborough Pde. *Edgw* —3B **164**
　(off Marlborough Av.)
Marlborough Ri. *Hem H* —7A **106**
Marlborough Rd. *Lut* —8E **46**
Marlborough Rd. *St Alb* —2F **126**
Marlborough Rd. *Stev* —4B **52**
Marlborough Rd. *Wat* —6K **149**
Marle Gdns. *Wal A* —5N **145**
Marley Ct. *Brox* —5K **133**
Marley Rd. *Wel G* —2N **111**
Marlin Clo. *Berk* —9K **103**
Marlin Copse. *Berk* —2L **121**
Marlin Ct. *Lut* —5H **45**
Marlin End. *Berk* —2K **121**
Marlin Hill. *Tring* —5M **101**
Marlin Ho. *Wat* —8F **148**
Marlin Rd. *Lut* —5H **45**
Marlins Clo. *Rick* —4H **147**
Marlins Mdw. *Wat* —8F **148**
Marlin Sq. *Ab L* —4H **137**
Marlins, The. *N'wd* —5H **161**
Marlins Turn. *Hem H* —8L **105**
Marlow Av. *Lut* —9C **46**
Marlow Ct. *N14* —9H **155**
Marlowe Clo. *Stev* —1B **52**
Marlowes. *Hem H* —1N **123**
Marlowes Cen., The. *Hem H*
　　　　　　—3M **123**
Marmet Av. *Let* —5E **22**
Marnham Ri. *Hem H* —9K **105**
Marquis Bus. Cen. *Bald* —2N **23**
Marquis Clo. *Bis S* —9D **58**
Marquis Clo. *Hpdn* —5E **88**
Marquis Ct. *Lut* —8F **46**
　(off Earls Meade)
Marquis Hill. *Shil* —2B **20**
Marquis La. *Hpdn* —5E **88**
Marriots, The. *H'low* —1E **118**
Marriot Ter. *Chor* —6J **147**
Marriott Rd. *Barn* —5K **153**
Marriott Rd. *Lut* —3D **46**
Marriotts Way. *Hem H* —4N **123**
Marryat Rd. *Enf* —8F **144**
Marschefield. *Stot* —6F **10**
Marsden Clo. *Wel G* —2H **111**
Marsden Grn. *Wel G* —1H **111**
Marsden Rd. *Wel G* —1H **111**
Marshall Av. *St Alb* —8F **108**
Marshall Est. *NW7* —4G **165**
Marshall Rd. *Lut* —7L **47**
Marshalls Av. *Shil* —2A **20**
Marshalls Heath. —5H 89
Marshalls Heath La. *Wheat* —5H **89**
Marshall's La. *Ware & H Cro*
　　　　　　—4E **74**
Marshalls Way. *Wheat* —5G **89**
Marshal's Dri. *St Alb* —8H **109**
Marshalswick. —8J 109
Marshalswick La. *St Alb* —8H **109**
Marshbarns. *Bis S* —1E **78**
Marsh Clo. *NW7* —3F **164**
Marsh Clo. *Wal X* —6J **145**
Marshcroft Dri. *Chesh* —3J **145**
Marshcroft La. *Tring* —1A **102**
Marshe. *Pot B* —5C **142**
Marsh Farm. —2A 46
Marshgate. *H'low* —3A **118**
Marshgate. *Stev* —4K **51**
Marshgate Dri. *Hert* —8C **94**
Marshgate Trad. Est. *Hert* —8C **94**
Marsh Ho. *Lut* —5B **46**
Marsh La. *NW7* —3E **164**
Marsh La. *H'low* —1H **119**
Marsh La. *Stan* —5K **163**
Marsh La. *Stan A* —3A **116**
Marsh La. *Ware* —7J **95**
Marshmoor. —4K 129
Marshmoor Cres. *N Mym* —4K **129**
Marshmoor La. *N Mym* —4J **129**
Marsh Rd. *Lut* —4A **46**

Marsh, The. *Reed* —7J **15**
Marsom Gro. *Lut* —1D **46**
Marston Clo. *Che* —9E **120**
Marston Clo. *Hem H* —3C **124**
Marston Ct. *Long M* —3G **81**
Marston Gdns. *Lut* —5F **46**
Marston Rd. *Hod* —7M **115**
Marsworth. —6M 81
Marsworth Av. *Pinn* —8M **161**
Marsworth Clo. *Wat* —9G **148**
Marsworth Rd. *Pit* —4A **82**
Marten Ga. *St Alb* —7H **109**
Martham Ct. *Hpdn* —4D **88**
Marthorne Cres. *Harr* —9E **162**
Martian Av. *Hem H* —8B **106**
Martinbridge Trad. Est. *Enf*
　　　　　　—7E **156**
Martin Clo. *Hat* —2G **129**
Martin Dale Ind. Est. *Enf* —5F **156**
Martindale Rd. *Hem H* —1J **123**
Martindales, The. *Lut* —1H **67**
　(off Crescent Rd.)
Martin Dri. *Enf* —1L **157**
Martineau Ho. *Ger X* —5B **158**
Martinfield. *Wel G* —8M **91**
Martinfield Bus. Cen. *Wel G*
　　　　　　—8M **91**
Martingale Rd. *R'ton* —7E **8**
Martins Clo. *Rad* —9F **138**
Martins Ct. *St Alb* —5K **127**
Martins Dri. *Chesh* —1J **145**
Martins Dri. *Hert* —9F **94**
Martin's Ho. *Stev* —9N **35**
Martins Mt. *New Bar* —6N **153**
Martins Wlk. *Borwd* —6A **152**
Martins Way. *Stev* —1J **51**
Martin Way. *Let* —6D **22**
Martlesham. *Wel G* —9D **92**
Martynside. *NW9* —8F **164**
Martyr Clo. *St Alb* —6E **126**
Martyr Clo. *K Lan* —2B **136**
Mary Brash Ct. *Lut* —6L **47**
Mary Cross Clo. *Wig* —5B **102**
Maryland. *Hat* —1F **128**
Mary McArthur Pl. *Stans* —1N **59**
Marymead Ct. *Stev* —9N **51**
Marymead Dri. *Stev* —9N **51**
Marymead Ind. Est. *Stev* —9A **52**
Mary Pk. Gdns. *Bis S* —4H **79**
Maryport Rd. *Lut* —7C **46**
Mary Proud Ct. *Welw* —9L **71**
Mary Rose Way. *N20* —9C **154**
Masefield. *Hit* —3C **34**
Masefield Av. *Borwd* —7B **152**
Masefield Av. *Stan* —5G **163**
Masefield Clo. *Hpdn* —3C **88**
Masefield Ct. *New Bar* —6B **154**
Masefield Cres. *N14* —7H **155**
Masefield Rd. *Hpdn* —4C **88**
Masefield Way. *R'ton* —4D **8**
Maslen Rd. *St Alb* —5K **127**
Mason Clo. *Borwd* —4D **152**
Masons Ct. *Bis S* —1G **79**
　(off Hadham Rd.)
Mason's Pde. *G Oak* —1A **144**
Masons Rd. *Enf* —9F **144**
Masons Rd. *Hem H* —1D **124**
Masons Yd. *Berk* —1A **122**
Masters Clo. *Lut* —3D **66**
Matching La. *Bis S* —9F **58**
Matching Pk. —3N 119
Matching Rd. *H'low* —2K **119**
Matching Rd. *Mat T* —3N **119**
Matching Tye. —3N 119
Mathams Dri. *Bis S* —3F **78**
Matlock Clo. *Barn* —7K **153**
Matlock Cres. *Lut* —8M **45**
Matlock Cres. *Wat* —3L **161**
Matrons Flat. *Wel G* —9H **91**
Matthew Ga. *Hit* —5A **34**
Matthews Clo. *Stev* —9K **35**
Matthew St. *Dunst* —9E **44**
Mattocke Rd. *Hit* —1K **33**
Maude Cres. *Wat* —2K **149**
Maud Jane's Clo. *I'hoe* —2C **82**
Maulden Clo. *Lut* —8M **45**
Maundsey Clo. *Dunst* —3F **64**
Maurice Brown Clo. *NW7* —5K **165**
Maxfield Clo. *N20* —9B **154**
Maxim Rd. *N21* —8M **155**
Maxted Clo. *Hem I* —9E **106**
Maxted Corner. *Hem I* —8D **106**
Maxted Rd. *Hem I* —8D **106**
Maxwell Clo. *Mil E* —2K **159**
Maxwell Ri. *Wat* —9N **149**

Maxwell Rd. *Borwd* —5B **152**
Maxwell Rd. *N'wd* —7F **160**
Maxwell Rd. *St Alb* —3J **127**
Maxwell Rd. *Stev* —4H **51**
Maxwell's Path. *Hit* —2L **33**
Maxwelton Av. *NW7* —5D **164**
Maxwelton Clo. *NW7* —5D **164**
Maybury Av. *Chesh* —1F **144**
Maybury Clo. *Enf* —2F **156**
Maychurch Clo. *Stan* —7L **163**
May Clo. *Eat B* —2J **63**
May Clo. *St Alb* —9E **108**
Maycock Gro. *N'wd* —6H **161**
May Cotts. *Wat* —7L **149**
　(off Lammas Rd.)
Maycroft. *Let* —2G **22**
Maycroft. *Pinn* —9K **161**
Maycroft Rd. *Chesh* —8C **132**
Maydencroft La. *Gos* —6L **33**
Maydwell Lodge. *Borwd* —4N **151**
Mayer Rd. *Wal A* —9M **145**
Mayer Way. *H Reg* —6E **44**
Mayes Clo. *Bis S* —1M **79**
Mayfair Clo. *St Alb* —6N **109**
Mayfair Ter. *N14* —9J **155**
Mayfare. *Crox G* —7F **148**
Mayfield. *Wel G* —5J **91**
Mayfield Clo. *H'low* —2H **119**
Mayfield Clo. *Hpdn* —4N **87**
Mayfield Cres. —9F **156**
Mayfield Cres. *L Ston* —1F **20**
Mayfield Pk. *Bis S* —5F **78**
Mayfield Rd. *Dunst* —2G **65**
　(in two parts)
Mayfield Rd. *Enf* —4H **157**
Mayfield Rd. *Lut* —5K **47**
Mayflower Av. *Hem H* —2N **123**
Mayflower Clo. *Cod* —7F **70**
Mayflower Clo. *Hert* —2K **113**
Mayflower Gdns. *Bis S* —2D **78**
Mayflower Rd. *Park* —9C **126**
May Gdns. *Els* —8L **151**
Mayhill Rd. *Barn* —8L **153**
Maylands Av. *Hem I* —8D **106**
Maylands Ct. *Hem H* —1D **124**
Maylands Rd. *Wat* —4L **161**
Mayles Clo. *Stev* —2H **51**
Maylin Clo. *Hit* —2C **34**
Maylins Dri. *Saw* —5F **98**
Maynard Dri. *St Alb* —5E **126**
Maynard Pl. *Cuff* —2L **143**
Maynard Rd. *Hem H* —3N **123**
Mayne Av. *Lut* —4M **45**
Mayne Av. *St Alb* —4A **126**
Mayo Clo. *Chesh* —1G **144**
Mayo Gdns. *Hem H* —3L **123**
Maypole St. *H'low* —5E **118**
Mayshades Clo. *Wool G* —6N **71**
Mays La. *Barn* —9H **153**
May St. *Gt Chi* —3H **17**
May St. *Lut* —3G **67**
Maythorne Clo. *Wat* —6G **148**
Maytree Clo. *Edgw* —3C **164**
Maytree Cres. *Wat* —8H **137**
Maytree La. *Stan* —7H **163**
Maytrees. *Hit* —4A **34**
Maytrees. *Rad* —1H **151**
Maze Grn. Heights. *Bis S* —1E **78**
Maze Grn. Rd. *Bis S* —1F **78**
Mazoe Clo. *Bis S* —3H **79**
Mazoe Rd. *Bis S* —3H **79**
Mead Bus. Cen. *Hert* —8C **94**
Mead Clo. *Harr* —8E **162**
Mead Clo. *Stev* —3M **51**
Mead Ct. *Stans* —2M **59**
Mead Ct. *Wal A* —7M **145**
Meadfield. *Edgw* —2B **164**
　(in two parts)
Meadfield Grn. *Edgw* —2B **164**
Meadgate Rd. *Brox* —2N **133**
　(in two parts)
Meadhook Dri. *Bar C* —8D **18**
Mead Ho. *Hat* —6H **111**
Mead La. *Hert* —8C **94**
Meadow Bank. *N21* —8L **155**
Meadow Bank. *Hit* —2B **34**
Meadowbank. *K Lan* —3C **136**
Meadowbank. *Wat* —9L **149**
Meadowbank Clo. *Barn* —7G **152**
Meadowbanks. *Barn* —7G **152**
Meadowbrook. *Tring* —1N **101**
Meadow Clo. *Barn* —8M **153**
Meadow Clo. *Brick W* —2B **138**
Meadow Clo. *Che* —9E **120**
Meadow Clo. *D'wth* —7C **72**

Meadow Clo. *Enf* —2J **157**
Meadow Clo. *Hert* —8D **94**
Meadow Clo. *Lon C* —9L **127**
Meadow Clo. *N Mym* —6K **129**
Meadow Clo. *St Alb* —8K **109**
Meadow Clo. *Tring* —2M **101**
Meadow Cft. *Cad* —4B **66**
Meadowcroft. *Chal P* —9A **158**
Meadowcroft. *Hat* —9F **110**
Meadowcroft. *N'chu* —7H **103**
Meadowcroft. *St Alb* —5H **127**
Meadowcroft. *Stans* —2N **59**
Meadow Dell. *Hat* —9F **110**
Meadow Dri. *NW4* —9J **165**
Meadow Gdns. *Edgw* —6B **164**
Meadow Grn. *Wel G* —9J **91**
Meadowlands. *Bis S* —7J **59**
Meadow La. *H Reg* —4E **44**
Meadow La. *Pit* —4C **82**
Meadow Mead. *Rad* —6G **139**
Meadow Rd. *Berk* —8L **103**
Meadow Rd. *Borwd* —4B **152**
Meadow Rd. *Bush* —7C **150**
Meadow Rd. *Hem H* —6C **124**
Meadow Rd. *Lut* —5D **46**
Meadow Rd. *Wat* —7J **137**
Meadows, The. *Bis S* —3G **78**
Meadows, The. *B Grn* —8F **48**
Meadows, The. *Hem H* —1H **123**
Meadows, The. *Saw* —5J **99**
Meadows, The. *S Mym* —6G **140**
Meadows, The. *Wel G* —9B **92**
Meadowsweet. *L Ston* —1G **20**
Meadowsweet Clo. *Bis S* —3E **78**
Meadow, The. *Hail* —4J **115**
Meadow Vw. *Bunt* —4H **39**
Meadow Wlk. *Hpdn* —7D **88**
Meadow Wlk. *Stdn* —7B **56**
Meadow Way. *Bedm* —9H **125**
Meadow Way. *Cad* —4A **66**
Meadow Way. *Cod* —7E **70**
Meadow Way. *Offl* —7D **32**
Meadow Way. *Pot B* —7N **141**
Meadow Way. *Rick* —9M **147**
Meadow Way. *Saw* —6J **99**
Meadow Way. *Stev* —4M **51**
Meadow Way. *Stot* —6F **10**
Meadow Way. *Ther* —6N **15**
Meadow Way, The. *Harr* —8F **162**
Mead Pk. Ind. Est. *H'low* —2B **118**
Mead Pl. *Rick* —1L **159**
Mead Rd. *Edgw* —6A **164**
Mead Rd. *Shenl* —6A **140**
Meads Clo. *H Reg* —4E **44**
Meads La. *Wheat* —6L **89**
Meads Rd. *Enf* —3J **157**
Meads, The. *Brick W* —2A **138**
Meads, The. *Eat B* —3J **63**
Meads, The. *Edgw* —6D **164**
Meads, The. *Let* —6C **46**
Meads, The. *Lut* —6C **46**
Meads, The. *N'chu* —8K **103**
Meads, The. *Stans* —3N **59**
Meads, The. *Tring* —2N **101**
　(off Mortimer Hill)
Mead, The. *Brox* —3M **133**
Mead, The. *Chesh* —2G **144**
Mead, The. *Hit* —9M **21**
Mead, The. *Wat* —3N **161**
Mead Vw. *Stoc P* —4A **42**
Meadview Rd. *Ware* —7H **95**
Meadway. *Barn* —6N **153**
Meadway. *Berk* —9B **104**
Mead Way. *Bush* —4N **149**
Meadway. *Col H* —5D **128**
Meadway. *Dunst* —1C **64**
Meadway. *Enf* —9G **145**
Meadway. *Hpdn* —8F **88**
Meadway. *Hod* —1L **133**
Meadway. *Kneb* —4M **71**
Meadway. *Stev* —3H **51**
　(Gunnels Wood Rd.)
Meadway. *Stev* —3G **50**
　(Redcar Dri., in two parts)
Meadway. *Wel G* —2M **111**
Meadway Clo. *Barn* —6N **153**
Meadway Clo. *Pinn* —6C **162**
Meadway Ct. *Dunst* —1C **64**
Meadway Ct. *Stev* —3H **51**

Meadway Technology Pk.
　　　　　Stev —3G **51**
Meadway, The. *Cuff* —1L **143**
Meautys. *St Alb* —4A **126**
Medalls Link. *Stev* —6N **51**
Medalls Path. *Stev* —6N **51**
Medcalf Hill. *Wid* —2H **97**
Medcalf Rd. *Enf* —1K **157**
Medina Rd. *Lut* —8C **46**
Medley Clo. *Eat B* —3K **63**
Medlows. *Hpdn* —5N **87**
Medway Clo. *Wat* —7L **137**
Medway Rd. *Hem H* —6B **106**
Medwick M. *Hem H* —6D **106**
Mees Clo. *Lut* —9B **30**
Meesden. —6J 29
Meeting All. *Wat* —5K **149**
Meeting Ho. La. *Bald* —2L **23**
Meeting Ho. La. *Bunt* —3J **39**
Meeting La. *Lit* —3H **7**
Megg La. *Chfd* —3L **135**
Melbourn. —1J 9
Melbourn Clo. *Stot* —6F **10**
Melbourne Av. *Pinn* —9C **162**
Melbourne Clo. *St Alb* —7G **108**
Melbourne Ct. *Wel G* —1H **111**
Melbourne Rd. *Bush* —7C **150**
Melbourne Way. *Enf* —8D **156**
Melbourn Rd. *R'ton* —7D **8**
Meldex Clo. *NW7* —6J **165**
　(off Prince of Wales Clo.)
Melford Clo. *Lut* —8M **47**
Melings, The. *Hem H* —6D **106**
Melling Dri. *Enf* —3E **156**
Melne Rd. *Stev* —9A **52**
Melrose Av. *Borwd* —7B **152**
Melrose Av. *Pot B* —5N **141**
Melrose Ct. *Chesh* —2H **145**
Melrose Gdns. *Edgw* —9B **164**
Melrose Pl. *Wat* —2H **149**
Melson Sq. *Lut* —1G **67**
　(off Arndale Cen.)
Melson St. *Lut* —1G **67**
Melsted Rd. *Hem H* —2L **123**
Melton Ct. *Dunst* —1C **64**
Melton Wlk. *H Reg* —3H **45**
Melville Ct. *N'wd* —6F **160**
Melville Ho. *New Bar* —7C **154**
Melvyn Clo. *G Oak* —1N **143**
Memorial Ct. *Lut* —5B **46**
Memorial Rd. *Lut* —5B **46**
Mendip Clo. *St Alb* —7K **109**
Mendip Rd. *Bush* —8D **150**
Mendip Way. *Hem H* —8A **106**
Mendip Way. *Lut* —1M **45**
Mendlesham. *Wel G* —9D **92**
Mentley La. *Ware* —5J **55**
Mentley La. E. *Puck* —5A **56**
Mentley La. W. *Gt Mun* —5M **55**
Mentmore. —4J 61
Mentmore Cres. *Dunst* —3F **64**
Mentmore Golf Course. —5G 61
Mentmore Pk. —5H 61
Mentmore Rd. *Ched* —8L **61**
Mentmore Rd. *St Alb* —4E **126**
Mentmore Vw. *Tring* —1L **101**
Mepham Cres. *Harr* —7D **162**
Mepham Gdns. *Harr* —7D **162**
Meppershall Rd. *Shil* —1A **20**
Mercer Pl. *Pinn* —9L **161**
Mercers. *H'low* —9K **117**
Mercers. *Hem H* —9A **106**
Mercers Av. *Bis S* —4D **78**
Mercers Row. *St Alb* —4D **126**
Merchant Dri. *Hert* —8D **94**
Merchants Wlk. *Bald* —2A **24**
Mercia Rd. *Bald* —3N **23**
Mercury. *NW9* —8F **164**
　(off Concourse, The)
Mercury Wlk. *Hem H* —8B **106**
Mereden Ct. *St Alb* —5D **126**
　(off Tavistock Av.)
Meredith Clo. *Pinn* —7M **161**
Meredith Rd. *Stev* —1N **51**
Merefield. *Saw* —6G **98**
Meriden. —9N 137
Meriden Way. *Wat* —9N **137**
Meridian Way. *N18 & N9* —9H **157**
Meridian Way. *Stan A* —1M **115**
Merle Av. *Hare* —9L **159**
Merlin. *NW9* —8F **164**
　(off Concourse, The)
Merlin Cen., The. *St Alb* —2N **127**
Merlin Cres. *Edgw* —8N **163**
Merling Cft. *N'chu* —7J **103**

Merlin Way—Moor Vw.

Merlin Way. *Leav* —7H **137**
Mermaid Clo. *Hit* —3B **34**
Merridene. *N21* —8N **155**
Merrill Pl. *Bis S* —3G **79**
Merrion Av. *Stan* —5L **163**
Merritt Wlk. *N Mym* —5H **129**
Merrivale. *N14* —8J **155**
Merrow Dri. *Hem H* —1H **123**
Merrows Clo. *N'wd* —6E **160**
Merryfield Gdns. *Stan* —5K **163**
Merryfields. *St Alb* —2M **127**
Merry Hill. —1B 162
Merryhill Clo. *E4* —9M **157**
Merry Hill Mt. *Bush* —1C **162**
Merry Hill Rd. *Bush* —8A **150**
Merryhills Ct. *N14* —7H **155**
Merryhills Dri. *Enf* —6J **155**
Mersey Pl. *Hem H* —6B **106**
Mersey Pl. *Lut* —1F **66**
Merton Lodge. *New Bar* —7B **154**
Merton Rd. *Enf* —2B **156**
Merton Rd. *Wat* —6K **149**
Meryfield Clo. *Borwd* —4N **151**
Metford Cres. *Enf* —2L **157**
Metheringham Way. *NW9* —8E **164**
Methuen Clo. *Edgw* —7A **164**
Methuen Rd. *Edgw* —7A **164**
Metro Cen. *St Alb* —7G **109**
Metropolitan Sta. App. *Wat* —5H **149**
Meux Clo. *Chesh* —4E **144**
Mews, The. *Hpdn* —6C **88**
Mews, The. *Let* —2J **23**
Mews, The. *L Hall* —5J **79**
Mews, The. *Saw* —4G **99**
Mews, The. *Stans* —2N **59**
Mews, The. Wat —6L ***149***
(off Smith St.)
Meyer Grn. *Enf* —2E **156**
Meyrick Av. *Lut* —2E **66**
Meyrick Ct. *Lut* —2E **66**
Mezen Clo. *N'wd* —5F **160**
Michael Muir Ho. *Hit* —1L **33**
Michaels Rd. *Bis S* —7J **59**
Michen Rd. *H'low* —4B **118**
Michleham Down. *N12* —4M **165**
Micholls Av. *Ger X* —4B **158**
Micklefield Green. —2L 147
Micklefield Rd. *Hem H* —2E **124**
Micklefield Way. *Borwd* —2M **151**
Micklem Dri. *Hem H* —1J **123**
Midcot Way. *Berk* —8K **103**
Mid Cross La. *Chal P* —5C **158**
Middle Dene. *NW7* —3D **164**
Middle Drift. *R'ton* —7C **8**
Middle End. —1L 63
Middlefield. *Hat* —8G **110**
Middlefield. *Wel G* —4L **111**
Middlefield Av. *Hod* —6L **115**
Middlefield Clo. *St Alb* —8K **109**
Middlefield Rd. *Hod* —6L **115**
Middlefields. *Let* —2F **22**
Middlefields Ct. Let —2F ***22***
(off Middlefields)
Middle Furlong. *Bush* —6C **150**
Middlehill. *Hem H* —2H **123**
Middleknights Hill. *Hem H* —8K **105**
Middle La. *Bov* —2D **134**
Middle Ope. *Wat* —1K **149**
Middle Rd. *Berk* —1M **121**
Middle Rd. *E Barn* —8D **154**
Middle Row. *Bis S* —2H **79**
Middle Row. *Stev* —2J **51**
Middlesborough Clo. *Stev* —8M **35**
Middlesex Ho. *Stev* —3H **51**
Middle St. *Lit* —3H **7**
Middleton Rd. *Lut* —5M **47**
Middleton Rd. *Mil E* —1K **159**
Middle Way. *Wat* —1J **149**
Middle Way, The. *Harr* —9G **162**
Mid Herts Golf Course. —3K 89
Midhurst. *Let* —3F **22**
Midhurst Gdns. *Lut* —5E **46**
Midland Rd. *Hem H* —2N **123**
Midland Rd. *Lut* —9G **46**
Midway. *St Alb* —5C **126**
Milbourne Ct. *Wat* —4J **149**
Milburn Clo. *Lut* —9D **30**
Milby Ct. *Borwd* —3N **151**
Mildmay Rd. *Stev* —1A **52**
Mildred Av. *Borwd* —6A **152**
Mildred Av. *Wat* —6H **149**
Mile Clo. *Wal A* —6N **145**
Mile Ho. Clo. *St Alb* —5H **127**
Mile Ho. La. *St Alb* —6G **126**
Miles Clo. *H'low* —7L **117**
Milespit Hill. *NW7* —5H **165**
Milestone Clo. *Stev* —5C **52**
Mile Stone Ct. *Rad* —7H **139**
Milestone Rd. *H'low* —4E **118**
Milestone Rd. *Hit* —1L **33**
Milestone Rd. *Kneb* —3N **71**
Miletree Cres. *Dunst* —2G **64**
Milford Clo. *St Alb* —7L **109**
Milford Gdns. *Edgw* —7A **164**
Milford Hill. *Hpdn* —3E **88**
Milksey La. *Hit* —5J **35**
Millacres. *Ware* —6H **95**
Millais Gdns. *Edgw* —9A **164**
Millais Rd. *Enf* —7D **156**
Milland Ct. *Borwd* —3D **152**
Millard Way. *Hit* —9C **22**
Millbank. *Hem H* —6N **123**
Mill Bri. *Barn* —8M **153**
Mill Bri. *Hert* —9A **94**
Millbridge M. *Hert* —9A **94**
Millbrook. *Ware* —5H **95**
Millbrook Rd. *Bush* —3A **150**
Mill Clo. *Bunt* —3J **39**
Mill Clo. *Hem H* —7C **124**
Mill Clo. *Hit* —2C **34**
Mill Clo. *Lem* —1G **110**
Mill Clo. *M Hud* —7H **77**
Mill Clo. *Pic E* —7L **105**
Mill Clo. *Stot* —6G **10**
Mill Clo. *Ware* —6H **95**
Mill Clo. *W'grv* —5A **60**
Mill Corner. *Barn* —3M **153**
Millcrest Rd. *G Oak* —1N **143**
Millcroft. *Bis S* —8J **59**
Mill End. —7K 25
(Cumberlow Green)
Mill End. —1J 159
(Rickmansworth)
Mill End. —5C 26
(Royston)
Mill End. *Stdn* —7C **56**
Mill End Clo. *Eat B* —4K **63**
Millennium Wharf. *Rick* —9A **148**
Miller Av. *Enf* —2L **157**
Miller Clo. *Pinn* —9L **161**
Millers Clo. *NW7* —4G **165**
Millers Clo. *Bar* —2D **16**
Millers Clo. *Bis S* —3E **78**
Millers Clo. *Chor* —5J **147**
Millers Ct. *Hert* —1B **114**
Millersdale. *H'low* —9L **117**
Millers Grn. Clo. *Enf* —5N **155**
Millers La. *Stan A* —2N **115**
Millers Lay. *Dunst* —7J **45**
Millers Ri. *St Alb* —3F **126**
Millers Vw. *M Hud* —7H **77**
Millers Way. *H Reg* —5D **44**
Millers Yd. *Hert* —9B **94**
Mill Farm Clo. *Pinn* —9L **161**
Millfield. *Berk* —9A **104**
Mill Fld. *H'low* —2E **118**
Millfield. *Wad* —8J **75**
Millfield. *Wel G* —8B **92**
Millfield Ho. *Wat* —8F **148**
Millfield La. *Cad & Mark* —5M **65**
Millfield La. *L Had* —9N **57**
Millfield La. *St I* —6N **33**
Millfield M. *Cad* —6N **65**
Millfield Rd. *Edgw* —9C **164**
Millfield Rd. *Lut* —6C **46**
Millfields. *Saw* —4G **99**
Millfields. *Stans* —3N **59**
Millfield Wlk. *Hem H* —5C **124**
Millfield Way. *Cad* —5N **65**
Mill Gdns. *Tring* —2M **101**
Mill Green. —6K 111
Mill Grn. *Ess* —6E **112**
Mill Green Golf Course. —5L 111
Mill Grn. La. *Wel G* —4K **111**
Mill Green Mus. —6K 111
Mill Grn. Rd. *Wel G* —1L **111**
Mill Hatch. *H'low* —2C **118**
Mill Hill. —5E 164
Mill Hill. *Bis S* —2F **58**
Mill Hill. *R'ton* —9E **8**
Mill Hill. *Stans* —3N **59**
Mill Hill Circus. —5F 164
Mill Hill Golf Course. —1D 164
Mill Hill Ind. Est. *NW7* —6F **164**
Mill Hill Pk. —6F 164
Millhouse La. *Bedm* —9H **125**
Millhurst M. *H'low* —2G **118**
Milliner's Ct. *St Alb* —2F **126**
Milliners Way. *Bis S* —4E **78**
Milliners Way. *Lut* —8E **46**
Milling Rd. *Edgw* —7D **164**
Mill La. *E4* —5M **157**
Mill La. *Abry* —3M **57**
Mill La. *Arl* —8A **10**
Mill La. *Bar C* —8D **18**
Mill La. *Bass* —1L **7**
Mill La. *Brox* —3K **133**
Mill La. *Chesh* —1J **145**
Mill La. *Crox G* —8E **148**
Mill La. *Flam* —6C **86**
Mill La. *Gos* —7N **33**
Mill La. *H'low* —2G **119**
Mill La. *Hit* —9K **19**
Mill La. *K Lan* —2C **136**
Mill La. *L Hall* —1K **99**
Mill La. *Mee* —6K **29**
Mill La. *Saw* —4H **99**
Mill La. *Stot* —3F **10**
(Astwick)
Mill La. *Stot* —6G **10**
(Stotfield)
Mill La. *Ther* —4D **14**
Mill La. *Wat S & Ware* —5K **73**
Mill La. *W'ton* —1B **36**
Mill La. *W'grv* —6B **60**
Mill La. Clo. *Brox* —3K **133**
Millmarsh La. *Brim* —4J **157**
Mill Mead. *Wend* —9A **100**
Millmead Way. *Hert* —9N **93**
Millow. —2D 4
Mill Pl. *Welw* —2J **91**
Mill Race. *Stan A* —2A **116**
Mill Ridge. *Edgw* —5N **163**
Mill River Trad. Est. *Enf* —5J **157**
Mill Rd. *Hert* —8B **94**
Mill Rd. *H Reg* —5D **44**
Mill Rd. *R'ton* —6D **8**
Mill Rd. *St I* —7N **33**
Mill Rd. *Slap* —2A **62**
Millside. *Bis S* —3J **79**
Millside. *Stans* —3M **59**
Millstream Clo. *Hert* —9N **93**
Millstream Clo. *Hit* —9N **21**
Mill Stream Lodge. *Mil E* —2K **159**
Mill St. *A'wl* —9M **5**
Mill St. *Berk* —1N **121**
Mill St. *Bis S* —3J **79**
Mill St. *H'low* —8G **119**
Mill St. *Hem H* —5N **123**
Mill St. *Lut* —9F **46**
Mill Tower. *Eat B* —2J **63**
Mill Vw. *Park* —9E **126**
Mill Vw. Rd. *Tring* —2L **101**
Mill Wlk. Wheat —6L ***89***
(off High St.)
Millwards. *Hat* —3H **129**
Millward's Pk. —3K 129
Millway. *NW7* —4E **164**
Millway. *B Grn* —7E **48**
Mill Way. *Bush* —4N **149**
Mill Way. *Hit* —8J **21**
Mill Way. *Mil E* —1J **159**
Milman Clo. *Pinn* —9M **161**
Milne Clo. *Let* —8H **23**
Milne Fld. *Pinn* —7B **162**
Milner Clo. *Wat* —7K **137**
Milner Ct. *Bush* —8C **150**
Milner Ct. *Lut* —9G **47**
Milne Way. *Hare* —8L **159**
Milthorne Clo. *Crox G* —7B **148**
Milton Av. *Barn* —7M **153**
Milton Clo. *R'ton* —4C **8**
Milton Ct. *Hpdn* —6C **88**
Milton Ct. *Hem H* —6D **106**
Milton Ct. *Wal A* —7N **145**
Milton Dene. *Hem H* —6D **106**
Milton Dri. *Borwd* —7B **152**
Milton Ho. *Ger X* —4B **158**
Milton Rd. *NW7* —5G **164**
Milton Rd. *Ast C* —1E **100**
Milton Rd. *Hpdn* —6C **88**
Milton Rd. *Lut* —2E **66**
Milton Rd. *Ware* —5H **95**
Milton St. *Wal A* —7N **145**
Milton St. *Wat* —2K **149**
Milton Vw. *Hit* —3C **34**
Milton Wlk. *H Reg* —5G **45**
Milton Way. *H Reg* —5G **45**
Milverton Grn. *Lut* —2C **46**
Milwards. *H'low* —9L **117**
Mimas Rd. *Hem H* —8B **106**
Mimms Hall Rd. *Pot B* —4K **141**
Mimms La. *Shenl & Ridge* —6A **140**
Mimram Clo. *W'wll* —1M **69**
Mimram Pl. *Welw* —2J **91**
Mimram Rd. *Hert* —1N **113**
Mimram Rd. *Welw* —2J **91**
Mimram Wlk. *Welw* —2J **91**
Mindenhall Ct. Stev —2J ***51***
(off High St.)
Minehead Way. *Stev* —2G **50**
Minerva Clo. *Stev* —9B **36**
Minerva Dri. *Wat* —9G **136**
Minims, The. *Hat* —8G **110**
Minister Ct. *Frog* —1F **138**
Minister Ho. *Hat* —2G **128**
Minorca Way. *Lut* —6K **45**
Minsden Rd. *Stev* —6C **52**
Minster Clo. *Hat* —2G **128**
Minster Rd. *R'ton* —5C **8**
Minstrel Clo. *Hem H* —1L **123**
Minton La. *H'low* —6E **118**
Misbourne Av. *Chal P* —5A **158**
Misbourne Clo. *Chal P* —5B **158**
Misbourne Va. *Chal P* —5A **158**
Missden Dri. *Hem H* —4E **124**
Missenden Ho. Wat —9G ***149***
(off Chenies Way)
Miss Joans Ride. *Kens* —9B **64**
Mistletoe Hill. *Lut* —9L **47**
Mistley Rd. *H'low* —4C **118**
Miswell La. *Tring* —2K **101**
Mitchell. NW9 —8F ***164***
(off Concourse, The)
Mitchell Clo. *Ab L* —5J **137**
Mitchell Clo. *Bov* —9C **122**
Mitchell Clo. *St Alb* —6E **126**
Mitchell Clo. *Wel G* —9B **92**
Mitre Ct. *Hert* —9B **94**
Mitre Gdns. *Bis S* —4J **79**
Mixes Hill Ct. *Lut* —5H **47**
Mixes Hill Rd. *Lut* —6H **47**
Mixies, The. *Stot* —6E **10**
Moakes, The. *Lut* —1A **46**
Moat Clo. *Bush* —7C **150**
Moat Clo. *Wend* —8A **100**
Moat Cres. *N3* —9N **165**
Moatfield Rd. *Bush* —7C **150**
Moat La. *Lut* —5D **46**
Moat La. *W'grv* —6A **60**
Moat Mount Open Space. —1E 164
Moatside. *Ans* —4E **28**
Moat Side. *Enf* —6H **157**
Moat, The. *Puck* —6A **56**
Moat Vw. Ct. *Bush* —7C **150**
Moatwood Grn. *Wel G* —1L **111**
Mobbsbury Way. *Stev* —2A **52**
Mobley Grn. *Lut* —6K **47**
Moffats Clo. *Brk P* —8N **129**
Moffats La. *Brk P* —9L **129**
Moineau. NW9 —8F ***164***
(off Concourse, The)
Moira Clo. *Lut* —2N **45**
Molescroft Ridge Av. *Hpdn* —3M **87**
Moles La. *Wyd* —8L **27**
Molesworth. *Hod* —4L **115**
Molewood Rd. *Hert* —7N **93**
Mollison Av. *Enf* —8J **145**
Mollison Way. *Edgw* —9N **163**
Molteno Rd. *Wat* —2J **149**
Molyneaux Av. *Bov* —9C **122**
Momples Rd. *H'low* —6C **118**
Monarchs Way. *Wal X* —7J **145**
Monastery Clo. *St Alb* —2D **126**
Monastery Gdns. *Enf* —4B **156**
Moneybury Hill. —8H 83
Moneyhill. —1M 159
Moneyhill Ct. *Rick* —1L **159**
Moneyhill Pde. *Rick* —1L **159**
Money Hill Rd. *Rick* —1M **159**
Money Hole La. *Welw* —8D **92**
Moneyhole Lane Pk. —9C 92
Monica Clo. *Wat* —4L **149**
Monica Ct. *Enf* —7C **156**
Monken Hadley. —4M 153
Monken Hadley Common. —4A 154
Monkfrith Av. *N14* —8G **154**
Monkfrith Clo. *N14* —9G **154**
Monkfrith Way. *N14* —9F **154**
Monkhams. *Wal A* —3N **145**
Monklands. *Let* —5D **22**
Monks Av. *Barn* —8B **154**
Monksbury. *H'low* —9C **118**
Monks Clo. *Brox* —2L **133**
Monks Clo. *Dunst* —8H **45**
Monks Clo. *Enf* —4A **156**
Monks Clo. *Let* —5C **22**
Monks Clo. *Redb* —1K **107**
Monks Clo. *St Alb* —4F **126**
Monks Horton Way. *St Alb* —9H **109**
Monksmead. *Borwd* —6C **152**
Monks Ri. *Wel G* —5K **91**
Monks Rd. *Enf* —4N **155**
Monks Row. *Ware* —5H **95**
Monks Vw. *Stev* —7M **51**
Monks Wlk. *Bunt* —3H **39**
Monks Wlk. *Wel G* —5J **91**
Monkswick Rd. *H'low* —4B **118**
Monkswood. *Wel G* —5J **91**
Monkswood Av. *Wal A* —6N **145**
Monkswood Dri. *Bis S* —2F **78**
Monkswood Gdns. *Borwd* —7D **152**
Monkswood Retail Pk. *Stev* —6L **51**
Monkswood Way. *Stev* —5L **51**
Monmouth Rd. *Wat* —5K **149**
Monroe Cres. *Enf* —3F **156**
Monro Gdns. *Harr* —7F **162**
Monro Ind. Est. *Wal X* —7J **145**
Mons Clo. *Hpdn* —9E **88**
Monson Rd. *Brox* —2K **133**
Montacute Rd. *Bus H* —9F **150**
Montague Av. *Lut* —3M **45**
Montague Hall Pl. *Bush* —8B **150**
Montague Rd. *Berk* —1M **121**
Montayne Rd. *Chesh* —5H **145**
Monterey Pl. Shop. Cen. *NW7* —5E **164**
Montesole Ct. *Pinn* —9L **161**
Montfitchet Wlk. *Stev* —1C **52**
Montgomerie Clo. *Berk* —8L **103**
Montgomery Av. *Hem H* —1C **124**
Montgomery Dri. *Chesh* —1J **145**
Montgomery Rd. *Edgw* —6N **163**
Montgomery Way. *Big* —2A **4**
Monton Clo. *Lut* —3B **46**
Montrose Av. *Edgw* —9C **164**
Montrose Av. *Lut* —6D **46**
Montrose Ct. *NW9* —9C **164**
Montrose Path. *Lut* —6E **46**
Montrose Rd. *Harr* —9F **162**
Montrose Wlk. *Stan* —6J **163**
Monument La. *Chal P* —6B **158**
Moon La. *Barn* —5M **153**
Moorcroft. *Edgw* —8B **164**
Moore Cres. *H Reg* —5F **44**
Moor End. —3K 63
Moor End. *Eat B* —4K **63**
Moorend. *Wel G* —3N **111**
Moor End Clo. *Eat B* —4K **63**
Moor End La. *Eat B* —3K **63**
Moor End Rd. *Hem H* —3M **123**
Moore Rd. *Berk* —8K **103**
Moorfield Rd. *Enf* —3G **156**
Moor Green. —8A 38
Moor Hall La. *Thor* —5D **78**
Moor Hall Rd. *H'low* —2H **119**
Moorhen Way. Roy M —5D ***116***
(off Holy Acre)
Moorhouse. *NW9* —8F **164**
Moorhouse Rd. *Harr* —9L **163**
Moorhurst Av. *G Oak* —2M **143**
Moorings, The. *Bis S* —3J **79**
Moorland Gdns. *Lut* —9F **46**
Moorland Rd. *Hpdn* —3C **88**
Moorland Rd. *Hem H* —4K **123**
Moorlands. *Frog* —1F **138**
Moorlands. *Wel G* —3N **111**
Moorlands Av. *NW7* —6H **165**
Moorlands Reach. *Saw* —6H **99**
Moor La. *Rick* —1B **160**
Moor La. *Sarr* —9H **135**
Moor La. Crossing. *Wat* —9E **148**
Moormead Clo. *Hit* —4L **33**
Moormead Hill. *Hit* —4L **33**
Moor Mill La. *Col S* —2F **138**
(in two parts)
Moor Park. —3E 160
Moor Pk. —3C 160
Moor Pk. *Wend* —7A **100**
Moor Pk. Golf Course. —2D 160
Moor Pk. Ind. Cen. *Wat* —9E **148**
Moor Pk. Rd. *N'wd* —6F **160**
Moor Path. *Lut* —9F **46**
Moorside. *Hem H* —5L **123**
Moorside. *Wel G* —3N **111**
Moors La. *Orch* —9M **121**
Moors Ley. *Walk* —9F **36**
Moors, The. *Wel G* —8N **91**
Moor St. *Lut* —9E **46**
Moors Wlk. *Wel G* —9B **92**
Moortown Rd. *Wat* —4L **161**
Moor Vw. *Wat* —9J **149**

Moorymead Clo. *Wat S* —5J **73**
Moray Clo. *Brick W* —4A **138**
Moray Clo. *Edgw* —2B **164**
Morcom Rd. *Dunst* —2H **65**
Morden Green. —4D **6**
Morecambe Gdns. *Stan* —4L **163**
Morecombe Clo. *Stev* —2H **51**
Morefields. *Tring* —9M **81**
Moremead. *Wal A* —6N **145**
Moreton Av. *Hpdn* —5A **88**
Moreton Clo. *NW7* —6J **165**
Moreton Clo. *Chesh* —9F **132**
Moreton End Clo. *Hpdn* —5A **88**
Moreton End La. *Hpdn* —5A **88**
Moreton Pl. *Hpdn* —4A **88**
Moreton Rd. N. *Lut* —7J **47**
Moreton Rd. S. *Lut* —7J **47**
Morgan Clo. *N'wd* —6H **161**
Morgan Clo. *Stev* —9K **35**
Morgan Gdns. *A'ham* —2C **150**
Morgan's Clo. *Hert* —2B **114**
Morgan's Rd. *Hert* —2B **114**
Morgan's Wlk. *Hert* —3B **114**
Morice Rd. *Hod* —6K **115**
Morland Clo. *Dunst* —2D **64**
Morland Way. *Chesh* —1J **145**
Morley Cres. *Edgw* —2C **164**
Morley Cres. E. *Stan* —9K **163**
Morley Cres. W. *Stan* —9K **163**
Morley Gro. *H'low* —4M **117**
Morley Hill. *Enf* —2B **156**
Mornington. *Welw* —3N **91**
Mornington Rd. *E4* —9N **157**
Mornington Rd. *Rad* —7H **139**
Morpeth Av. *Borwd* —2N **151**
Morpeth Clo. *Hem H* —3A **124**
Morrell Clo. *Lut* —2C **46**
Morrell Clo. *New Bar* —5B **154**
Morrell Ct. *Wel G* —8M **91**
Morris Clo. *Chal P* —8C **158**
Morris Clo. *Lut* —1A **46**
(in two parts)
Morrison Ct. Barn —6L *153*
(off Manor Way)
Morriston Clo. *Wat* —5L **161**
Morris Way. *Lon C* —8L **127**
Morse Clo. *Hare* —9M **159**
Morson Rd. *Enf* —8J **157**
Mortain Dri. *Berk* —8K **103**
Mortimer Clo. *Bush* —8C **150**
Mortimer Clo. *Lut* —1B **66**
Mortimer Dri. *Enf* —8B **156**
Mortimer Ga. *Chesh* —9K **133**
Mortimer Hill. *Tring* —2N **101**
Mortimer Ri. *Tring* —2N **101**
Mortimer Rd. *R'ton* —6E **8**
Morton Clo. *Pit* —3A **82**
Morton St. *R'ton* —6D **8**
Morven Clo. *Pot B* —4B **142**
Morven (National Trust). —4B **142**
Mosquito Aircraft Mus. —2A **140**
Mossbank Av. *Lut* —9L **47**
Mossborough Clo. *N12* —6N **165**
Moss Clo. *Pinn* —9A **162**
Moss Clo. *Rick* —2N **159**
Mossdale Ct. Leag —4M *45*
(off Teesdale)
Mossendew Clo. *Hare* —8N **159**
Moss Grn. *Wel G* —2L **111**
Moss Hall Gro. *N12* —6N **165**
Moss La. *H'low* —5E **118**
Moss La. *Pinn* —8N **161**
Mossman Collection, The. —4F **66**
Mossman Dri. *Lut* —4A **66**
Moss Rd. *Wat* —7K **137**
Moss Side. *Brick W* —3A **138**
Moss Way. *Hit* —1K **33**
Mostyn Rd. *Bush* —7D **150**
Mostyn Rd. *E4* —7E **164**
Mostyn Rd. *Lut* —5A **46**
Mota M. *N3* —8N **165**
Mottingham Rd. *N9* —8H **157**
Motts Clo. *Wat S* —4J **73**
Mott's Green. —1M **99**
Mott St. *E4* —2N **157**
Moulton Ri. *Lut* —9H **47**
Mountbatten Clo. *St Alb* —5J **127**
Mountbatten Ho. *Wel G* —6J **161**
Mountbel Rd. *Stan* —8H **163**
Mount Clo. *Ast C* —2E **100**
Mount Clo. *Cockf* —6F **154**
Mount Clo. *Hem H* —2J **123**
Mount Dri. *Park* —7E **126**
Mount Dri. *Stans* —4N **59**

Mounteagle. *R'ton* —8D **8**
Mt. Echo Dri. *E4* —9M **157**
Mountfield Path. *Lut* —7G **47**
Mountfield Rd. *N3* —9M **165**
Mountfield Rd. *Hem H* —2A **124**
Mountfield Rd. *Lut* —7G **47**
Mountfitchet Castle. —2N **59**
Mountfitchet Rd. *Stans* —4N **59**
Mt. Garrison. *Hit* —3N **33**
Mountgrace Rd. *Lut* —3L **47**
Mt. Grace Rd. *Pot B* —4N **141**
Mount Gro. *Edgw* —3C **164**
Mountjoy. *Hit* —1C **34**
Mount Nugent. *Che* —9E **120**
Mount Pde. *Barn* —6D **154**
Mount Pleasant. —7F 42
(Bishop's Stortford)
Mount Pleasant. —8K **159**
(Uxbridge)
Mount Pleasant. N14 —9J *155*
(off Wells, The)
Mount Pleasant. *Barn* —6D **154**
Mount Pleasant. *Ger X* —5B **158**
Mount Pleasant. *Hare* —8K **159**
Mount Pleasant. *Hert H* —2G **114**
Mount Pleasant. *Hit* —4L **33**
Mount Pleasant. *St Alb* —1C **126**
Mt. Pleasant Clo. *Hat* —6J **111**
Mount Pleasant Golf Course.
—1G **21**
Mt. Pleasant La. *Brick W*
—3N **137**
Mt. Pleasant La. *Hat* —5J **111**
Mt. Pleasant Rd. *Lut* —4A **46**
Mount Rd. *Barn* —7D **154**
Mount Rd. *Hert* —1M **113**
Mount Rd. *Wheat* —6L **89**
Mountside. *Stan* —8G **163**
Mountsorrel. *Hert* —9D **94**
Mount, The. *Bar* —3C **16**
Mount, The. *Chesh* —8B **132**
Mount, The. *Lit* —3H **7**
Mount, The. *Lut* —9F **46**
Mount, The. *Pot B* —3A **142**
Mount, The. *Rick* —8M **147**
Mount Vw. *NW7* —3D **164**
Mount Vw. *Enf* —2L **155**
Mount Vw. *Lon C* —9M **127**
Mount Vw. *N'wd* —6H **161**
Mount Vw. *Rick* —1N **159**
Mountview. *Dunst* —2G **65**
Mountview Rd. *E4* —9N **157**
Mountview Rd. *Chesh* —8C **132**
Mountway. *Pot B* —3N **141**
Mountway. *Wel G* —3M **111**
Mountway Clo. *Wel G* —3M **111**
Mowat Ind. Est. Wat —1L *149*
(off Sandown Rd.)
Mowbray Cres. *Stot* —5F **10**
Mowbray Gdns. *Hit* —5A **34**
Mowbray Pde. *Edgw* —4A **164**
Mowbray Rd. *Edgw* —4A **164**
Mowbray Rd. *H'low* —4B **118**
Mowbray Rd. *New Bar* —7B **154**
Moxes Wood. *Lut* —2A **46**
Moxom Av. *Chesh* —3J **145**
Moxon St. *Barn* —5M **153**
Moyne Ho. *Wel G* —9B **92**
Moynihan Dri. *N21* —7K **155**
Mozart Ct. *Stev* —4J **51**
Much Hadham. —5J **77**
Muddy La. *Let* —8F **22**
Mud La. *Hpdn* —1E **108**
Muirfield. *Lut* —3G **47**
Muirfield Clo. *Wat* —5L **161**
Muirfield Grn. *Wat* —4K **161**
Muirfield Rd. *Wat* —4K **161**
Muirhead Way. *Kneb* —3M **71**
Mulberry Clo. *Barn* —6C **154**
Mulberry Clo. *Brox* —6K **133**
Mulberry Clo. *Lut* —1D **66**
Mulberry Clo. *Park* —1C **138**
Mulberry Clo. *Stot* —7F **10**
Mulberry Clo. *Tring* —1M **101**
Mulberry Clo. *Wat* —9F **136**
Mulberry Cts. *Bis S* —3J **79**
Mulberry Ct. *Hem H* —1N **123**
Mulberry Gdns. *Shenl* —6M **139**
Mulberry Grn. *H'low* —2F **118**
Mulberry Lodge. Wat —8M *149*
(off Eastbury Rd.)
Mulberry Ter. *H'low* —2D **118**
Mulberry Way. *Hit* —9L **21**
Mullion Clo. *Harr* —8C **162**
Mullion Clo. *Lut* —4K **47**

Mullion Wlk. *Wat* —4M **161**
Mullway. *Let* —5C **22**
Mundells. *Chesh* —9E **132**
Mundells. *Wel G* —7M **91**
Mundells Ct. *Wel G* —7M **91**
Munden. —7C **158**
Munden Dri. *Wat* —1N **149**
Munden Gro. *Wat* —2L **149**
Munden Rd. *D End* —1C **74**
Mundesley Clo. *Stev* —9H **35**
Mundesley Clo. *Wat* —4L **161**
Mungo Pk. Clo. *Bus H* —2D **162**
Munro Rd. *Bush* —7C **150**
Muntings, The. *Stev* —6N **51**
Munts Mdw. *Barn* —1B **36**
Murchison Rd. *Hod* —5M **115**
Muriel Av. *Wat* —7L **149**
Murray Cres. *Pinn* —8M **161**
Murray Rd. *Berk* —8N **103**
Murray Rd. *N'wd* —7G **160**
Murrell La. *Stot* —7G **10**
Murton Ct. *St Alb* —1F **126**
Museum Ct. *Tring* —3M **101**
Musgrave Clo. *Barn* —3B **154**
Musgrave Clo. *Chesh* —9D **132**
Muskalls Clo. *Chesh* —9E **132**
Musket Clo. *E Barn* —8C **154**
Muskham Rd. *H'low* —3C **118**
Musk Hill. *Hem H* —3B **123**
Musleigh Mnr. *Ware* —6K **95**
Musley Hill. *Ware* —5J **95**
Musley La. *Ware* —5J **95**
(in two parts)
Mussons Path. *Lut* —9G **46**
Muswell Clo. *Lut* —3D **46**
Mutchetts Clo. *Wat* —6N **137**
Mutford Cft. *Lut* —8M **47**
Mutton La. *Pot B* —4J **141**
Myddelton Av. *Enf* —2C **156**
Myddelton Clo. *Enf* —3D **156**
Myddelton Gdns. *N21* —9A **156**
Myddleton Path. *Chesh* —4F **144**
Myddleton Rd. *Ware* —7H **95**
Myers Clo. *Shenl* —5M **139**
Myles Ct. *G Oak* —2A **144**
Mylne Clo. *Chesh* —9G **133**
Mylne Ct. *Hod* —5L **115**
Mymms Dri. *Brk P* —8N **129**
Mymms Ho. *N Mym* —5J **129**
Myrtle Clo. *E Barn* —9E **154**
Myrtle Grn. *Hem H* —1H **123**
Myrtle Gro. *Enf* —2B **156**
Myrtleside Clo. *N'wd* —7F **160**
Myson Way. *Bis S* —1L **79**

Nags Head Clo. *Hert* —8F **94**
Nags Head Rd. *Enf* —6G **157**
Nails La. *Bis S* —1H **79**
Nairn Clo. *Hpdn* —9E **88**
Nairn Grn. *Wat* —3J **161**
Nan Aires. *W'grv* —5A **60**
Nan Clark's La. *NW7* —2F **164**
Nancy Downs. *Wat* —9L **149**
Nancy's La. *Saf W* —3M **29**
Napier. *NW9* —8F **164**
Napier Clo. *Lon C* —7L **127**
Napier Ct. *Chesh* —1F **144**
Napier Rd. *Enf* —7H **157**
Napier Rd. *Lut* —1F **66**
Napier Rd. *Wat* —6N **149**
Nappsbury Rd. *Lut* —4N **45**
Napsbury. —9K **127**
Napsbury Av. *Lon C* —8K **127**
Napsbury La. *St Alb* —5H **127**
Nap, The. *K Lan* —2C **136**
Nardini. NW9 —8F 164
(off Concourse, The)
Naresby Fold. *Stan* —6K **163**
Narrowbox La. *Stev* —2B **52**
Nascot Pl. *Wat* —4K **149**
Nascot Rd. *Wat* —4K **149**
Nascot St. *Wat* —4K **149**
Nascot Wood Rd. *Wat* —1H **149**
Naseby Rd. *Lut* —1D **66**
Nash Clo. *Els* —6N **151**
Nash Clo. *H Reg* —4G **45**
Nash Clo. *N Mym* —5K **129**
Nash Clo. *Stev* —2B **52**
Nash Grn. *Hem H* —7B **124**
Nash Mills. —8B **124**
Nash Mills La. *Hem H* —8B **124**
Nash Rd. *R'ton* —8D **8**
Nast Hyde. —1D **128**
Nasty. —4J **55**

Nathan Ct. N9 —9G 156
(off Causeyware Rd.)
Nathaniel Wlk. *Tring* —1M **101**
Nathans Clo. *Welw* —1J **91**
National Film Archive. —3L **121**
Nation Way. *E4* —9N **157**
Navigation Dri. *Enf* —2L **157**
Nayland Clo. *Lut* —8N **47**
Naylor Gro. *Enf* —7H **157**
Nazeing Marsh. —5M **133**
Nazeing Mead. —1N **133**
Nazeing New Rd. *Brox* —3L **133**
Nazeing Rd. *Naze* —4N **133**
Neagh Clo. *Stev* —7B **36**
Neagle Clo. *Borwd* —3C **152**
Neal Clo. *N'wd* —8J **161**
Neal Ct. *Hert* —9A **94**
Neal St. *Wat* —7L **149**
Near Acre. *NW9* —8F **164**
Neatby Ct. *Chesh* —1H **145**
Necton Rd. *Wheat* —7M **89**
Needham Rd. *Lut* —3L **45**
Neighbours Cotts. *Tring* —5B **102**
Neild Way. *Rick* —9J **147**
Nell Gwynn Clo. *Shenl* —5M **139**
Nelson Av. *St Alb* —5J **127**
Nelson Rd. *Bis S* —3J **79**
Nelson Rd. *Dagn* —2N **83**
Nelson Rd. *Enf* —8H **157**
Nelson Rd. *Stan* —6K **163**
Nelson St. *Hert* —8N **93**
Neptune Clo. H Reg —3H 45
(off Parkside Dri.)
Neptune Ct. *Borwd* —5A **152**
Neptune Dri. *Hem H* —9A **106**
Neptune Ga. *Stev* —9C **36**
Neptune Sq. *H Reg* —3H **45**
Nesbitts All. *Barn* —5M **153**
Neston Rd. *Wat* —1L **149**
Nestor Av. *N21* —8N **155**
Netherby Clo. *Tring* —9A **82**
Netherby Gdns. *Enf* —6K **155**
Nether Clo. *N3* —7N **165**
Nethercott Clo. *Lut* —8L **47**
Nethercourt Av. *N3* —6N **165**
Netherfield La. *Stan A* —3A **116**
Netherfield Rd. *Hpdn* —2C **108**
Netherhall Rd. *Roy* —6C **116**
Netherlands Rd. *Barn* —8C **154**
Netherstones. *Stot* —5F **10**
Nether Street. —2H **97**
Nether St. *N3 & N12* —8N **165**
Nether St. *Wid* —2H **97**
Netherway. *St Alb* —5B **126**
Netley Dell. *Let* —8H **23**
Netteswell. —5A **118**
Netteswell Dri. *H'low* —5N **117**
Netteswell Orchard. *H'low* —5N **117**
Netteswell Rd. *H'low* —3A **118**
Netteswell Tower. *H'low* —5N **117**
Nettle Clo. *Lut* —6H **45**
Nettle Clo. *Wel G* —2B **112**
Nettlecroft. *Hem H* —3L **123**
Nettlecroft. *Wel G* —8A **92**
Nettleden. —5F **104**
Nettleden Rd. *L Gad* —9A **84**
Nettleden Rd. *Pott E & Net* —8C **104**
Nevell's Grn. *Let* —4F **22**
Nevells Rd. *Let* —5F **22**
Nevil Clo. *N'wd* —5F **160**
Neville Clo. *Pot B* —4M **141**
Neville Rd. *Lut* —4C **46**
Neville Rd. Pas. *Lut* —4C **46**
Nevilles Ct. *Let* —3J **23**
Nevill Gro. *Wat* —3K **149**
Newark Clo. *R'ton* —5C **8**
Newark Grn. *Borwd* —5D **152**
Newark Rd. *Lut* —7C **46**
Newark Rd. Path. *Lut* —7C **46**
New Barnet. —6C **154**
New Barn La. *L Hall* —7K **79**
New Barns La. *M Hud* —4G **77**
New Bedford Rd. *Lut* —3E **46**
(in two parts)
Newberries Av. *Rad* —8J **139**
Newbiggin Path. *Wat* —4L **161**
Newbold Rd. *Lut* —2D **46**
Newbolt. *R'ton* —5D **8**
Newbolt Rd. *Stan* —5G **163**
Newbury Av. *Enf* —2K **157**
Newbury Clo. *Bis S* —9G **59**
Newbury Clo. *Lut* —7A **46**
Newbury Clo. *Stev* —9K **35**
Newbury Rd. *H Reg* —3H **45**
Newby Clo. *Enf* —4C **156**

Newcastle Clo. *Stev* —7M **35**
New Clo. *Kneb* —2M **71**
New Clo. *Lit* —3J **7**
Newcombe Pk. *NW7* —5E **164**
Newcombe Rd. *Lut* —1E **66**
Newcome Path. *Shenl* —7A **140**
Newcome Rd. *Shenl* —7A **140**
New Comn. *L Hall* —3N **99**
New Cotts. *Barn* —1A **16**
New Cotts. *K Wal* —4G **49**
New Cotts. *Mark* —1A **86**
New Cotts. *Wal X* —7G **145**
Newell La. *Stev* —3H **37**
Newell Ri. *Hem H* —5A **124**
Newell Rd. *Hem H* —5A **124**
Newells. *Let* —7J **23**
Newells Hedge. *Pit* —2B **82**
Newells Way. *Let* —6K **23**
New England Clo. *St I* —6N **33**
New England St. *St Alb* —2D **126**
New Farm La. *N'wd* —8G **161**
Newfield La. *Hem H* —2A **124**
Newfields. *Wel G* —1H **111**
Newfield Way. *St Alb* —4K **127**
Newford Clo. *Hem H* —1D **124**
New Ford Rd. *Wal X* —7K **145**
New Forge Pl. *Redb* —1K **107**
New Frontiers Science Pk. N.
H'low —6J **117**
New Frontiers Science Pk. S.
H'low —7J **117**
Newgale Gdns. *Edgw* —8N **163**
Newgate. *Stev* —5N **51**
Newgate Clo. *St Alb* —8L **109**
Newgate Street. —6J **131**
Newgate St. *Hert* —4J **131**
Newgatestreet Rd. *G Oak* —8N **131**
New Greens. —7E **108**
New Greens Av. *St Alb* —6E **108**
New Ground. —4E **102**
Newground Rd. *Ald* —4E **102**
Newhall Clo. *Bov* —9D **122**
Newhaven. *Stev* —2A **52**
Newhouse Cres. *Wat* —5K **137**
New Ho. Pk. *St Alb* —5H **127**
Newhouse Rd. *Bov* —8D **122**
New Inn Rd. *Hinx* —9E **4**
New Kent Rd. *St Alb* —2E **126**
Newland Clo. *Pinn* —6N **161**
Newland Clo. *St Alb* —5H **127**
Newland Dri. *Enf* —3F **156**
Newland Pk. —3D **158**
Newlands. —3M **163**
Newlands. *Hat* —7J **111**
Newlands. *Let* —8G **22**
Newlands Av. *Rad* —7G **138**
Newlands Caravan Pk.
Bedm —8H **125**
Newlands Clo. *Edgw* —3M **163**
Newlands Clo. E. *Hit* —6N **33**
Newlands Clo. W. *Hit* —6N **33**
Newlands La. *Hit* —6N **33**
Newlands Pl. *Barn* —7K **153**
Newlands Rd. *Hem H* —1N **123**
Newlands Rd. *Lut* —4D **66**
Newlands Wlk. *Wat* —6M **137**
Newlands Way. *Pot B* —3A **142**
Newlyn Clo. *Brick W* —3N **137**
Newlyn Clo. *Stev* —3G **50**
Newlyn Ho. *Pinn* —7A **162**
Newlyn Rd. *Barn* —6M **153**
Newman Av. *R'ton* —7F **8**
Newmans Ct. *Wat S* —5J **73**
Newmans Dri. *Hpdn* —5A **88**
Newman's End. —9N **99**
Newman's Way. *Barn* —3B **154**
Newmarket Ct. *St Alb* —1D **126**
Newmarket Rd. *R'ton* —7E **8**
(in two parts)
New Mill. —1N **101**
New Mill End. —7N **67**
New Mill Ter. *Tring* —9N **81**
Newnham. —5M **11**
Newnham Clo. *Lut* —8M **47**
Newnham Hall. —4M **11**
Newnham Pde. *Chesh* —3H **145**
Newnham Rd. *Bald* —5M **11**
Newnham Way. *A'wl* —3N **11**
New Pde. *Chor* —6F **146**
New Pk. Dri. *Hem H* —1D **124**

New Pk. La. *Ast* —7E **52**
New Pk. Rd. *Hare* —8M **159**
New Pk. Rd. *New S* —6H **131**
New Path. *Bis S* —2H **79**
New Pl. *Welw* —3H **91**
Newpond St. *H'low* —5F **118**
Newport Clo. *Enf* —1J **157**
Newport Lodge. Enf —7C 156
  (off Village Rd.)
Newport Mead. *Wat* —4M **161**
Newports. *Saw* —6E **98**
New Providend Pl. *Berk* —1A **122**
Newquay Gdns. *Wat* —2K **161**
New River Av. *Stan A* —2M **115**
New River Clo. *Hod* —7M **115**
New River Ct. *Chesh* —4F **144**
New River Trad. Est. *Chesh*
                    —8H **133**
New Rd. *NW7* —9F **152**
  (Highwood Hill)
New Rd. *NW7* —7L **165**
  (Mill Hill)
New Rd. *Ast C* —1D **100**
New Rd. *Berk* —9A **104**
New Rd. *Brox* —1L **133**
New Rd. *Chal G* —5B **146**
New Rd. *Chfd* —3J **135**
New Rd. *Crox G* —7C **148**
New Rd. *Els* —8L **151**
New Rd. *Gt Chi* —1H **17**
New Rd. *H'low* —2F **118**
New Rd. *Hert* —7A **94**
New Rd. *L Had* —1K **77**
New Rd. *Mel* —1K **9**
New Rd. *N'chu* —3J **103**
New Rd. *Rad* —9F **138**
New Rd. *R'ton* —4N **9**
New Rd. *Sarr* —3J **147**
New Rd. *Shenl* —7A **140**
New Rd. *S Mim* —6G **140**
New Rd. *Tring* —9M **81**
New Rd. *Ware* —6H **95**
New Rd. *Wat* —6L **149**
New Rd. *Welw* —4M **91**
New Rd. *Wel G* —3G **111**
New Rd. *Wils* —7J **81**
  (in two parts)
New Rd. *Wool G* —6N **71**
Newsells. —5A **16**
Newsells Pk. —6A **16**
Newsholme Av. *N21* —7L **155**
Newstead. *Hat* —3F **128**
New St. *Berk* —1A **122**
New St. *Ched* —9L **61**
New St. *Lut* —2F **66**
New St. *Saw* —4G **99**
New St. *S End* —7E **66**
New St. *Wat* —6L **149**
Newton. *Dun* —1D **4**
Newton Clo. *Hpdn* —9E **88**
Newton Clo. *Hod* —4M **115**
Newton Cres. *Borwd* —6C **152**
Newtondale. *Lut* —4M **45**
Newton Ho. Borwd —5D 152
  (off Chester Rd.)
Newton Rd. *Harr* —9F **162**
Newton Rd. *Stev* —3A **52**
Newtons Way. *Hit* —4N **33**
Newton Wlk. *Edgw* —8B **164**
New Town. —2H **79**
  (Bishop's Stortford)
Newtown. —2K **39**
  (Buntingford)
New Town. —2G **67**
  (Luton)
New Town Rd. *Cod* —7F **70**
New Town Rd. *Bis S* —2H **79**
New Town Rd. *Lut* —2G **67**
New Town St. *Lut* —2G **67**
New Villas. *Tring* —1D **102**
New Wlk. *Shil* —2A **20**
New Way. —6L **119**
New Way La. *Thr B* —7K **119**
New Wood. *Wel G* —8B **92**
New Woodfield Grn. *Dunst* —2H **65**
Niagara Clo. *Chesh* —2H **145**
Nicholas Clo. *St Alb* —8E **108**
Nicholas Clo. *Wat* —1K **149**
Nicholas Ho. *St Alb* —3L **127**
Nicholas La. *Hert* —9A **94**
Nicholas Pl. *Stev* —9K **35**
Nicholas Way. *Els* —8N **151**
Nicholas Way. *Dunst* —9E **44**

Nicholas Way. *Hem H* —9B **106**
Nicholas Way. *N'wd* —8E **160**
Nichol Clo. *N14* —9J **155**
Nicholls Clo. *Bar C* —8E **18**
Nicholls Clo. *Redb* —1H **107**
Nicholls Clo. *H'low* —7C **118**
Nichols Clo. *Lut* —7L **47**
Nicholson Ct. *Hod* —8M **115**
Nicholson Dri. *Bush* —1D **162**
Nicola Clo. *Harr* —9E **162**
Nicol Clo. *Chal P* —8A **158**
Nicol End. *Chal P* —8A **158**
Nicoll Way. *Borwd* —7D **152**
Nicol Rd. *Chal P* —8A **158**
Nicolson. *NW9* —8E **164**
Nidderdale. *Hem H* —8B **106**
Nigel Ct. *N3* —7N **165**
Nighthawk. *NW9* —8F **164**
Nightingale Clo. *Ab L* —4J **137**
Nightingale Clo. *Lut* —3L **47**
Nightingale Clo. *Rad* —9G **139**
Nightingale Ct. *Hert* —9A **94**
Nightingale Ct. *Hit* —2A **34**
Nightingale Ct. Lut —9E 46
  (off Waldeck Rd.)
Nightingale Lodge. *Berk* —1M **121**
Nightingale Pl. *Rick* —9N **147**
Nightingale Rd. *N9* —8G **156**
Nightingale Rd. *Bush* —7B **150**
Nightingale Rd. *Chesh* —7A **132**
Nightingale Rd. *Hit* —2N **33**
Nightingale Rd. *Rick* —9M **147**
Nightingale Rd. *Wend* —9A **100**
Nightingales. *H'low* —8E **118**
Nightingales Corner. Amer
  (off Coke's La.) —4A **146**
Nightingales Ct. *Chal G* —4A **146**
Nightingales La. *Chal G* —5A **146**
Nightingale Ter. *Arl* —9A **10**
Nightingale Wlk. *Hem H* —5E **106**
Nightingale Wlk. *Stev* —4B **52**
Nightingale Way. *Bald* —5L **23**
Nimbus Way. *Hit* —3C **34**
Nimmo Dri. *Bus H* —9E **150**
Nimrod. *NW9* —8E **164**
Nimrod Clo. *St Alb* —9K **109**
Nine Ashes. *Hun* —8G **96**
Ninefield Ct. Lut —6M 45
  (off Lime Av.)
Ninesprings Way. *Hit* —4B **34**
Ninfield Ct. Lut —6L 47
  (off Telscombe Way)
Ninian Rd. *Hem H* —6A **106**
Ninnings Cotts. *Hpdn* —7B **88**
Ninning's La. *Welw* —6L **71**
Ninnings Rd. *Chal P* —7C **158**
Ninnings Way. *Chal P* —7C **158**
Ninth Av. *Lut* —2N **45**
Niton Clo. *Barn* —8K **153**
Niven Clo. *Borwd* —3C **152**
Nobland Green. —8D **76**
Nobles, The. *Bis S* —2F **78**
Nodes Dri. *Stev* —8N **51**
Noel. *NW9* —8E **164**
Noke La. *St Alb* —8N **125**
Noke Shot. *Hpdn* —3D **88**
Noke Side. *St Alb* —9B **126**
Nokeside. *Stev* —9A **52**
Nokes, The. *Hem H* —9K **105**
Noke, The. *Stev* —9A **52**
Nolton Pl. *Edgw* —8N **163**
Nomansland. —9L **89**
Nomansland Common. —9J **89**
Nook, The. *Stan A* —2M **115**
Norbury Av. *Wat* —3L **149**
Norbury Gro. *NW7* —3E **164**
Norcott Clo. *Dunst* —1G **65**
Norcott Ct. *Berk* —5H **103**
Norcott Hill. —4H **103**
Norfolk Av. *Wat* —2L **149**
Norfolk Clo. *Barn* —6F **154**
Norfolk Ct. *Barn* —6L **153**
Norfolk Gdns. *Borwd* —6D **152**
Norfolk Rd. *Barn* —5N **153**
Norfolk Rd. *Dunst* —2J **39**
Norfolk Rd. *Dunst* —2H **65**
Norfolk Rd. *Enf* —8F **156**
Norfolk Rd. *Lut* —1J **67**
Norfolk Rd. *Rick* —1A **160**
Norfolk Way. *Bis S* —4G **79**
Norman Av. *Bis S* —2F **78**
Norman Booth Leisure
           Cen. —2F **118**

Norman Clo. *Wal A* —6N **145**
Norman Ct. *Pot B* —3B **142**
Norman Ct. *Stans* —2N **59**
Norman Cres. *Pinn* —8L **161**
Normandy Av. *Barn* —7M **153**
Normandy Ct. *Hem H* —1N **123**
Normandy Dri. *Berk* —8M **103**
Normandy Rd. *St Alb* —9E **108**
Normandy Way. *Hod* —7N **115**
Norman Rd. *Bar C* —7E **18**
Norman Rd. *Lut* —7D **46**
Norman Rd. *Welw* —4H **91**
Normans Clo. *Let* —2F **22**
Normans Fld. Clo. *Bush* —9C **150**
Norman's La. *R'ton* —8D **8**
Normans La. *Welw* —6L **71**
Norman's Way. *Stans* —2N **59**
Norman Way. *Dunst* —9B **44**
Normill Ter. *Ast C* —9A **80**
Norris. NW9 —8F 164
  (off Concourse, The)
Norris Clo. *Bis S* —1L **79**
Norris Gro. *Brox* —2J **133**
Norris La. *Hod* —7L **115**
Norris Ri. *Hod* —7K **115**
Norris Rd. *Hod* —8L **115**
Norry's Clo. *Cockf* —6E **154**
Norry's Rd. *Cockf* —6E **154**
Northall. —3E **62**
Northall Clo. *Eat B* —2H **63**
Northall Rd. *Eat B* —3H **63**
Northampton Rd. *Enf* —6J **157**
North & West Essex Adult
      Education Cen. —4M **117**
North App. *N'wd* —2E **160**
North App. *Wat* —8H **137**
North Av. *Let* —3H **23**
North Av. *Shenl* —5M **139**
Northaw. —3E **142**
Northaw Clo. *Hem H* —6D **106**
Northaw Pl. *N'thaw* —3C **142**
Northaw Rd. E. *Cuff* —4J **143**
Northaw Rd. W. *N'thaw* —3E **142**
North Barn. *Brox* —3L **133**
N. Barnes Av. *St Alb* —5H **127**
Northbridge Rd. *Berk* —8K **103**
Northbrook Dri. *N'wd* —8G **160**
N. Brook End. *Stpl M* —2C **6**
Northbrook Rd. *Barn* —8L **153**
Northbrooks. *H'low* —7M **117**
Northchurch. —8J **103**
Northchurch Common. —5K **103**
Northchurch Common. —4J **103**
Northchurch Comn. *Berk* —7K **103**
N. Circular Rd. *N3* —9N **165**
Northcliffe. *Eat B* —2J **63**
Northcliffe Dri. *N20* —1M **165**
North Clo. *Barn* —7J **153**
North Clo. *R'ton* —6C **8**
North Clo. *St Alb* —7C **126**
North Comn. *Redb* —2J **107**
  (in two parts)
Northcote. *Pinn* —9L **161**
North Cotts. *Naps* —7H **127**
Northcotts. Ab L —4F 136
  (off Long Elms Clo.)
Northcotts. *Hat* —8J **111**
North Ct. *Mark* —2A **86**
North Ct. *Mil E* —1K **159**
North Cres. *N3* —9M **165**
North Dene. *NW7* —3D **164**
N. Down Rd. *Chal P* —6B **158**
Northdown Rd. *Hat* —3G **128**
N. Drift Way. *Lut* —2D **66**
North Dri. *H Cro* —6J **75**
North Dri. *Oakl* —9M **109**
North End. —6B **14**
North End. *Bass* —1L **7**
Northend. *Hem H* —4D **124**
Northern Av. *Henl* —1J **21**
Northfield. *Brau* —2C **56**
Northfield. *Hat* —6H **111**
Northfield. *Puck* —7A **56**
Northfield Gdns. *Wat* —1L **149**
Northfield Rd. *A'wl* —1K **5**
Northfield Rd. *Barn* —5D **154**
Northfield Rd. *Borwd* —3B **152**
Northfield Rd. *Enf* —7F **156**
Northfield Rd. *Hpdn* —3D **88**
Northfield Rd. *Saw* —3G **99**
Northfield Rd. *Tring* —9B **82**
Northfield Rd. *Wal X* —5J **145**
Northfields. *Dunst* —6D **44**
Northfields. *Let* —2F **22**

North Ga. *H'low* —5M **117**
Northgate. *N'wd* —7E **160**
Northgate. *Stev* —4K **51**
Northgate Bus. Pk. *Enf* —5F **156**
Northgate End. *Bis S* —9H **59**
Northgate Path. *Borwd* —2N **151**
Northgate Pl. Bis S —9H 59
  (off Northgate End)
North Grn. *NW9* —7E **164**
North Gro. *H'low* —7C **118**
North Herts Leisure Cen. —5J **23**
North Hill. *Chor* —4H **147**
Northiam. *N12* —4N **165**
  (in two parts)
North Mymms. —7G **129**
North Mymms Pk. —7E **128**
Northolm. *Edgw* —4D **164**
Northolme Gdns. *Edgw* —8A **164**
Northolt Av. *Bis S* —8K **59**
N. Orbital Rd. *Rick* —8H **159**
N. Orbital Rd. *Wat &*
                Brick W —6M **137**
N. Orbital Trad. Est. *St Alb* —6H **127**
North Pde. *Edgw* —9A **164**
North Pk. *Chal P* —9B **158**
North Pl. *H'low* —1D **118**
North Pl. *Hit* —1L **33**
North Pl. *Wal A* —6M **145**
North Ride. *Welw* —1J **91**
North Riding. *Brick W* —3B **138**
North Rd. *N9* —9F **156**
North Rd. *Berk* —1M **121**
North Rd. *Chor* —7G **146**
North Rd. *Edgw* —8B **164**
North Rd. *G'ley & Stev* —7J **35**
North Rd. *Hert* —6M **93**
North Rd. *Hod* —7L **115**
North Rd. *Wal X* —6J **145**
North Rd. Av. *Hert* —8M **93**
North Rd. Gdns. *Hert* —9N **93**
Northside. *Sandr* —5J **109**
N. Station Way. *Dunst* —8C **44**
North St. *Bis S* —9H **59**
North St. *Lut* —1G **46**
  (in three parts)
North Ter. *Bis S* —9H **59**
Northumberland Av. *Enf* —3F **156**
Northumberland Rd.
                  New Bar —8B **154**
North Vw. Cotts. *Ware* —3G **97**
Northview Rd. *H Reg* —7D **44**
Northview Rd. *Lut* —7H **47**
North Watford. —1K **149**
North Way. *NW9* —9B **164**
Northway. *Rick* —9N **147**
Northway. *Wel G* —5M **91**
Northway Cir. *NW7* —4D **164**
Northway Cres. *NW7* —4D **164**
Northwell Dri. *Lut* —9A **30**
N. Western Av. *A'ham* —4C **150**
N. Western Av. *Wat* —8F **136**
  (in two parts)
Northwick Rd. *Wat* —4L **161**
Northwold Dri. *Pinn* —9L **161**
Northwood. —6G **160**
Northwood. *Wel G* —9C **92**
Northwood Clo. *Chesh* —9D **132**
Northwood Golf Course. —8F **160**
Northwood Hills. —9J **161**
Northwood Hills Cir. *N'wd* —8J **161**
Northwood Rd. *Hare* —8M **159**
Northwood Way. *Hare* —8N **159**
Northwood Way. *N'wd* —7H **161**
Nortoft Rd. *Chal P* —6C **158**
Norton. —2J **23**
Norton Almshouses. Chesh
  (off Turner's Hill) —3H **145**
Norton Bury La. *Let* —1J **23**
Norton Clo. *Borwd* —3A **152**
Norton Clo. *Enf* —4F **156**
Norton Common. —3F **22**
Norton Ct. Dunst —9E 44
  (off High St. 3)
Norton Cres. *Bald* —3L **23**
Norton Green. —6H **51**
Norton Grn. Rd. *Stev* —5J **51**
Norton Mill La. *Let & Hinx* —9K **11**
Norton Rd. *Let & Bald* —3G **22**
Norton Rd. *Lut* —5B **46**
Norton Rd. *Stev* —5K **51**
Norton Rd. *Stot & Let* —7G **10**

Nortonstreet La. *W'ton* —2A **70**
Norton Way N. *Let* —5G **22**
Norton Way S. *Let* —5G **22**
Norvic Rd. *Mars* —6M **81**
Norwich Clo. *Stev* —9A **36**
Norwich Ho. Borwd —4A 152
  (off Stratfield Rd.)
Norwich Rd. *N'wd* —9J **161**
Norwich Wlk. *Edgw* —7C **164**
Norwich Way. *Crox G* —5D **148**
Norwood Clo. *Hert* —8L **93**
Norwood Rd. *Chesh* —3J **145**
Notley La. *R'ton* —2C **26**
Nottingham Clo. *Wat* —6J **137**
Nottingham Rd. *Herons* —9F **146**
Novello Way. *Borwd* —3D **152**
Nugents Ct. *Pinn* —8N **161**
Nugent's Pk. *Pinn* —8N **161**
Nunfield. *Chfd* —4L **135**
Nunnery Clo. *St Alb* —4F **126**
Nunnery La. *Lut* —4D **46**
Nunnery Stables. *St Alb* —4E **126**
Nunns Rd. *Enf* —4A **156**
Nunsbury Dri. *Brox* —7J **133**
Nun's Clo. *Hit* —3M **33**
Nuns La. *St Alb* —6F **126**
Nup End. —4H **71**
  (Knebworth)
Nup End. —5A **60**
  (Wingrave)
Nup End. Clo. *W'grv* —5A **60**
Nup End Green. —4H **71**
Nup End Ind. Est. *Old K* —4H **71**
Nup End La. *W'grv* —5A **60**
Nupton Dri. *Barn* —8J **153**
Nurse Clo. *Edgw* —8C **164**
Nurseries Rd. *Wheat* —8M **89**
Nurseries, The. *Eat B* —2J **63**
Nursery Clo. *Bis S* —2H **79**
Nursery Clo. *Dunst* —9D **44**
Nursery Clo. *Enf* —3H **157**
Nursery Clo. *Stev* —9N **51**
Nursery Fields. *Saw* —5F **98**
Nursery Gdns. *Enf* —3H **157**
Nursery Gdns. *G Oak* —1B **144**
Nursery Gdns. *Tring* —2N **101**
Nursery Gdns. *Ware* —6J **95**
Nursery Gdns. *Wel G* —6L **91**
Nursery Hill. *Wel G* —6L **91**
Nursery Pde. *Lut* —4A **46**
Nursery Rd. *N14* —9H **155**
Nursery Rd. *Bis S* —2H **79**
Nursery Rd. *Brox* —7K **133**
Nursery Rd. *Hod* —5M **115**
Nursery Rd. *Lut* —4B **46**
Nursery Rd. *Naze* —4N **133**
Nursery Rd. *Pinn* —9L **161**
Nursery Row. *Barn* —5L **153**
Nursery Ter. *Pott E* —7E **104**
Nursery Wlk. *NW4* —9J **165**
Nutcroft. *D'wth* —6C **72**
Nutfield. *Wel G* —6N **91**
Nut Gro. *Wel G* —6K **91**
Nuthampstead. —1F **28**
Nuthampstead Rd. *B'wy* —1A **28**
Nutleigh Gro. *Hit* —1L **33**
Nut Slip. *Bunt* —4J **39**
Nuttfield Clo. *Crox G* —8E **148**
Nutt Gro. *Edgw* —2J **163**
Nutwood Gdns. *Chesh* —8C **132**
Nye Way. *Bov* —1D **134**
Nymans Clo. *Lut* —6M **47**

Oak Av. *Brick W* —3B **138**
Oak Av. *Enf* —2L **155**
Oakbank. *Rad* —9J **139**
Oak Clo. *N14* —9G **154**
Oak Clo. *Dunst* —9G **44**
Oak Clo. *Hem H* —6B **124**
Oak Ct. *N'wd* —6F **160**
Oakcroft Clo. *Pinn* —9K **161**
Oakdale. *N14* —9G **155**
Oakdale. *Wel G* —6K **91**
Oakdale Av. *N'wd* —9J **161**
Oakdale Clo. *Wat* —4L **161**
Oakdale Rd. *Wat* —3L **161**
Oakdene. *Chesh* —3J **145**
Oakdene Clo. *Pinn* —7A **162**
Oakdene Pk. *N3* —7M **165**
Oakdene Rd. *Hem H* —6B **124**
Oakdene Rd. *Wat* —9M **137**
Oakdene Way. *St Alb* —2K **127**
Oak Dri. *Berk* —2A **122**
Oak Dri. *Saw* —7E **98**

Oak End. *Bunt* —3H **39**
Oak End. *H'low* —8B **118**
Oaken Gro. *Wel G* —3L **111**
Oak Farm. *Borwd* —7C **152**
Oakfield. —5B 34
Oakfield. *Mil E* —9J **147**
Oakfield Av. *Harr* —9J **163**
Oakfield Av. *Hit* —5B **34**
Oakfield Clo. *Pot B* —4M **141**
Oakfield Ct. *Borwd* —5B **152**
Oakfield Rd. *N3* —8N **165**
Oakfield Rd. *Hpdn* —1A **108**
Oakfields. *Stev* —8A **52**
Oakfields Av. *Kneb* —2N **71**
Oakfields Clo. *Stev* —8B **52**
Oakfields Rd. *Kneb* —2N **71**
Oak Gdns. *Edgw* —9B **164**
Oak Glade. *N'wd* —8D **160**
Oak Grn. *Ab L* —5G **137**
Oak Grn. Way. *Ab L* —5G **137**
Oak Gro. *Hat* —9F **110**
Oak Gro. *Hert* —2C **114**
Oak Hall. *Bis S* —9G **58**
Oakham Clo. *Barn* —5E **154**
Oakhampton Rd. *NW7* —7K **165**
Oakhill. *Let* —7K **23**
Oakhill Av. *Pinn* —9N **161**
Oakhill Clo. *Map C* —4H **159**
Oakhill Dri. *Welw* —1G **91**
Oakhill Rd. *Map C* —4G **159**
(in two parts)
Oakhurst Av. *Barn* —9D **154**
Oakhurst Av. *Hpdn* —9A **88**
Oakhurst Pl. *Wat* —6H **149**
Oakhurst Rd. *Enf* —9H **145**
Oakington. *Wel G* —9C **92**
Oakington Av. *Amer* —3A **146**
Oakington Ct. *Enf* —4N **155**
(off Ridgeway, The)
Oaklands. —9L 71
Oaklands. *Berk* —1L **121**
Oaklands Av. *N9* —8F **156**
Oaklands Av. *Brk P* —9L **129**
Oaklands Av. *Wat* —1K **161**
Oaklands Clo. *Bis S* —7K **59**
Oaklands Ct. *Wat* —3J **149**
Oaklands Dri. *Bis S* —7K **59**
Oaklands Dri. *H'low* —7E **118**
Oaklands Ga. *N'wd* —6G **160**
Oaklands Gro. *Brox* —6J **133**
Oaklands La. *Barn* —6H **153**
Oaklands La. *Smal* —9M **109**
Oaklands Pk. *Bis S* —7K **59**
Oaklands Ri. *Welw* —8M **71**
Oaklands Rd. *N20* —9M **153**
Oaklands Rd. *Chesh* —8C **132**
Oaklands Vw. *Welw* —9M **71**
Oaklands Wood. *Hat* —9G **111**
Oak La. *Braz E* —3A **120**
Oak La. *Cuff* —1L **143**
Oak La. *G'ley* —6H **35**
Oak Lawns. *Tring* —3M **101**
(off Clement Pl.)
Oaklea. *Welw* —8L **71**
Oaklea Clo. *Welw* —8L **71**
Oaklea Wood. *Welw* —9L **71**
Oakleigh Av. *N20* —9D **154**
Oakleigh Av. *Edgw* —9B **164**
Oakleigh Ct. *Barn* —8D **154**
Oakleigh Ct. *Bis S* —9F **58**
Oakleigh Ct. *Edgw* —9C **164**
Oakleigh Dri. *Crox G* —8E **148**
Oakleigh Gdns. *Edgw* —5N **163**
Oakleigh Park. —9C 154
Oakleigh Pk. N. *N20* —9C **154**
Oakleigh Pk. S. *N20* —9D **154**
Oakleigh Rd. *Pinn* —6A **162**
Oakley Clo. *Lut* —5N **45**
Oakley Ct. *Lut* —6N **45**
Oakley Ct. *R'ton* —6D **8**
Oakley Rd. *Hpdn* —8E **88**
Oakley Rd. *Lut* —5N **45**
Oak Lodge Clo. *Stan* —5K **163**
Oaklodge Way. *NW7* —5F **164**
Oakmead Ct. *Stan* —4K **163**
Oak Meade. *Pinn* —6B **162**
Oakmead Gdns. *Edgw* —4D **164**
Oakmede. *Barn* —6K **153**
Oakmere. —5B 142
Oakmere Av. *Pot B* —6B **142**
Oakmere Clo. *Pot B* —4C **142**
Oakmere La. *Pot B* —5B **142**
Oak Mere M. *Pot B* —5B **142**
Oak Path. *Bush* —8C **150**
(off Mortimer Clo.)

Oak Piece. *Welw* —9K **71**
Oak Piece Ct. *Welw* —9L **71**
Oakridge. *Brick W* —2A **138**
Oakridge Av. *Rad* —7G **138**
Oakridge La. *A'ham & Rad* —7E **138**
Oak Rd. *Lut* —9D **46**
Oak Rd. *Wool G* —7A **72**
Oakroyd Av. *Pot B* —6M **141**
Oakroyd Clo. *Pot B* —6M **141**
Oaks Clo. *Hit* —5N **33**
Oaks Clo. *Rad* —8G **139**
Oaks Cross. *Stev* —8A **52**
Oaks Retail Pk., The. *H'low* —3B **118**
Oaks, The. *Berk* —1L **121**
Oaks, The. *Borwd* —3A **152**
Oaks, The. *Enf* —5N **155**
(off Bycullah Rd.)
Oaks, The. *Lut* —5N **45**
Oaks, The. *S End* —7E **66**
Oaks, The. *Wat* —1L **161**
Oak St. *Bis S* —2H **79**
Oak St. *Hem H* —6B **124**
Oak Tree Clo. *Ab L* —5F **136**
Oak Tree Clo. *B'tn* —5L **53**
Oaktree Clo. *Bis S* —1H **79**
Oak Tree Clo. *G Oak* —1N **143**
Oak Tree Clo. *Hat* —8G **110**
Oak Tree Clo. *Hert* —3G **115**
Oaktree Clo. *Let* —7E **22**
Oak Tree Clo. *Stan* —7K **163**
Oaktree Ct. *Els* —8M **151**
Oak Tree Ct. *Welw* —8M **71**
Oaktree Gth. *Wel G* —1L **111**
Oak Vw. *Bov* —1E **134**
Oakview Clo. *Chesh* —1F **144**
Oakview Clo. *Hpdn* —1A **108**
Oak Wlk. *Saw* —7F **98**
Oak Way. *N14* —9G **154**
Oak Way. *Hpdn* —1B **108**
Oakway. *Stud* —9E **64**
Oakway Pl. *Rad* —7H **139**
Oakwell Clo. *Dunst* —1C **64**
Oakwell Clo. *Stev* —1C **72**
Oakwell Dri. *N'thaw* —5G **143**
Oakwood. —7H 155
Oak Wood. *Berk* —2K **121**
(in two parts)
Oakwood Av. *N14* —9J **155**
Oakwood Av. *Borwd* —6B **152**
Oakwood Av. *Dunst* —2H **65**
Oakwood Clo. *N14* —8H **155**
Oakwood Clo. *Stev* —7B **52**
Oakwood Cres. *N21* —8K **155**
Oakwood Dri. *Edgw* —6C **164**
Oakwood Dri. *Hpdn* —1A **108**
Oakwood Dri. *Lut* —1M **45**
Oakwood Dri. *St Alb* —1K **127**
Oakwood Est. *H'low* —2D **118**
Oakwood Lodge. *N14* —8H **155**
(off Avenue Rd.)
Oakwood Pk. —8K 155
Oakwood Pk. Rd. *N14* —9J **155**
Oakwood Rd. *Brick W* —2A **138**
Oakwood Rd. *Pinn* —9K **161**
Oakwood Vw. *N14* —8J **155**
Oatfield Clo. *Lut* —5J **45**
Oatlands Rd. *Enf* —3G **157**
Oban Ter. *Lut* —9D **46**
Oberon Clo. *Borwd* —3C **152**
Obrey Way. *Bis S* —5G **78**
Occupation La. *Roy* —6E **116**
Occupation Rd. *Wat* —7K **149**
Octavia Ct. *Wat* —4L **149**
October Pl. *NW4* —9K **165**
Oddesey Rd. *Borwd* —3B **152**
Oddy Hill. *Wig* —3A **102**
Odhams Trad. Est. *Wat* —1L **149**
Odsey. —3H 13
Offa Rd. *St Alb* —2D **126**
Offas Way. *Wheat* —7L **89**
Offham Slope. *N12* —5M **165**
Offley Hill. *Offl* —7D **12**
Offley Rd. *Hit* —4L **33**
Ogard Rd. *Hod* —6N **115**
Ohio Cotts. *Pinn* —9L **161**
Okeford Clo. *Tring* —2L **101**
Okeford Dri. *Tring* —3L **101**
Okeley La. *Tring* —3K **101**
Old Airfield Ind. Est. *Long M* —1J **81**
Old Bakery. *Hit* —3M **33**
Old Barn La. *Crox G* —7B **148**
Old Bedford Rd. *Lut* —3F **46**
Old Bell Clo. *Stans* —3M **59**

Old Bell Ct. *Hem H* —1N **123**
Oldberry Rd. *Edgw* —6D **164**
Old Bourne Way. *Stev* —7N **35**
Old Brewery Clo. *Stot* —5F **10**
Old Brewery Pl. *Kim* —7L **69**
(off Canham Clo.)
Old Brewery, The. *Fur P* —6K **41**
Old Brewhouse, The. *Wheat* —7K **89**
Oldbury Rd. *Enf* —4E **156**
Old Chantry. *Stev* —8G **34**
Old Charlton Rd. *Hit* —4M **33**
Old Chorleywood Rd. *Rick* —8N **147**
Old Church La. *Stan* —5J **163**
Old Church La. *Thun* —9H **75**
(in two parts)
Old Coach Rd., The. *Col G* —3E **112**
Old College Ct. *Welw* —6G **95**
Old Cotts. *St Alb* —2M **139**
Old Ct. Grn. *Pott E* —8F **104**
Old Crabtree La. *Hem H* —3A **124**
Old Cross. *Hert* —9A **94**
Old Dairy Ct. *Dunst* —7J **45**
Old Dean. *Bov* —1D **134**
Old Dri., The. *Wel G* —1H **111**
Olden Mead. *Let* —8H **23**
Olde Swan Ct. *Stev* —2J **51**
Old Farm. *L Buz* —3B **82**
Old Farm Av. *N14* —9H **155**
Old Farm Clo. *Hort* —5M **61**
Old Farm Yd., The. *Srng* —7L **99**
Old Fld. Clo. *Amer* —3B **146**
Oldfield Clo. *Chesh* —1J **145**
Oldfield Clo. *Stan* —5H **163**
Oldfield Ct. *St Alb* —3F **126**
Oldfield Dri. *Chesh* —1J **145**
Oldfield Ri. *W'will* —1M **69**
Oldfield Rd. *Hem H* —4H **123**
Oldfield Rd. *Lon C* —7L **127**
Old Fishery La. *Hem H* —5J **123**
Old Fold Clo. *Barn* —3M **153**
Old Fold La. *Barn* —3M **153**
Old Fold Manor Golf Course. —2L 153
Old Fold Vw. *Barn* —5J **153**
Old Forge Clo. *Stan* —4H **163**
Old Forge Clo. *Wat* —6J **137**
Old Forge Clo. *Wel G* —5M **91**
Old Forge Rd. *Enf* —2D **156**
Old Forge Row. *Hert* —3F **114**
Old Forge, The. *Long M* —3G **81**
Old French Horn La. *Hat* —8H **111**
Old Gannon Clo. *N'wd* —4E **160**
Old Garden Ct. *St Alb* —2D **126**
(off Back St.)
Old Granary, The. *A'wl* —9M **5**
(off Back St.)
Old Grove Clo. *Chesh* —8B **132**
Old Hale Way. *Hit* —1M **33**
Old Hall Clo. *Pinn* —8N **161**
Old Hall Dri. *Pinn* —8N **161**
Old Hall Green. —8K 55
Old Hall Ri. *H'low* —6G **118**
Oldhall St. *Hert* —9B **94**
Old Harlow. —2E 118
Old Harpenden Rd. *St Alb* —7F **108**
Old Hatfield. —8J 111
Old Herns La. *Wel G* —7B **92**
Old Hertford Rd. *Hat* —7J **111**
Old Highway. *Hod* —5M **115**
Oldhill. *Dunst* —9A **64**
Oldhill Wood. —1H 85
Old Ho. Ct. *Hem H* —2B **124**
Oldhouse Cft. *H'low* —4A **118**
Oldhouse Ct. *K Lan* —8A **136**
Old Ho. La. *Roy* —9G **117**
Old Ho. Rd. *Hem H* —2B **124**
Oldings Corner. *Hat* —5H **111**
Old Knebworth. —2J 71
Old Knebworth La. *Old K* —2J **71**
Old La. *Kneb* —3N **71**
Old Leys. *Hat* —3G **129**
Old Lodge Way. *Stan* —5H **163**
Old London Rd. *H'low* —3E **118**
(in two parts)
Old London Rd. *Hert* —9C **94**
Old London Rd. *St Alb* —3E **126**
Old Maltings, The. *Bis S* —1J **79**
(off Hockerill St.)
Old Maple. *Hem H* —5B **106**
Old Mead. *Chal P* —6B **158**
Old Meadow Clo. *Berk* —3L **121**
Old Mill Gdns. *Berk* —1A **122**
Old Mill Rd. *K Lan* —6E **136**
Old Nazeing Rd. *Brox* —3L **133**

Old N. Rd. *R'ton* —1B **8**
Old Oak. *St Alb* —5F **126**
Old Oak Clo. *Arl* —4A **10**
Old Oak Gdns. *N'chu* —7J **103**
Old Orchard. *H'low* —8N **117**
Old Orchard. *Lut* —3F **66**
Old Orchard. *Park* —8D **126**
Old Orchard Clo. *Barn* —2C **154**
Old Orchard M. *Berk* —2N **121**
Old Pk. Av. *Enf* —7A **156**
Old Parkbury La. *Col S* —2G **138**
Old Pk. Gro. *Enf* —6A **156**
Old Pk. Ridings. *N21* —8N **155**
Old Pk. Rd. *Enf* —5N **155**
Old Pk. Rd. *Hit* —3M **33**
Old Pk. Rd. S. *Enf* —6N **155**
Old Pk. Vw. *Enf* —5M **155**
Old Rectory Clo. *Hpdn* —5B **88**
Old Rectory Dri. *Hat* —9H **111**
Old Rectory Gdns. *Edgw* —6A **164**
Old Rectory Gdns. *Wheat* —6L **89**
Old Redding. *Harr* —5C **162**
Old River La. *Bis S* —1H **79**
Old Rd. *Bar C* —9E **18**
Old Rd. *Enf* —3G **156**
Old Rd. *H'low* —6E **98**
Old's App. *Wat* —1E **160**
Old Sax La. *Chart* —9B **120**
Old School Clo. *Cod* —7F **70**
Old School Clo. *Hal* —5B **100**
Old School Ct. *Eat B* —2K **63**
Old School Gdns. *Bar C* —8E **18**
Old School Grn. *B'tn* —5J **53**
Old School Orchard. *Wat S* —5K **73**
Old School Wlk. *Arl* —8A **10**
Old School Wlk. *S End* —7E **66**
Old's Clo. *Wat* —9E **148**
Old Shire La. *Chor* —8D **146**
Old Solesbridge La. *Chor* —5K **147**
Old Sopwell Gdns. *St Alb* —4F **126**
Old South Clo. *H End* —8M **161**
Old Station Bus. Cen., The. *St Alb* —4G **126**
Old Stevenage. —2J 51
Old Town Hall Arts Cen., The. —1M 123
Old Uxbridge Rd. *Rick & W Hyd* —5H **159**
Old Vicarage Gdns. *Mark* —1N **85**
Old Walled Garden, The. *Stev* —9J **35**
Old Watford Rd. *Brick W* —3N **137**
Old Watling St. *Flam* —3B **86**
Oldwood. *Welw* —9K **71**
Oliver Clo. *Hem H* —6A **124**
Oliver Clo. *Hod* —6M **115**
Oliver Clo. *Park* —9E **126**
Oliver Ct. *Chap E* —3C **94**
Oliver Ri. *Hem H* —6A **124**
Oliver Rd. *Hem H* —6B **124**
Oliver's Clo. *Pott E* —7F **104**
Oliver's La. *Stot* —6F **10**
Olive Taylor Ct. *Hem H* —7B **106**
Olivia Ct. *Enf* —3A **156**
(off Chase Side)
Olivia Gdns. *Hare* —8M **159**
Olleberrie La. *Sarr* —4G **134**
Olma Rd. *Dunst* —7D **44**
Olwen M. *Pinn* —9M **161**
Olympic Clo. *Lut* —9A **30**
(in three parts)
Omega Ct. *Ware* —6H **95**
Omega Maltings. *Ware* —6J **95**
Onslow Clo. *Hat* —9H **111**
Onslow Gdns. *N21* —7M **155**
Onslow Pde. *N14* —9G **155**
Onslow Rd. *Lut* —4N **45**
On the Hill. *Wat* —2N **161**
Opening, The. *Cod* —8F **70**
Openshaw Way. *Let* —5F **22**
Optima Bus. Pk. *Hod* —7N **115**
Oram Pl. *Hem H* —5N **123**
Orange Hill Rd. *Edgw* —7C **164**
Orbital Cres. *Wat* —8H **137**
Orchard Av. *N14* —8H **155**
Orchard Av. *Berk* —1L **121**
Orchard Av. *Hpdn* —6A **88**
Orchard Av. *Wat* —5K **137**
Orchard Clo. *Bar C* —1E **30**
Orchard Clo. *Bus H* —1E **162**
Orchard Clo. *Chor* —6G **146**
Orchard Clo. *Cuff* —1K **143**
Orchard Clo. *Edgw* —6M **163**

Orchard Clo. *Els* —6N **151**
Orchard Clo. *Hem H* —9B **106**
Orchard Clo. *H Reg* —6E **44**
Orchard Clo. *Let* —3F **22**
Orchard Clo. *L Berk* —1H **131**
Orchard Clo. *Rad* —1F **150**
Orchard Clo. *St Alb* —3G **127**
Orchard Clo. *St I* —7N **33**
Orchard Clo. *Srng* —7L **99**
Orchard Clo. *Stan A* —2N **115**
Orchard Clo. *Ware* —5H **95**
Orchard Clo. *Wat* —4H **149**
Orchard Clo. *Wend* —4A **100**
Orchard Clo. *W'grv* —5A **60**
Orchard Ct. *N14* —8H **155**
Orchard Ct. *Bov* —9D **122**
Orchard Ct. *Edgw* —5N **163**
Orchard Ct. *New Bar* —5A **154**
Orchard Cres. *Edgw* —5C **164**
Orchard Cres. *Enf* —3D **156**
Orchard Cres. *Stev* —2J **51**
Orchard Cft. *H'low* —4C **118**
Orchard Dri. *Ast C* —1D **100**
Orchard Dri. *Chor* —5F **146**
Orchard Dri. *Edgw* —5N **163**
Orchard Dri. *Park* —9C **126**
Orchard Dri. *Roy* —7E **116**
Orchard Dri. *Stdn* —7B **56**
Orchard Dri. *Wat* —3H **149**
Orchard End. *Edl* —4J **63**
Orchard Gdns. *Wal A* —7N **145**
Orchard Gro. *Chal P* —8A **158**
Orchard Gro. *Edgw* —8A **164**
Orchard Ho. *Brau* —2C **56**
Orchard Ho. La. *St Alb* —3E **126**
Orchard La. *H'low* —2G **119**
Orchard Lea. *Saw* —6E **98**
Orchard Leigh. —9L 121
Orchardleigh Av. *Enf* —4G **156**
Orchard Mead. *Hat* —9F **110**
Orchardmede. *N21* —8B **156**
Orchard Pde. *Pot B* —4K **141**
Orchard Pl. *Chesh* —3H **145**
Orchard Rd. *Bald* —2L **23**
Orchard Rd. *Barn* —6M **153**
Orchard Rd. *Bis S* —8K **59**
Orchard Rd. *Chal G* —2A **158**
Orchard Rd. *Enf* —7G **157**
Orchard Rd. *Hit* —1B **34**
Orchard Rd. *Pull* —3A **18**
Orchard Rd. *R'ton* —6B **8**
Orchard Rd. *Stev* —2J **51**
Orchard Rd. *Tew* —2B **92**
Orchard Rd. *Welw* —2J **91**
Orchard Sq. *Brox* —6K **133**
Orchards, The. *Eat B* —1J **63**
Orchards, The. *Saw* —4G **98**
Orchards, The. *S End* —6E **66**
Orchards, The. *Tring* —3L **101**
Orchard St. *Hem H* —1N **123**
Orchard St. *St Alb* —3D **126**
Orchard Ter. *Enf* —8E **156**
Orchard, The. *N14* —7G **155**
Orchard, The. *N21* —8B **156**
Orchard, The. *Ast C* —1D **100**
Orchard, The. *Bald* —3A **23**
Orchard, The. *Brox* —2L **133**
Orchard, The. *Cod* —7F **70**
Orchard, The. *Hal* —6B **100**
Orchard, The. *Hert* —6A **94**
Orchard, The. *K Lan* —2C **136**
Orchard, The. *Ton* —9C **74**
Orchard, The. *Wel G* —7K **91**
Orchard Vw. *Hit* —1B **34**
Orchard Way. *Bov* —1D **134**
Orchard Way. *B Grn* —8F **48**
Orchard Way. *Eat B* —3K **63**
Orchard Way. *Enf* —5C **156**
Orchard Way. *G Oak* —9N **131**
Orchard Way. *Kneb* —3L **71**
Orchard Way. *Let* —3F **22**
Orchard Way. *L Ston* —1J **21**
Orchard Way. *Lut* —5M **45**
Orchard Way. *Mil E* —9K **147**
Orchard Way. *Pit* —2C **82**
Orchard Way. *Pot B* —1A **142**
Orchard Way. *R'ton* —5C **8**
Orchid Clo. *Dunst* —8B **44**
Orchid Clo. *Hat* —5F **110**
Orchid Grange. *N14* —9H **155**
Orchid Rd. *N14* —9H **155**
Ord Ct. *R'ton* —6D **8**
Orde. *NW9* —8F **164**
Ordelmere. *Let* —2F **22**
Ordnance Rd. *Enf* —1H **157**

Oregon Way—Parsonage Gdns.

Oregon Way. Lut —1C 46
Orford Ct. Stan —6K 163
Organ Hall Rd. Borwd —3M 151
Orient Clo. St Alb —4F 126
Oriole Clo. Ab L —4J 137
Oriole Way. Bis S —2E 78
Orion Way. N'wd —4H 161
Orlando Clo. Hit —4A 34
Ormesby Dri. Pot B —5K 141
Ormonde Rd. N'wd —4F 160
Ormsby Clo. Lut —3G 66
Ormskirk Rd. Wat —4M 161
Oronsay. Hem H —4D 124
Orphanage Rd. Wat —4L 149
Orpington Clo. Lut —6K 45
Orpington Mans. N21 —9N 155
Orton Clo. St Alb —7J 109
Orwell Av. Stev —7M 35
Orwell Ct. Wat —5M 149
Orwell Vw. Bald —2A 24
Osborne Clo. Barn —5E 154
Osborne Ct. Lut —3H 67
Osborne Ct. Pot B —2A 142
Osborne Gdns. Pot B —3A 142
Osborne Rd. Brox —1L 133
Osborne Rd. Chesh —9J 133
Osborne Rd. Dunst —1E 64
Osborne Rd. Enf —4J 157
Osborne Rd. Lut —2H 67
Osborne Rd. Pot B —3A 142
Osborne Rd. Wat —2L 149
Osborne Way. Wig —5B 102
Osborn Gdns. NW7 —7K 165
Osborn Rd. Bar C —8E 18
Osborn Way. Wel G —8K 91
Osbourne Av. K Lan —1B 136
Osbourne Ct. Bald —4M 23
Osbourne Gdns. Bis S —3G 78
Osidge. —9G 154
Osidge La. N14 —9G 154
Osmington Pl. Tring —2L 101
Osprey Clo. Wat —7N 137
Osprey Gdns. Stev —7C 52
Osprey Ho. Ware —4G 95
Osprey M. Enf —7G 156
Osprey Wlk. Lut —4K 45
Ostell Cres. Enf —2L 157
Osterley Clo. Stev —1B 72
Oster St. St Alb —1D 126
Ostler Clo. Bis S —4E 78
Oswald Rd. St Alb —3F 126
Otley Way. Wat —3L 161
Otter Gdns. Hat —1H 129
Otterspool La. Wat —2N 149
Otterspool Way. Wat —2A 150
Otterton Clo. Hpdn —4A 88
Ottoman Ter. Wat —5L 149
Ottway Wlk. Welw —3J 91
Otway Gdns. Bush —9F 150
Otways Clo. Pot B —5A 142
Oudle La. M Hud —5J 77
Oughton Clo. Hit —2L 33
Oughtonhead La. Hit —2G 33
(in two parts)
Oughton Head Way. Hit —2L 33
Oulton Cres. Pot B —4K 141
Oulton Ri. Hpdn —4D 88
Oulton Way. Wat —4A 162
Oundle Av. Bush —8D 150
Oundle Ct. Stev —9B 52
Oundle Path. Stev —9B 52
Oundle, The. Stev —8B 52
Ousden Clo. Chesh —3J 145
Ousden Dri. Chesh —3J 145
Ouseley Way. Kens —8B 64
Ousley Clo. Leag —6N 45
Outfield Rd. Chal P —7A 158
Outlook Dri. Chal G —3A 158
Oval Ct. Edgw —7C 164
Oval, The. Brox —7J 133
Oval, The. Henl —1K 21
Oval, The. Stev —9N 35
Overbrook Wlk. Edgw —7A 164
(in two parts)
Overchess Ridge. Chor —5J 147
Overfield Rd. Lut —8L 47
Overlord Clo. Brox —2J 133
Overstone Rd. Hpdn —6D 88
Overstone Rd. Lut —8N 45
Overstrand. Ast C —1D 100
Overstream. Loud —6L 147
Overton Rd. N14 —7K 155
Overtrees. Hpdn —4A 88
Oving Clo. Lut —7M 47
Owen Dri. R'ton —4D 8
Owens Way. Crox G —7C 148
Owles La. Bunt —4K 39
Oxcroft. Bis S —5H 79
Oxenden Dri. Hod —9L 115
Oxen Ind. Est. Lut —8H 47
Oxen Rd. Lut —8H 47
Oxfield Clo. Berk —2L 121
Oxford Av. St Alb —3K 127
Oxford Clo. Chesh —2H 145
Oxford Clo. N'wd —4F 160
Oxford Gdns. N21 —9A 156
Oxford Ho. Borwd —4A 152
(off Stratfield Rd.)
Oxford Rd. B Grn —8F 48
Oxford Rd. Enf —7F 156
Oxford Rd. Lut —2G 66
Oxford St. Wat —7K 149
Oxhey. —8M 149
Oxhey Av. Wat —9M 149
Oxhey Dri. N'wd & Wat —5K 161
Oxhey La. Wat & Pinn —1N 161
Oxhey Pk. —8L 149
Oxhey Pk. Golf Course. —2L 161
Oxhey Ridge Clo. N'wd —4K 161
Oxhey Rd. Wat —9L 149
Ox La. Hpdn —4C 88
Oxlease. —1H 129
Oxlease Dri. Hat —1H 129
Oxleys Rd. Stev —6A 52
Oxleys, The. H'low —2G 118
Oysterfields. St Alb —1C 126

Pacatian Way. Stev —1B 52
Packhorse Clo. St Alb —8K 109
Packhorse La. Borwd —1E 152
Packhorse La. Ridge —3D 140
Packhorse Pl. Kens —8M 65
Paddick Clo. Hod —7K 115
Paddock Clo. Hun —6G 96
Paddock Clo. Let —6G 22
Paddock Clo. Lut —5J 45
Paddock Clo. Wat —8N 149
Paddock End. Hpdn —8F 88
Paddock Houses. Wel G —9A 92
Paddock Lodge. Enf —7C 156
(off Village Rd.)
Paddock Rd. Bunt —2J 39
Paddocks Clo. Stev —5A 52
Paddocks, The. Chor —6J 147
Paddocks, The. Cockf —5E 154
Paddocks, The. Cod —7G 70
Paddocks, The. Hert H —3F 114
Paddocks, The. St Alb —1J 89
Paddocks, The. Stev —5A 52
Paddocks, The. Wel G —8A 92
Paddocks, The. Wend —9A 100
Paddock, The. Bis S —5F 78
Paddock, The. Brox —2L 133
Paddock, The. Chal P —5B 158
Paddock, The. Hat —7G 110
Paddock, The. Hit —5A 34
Paddock Way. Hem H —2H 123
Paddock Wood. Hpdn —8F 88
Padstow Rd. Enf —3N 155
Pageant Av. NW9 —8D 164
Pageant Rd. St Alb —3E 126
Page Clo. Bald —5M 23
Page Hill. Ware —5F 94
Page Mdw. NW7 —7H 165
Page Rd. Hert —9E 94
Pages Clo. Bis S —3F 78
Pages Cft. Berk —8L 103
Page St. NW7 —8G 165
Paget Cotts. Ware —1D 74
Paget Ho. Ger X —4B 158
(off Micholls Av.)
Pagitts Gro. Barn —3A 154
Paignton Clo. Lut —5N 45
Paines Clo. Pinn —9N 161
Paines La. Pinn —8N 161
Paines Orchard. Ched —8L 61
Pain's End. —4D 28
Painter's Green. —6D 72
Painters La. Enf —8J 145
Palace Clo. K Lan —3B 136
Palace Gdns. Bis S —3G 79
Palace Gdns. Enf —6B 156
Palace Gdns. R'ton —7C 8
Palace Gdns. Shop. Cen.
Enf —6B 156
Palace M. Enf —5B 156
Palfrey Clo. St Alb —9E 108
Pallas Rd. Hem H —9B 106
Palma Clo. Dunst —6C 44
Palmer Av. Bush —7C 150
Palmer Clo. Hert —7A 94
Palmer Ct. Chap E —3C 94
Palmer Gdns. Barn —7K 153
Palmer Rd. Hert —7B 94
Palmers La. Bis S —1H 79
(off Bridge St.)
Palmers La. Chris —1M 17
Palmers La. Enf —3F 156
(in two parts)
Palmers Rd. Borwd —3B 152
Palmerston Clo. Wel G —9J 91
Palmerston Ct. Stev —2A 52
Palmers Way. Chesh —2J 145
Pamela Av. Hem H —5B 124
Pamela Ct. N3 —6N 165
Pamela Gdns. Bis S —5H 79
Pams La. Kim —7L 69
Pancake La. Hem H —3F 124
Pangbourne Dri. Stan —5L 163
Pank Av. Barn —7B 154
Pankhurst Cres. Stev —4B 52
Pankhurst Pl. Wat —5L 149
Panshanger. —9A 92
Panshanger Dri. Wel G —9A 92
Panshanger Golf Course. —7A 92
Panshanger La. Col G —9E 92
Pantiles, The. Bush —1E 162
Panxworth Rd. Hem H —4N 123
Paper Mill La. Stdn —8B 56
Parade, The. Dunst —8D 44
Parade, The. Let —2F 22
(off Southfields)
Parade, The. Lut —2M 45
Parade, The. Wat —3M 161
(Fairfield Av.)
Parade, The. Wat —5K 149
(High St.)
Parade, The. Wat —3N 161
(Parade, The)
Paradise. —2M 123
Paradise. Par I —3N 123
Paradise Clo. Chesh —1F 144
Paradise Hill. Brox —7E 132
Paradise Ho. Chesh —7E 132
Paradise Ind. Est. Hem H —3N 123
Paradise Rd. Wal A —7N 145
Paramount Ind. Est. Wat —1L 149
(off Sandown Rd.)
Paringdon Rd. H'low
—9L 117 & 9A 118
Parish Clo. Wat —7L 137
Parishes Mead. Stev —5C 52
Park Av. Bis S —5H 79
Park Av. Bush —4M 149
Park Av. Chor —7K 147
Park Av. Enf —7B 156
Park Av. H'low —9E 118
Park Av. H Reg —4F 44
Park Av. Lut —2M 45
Park Av. Pot B —7B 142
Park Av. Rad —6J 139
Park Av. St Alb —1H 127
Park Av. Tot —1M 63
Park Av. Wat —6J 149
Park Av. Maisonettes. Bush
—4A 150
Park Av. N. Hpdn —6N 87
Park Av. S. Hpdn —6N 87
Park Av. Trad. Est. Lut —2L 45
Pk. Bungalows. L Hall —1N 99
Park Clo. Bald —4L 23
Park Clo. Brk P —8N 129
Park Clo. Bush —5M 149
Park Clo. Harr —8F 162
Park Clo. Hat —8J 111
Park Clo. Mark —2N 85
Park Clo. Rick —4D 160
Park Clo. Stev —8A 52
Park Corner. —5B 128
Park Cotts. L Hall —3N 99
Park Ct. H'low —4N 117
Park Ct. Let —5G 22
Park Cres. Bald —4L 23
Park Cres. Els —5N 151
Park Cres. Enf —6B 156
Park Cres. Harr —8F 162
Park Cft. Edgw —8C 164
Park Dri. N21 —8A 156
Park Dri. Bald —4L 23
Park Dri. Har W —6E 162
Park Dri. Pot B —4A 142
Park Dri. Puck —6A 56
Parker Av. Hert —7B 94
Parker Clo. Let —7E 22
Parkers. Ber —2D 42
Parker's Fld. Stev —5B 52
Parker St. Wat —3K 149
Pk. Farm Ind. Est. Bunt —1H 39
Pk. Farm La. Nuth —1F 28
Parkfield. —5A 142
Parkfield. Chor —6J 147
Parkfield. Let —7K 23
Parkfield Av. Harr —9D 162
Parkfield Clo. Edgw —6B 164
Parkfield Cres. Harr —9D 162
Parkfield Cres. Kim —7L 69
Parkfield Gdns. Harr —9C 162
Parkfield Ho. N Har —8C 162
Parkfield Rd. Mark —2N 85
Park Fields. Roy —6D 116
Parkfields. Wel G —9K 91
Park Gdns. Bald —4L 23
Park Ga. N21 —9L 155
Park Ga. Hit —4N 33
Parkgate Av. Barn —3B 154
Parkgate Cres. Barn —3B 154
Parkgate Rd. Wat —1L 149
Park Green. —4D 42
Park Gro. Chal G —5A 146
Park Gro. Edgw —5N 163
Park Hill. H'low —2D 118
Park Hill. Hpdn —5A 88
Parkhill Rd. E4 —9N 157
Pk. Hill Rd. Hem H —2L 123
Park Homes. Lon C —8K 127
Park Ho. N21 —9L 155
Park Ho. Berk —9M 103
Park Ho. Wel G —8K 91
Parkhouse La. R'ton —1N 17
Parkhurst Rd. Hert —8N 93
Parkins Clo. Ware —2K 75
Parkinson Clo. Wheat —7L 89
Parkland Clo. Hod —5M 115
Parkland Dri. Lut —3F 66
Parklands. Hem H —8J 105
Parklands. R'ton —7E 8
Parklands. Wal A —6N 145
Parklands Clo. Barn —2C 154
Parklands Dri. St Alb —3B 126
Park La. Bis S —4H 79
Park La. Brox —1J 133
Park La. Chesh —8D 132
Park La. Col H —5B 128
Park La. Eat B —2H 63
Park La. Hare —8K 159
Park La. H'low —4N 117
Park La. Hem H —3N 123
Park La. Kim —7K 69
Park La. Old K —3H 71
Park La. Puck —6A 56
Park La. R'ton —7J 17
Park La. Stan —3H 163
Park La. Wal X —6G 145
Park La. Welw —2E 92
Park La. Paradise. Brox —6E 132
Parklea Clo. NW9 —8E 164
Park Mead. H'low —5L 117
Parkmead. Lut —2H 67
(off Park St.)
Parkmead Gdns. NW7 —6F 164
Park Mdw. Hat —8J 111
Pk. Meadow Clo. Bar C —8D 18
Park M. Hat —7J 111
Park Mt. Hpdn —4A 88
Pk. Nook Gdns. Enf —1B 156
Park Pl. Hare —8M 159
Park Pl. Park —9E 126
Park Pl. Stev —4K 51
Park Ri. Hpdn —4N 87
Park Ri. Harr —8F 162
Park Ri. N'chu —8J 103
Park Ri. Clo. Hpdn —4N 87
Park Rd. N14 —9J 155
Park Rd. Barn —6C 154
Park Rd. Bush —8B 150
Park Rd. Dunst —1F 64
Park Rd. Enf —9J 145
Park Rd. Hem H —4M 123
Park Rd. Hert —9C 94
Park Rd. High Bar —6M 153
Park Rd. Hod —8L 115
Park Rd. N'thaw —3F 142
Park Rd. Rad —8H 139
Park Rd. Rick —9N 147
Park Rd. Stans —3N 59
Park Rd. Tring —4L 101
Park Rd. Wal X —6H 145
Park Rd. Ware —6E 94
(in two parts)
Park Rd. Wat —3J 149
Park Rd. N. H Reg —4F 44
Parkside. —3G 44
Parkside. N3 —8N 165
Parkside. NW7 —6G 164
Parkside. Hem H —9C 124
Parkside. Mat T —3N 119
(off Rainbow Rd.)
Parkside. Pot B —5B 142
Parkside. Wal X —7J 145
Parkside. Wat —8L 149
Parkside. Welw —2J 91
Parkside. Wyd —8H 27
Parkside Clo. H Reg —4G 44
Parkside Dri. Edgw —3A 164
Parkside Dri. H Reg —4F 44
Parkside Dri. Wat —4G 148
Parkside Flats. Dunst —9F 44
Parkside Gdns. E Barn —9E 154
Parkside Rd. N'wd —5H 161
Park Sq. Lut —1G 67
Park Street. —7E 126
Park St. Bald —3L 23
Park St. Berk —9M 103
Park St. Dunst —8D 44
Park St. Hat —8J 111
Park St. Hit —4M 33
Park St. Lut —1G 67
Park St. Park —8E 126
Park St. Tring —3M 101
Park St. La. Brick W —3C 138
Park St. W. Lut —2G 67
Park Ter. Bass —1M 7
Park Ter. Enf —2J 157
Park Ter. M Hud —5J 77
Park, The. Redb —2K 107
Park, The. St Alb —9H 109
Park Town. —2H 67
Park Viaduct. Lut —2G 67
Park Vw. N21 —9L 155
Park Vw. Hat —7J 111
Park Vw. Hod —8L 115
Park Vw. Pinn —8A 162
Park Vw. Pot B —6B 142
Park Vw. Stev —8A 52
Park Vw. Clo. Lut —3N 45
Pk. View Clo. St Alb —3H 127
Pk. View Cotts. Bis S —5J 79
Pk. View Ct. Berk —1M 121
Parkview Ct. Har W —7F 162
Park Vw. Dri. Mark —1N 85
Parkview Ho. N9 —9F 156
Parkview Ho. Wat —8M 149
Pk. View Rd. Berk —1M 121
Pk. View Rd. Pinn —7K 161
Park Wlk. Barn —5C 154
Park Way. Edgw —8B 164
Park Way. Enf —4M 155
Parkway. H'low —6H 117
Park Way. Hit —4M 33
Parkway. H Reg —3H 45
Park Way. Rick —1M 159
Parkway. Saw —6G 99
Parkway. Stev —8N 51
Parkway. Wel G —1J 111
(in two parts)
Parkway Clo. Wel G —9J 91
Parkway Ct. St Alb —5J 127
Parkway Gdns. Wel G —1J 111
Parkway Rd. Lut —3K 67
Parkwood Clo. Brox —1K 133
Parkwood Dri. Hem H —2J 123
Parliament Sq. Hert —9B 94
(off Queen's Rd.)
Parnall Rd. H'low —9N 117
Parndon Mill La. H'low —3L 117
Parnell Clo. Ab L —3H 137
Parnell Clo. Edgw —4B 164
Parnel Rd. Ware —5K 95
Parpins. K Lan —1A 136
Parr Cres. Hem H —6D 106
Parrot Clo. Dunst —8H 45
Parrots Clo. Crox G —6C 148
Parrotts Fld. Hod —7M 115
Parrott's La. Buck C —2A 120
Parr Rd. Stan —8L 163
Parry Cotts. Ger X —4B 158
(off Chesham La.)
Parsonage Clo. Ab L —3G 137
Parsonage Clo. Tring —2M 101
Parsonage Ct. Tring —3M 101
Parsonage Farm. W'grv —5A 60
Parsonage Farm Trad. Est.
Stans —6N 59
Parsonage Gdns. Enf —4A 156

Parsonage La. *Abry* —3J **57**
Parsonage La. *Ber* —1D **42**
Parsonage La. *Bis S* —9K **59**
Parsonage La. *Enf* —4A **156**
Parsonage La. *N Mym* —5H **129**
Parsonage La. *Saw* —1F **98**
Parsonage La. *Stans* —6N **59**
Parsonage Leys. *H'low* —6B **118**
Parsonage Pl. *Tring* —3M **101**
Parsonage Rd. *N Mym* —5H **129**
Parsonage Rd. *Rick* —9N **147**
Parson's Clo. *Flam* —6D **86**
Parson's Cres. *Edgw* —3A **164**
Parsons Grn. Ind. Est. *Stev* —8B **36**
Parson's Gro. *Edgw* —3A **164**
Parson St. *NW4* —9J **165**
Parthia Clo. *R'ton* —7E **8**
Partingdale La. *NW7* —5K **165**
Parton Clo. *Wend* —9A **100**
Partridge Clo. *Barn* —8J **153**
Partridge Clo. *Bush* —1D **162**
Partridge Clo. *Che* —9J **121**
Partridge Clo. *Lut* —4K **45**
Partridge Clo. *Stan* —4M **163**
Partridge Ct. *H'low* —8A **118**
Partridge Hill. *A'wl* —1B **12**
Partridge Rd. *H'low* —8N **117**
Partridge Rd. *St Alb* —7E **108**
Parva Clo. *Hpdn* —9E **88**
Parvills. *Wal A* —5N **145**
Parys Rd. *Lut* —3D **46**
Pascal Way. *Let* —3H **23**
Pascomb Rd. *Dunst* —9C **44**
Pasfield. *Wal A* —5N **145**
Passfield Cotts. *Ware* —7K **75**
Passingham Av. *Hit* —4A **34**
Passmore Edwards Ho.
　　　　　　　Ger X —5B **158**
Passmores. —8N 117
Pasteur Clo. *NW9* —9E **164**
Paston Rd. *Hem H* —9N **105**
Pasture Clo. *Bush* —9D **150**
Pasture La. *B Grn* —9F **48**
Pasture Rd. *Let* —8E **22**
Pastures, The. *N20* —1M **165**
Pastures, The. *Edl* —5K **63**
Pastures, The. *Hat* —1H **129**
Pastures, The. *Hem H* —1H **123**
Pastures, The. *St Alb* —6B **126**
Pastures, The. *Stev* —1C **52**
Pastures, The. *Up Ston* —1F **9**
Pastures, The. *Ware* —4G **94**
Pastures, The. *Wat* —9L **149**
Pastures, The. *Wel G* —2N **111**
Pastures Way. *Lut* —4J **45**
Patchetts Green. —3D 150
Pathway, The. *Rad* —9G **139**
　(in two parts)
Pathway, The. *Wat* —1M **161**
Patient End. —7J 41
Pat Larner Ho. St Alb —3E **126**
　(off Belmont Hill)
Patmore Clo. *Bis S* —9E **58**
Patmore End. *Ugley* —4N **43**
Patmore Fields. *Ugley* —4N **43**
Patmore Heath Nature
　　　　　Reserve. —1M 57
Patmore Link Rd. *Hem H* —2E **124**
Patricia Gdns. *Bis S* —3G **79**
Patrick Gro. *Wal A* —6M **145**
Patterdale Clo. *Dunst* —1E **64**
Patterson Rd. *Che* —9F **120**
Paulin Dri. *N21* —9M **155**
Pauls Ct. *Hod* —8L **115**
Pauls Grn. *Wal X* —6J **145**
Pauls La. *Hod* —8L **115**
Pavilion M. *N3* —9N **165**
Pavilion Shop. Cen., The.
　　　　　　Wal X —6J **145**
Pavilion Way. *Amer* —3A **146**
Pavilion Way. *Edgw* —7B **164**
Paxfold. *Stan* —5L **163**
Paxton Clo. *Borwd* —6C **152**
Paxton Rd. *Berk* —1A **122**
Paxton Rd. *St Alb* —3F **126**
Paycock Rd. *H'low* —8K **117**
Payne End. *S'don* —1N **25**
Paynes Clo. *Let* —2G **23**
Paynes Fld. Clo. *N'chu* —8H **103**
Paynesfield Rd. *Bus H* —9G **150**
Paynes La. *Naze* —7N **133**
Payne's Pk. *Hit* —3M **33**
Peace Clo. *N14* —7G **155**
Peace Clo. *Chesh* —2F **144**
Peace Dri. *Wat* —5J **149**

Peace Gro. *Welw* —9N **71**
Peace Prospect. *Wat* —5J **149**
Peach Ct. *Lut* —2H **67**
Peacocks. *H'low* —8J **117**
Peacocks Clo. *Berk* —8K **103**
Peacock Wlk. *Ab L* —4J **137**
Peakes La. *Chesh* —9D **132**
Peakes Pl. St Alb —2G **126**
　(off Granville Rd.)
Peakes Way. *Chesh* —9D **132**
Pea La. *N'chu* —9G **103**
　(in two parts)
Pearces Wlk. St Alb —3E **126**
　(off Albert St.)
Peareswood Gdns. *Stan* —8L **163**
Pearl Ct. *Bald* —3M **23**
Pearman Dri. *D End* —1C **74**
Pearsall Ct. *Let* —6H **23**
Pearson Av. *Hert* —2A **114**
Pearson Clo. *Hert* —2A **114**
Peartree. —1L 111
Peartree Clo. *Hem H* —1K **123**
Pear Tree Clo. *L Ston* —1J **21**
Peartree Clo. *Wel G* —9L **91**
Peartree Ct. *Wat* —9M **137**
Peartree Ct. *Wel G* —1L **111**
Pear Tree Dell. *Let* —8H **23**
Peartree La. *Wel G* —1L **111**
　(Holwell Rd.)
Peartree La. *Wel G* —9M **91**
　(Ludwick Way)
Pear Tree Mead. *H'low* —9C **118**
Peartree Rd. *Enf* —5C **156**
Peartree Rd. *Hem H* —1K **123**
Peartree Rd. *Lut* —5L **47**
Pear Tree Wlk. *Chesh* —8B **132**
Peartree Way. *Stev* —6N **51**
Peascroft Rd. *Hem H* —5C **124**
Peasecroft. *Cot* —3A **38**
Peasmead. *Bunt* —4J **39**
Pebblemoor. *Edl* —5J **63**
Pebbles, The. *Radw* —8J **11**
Peck Ct. *Bar C* —7D **18**
Pedlars La. *Ther* —5C **14**
Pedley Hill. *Hem H* —8E **84**
Peel Cres. *Hert* —6N **93**
Peel La. *NW9* —9G **164**
Peel Pl. *Lut* —1F **66**
Peel St. *H Reg* —4E **44**
Peel St. *Lut* —1F **66**
Peerglow Cen. *Ware* —7J **95**
Peerglow Est. *Enf* —7G **156**
Peerglow Ind. Est. *Wat* —1D **160**
Pegasus Ct. *Ab L* —5H **137**
Pegasus Dri. *Big* —2A **4**
Peggs La. *B'lnd* —1E **100**
Pegmire La. *A'ham* —3D **150**
Pegrams Rd. *H'low* —9M **117**
Pegsdon. —1M 31
Pegsdon Clo. *Lut* —2D **46**
Pegsdon Way. *Hit* —1M **31**
Pegs La. *Hert* —1B **114**
Pegs La. *Wid* —2G **97**
Peitley Cotts. *Flam* —6C **86**
Peitley Hill. *Flam* —5C **86**
Peldon Rd. *H'low* —6K **117**
　(Fourth Av.)
Peldon Rd. *H'low* —8K **117**
　(Katherine's Way)
Pelham Ct. *Hem H* —2E **124**
Pelham Ct. *Wel G* —1B **112**
Pelham Gro. *Stoc P* —3A **42**
Pelham Rd. *Brau* —2C **56**
Pelhams, The. *Wat* —8M **137**
Pelican Way. *Let* —2F **22**
Pemberton Clo. *St Alb* —5E **126**
Pembridge Chase. *Bov* —1C **134**
Pembridge Clo. *Bov* —1C **134**
Pembridge La. *Brox* —3B **132**
Pembridge Rd. *Bov* —1D **134**
Pembroke Av. *Enf* —2F **156**
Pembroke Av. *Harr* —9H **163**
Pembroke Av. *Lut* —6A **46**
Pembroke Clo. *Brox* —5J **133**
Pembroke Dri. *G Oak* —2N **143**
Pembroke Ho. Borwd —6A **152**
　(off Station Rd.)
Pembroke Lodge. *Stan* —6K **163**
Pembroke Pl. *Edgw* —7A **164**
Pembroke Rd. *Bald* —3M **23**
Pembroke Rd. *N'wd* —3E **160**
Pemsel Ct. *Hem H* —4A **124**
Penda Clo. *Lut* —3B **46**
Pendall Clo. *Barn* —6D **154**
Pendennis Ct. *Hpdn* —8E **88**

Pendley Beeches. *Tring* —3C **102**
Penfold Clo. *Bald* —4N **23**
Penfold Rd. *N9* —9H **157**
Penfold Trad. Est. *Wat* —3L **149**
Pengelly Clo. *Chesh* —3F **144**
Penhill. *Lut* —3A **46**
Penhill Ct. *Lut* —3A **46**
Penlow Rd. *H'low* —9N **117**
Penman Clo. *St Alb* —9B **126**
Penman's Grn. *K Lan* —6J **135**
Penn Clo. *Chor* —8G **146**
Penn Ct. *NW9* —9D **164**
Penne Clo. *Rad* —7G **139**
Penn Gaskell La. *Chal P* —5C **158**
Penn Ho. *Ger X* —5B **158**
Pennine Av. *Lut* —1M **45**
Pennine Way. *Hem H* —8B **106**
Pennington Dri. *N21* —7K **155**
Pennington La. *Stans* —1M **59**
Pennington Rd. *Chal P* —7A **158**
Penningtons. *Bis S* —3E **78**
Penn Pl. *Rick* —9N **147**
Penn Rd. *Chal P* —8A **158**
Penn Rd. *Mil E* —1J **159**
Penn Rd. *Park* —9D **126**
Penn Rd. *Stev* —4L **51**
Penn Rd. *Wat* —3K **149**
Penn Way. *Chor* —8G **146**
Penn Way. *Let* —8H **23**
Penny Ct. Wat —4K **149**
　(off Westland Rd.)
Penny Cft. *Hpdn* —2B **108**
Pennyfarther Clo. *D'wth* —6D **72**
Pennyfather La. *Enf* —5A **156**
Pennyfathers La. *Welw* —3N **91**
Pennymead. *H'low* —5C **118**
Penrith Av. *Dunst* —1E **64**
Penrose Av. *Wat* —2N **161**
Penrose Ct. *Hem H* —7A **106**
Penscroft Gdns. *Borwd* —6D **152**
Penshurst. *H'low* —3D **118**
Penshurst Clo. *Chal P* —9A **158**
Penshurst Clo. *Hpdn* —3M **87**
Penshurst Gdns. *Edgw* —5N **164**
Penshurst Rd. *Pot B* —4C **142**
Pensilver Clo. *Barn* —6D **154**
Penstemon Clo. *N3* —6N **165**
Pentagon Pk. *Hem I* —9E **106**
Pentavia Retail Pk. *NW7* —7F **164**
Pentland. *Hem H* —8B **106**
Pentland Av. *Edgw* —2B **164**
Pentland Rd. *Bush* —8D **150**
Pentley Clo. *Wel G* —6K **91**
Pentley Pk. *Wel G* —6K **91**
Penton Dri. *Chesh* —2H **145**
Pentrich Av. *Enf* —2E **156**
Penylan Pl. *Edgw* —7A **164**
Penzance Clo. *Hare* —8N **159**
Peplins Clo. *Brk P* —8L **129**
Peplins Way. *Brk P* —7L **129**
Peppard Clo. *Redb* —9J **87**
Pepper All. *Bald* —3M **23**
Pepper Clo. *Bass* —1N **7**
Pepper Ct. *Bald* —3L **23**
Peppercorn Wlk. *Hit* —3B **34**
Pepperstock. —7E 66
Peppett's Grn. *Che* —5B **120**
Peppiates, The. *Dunst* —3G **62**
Pepsal End. *Stev* —9A **52**
Pepsal End Rd. *Pep* —1E **86**
Pepys Cres. *Barn* —7J **153**
Pepys Way. *Bald* —3L **23**
Percheron Dri. *Lut* —6K **45**
Percheron Rd. *Borwd* —8D **152**
Perch Mdw. *Hal* —6A **100**
Percival Ct. Bis S —1J **79**
　(off London Rd.)
Percival Ct. *Chesh* —3J **145**
Percival Rd. *Enf* —6D **156**
Percival Way. *Lut* —1L **67**
Percy Gdns. *Enf* —7H **157**
Percy Rd. *N21* —9A **156**
Percy Rd. *Wat* —6M **149**
Peregrine Clo. *Bis S* —2F **78**
Peregrine Clo. *Wat* —7N **137**
Peregrine Ho. *Ware* —4G **94**
Peregrine Rd. *Lut* —5K **45**
Perham Way. *Lon C* —8L **127**
Perivale Gdns. *Wat* —4M **137**
Periwinkle Clo. *B'wy* —7N **15**
Periwinkle La. *Dunst* —1F **64**
Periwinkle La. *Hit* —1N **33**

Periwinkle Ter. Dunst —1F **64**
　(off Periwinkle La.)
Permain Clo. *Shenl* —6M **139**
Perowne Way. *Puck* —6B **56**
Perram Clo. *Brox* —8J **133**
Perriors Clo. *Chesh* —9E **132**
Perry Dri. *R'ton* —6E **8**
Perry Green. —8L 77
Perry Grn. *Hem H* —6C **106**
Perry Mead. *Bush* —8D **150**
Perry Mead. *Eat B* —3J **63**
Perry Mead. *Enf* —4N **155**
Perrymead. *Lut* —7A **48**
Perry Rd. *H'low* —9M **117**
Perrysfield Rd. *Chesh* —8J **133**
Perry Spring. *H'low* —8E **118**
Perry St. *Wend* —9A **100**
Perrywood. *Wel G* —8K **91**
Pescot Hill. *Hem H* —9L **105**
Petard Clo. *Lut* —7K **45**
Peterborough Ho. *Borwd* —4A **152**
　(off Stratfield Rd.)
Peterhill Clo. *Chal P* —5B **158**
Peterlee Ct. *Hem H* —7B **106**
Peters Av. *Lon C* —8K **127**
Peters Clo. *Stan* —6L **163**
Petersfield. *St Alb* —7F **108**
Petersfield Gdns. *Lut* —9A **30**
Peters Green. —5D 68
Peter's Pl. *N'chu* —8J **103**
Peters Way. *Kneb* —2M **71**
Peters Wood Hill. *Ware* —7H **95**
Petropolis Ho. *Dunst* —9E **44**
Pettys Clo. *Chesh* —1H **145**
Petunia Ct. *Lut* —8E **46**
Petworth Clo. *Stev* —1B **72**
Pevensey Av. *Enf* —4C **156**
Pevensey Clo. *Lut* —5M **47**
Pewterers Av. *Bis S* —4E **78**
Pheasant Clo. *Berk* —2N **121**
Pheasant Clo. *Tring* —9N **81**
Pheasant Hill. *Chal G* —2A **158**
Pheasants Way. *Rick* —9L **147**
Pheasant Wlk. *Chal P* —4A **158**
Phillimore Ct. *Rad* —9F **138**
Phillimore Pl. *Rad* —9F **138**
Phillipers. *Wat* —9M **137**
Phillips Av. *R'ton* —5C **8**
Phillips Ct. *Edgw* —6A **164**
Phipps Hatch La. *Enf* —2A **156**
Phoebe Rd. *Hem H* —8B **106**
Phoenix Clo. *N'wd* —4H **161**
Phygtle, The. *Chal P* —6B **158**
Phyllis Courtnage Ho.
　　　　　　Hem H —9N **105**
Piccotts End. *Hem I* —7M **105**
Piccotts End. *Hem H* —7M **105**
Piccotts End La. *Hem H* —8M **105**
　(in two parts)
Piccotts End Rd. *Hem H* —7L **105**
Pickets Clo. *Bus H* —1E **162**
Pickett Cft. *Stan* —8L **163**
Picketts. *Wel G* —6L **91**
Pickford Hill. *Hpdn* —4D **88**
Pickford Rd. *Mark* —6M **85**
Pickford Rd. *St Alb* —2J **127**
Picknage Rd. *Bar* —2D **16**
Pie Corner. *Flam* —5D **86**
Pie Garden. *Flam* —6E **86**
Pierian Spring. *Hem H* —9L **105**
Pigeonwick. *Hpdn* —4C **88**
Piggottshill La. *Hpdn* —8D **88**
Piggotts La. *Lut* —5N **45**
Piggotts Way. *Bis S* —2G **78**
Piggy La. *Chor* —8E **146**
Pightle Clo. *R'ton* —6D **8**
Pightle, The. *Pit* —4B **30**
Pig La. *Bis S* —4J **79**
Pike End. *Stev* —3K **51**
Pike Rd. *NW9* —4D **164**
Pikes Clo. Lut —1G **66**
　(off Chapel St.)
Pikes Cotts. *Barn* —6J **153**
Pilgrim Clo. *Park* —9D **126**
Pilgrims Clo. *W'mll* —7K **39**
Pilgrims Ri. *Barn* —7D **154**
Pilgrims Row. *W'mll* —7K **39**
Pilgrims Way. *Stev* —9N **35**
Pilkingtons. *H'low* —6F **118**
Piltdown Rd. *Wat* —4M **161**
Pinceybrook Rd. *H'low* —9M **117**
Pinchfield. *Map C* —5G **159**
Pinchpools Rd. *Man* —7J **43**

Pindar Rd. *Hod* —7N **115**
Pine Clo. *N14* —9H **155**
Pine Clo. *Berk* —1M **121**
Pine Clo. *Chesh* —1H **145**
Pine Clo. *Stan* —4J **163**
Pine Ct. *N21* —7L **155**
Pine Crest. *Welw* —8L **71**
Pinecroft. *Hem H* —6B **124**
Pinecroft Ct. *Hem H* —6B **124**
Pinecroft Cres. *Barn* —6L **153**
Pine Gro. *N20* —1M **165**
Pine Gro. *Bis S* —2K **79**
Pine Gro. *Brick W* —3A **138**
Pine Gro. *Brk P* —7A **130**
Pine Gro. *Bush* —4A **150**
Pine Hurst. —8F 94
Pinehurst Clo. *Ab L* —5G **137**
Pinelands. *Bis S* —3H **59**
Pine Ridge. *St Alb* —5H **127**
Pineridge Ct. *Barn* —6K **153**
Pine Rd. *Edl* —8K **63**
Pines Av. *Enf* —9G **144**
Pines Clo. *N'wd* —6G **161**
Pines Hill. *Stans* —4M **59**
Pines, The. *N14* —7H **155**
Pines, The. *Borwd* —4N **151**
Pines, The. *Hem H* —6J **123**
Pine Tree Clo. *Hem H* —1N **123**
Pinetree Gdns. *Hem H* —4A **124**
Pinetree Rd. *Wat* —9N **137**
Pineview Ct. *E4* —9N **157**
Pine Wlk. *N'chu* —7H **103**
Pinewood. *Wel G* —2L **111**
Pinewood Av. *Pinn* —6C **162**
Pinewood Clo. *Borwd* —3D **152**
Pinewood Clo. *H'low* —7E **118**
Pinewood Clo. *Lut* —1M **45**
Pinewood Clo. *N'wd* —5J **161**
Pinewood Clo. *Pinn* —6C **162**
Pinewood Clo. *St Alb* —2K **127**
Pinewood Clo. *Wat* —3J **149**
Pinewood Ct. *Enf* —5N **155**
Pinewood Dri. *Pot B* —4M **141**
Pinewood Gdns. *Hem H* —2L **123**
Pinewood Lodge. *Bush* —1E **162**
Pinewoods. *Stev* —8M **51**
Pinfold Rd. *Bush* —4A **150**
Pinford Dell. *Lut* —8M **47**
Pin Green. —9N 35
Pinnate Pl. *Wel G* —4L **111**
Pinnacles. —6J 117
Pinner Green. —9L **161**
Pinner Grn. *Pinn* —9L **161**
Pinner Hill. *Pinn* —7K **161**
Pinner Hill Farm. *Pinn* —8K **161**
Pinner Hill Golf Course. —7L 161
Pinner Hill Rd. *Pinn* —7K **161**
Pinner Pk. —8B 162
Pinner Pk. *Pinn* —9B **162**
Pinner Pk. Av. *Harr* —9C **162**
Pinner Pk. Gdns. *Harr* —9D **162**
Pinner Rd. *N'wd & Pinn* —8H **161**
Pinner Rd. *Wat* —8M **149**
Pinnerwood Park. —8L 161
Pinnocks Clo. *Bald* —4M **23**
Pinnocks La. *Bald* —4M **23**
Pinto Clo. *Borwd* —8D **152**
Pioneer Way. *Wat* —8H **149**
Pipers Av. *Hpdn* —8E **88**
Pipers Clo. *Redb* —9J **87**
Pipers Cft. *Dunst* —1C **64**
Piper's End. —5G 113
Pipers Grn. La. *Edgw* —3M **163**
　(in two parts)
Piper's Hill. *Gt Gad* —4F **104**
Pipers La. *Al G & Cad* —8A **66**
Pipers La. *Hpdn & Wheat* —8F **88**
Pippens. *Wel G* —6L **91**
Pippin Clo. *Shenl* —6M **139**
Pippins, The. *Wat* —7L **137**
Pirton. —7E 20
Pirton Rd. *Hit* —3L **33**
Pirton Clo. *St Alb* —6K **109**
Pirton Ct. *Hem H* —1B **124**
Pirton Rd. *Hit* —3H **33**
Pirton Rd. *Hol* —5H **21**
Pirton Rd. *Lut* —4M **45**
Pishiobury Dri. *Saw* —7E **98**
Pishiobury M. *Saw* —8F **98**
Pishiobury Pk. —7F 98

Pitch and Putt Course —Putteridge Pk.

Pitch and Putt Course. —8G 22
(Letchworth)
Pitch and Putt Course. —2M 51
(Stevenage)
Pitchway. H'low —5F 118
Pitfield Way. Enf —3G 156
Pitsfield. Wel G —6K 91
Pitstone. —3B 82
Pitstone Clo. St Alb —6K 109
Pitstone Green Farm Mus. —3B 82
Pitt Ct. Stev —8A 52
Pitt Dri. St Alb —5K 127
Pitteway Wlk. Hert —9N 93
Pittman's Fld. H'low —5B 118
Pix Farm La. Hem H —3E 122
Pixies Hill Cres. Hem H —4J 123
Pixies Hill Rd. Hem H —3J 123
Pixmore Av. Let —5H 23
Pixmore Cen. Let —5G 23
Pixmore Ind. Est. Let —5G 23
Pixmore Way. Let —6F 22
Pix Rd. Let —5G 23
Pix Rd. Stot —7E 10
Place Farm. Wheat —6L 89
Plaistow Way. Gt Chi —2H 17
Plaiters Clo. Tring —2M 101
Plaiters Way. Bid —4J 87
Plaitford Clo. Rick —2A 160
Plantaganet Pl. Wai A —6M 145
Plantagenet Rd. Barn —6B 154
Plantation Rd. Lut —2N 45
Plantation Wlk. Hem H —8K 105
Plash Dri. Stev —4L 51
Plashes Clo. Stdn —7A 56
Plashets. L Hall —6L 99
Platt Clo. Leag —5N 45
Platt Halls. NW9 —9F 164
Platts Rd. Enf —3G 157
Platz Ho. H Reg —4G 44
Plaw Hatch Clo. Bis S —9K 59
Playfield Rd. Edgw —9C 164
Playford Sq. Lut —4N 45
Playhouse Sq. H'low —6M 117
Plaza Bus. Cen. Enf —4J 157
Pleasance, The. Hpdn —3M 87
Pleasant Pl. Rick —7H 159
Pleasant Ri. Hat —6J 111
Pleasant Rd. Bis S —5G 59
Pleasaunce, The. Ast C —1D 100
Plewes Clo. Kens —8H 65
Plough Clo. Lut —5H 45
Plough Clo. Stpl M —5C 6
Plough Cotts. Hem H —7J 85
Plough Clo. Lut —5H 45
(off Plough Clo.)
Plough Hill. Cuff —1K 143
Plough La. Hare —6M 159
Plough La. K Wal —4H 49
Plough La. Pott E —7E 104
Plough La. Sarr —6J 135
Ploughmans Clo. Bis S —3E 78
Ploughmans End. Wel G —1B 112
Plover Clo. Berk —2N 121
Ployters Rd. H'low —9M 117
Plummers La. Lut & Hpdn —6D 68
Plumpton Clo. Lut —6M 47
Plumpton Rd. Hod —6N 115
Plum Tree Rd. L Ston —1J 21
Pluto Ri. Hem H —9A 106
Plymouth Clo. Lut —8K 47
Pocketsdell La. Bov —1A 134
Pocklington Clo. NW9 —9E 164
Poets Chase. Hem H —9L 105
Poets Ct. Hpdn —6C 88
Poets Ga. Chesh —1C 144
Poets Grn. Lut —7K 45
Polayn Gth. Wel G —8J 91
Polegate. Lut —7M 47
Polehanger La. Hem H —9H 105
Pole Hill Rd. E4 —9N 157
Pole La. H Lav —8N 119
Poles Hill. Sarr —6H 135
Poles La. Thun —2F 94
(in three parts)
Police Row. Ther —5D 14
Police Sta. La. Bush —9C 150
Polish Av. Hal —6D 109
Pollard Gdns. Stev —1M 51
Pollard Hatch. H'low —9L 117
Pollards. Map C —5G 158
Pollards Clo. G Oak —2A 144
Pollards Way. Pir —7D 20
Pollardswood Grange.
Chal G —6A 146
Pollicott Clo. St Alb —6K 109

Pollywick Rd. Wig —5B 102
Polzeath Clo. Lut —9L 47
Pomeroy Cres. Wat —9K 137
Pomeroy Gro. Lut —4G 46
Pomfret Av. Lut —9H 47
Pond Clo. Hare —9M 159
Pond Clo. Lut —4L 45
Pond Clo. Stev —2J 51
Pond Clo. Tring —2M 101
Pond Ct. Cod —7F 70
Pond Cft. Hat —9F 110
Pond Cft. Wel G —1L 111
Pondcroft Rd. Kneb —3N 71
Ponders End. —7G 157
Ponders End Ind. Est. Enf —7J 157
Pond Fld. Wel G —6N 91
Pondfield Cres. St Alb —7J 109
Pond La. Bald —3L 23
Pond La. L Gad —8B 84
Pond Park. —9F 120
Pond Rd. Hem H —7C 124
Pondside. G'ley —6J 35
Pondsmeade. Redb —1K 107
Pondwick Rd. Hpdn —5N 87
Pondwicks Clo. St Alb —3D 126
Pondwicks Path. Lut —1H 67
(off Power Ct., in two parts)
Pondwicks Rd. Lut —1H 67
Pooleys La. N Mym —5H 129
Popes Clo. Lut —8F 46
(off Old Bedford Rd.)
Popes Dri. N3 —8N 165
Popes La. Wat —1K 149
Pope's Rd. Ab L —4G 136
Popes Row. Ware —4H 95
Popis Gdns. Ware —5J 95
Poplar Av. Hem H —9D 110
Poplar Av. Lut —1E 46
Poplar Cvn. Site. Tot —1L 63
Poplar Clo. Che —9G 120
Poplar Clo. H Cro —6K 75
Poplar Clo. Hit —4A 34
Poplar Clo. Pinn —8M 161
Poplar Clo. R'ton —6E 8
Poplar Dri. Enf —6E 8
Poplar Farm Clo. Bass —1L 7
Poplar Rd. Kens —8H 65
Poplars. —6C 52
Poplars. Wel G —8A 92
Poplars Clo. Hat —9D 110
Poplars Clo. Lut —6K 47
Poplars Clo. Wat —5K 137
Poplars, The. N14 —7G 155
Poplars, The. Arl —4A 10
Poplars, The. Borwd —3A 152
Poplars, The. Chesh —8C 132
Poplars, The. Gt Hal —4N 79
Poplars, The. Hem H —3L 123
Poplars, The. Ickl —5N 21
Poplars, The. Sarr —6J 135
Poplars, The. Wend —9B 100
Poplar Vw. Ware —3C 94
Popple Way. Stev —3L 51
Poppy Clo. Hem H —1H 123
Poppyfields Dri. Wel G —9B 92
Poppy Mead. Stev —5N 51
Poppy Wlk. Wal X —1B 144
Porlock Dri. Lut —8L 47
Porlock Rd. Enf —9D 156
Portal Rd. Hal C —8C 100
Portcullis Lodge Rd. Enf —5B 156
Porters Clo. Bunt —2J 39
Porter's End. —9H 69
Porters Hill. Hpdn —3D 88
Porters Pk. Dri. Shenl —6L 139
Porters Pk. Golf Course. —7K 139
Porters Wood. St Alb —7G 108
Port Hill. Hert —9A 94
(in two parts)
Portland Clo. H Reg —6E 44
Portland Ct. Lut —8C 46
Portland Cres. Stan —9L 163
Portland Dri. Chesh —4E 144
Portland Dri. Enf —2C 156
Portland Heights. N'wd —4H 161
Portland Pl. Bis S —1H 79
Portland Pl. Hert —2G 114
Portland Ride. H Reg —7D 44
Portland Rd. Bis S —1H 79
Portland Rd. Lut —8C 46
Portland St. St Alb —2D 126
Port La. L Wal —6K 79
Portman Clo. Hit —9L 21
Portman Clo. St Alb —6K 109

Portman Gdns. NW9 —9D 164
Portman Ho. St Alb —8E 108
Portmill La. N3 —3N 33
Portobello Clo. Bar C —9D 18
Portsdown. Edgw —5A 164
Port Va. Hert —8N 93
Porz Av. H Reg —6F 44
Postern Grn. Enf —4M 155
Post Fld. Wel G —6N 91
Post Office Rd. H'low —5N 117
Post Office Row. W'ton —1A 36
Post Office Wlk. H'low —5N 117
(off Post Office Rd.)
Post Office Wlk. Hert —9B 94
(off Fore St.)
Postwood Grn. Hert H —3G 114
Post Wood Rd. Ware —8J 95
Potash La. Tring —3E 80
Potten End. —8E 104
Potten End Hill. Wat E —6H 105
Potterells. N Mym —7K 129
Potteries, The. Barn —7N 153
Potters Bar. —4N 141
Potters Bar Golf Course. —3M 141
Potters Crouch. —6M 125
Potterscrouch La. St Alb —6M 125
Potters End. Pinn —6K 161
Potters Fld. Enf —6C 156
(off Lincoln Rd.)
Potters Fld. H'low —8F 118
Potters Fld. St Alb —7F 108
Potter's Green. —2G 74
Pottersheath. —7K 71
Pottersheath Rd. Welw —6K 71
Potters Heights Clo. Pinn —7K 161
Potters La. Barn —6N 153
(in two parts)
Potters La. Borwd —3C 152
Potters La. Stev —5H 51
Potters M. Els —8L 151
Potter's Rd. Barn —6A 154
Potter Street. —8E 118
Potter St. Bis S —1H 79
Potter St. H'low —7E 118
Potter St. N'wd —8J 161
Potter St. Pinn —8M 161
Potter St. Hill. Pinn —6K 161
Pottery Clo. Lut —2B 46
Pouchen End. —3G 122
Pouchen End La. Hem H —9G 104
Poulteney Rd. Stans —1N 59
Poultney Clo. Shenl —5N 139
Pound Av. Stev —3K 51
Pound Clo. Sandr —4K 109
Pound Ct. Stev —3K 51
Poundfield. Wat —8H 137
Pound Grn. Enf —9K 145
Powis Ct. Bus H —1E 92
(off Rutherford Way)
Powis Ct. Pot B —7B 142
Powys Ct. Borwd —5D 152
Poynders Hill. Hem H —3E 124
Poynders Mdw. Cod —7F 70
Poynings Clo. Hpdn —7G 89
Poynings Way. N12 —5N 165
Poynter Rd. Enf —7D 156
Poynters Rd. Dunn —4H 45
Prae Clo. St Alb —1C 126
Praetorian Ct. St Alb —5D 126
Prebendal Ct. S End —6D 66
Precinct, The. Brox —2K 133
Premier Ct. Enf —2H 157
Prentice Pl. H'low —8E 118
Prentice Way. Lut —1M 67
Prescelly Pl. Edgw —8N 163
Prescott Rd. Chesh —9J 133
Presdales. —7H 95
Presdales Ct. Ware —7J 95
(off Presdales Dri.)
Presdales Dri. Ware —7H 95
Presentation Ct. Lut —2H 67
President Way. Lut —9M 47
Preslent Clo. Shil —2A 20
Prestatyn Clo. Stev —2H 51
Preston. —3L 49
Preston Ct. New Bar —6B 154
Preston Gdns. Enf —1J 157

Preston Gdns. Lut —7H 47
Preston Pk. Football Ground.
—9N 159
Preston Path. Lut —7H 47
Preston Rd. Gos —3M 49
Prestwick Clo. Lut —4G 47
Prestwick Dri. Bis S —8K 59
Prestwood. Wat —2N 59
Pretoria Rd. Wat —6J 149
Price Clo. NW7 —6L 165
Pricklers Hill. Barn —8A 154
Priestleys. Lut —1C 66
Primary Way. Arl —8A 10
Primett Rd. Stev —2J 51
Primley La. Srng —6L 99
Primrose Av. Enf —3B 156
Primrose Clo. Arl —8A 10
Primrose Clo. Bis S —2E 78
Primrose Clo. Hat —1H 129
Primrose Clo. Hem H —3H 123
Primrose Ct. Dunst —9D 44
Primrose Ct. Stev —2K 51
Primrose Dri. Hert —9F 94
Primrose Fld. H'low —8B 118
Primrose Gdns. Bush —9C 150
Primrose Gdns. Rad —8H 139
Primrose Hill. K Lan —1D 136
Primrose Hill Rd. Stev —2K 51
Primrose La. Arl —8A 10
Primrose Path. Chesh —4E 144
Primrose Vw. R'ton —8F 8
Prince Andrew's Clo. R'ton —8D 8
Prince Edward St. Berk —1N 121
Prince Eugene Pl. St Alb —5D 126
Prince George Av. N14 —7H 155
Prince of Wales Footpath. Enf
—2H 157
Prince Pk. Hem H —3K 123
Prince Pl. Lut —8F 46
Princes Av. N3 —8N 165
Princes Av. Enf —9J 145
Prince's Av. Wat —7H 149
Prince's Clo. Berk —8L 103
Princes Clo. Edgw —5A 164
Princes Ct. Bis S —1E 78
Princes Ct. Hem H —5L 123
Princes Ga. Bis S —1E 78
Princes Ga. H'low —3A 118
Princes M. R'ton —7D 8
Princes Pde. Pot B —5A 142
Princes' Riding. Berk —9K 83
Princessa Ct. Enf —7B 156
Princess Ct. Dunst —8F 44
Princess Diana Dri. St Alb
—3L 127
Princess of Wales Ho. Ger X
—5C 158
Princess St. Lut —1F 66
Princes St. Dunst —9D 44
Prince's St. Stot —5F 10
Princes St. Ware —5H 95
Prince St. Wat —5L 149
Prince Way. Lut —9M 47
Printers Way. Dunst —7E 44
Printers Way. H'low —1C 118
Priors. Bis S —1J 79
(off Grange Rd.)
Priors Clo. Hert H —3F 114
Priors Ct. Saw —5J 99
Priors Hill. Pir —7D 20
Priors Mead. Enf —3C 156
Priorswood Rd. Hert H —3G 114
Priory Av. H'low —1E 118
Priory Clo. N3 —8M 165
Priory Clo. N14 —7G 155
Priory Clo. N20 —9M 153
Priory Clo. Brox —6J 133
Priory Clo. Hod —9L 115
Priory Clo. R'ton —7E 8
Priory Clo. Stan —3G 163
Priory Ct. Berk —1N 121
Priory Ct. Bis S —1H 79
Priory Ct. Bush —1D 162
Priory Ct. H'low —9D 118
Priory Ct. Hert —9B 94
(off Priory St.)
Priory Ct. Hit —5N 33
Priory Ct. St Alb —3F 126
Priory Dell. Stev —4L 51
Priory Dri. Stan —3G 162
Priory Dri. Stans —4N 59
Priory End. Hit —4N 33
Priory Field Dri. Edgw —4B 164
Priory Gdns. Berk —1N 121

Priory Gdns. Dunst —9F 44
Priory Gdns. Lut —5F 46
Priory Ga. Chesh —9K 133
Priory Gro. Barn —7N 153
Priory La. L Wym —6F 34
Priory La. R'ton —7D 8
Priory Orchard. Flam —5D 86
Priory Pk. —5M 33
Priory Pk. Chal P —9A 158
Priory Rd. Dunst —9F 44
Priory St. Hert —9B 94
Priory St. Ware —6G 94
Priory, The. Redb —1K 107
(off High St.)
Priory Vw. Bus H —9F 150
Priory Vw. L Wym —6E 34
Priory Wlk. St Alb —5F 126
Priory Way. Chal P —9A 158
Priory Way. Hit —6M 33
Priory Wharf. Hert —9B 94
(off Priory St.)
Pritchett Clo. Enf —1L 157
Private Rd. Enf —7B 156
Probyn Ho. Kim —7K 69
Proctors Way. Bis S —4J 79
Proctor Way. Lut —1L 67
Progress Cen., The. Enf —5H 157
Progression Cen., The.
Hem I —8C 106
Progress Way. Enf —7E 156
Progress Way. Lut —3L 45
Promenade, The. Edgw —5A 164
Prospect La. Hpdn —2A 108
Prospect Pl. Welw —2J 91
Prospect Rd. Barn —6N 153
Prospect Rd. Chesh —2G 145
Prospect Rd. St Alb —4E 126
Prospect Way. Lut A —1L 67
Protea Ind. Est. Let —5H 23
Protea Way. Let —5H 23
Providence Gro. Stev —1L 51
Providence Pl. Bald —4M 23
Providence Way. Bald —4M 23
Provost Way. Lut —9L 47
Prowse Av. Bus H —1D 162
Pryor Clo. Ab L —5H 137
Pryor Rd. Bald —4M 23
Pryors Clo. Bis S —2J 79
Pryors Ct. Bald —2M 23
Pryor Way. Let —7K 23
Puckeridge. —6A 56
Puddephat's La. St Alb —7M 85
Pudding La. Bar —3D 16
Pudding La. Hem H —9K 105
Pudding La. St Alb —2E 126
(off Chequer St.)
Puddingstone Dri. St Alb —4K 127
Pudds Cross. —2B 134
Pudgell, The. Gt Chi —2H 17
Pulham Av. Brox —2H 133
Puller Rd. Barn —4L 153
Puller Rd. Hem H —3K 123
Pulleys Clo. Hem H —1J 123
Pulleys La. Hem H —9H 105
(in three parts)
Pullman Clo. St Alb —4F 126
Pullman Dri. Hit —3B 34
Pulloxhill. —2A 18
Pulloxhill Bus. Pk. Pull —1A 18
Pulter's Way. Hit —4A 34
Pump Hill. Bre P —9K 29
Punch Bowl La. Hem H &
St Alb —8F 106
Punchbowl Pk. Hem H —8F 106
Purbrock Av. Wat —9L 137
Purcell Clo. Borwd —3L 151
Purcell Clo. Tew —1D 92
Purcell Ct. Stev —1J 51
Purcell Rd. Lut —5J 45
Purcells Av. Edgw —5A 164
Purford Grn. H'low —7C 118
Purkiss Rd. Hert —3A 114
Purley Cen. Lut —2A 46
Purlings Rd. Bush —7C 150
Pursley Rd. NW7 —7H 165
Purway Clo. Lut —9A 46
Purwell. —2C 34
Purwell La. Hit —2C 34
Putnams Dri. Ast C —1C 100
Putney Rd. Enf —9H 145
Puttenham. —5E 80
Puttenham Clo. Wat —2L 161
Putteridge Pde. Lut —5K 47
Putteridge Pk. —3N 47

Putteridge Recreation Cen.
　　　　—4L 47
Putteridge Rd. *Lut* —5K 47
Putterills, The. *Hpdn* —5B 88
Putters Cft. *Hem H* —6B 106
Puttocks Clo. *N Mym* —5J 129
Puttocks Dri. *N Mym* —5J 129
Pyecombe Corner. *N12* —4M 165
Pye Corner. *Gil* —1N 117
Pyenest Rd. *H'low* —9L 117
Pyghtle Ct. *Lut* —1C 66
Pyghtle, The. *Bunt* —2H 39
Pyghtle, The. *Lut* —1C 66
Pym Clo. *E Barn* —7C 154
Pymms Brook Dri. *Barn* —6D 154
Pyms Clo. *Let* —3H 23
Pynchbek. *Bis S* —5G 79
Pynchon Paddocks. *L Hall*
　　　　—9M 79
Pynders La. *Dunst* —7H 45
Pynnacles Clo. *Stan* —5J 163
Pypers Hatch. *H'low* —6B 118
Pytchley Clo. *Lut* —4G 47
Pytt Fld. *H'low* —7D 118

Quadrangle, The. *Stan* —7K 163
Quadrangle, The. *Wel G* —8J 91
Quadrant, The. *Edgw* —6A 164
Quadrant, The. *H Reg* —4F 44
Quadrant, The. *Let* —5F 22
Quadrant, The. *R'ton* —5C 8
Quadrant, The. *St Alb* —8J 109
Quadrant, The. *Stev* —5K 51
Quail Wlk. *R'ton* —5E 8
Quaker La. *Wal A* —7N 145
Quaker Rd. *Ware* —5J 95
Quakers Course. *NW9* —8F 164
Quakers La. *Pot B* —3A 142
Quakers Wlk. *N21* —8B 156
Quantock Clo. *Lut* —1D 46
Quantock Clo. *St Alb* —7K 109
Quantock Ct. *Lut* —1D 46
Quantock Ri. *Lut* —1D 46
Quantocks. *Hem H* —8B 106
Quarry Spring. *H'low* —6C 118
Quartermass Clo. *Hem H* —1K 123
Quartermass Rd. *Hem H* —1K 123
Quay S. Ct. *Hare* —8K 159
Quay W. Ct. *Hare* —7K 159
Queen Anne's Clo. *Stot* —7F 10
Queen Anne's Gdns. *Enf* —8C 156
Queen Anne's Gro. *Enf* —9B 156
Queen Anne's Pl. *Enf* —8C 156
Queen Elizabeth Ct. *High Bar*
　　　　—5M 153
Queen Elizabeth Ct. *Turn* —8K 133
Queen Elizabeth's Dri. *N14*
　　　　—9K 155
Queen Hoo La. *Tew* —1E 92
Queen Mary's Av. *Wat* —6G 148
Queen Marys Ct. *Wal A* —9N 145
Queen Mary Works. *Wat* —6G 148
Queens Av. *Stan* —9K 163
Queen's Av. *Wat* —6H 149
Queensbury. —9M 163
Queensbury Circ. Pde. *Harr*
　　　　—9M 163
Queensbury Sta. Pde. *Edgw*
　　　　—9N 163
Queens Clo. *Edgw* —5A 164
Queens Clo. *Lut* —2G 67
Queens Clo. *Saw* —5K 99
Queens Clo. *Stans* —1N 59
Queens Ct. *Brox* —6K 133
Queen's Ct. *Bunt* —5K 39
Queens Ct. *Dunst* —8F 44
　(LU5)
Queens Ct. *Dunst* —8E 44
　(LU6)
Queens Ct. *Hert* —1B 114
　(off Queen's Rd.)
Queen's Ct. *Lut* —8F 46
Queens Ct. *St Alb* —2J 127
Queen's Ct. *Wat* —5L 149
　(off Queen's Rd.)
Queens Ct. *W'stone* —9J 163
Queens Cres. *Bis S* —3G 79
Queens Cres. *St Alb* —8J 109
Queens Dri. *Ab L* —5H 137
Queen's Dri. *Wal X* —7L 145
Queens Dri., The. *Rick* —9J 147
Queensgate. *Wal X* —7K 145
Queensgate Cen. *H'low* —2A 118
Queens Head Wlk. *Brox* —5J 133

Queens Pl. *Wat* —5L 149
Queens Rd. *Barn* —5K 153
Queens Rd. *Berk* —9L 103
Queen's Rd. *Enf* —6C 156
Queen's Rd. *Hpdn* —8C 88
Queen's Rd. *Hert* —2B 114
　(in two parts)
Queens Rd. *R'ton* —6C 8
Queen's Rd. *Wal X* —6J 145
Queens Rd. *Ware* —5K 95
Queen's Rd. *Wat* —5L 149
　(in three parts)
Queen's Sq., The. *Hem H* —2B 124
Queen St. *Chfd* —5C 135
Queen St. *Hit* —4N 33
Queen St. *H Reg* —5E 44
Queen St. *Pit* —3B 82
Queen St. *St Alb* —2D 126
Queen St. *Stot* —6G 10
Queen St. *Tring* —3N 101
Queens Wlk. *E4* —9N 157
Queens Way. *Dunst* —8E 44
Queensway. *Enf* —6F 156
Queensway. *Hat* —8G 111
Queensway. *Hem H* —1M 123
Queensway. *R'ton* —6D 8
Queens Way. *Shenl* —5M 139
Queensway. *Stev* —4K 51
Queens Way. *Wal X* —7K 145
Queensway Bus. Cen. *Enf* —6F 156
Queensway Houses. Hat —8G 111
　(off Queensway)
Queensway Ind. Est. *Enf* —6G 156
Queens Way Pde. *Dunst* —8E 44
Queenswood Cres. *Wat* —6J 137
Queenswood Dri. *Hit* —1C 34
Queenswood Pk. *N3* —9L 165
Quendell Wlk. *Hem H* —2A 124
Quendon. —1N 43
Quickbeams. *Wel G* —6N 91
Quickley La. *Chor* —8E 146
Quickley Ri. *Chor* —8F 146
Quickmoor La. *K Lan* —6L 135
Quickswood. *Lut* —2C 46
Quickwood Clo. *Rick* —8K 147
Quills. *Let* —7K 23
Quilter Clo. *Lut* —5B 46
Quinces Cft. *Hem H* —9K 105
Quincey Rd. *Ware* —4G 94
Quin Ct. *Brau* —2C 56
Quinta Dri. *Barn* —7H 153
Quinton Way. *Wal A* —8N 145

Raban Clo. *Stev* —8B 52
Raban Ct. *Bald* —2M 23
Rabley. —5D 140
Rableyheath. —6K 71
Rabley Heath Rd. *Welw* —8G 70
Rackman Dri. *Lut* —4E 46
Radburn Clo. *H'low* —9C 118
Radburn Corner. *Let* —6J 23
Radburn Ct. *Dunst* —8D 44
Radburn Way. *Let* —7H 23
Radcliffe Av. *Enf* —3A 156
Radcliffe Rd. *N21* —9N 155
Radcliffe Rd. *Harr* —9H 163
Radcliffe Rd. *Hit* —2A 34
Radlett. —8H 139
Radlett La. *Shenl* —7L 139
Radlett Pk. Rd. *Rad* —7H 139
Radlett Rd. *A'ham* —2C 150
Radlett Rd. *Frog* —2F 138
Radlett Rd. *Wat* —5L 149
Radnor Ct. *Har W* —8G 163
Radnor Gdns. *Enf* —3C 156
Radnor Hall Mobile Homes.
　　　　Borwd —7M 151
Radnor Rd. *Lut* —5J 45
Radstone Pl. *Lut* —8A 48
Radwell. —2J 11
Radwell La. *Radw* —8J 11
Raebarn Gdns. *Barn* —7H 153
Raeburn Rd. *Edgw* —8A 164
Raffin Clo. *D'wth* —5C 72
Raffin Grn. La. *D'wth* —5C 72
Raffin Pk. *D'wth* —5D 72
R.A.F. Mus. Hendon. —9G 164
Ragged Hall La. *St Alb* —6M 125
Raglan Av. *Wal X* —7H 145
Raglan Clo. *Lut* —6J 45
Raglan Gdns. *Wat* —1K 161
Raglan Ho. *Berk* —1L 121
Raglan Rd. *Enf* —9D 156

Rags La. *Chesh* —9C 132
Railway Cotts. Borwd —6A 152
　(off Station Rd.)
Railway Cotts. *Rad* —8J 139
Railway Cotts. *Tring* —1E 102
Railway Cotts. *Wat* —3K 149
Railway Pl. *Hert* —9C 94
Railway Rd. *Wal X* —6K 145
Railway St. *Hert* —9B 94
Railway Ter. *K Lan* —9C 124
Rainbow Clo. *Redb* —9H 87
Rainbow Ct. *Wat* —8L 149
Rainbow Rd. *Mat T* —3N 119
Rainer Clo. *Chesh* —2H 145
Rainsford Clo. *Stan* —4K 163
Rainsford Rd. *Stans* —1M 59
Raleigh Cres. *Stev* —1N 51
Raleigh Gro. *Lut* —8N 45
Raleigh Rd. *Enf* —6B 156
Raleigh Way. *N14* —9J 155
Rally, The. *Arl* —5A 10
　(in two parts)
Ralston Way. *Wat* —2M 161
Ramblers La. *H'low* —5F 118
Ramblers Way. *Wel G* —1A 112
Rambling Way. *Pot B* —8E 104
Ramerick Gdns. *Arl* —1N 21
Ram Gorse. *H'low* —4L 117
Ramillies Rd. *NW7* —2E 164
Ramney Dri. *Enf* —9J 145
Ramparts, The. *St Alb* —3C 126
Ramsay Clo. *Brox* —3J 133
Ramsbury Rd. *St Alb* —3F 126
Ramscote La. *Bell* —5D 120
Ramscroft Clo. *N9* —9C 156
Ramsdell. *Stev* —4M 51
Ramsey Clo. *Brk P* —9C 130
Ramsey Clo. *Lut* —6J 45
Ramsey Clo. *St Alb* —4H 127
Ramsey Ct. *Lut* —6J 45
Ramsey Lodge Ct. *St Alb* —1F 126
Ramsey Rd. *Bar C* —8E 18
Ramsey Way. *N14* —9H 155
Ramson Ri. *Hem H* —3H 123
Randall Ct. *NW7* —7G 165
Randall Pk. —9N 105
Randalls Hill. *Stev* —6A 52
Randalls Ride. *Hem H* —9N 105
Randalls Wlk. *Brick W* —3A 138
Randolph Ct. H End —7B 162
　(off Avenue, The)
Randon Clo. *Harr* —9C 162
Rand's Clo. *Hol* —4J 21
Rand's Mdw. *Hol* —4J 21
Ranelagh Clo. *Edgw* —4A 164
Ranelagh Dri. *Edgw* —4A 164
Ranelagh Rd. *Hem H* —2D 124
Ranleigh Wlk. *Hpdn* —9E 88
Ranoch Clo. *Edgw* —2B 164
Rannoch Wlk. *Hem H* —7N 105
Ranock Clo. *Lut* —1N 45
Ranskill Ct. *Borwd* —3A 152
Ranskill Rd. *Borwd* —3A 152
Ransom Clo. *Hit* —6N 33
Ransom Clo. *Wat* —9J 149
Rant Mdw. *Hem H* —4C 124
Ranulf Clo. *H'low* —9E 98
Ranworth Av. *Hod* —4M 115
Ranworth Av. *Stev* —1B 72
Ranworth Clo. *Hem H* —4N 123
Ranworth Gdns. *Pot B* —4K 141
Raphael Clo. *Shenl* —5M 139
Raphael Dri. *Wat* —4M 149
Rapper Ct. *Lut* —9E 46
Rase Hill Clo. *Rick* —7M 147
Rathgar Clo. *N3* —9M 165
Rathlin. *Hem H* —5D 124
Ratty's La. *Hod* —8A 116
Ravenbank Rd. *Lut* —4L 47
Raven Clo. *NW9* —9E 164
Raven Clo. *Rick* —9M 147
Raven Ct. *Lut* —1G 129
Ravenfield Rd. *Wel G* —9M 91
Ravenhill Way. *Lut* —4K 45
Ravensburgh Castle. —2H 31
　(Fort)
Ravensburgh Clo. *Bar C* —8D 18
Ravens Clo. *Enf* —4C 156
Ravenscourt. *Dunst* —6C 44
Ravenscourt Pk. *Barn* —6K 153
Ravenscroft. Brox —2K 133
　(off Station Rd.)
Ravenscroft. *Hpdn* —9E 88
Ravenscroft. *Wat* —8N 137

Ravenscroft Cotts. *Barn* —6N 153
Ravenscroft Pk. *Barn* —5K 153
Ravensdell. *Hem H* —1J 123
Ravens La. *Berk* —1A 122
Ravensmead. *Chal P* —5C 158
Ravensthorpe. *Lut* —5K 47
Ravens Wharf. *Berk* —1A 122
Ravenswood Pk. *N'wd* —6J 161
Rawdon Dri. *Hod* —9L 115
Rawlins Clo. *N3* —9L 165
Raybarn Rd. *Hem H* —9K 105
Raydean Rd. *New Bar* —7A 154
Raydon Rd. *Chesh* —5H 145
Rayfield. *Wel G* —6K 91
Ray Gdns. *Stan* —5J 163
Rayleigh Houses. *Ab L* —5H 137
Raymer Clo. *St Alb* —1F 126
Raymond Clo. *Ab L* —5F 136
Raymond Ct. *Pot B* —7B 142
Raymonds Clo. *Wel G* —2L 111
Raymonds Plain. *Wel G* —2L 111
Raynham Clo. *Bis S* —1L 79
Raynham Rd. *Bis S* —9K 59
Raynham St. *Hert* —8C 94
Raynham Way. *Lut* —8M 47
Raynsford Rd. *Ware* —6J 95
Raynton Rd. *Enf* —1H 157
Ray's Hill. *Braz E* —3A 120
Ray's Hill. *Braz E* —3A 120
Readers Clo. *Dunst* —7D 44
Readings, The. *Chor* —5J 147
Readings, The. *H'low* —9B 118
Reading Way. *NW7* —5K 165
Reaper Clo. *Lut* —5H 45
Recreation Ground. *Stans* —3N 59
Recreation Rd. *H Reg* —3F 44
Rectory Clo. *N3* —8M 165
Rectory Clo. *Bkld* —3H 27
Rectory Clo. *Ess* —8E 112
Rectory Clo. *Hun* —7G 96
Rectory Clo. *Slap* —2B 62
Rectory Clo. *Stan* —6J 163
Rectory Clo. *Thor* —5F 78
Rectory Ct. *Wyd* —8L 27
Rectory Cft. *Stev* —9K 35
Rectory Dri. *Farnh* —3F 58
Rectory Farm Rd. *Enf* —2L 155
Rectory Fld. *H'low* —8L 117
Rectory Gdns. *Hat* —9H 111
Rectory La. *Berk* —1N 121
Rectory La. *D'wth* —5B 72
Rectory La. *Edgw* —6A 164
Rectory La. *Farnh* —3E 58
Rectory La. *K Lan* —1C 136
Rectory La. *Lil* —8M 31
Rectory La. *Rick* —1N 159
Rectory La. *Shenl* —6N 139
Rectory La. *Stan* —5J 163
Rectory La. *Stev* —9J 35
Rectory La. *Wat* —5J 73
Rectory Rd. *Rick* —1N 159
Rectory Rd. *Wel G* —6H 91
Rectory Wood. *H'low* —5M 117
Redan Rd. *Ware* —4J 95
Redbourn. —1K 107
Redbournbury La. *St Alb* —4M 107
Redbourne Av. *N3* —8N 165
Redbourn Golf Course. —6L 87
Redbourn Ind. Est. *Redb* —1K 107
Redbourn La. *Redb & Hpdn* —9L 87
Redbourn Rd. *Hem H* —7C 106
Redbourn Rd. *St Alb* —4M 107
Redbrick Row. *L Hall* —8K 79
Redburn Trad. Est. *Enf* —8H 157
Redcar Dri. *Stev* —3G 51
Redcoats. —8D 34
Redding Ho. *Wat* —8G 149
Redding La. *Redb* —6G 86
Reddings. *Hem H* —4C 124
Reddings. *Wel G* —7J 91
Reddings Av. *Bush* —7C 150
Reddings Clo. *NW7* —4F 164
Reddings Clo. *Wend* —8A 100
Reddings, The. *NW7* —3F 164
Reddings, The. *Borwd* —5N 151
Redditch Ct. *Hem H* —7B 106
Redfern Ct. *Wat* —7G 148
Redferns Clo. *Lut* —2C 66
Redferns Clo. *Lut* —2C 66
Redfield Clo. *Dunst* —9B 44
Redgrave Gdns. *Lut* —1B 46
Redhall Clo. *Hat* —3F 128
Redhall Dri. *Hat* —4F 128
Redhall La. *Chan X* —3A 148
Redhall La. *Col L* —4E 128
Redheath Clo. *Wat* —8H 137

Redhill. —5K 25
Redhill Dri. *Edgw* —9B 164
Redhill Rd. *Hit* —2K 33
Red Hills. *Hod* —1F 132
Redhoods Way E. *Let* —4E 22
Redhoods Way W. *Let* —5E 22
Red Ho. *Ware* —7J 95
Red Ho. Ct. *H Reg* —5H 44
Redlands Rd. *Enf* —3J 157
Red Lion Clo. *A'ham* —1D 150
Red Lion Cotts. *Offl* —8E 32
Red Lion Ct. *Bis S* —1J 79
Red Lion Cres. *H'low* —8E 118
Red Lion La. *H'low* —8E 118
Red Lion La. *Hem H* —8C 124
Red Lion La. *Sarr* —8K 135
Red Lion Yd. *W'side* —3C 96
Red Lion Yd. *Wat* —6L 149
Red Lodge Gdns. *Berk* —2L 121
Redmire Clo. *Lut* —3L 45
Redoubt Clo. *Hit* —1A 34
Red Rails. *Lut* —3E 66
Red Rails Ct. *Lut* —3E 66
Redricks La. *Saw* —9B 98
Red Rd. *Borwd* —5N 151
Redrose Trad. Cen. *Barn* —7C 154
Redvers Clo. *Bis S* —7J 59
Red White and Blue Rd. *Bis S*
　　　　—7K 59
Red Willow. *H'low* —9J 117
Redwing Clo. *Stev* —5B 52
Redwing Gro. *Ab L* —4J 137
Redwing Ri. *R'ton* —5E 8
Redwood Clo. *N14* —9J 155
Redwood Clo. *Wat* —4M 161
Redwood Dri. *Hem H* —4A 124
Redwood Dri. *Lut* —1M 45
Redwood Gdns. *E4* —8M 157
Redwood Ri. *Borwd* —1A 152
Redwoods. *Hert* —8A 94
Redwoods. *Welw* —8L 71
Redwoods. *Wel G* —4K 91
Redwood Way. *Barn* —7K 153
Reed. —7J 15
Reed Clo. *Lon C* —9L 127
Reed End. —6G 15
Reedham Clo. *Brick W* —2B 138
Reedings Way. *Saw* —3H 99
Reeds Cres. *Wat* —4L 149
Reeds Dale. *Lut* —7A 48
Reeds, The. *Wel G* —1K 111
Reeds Wlk. *Wat* —4L 149
　(in two parts)
Reenglass Rd. *Stan* —4L 163
Rees Dri. *Stan* —4M 163
Reeves Av. *Lut* —5D 46
Reeves La. *Roy* —9F 116
Reeves Pightle. *Gt Chi* —1J 17
Regal Clo. *Stdn* —7B 56
Regal Ct. *Hit* —2N 33
Regal Ct. *Tring* —3M 101
Regal Way. *Wat* —2L 149
Regency Clo. *Bis S* —1G 79
Regency Ct. *Brox* —5K 133
Regency Ct. *Dunst* —1F 64
Regency Ct. *Enf* —7B 156
Regency Ct. *H'low* —9C 118
Regency Cres. *NW4* —9K 165
Regency Heights. *Hem H* —2N 123
Regent Clo. *K Lan* —2C 136
Regent Clo. *St Alb* —7N 109
Regent Clo. *Wel G* —1L 111
Regent Ct. *Stot* —5F 10
Regent Ct. *Wel G* —9L 91
Regent Ga. *Wal X* —7H 145
Regents Clo. *Rad* —7H 139
Regents Clo. *Stan* —4M 163
Regents Pk. Rd. *N3* —9M 165
Regent St. *Dunst* —8E 44
Regent St. *Lut* —1F 66
Regent St. *Stot* —6F 10
Regent St. *Wat* —2K 149
Regina Clo. *Barn* —5K 153
Reginald M. H'low —5E 118
　(off Green St.)
Reginald Rd. *N'wd* —8H 161
Reginald St. *Lut* —8F 46
Regis Rd. *Lut* —5H 45
Rembrandt Rd. *Edgw* —9A 164
Rendlesham Av. *Rad* —1G 150
Rendlesham Clo. *Ware* —5F 94
Rendlesham Rd. *Enf* —3N 155
Rendlesham Way. *Chor* —8F 146
Rennison Clo. *Chesh* —9D 132
Renshaw Clo. *Lut* —7N 47

Repton Clo. *Lut* —3A **46**
Repton Grn. *St Alb* —7E **108**
Repton Way. *Crox G* —7C **148**
Reservoir Rd. *N14* —7H **155**
Reson Way. *Hem H* —3L **123**
Reston Clo. *Borwd* —2A **152**
Reston Path. *Borwd* —2A **152**
Reston Path. *Lut* —7N **47**
Retford Clo. *Borwd* —2A **152**
Retreat, The. *Amer* —3B **146**
Retreat, The. *Dunst* —8J **45**
Retreat, The. *K Lan* —4E **136**
Revels Clo. *Hert* —7B **94**
Revels Rd. *Hert* —7B **94**
Reynard Copse. *Bis S* —8H **59**
Reynards Rd. *Welw* —9H **71**
Reynard Way. *Hert* —9F **94**
Reynolds. *Let* —2F **22**
Reynolds Clo. *Hem H* —1K **123**
Reynolds Cres. *Sandr* —6J **109**
Reynolds Dri. *Edgw* —9N **163**
Reynolds Wlk. *Che* —9E **120**
Rhee Spring. *Bald* —2A **24**
Rhodes Av. *Bis S* —3H **79**
Rhodes Way. *Wat* —4M **149**
Rhubarb M. *H'low* —5F **118**
  (off Chase, The)
Rhymes, The. *Hem H* —9L **105**
Ribbledale. *Lon C* —9N **127**
Ribblesdale. *Hem H* —8A **106**
Rib Clo. *Stdn* —7B **56**
Ribocon Way. *Lut* —2L **45**
Ribston Clo. *Shenl* —6L **139**
Rib Va. *Hert* —6B **94**
Riccall Ct. *NW9* —8E **164**
  (off Pageant Av.)
Riccat La. *Stev* —7M **35**
Rice Clo. *Hem H* —1B **124**
Richards Clo. *Bush* —9E **150**
Richards Clo. *Lut* —2D **66**
Richards Ct. *Lut* —2D **66**
Richardson Clo. *Lon C* —9M **127**
  (in two parts)
Richardson Cres. *Chesh* —7N **131**
Richardson Pl. *Col H* —4B **128**
Richard Stagg Clo. *St Alb* —4K **127**
Richard St. *Dunst* —9F **44**
Richfield Rd. *Bush* —9D **150**
Richmond Clo. *Bis S* —1E **78**
Richmond Clo. *Borwd* —7D **152**
Richmond Clo. *Chesh* —2G **144**
Richmond Clo. *Ware* —4F **94**
Richmond Ct. *Brox* —2K **133**
Richmond Ct. *Lut* —8H **47**
Richmond Ct. *Pot B* —4B **142**
Richmond Cres. *N9* —9E **156**
Richmond Dri. *Wat* —4G **149**
Richmond Hill. *Lut* —7H **47**
Richmond Hill Path. *Lut* —7H **47**
Richmond Rd. *E4* —9N **157**
Richmond Rd. *New Bar* —7A **154**
Richmond Rd. *Pot B* —4B **142**
Richmond Wlk. *St Alb* —7L **109**
Richmond Way. *Crox G* —6E **148**
Rickfield Clo. *Hat* —2G **128**
Rickling Green. —2M **43**
Rickling Grn. Rd. *Saf W* —2N **43**
Rickmansworth. —1N **159**
Rickmansworth Golf
  Course. —2C **160**
Rickmansworth La. *Chal P*
  —7B **158**
Rickmansworth Rd. *Chor* —5H **147**
Rickmansworth Rd. *Hare* —8M **159**
Rickmansworth Rd. *N'wd* —5D **160**
Rickmansworth Rd. *Pinn* —9K **161**
Rickmansworth Rd. *Wat* —6G **148**
Rickyard Clo. *Lut* —6K **47**
Rickyard Mdw. *Redb* —1J **107**
Rickyard, The. *A'wl* —1C **12**
Rickyard, The. *Let* —2J **23**
Riddell Gdns. *Bald* —3M **23**
Riddings La. *H'low* —9B **118**
  (in two parts)
Riddy Hill Clo. *Hit* —4A **34**
Riddy La. *Hit* —4A **34**
Riddy La. *Lut* —4D **46**
Riddy, The. *Cod* —8F **70**
Ride, The. *Enf* —5G **157**
Ride, The. *Tot* —2M **63**
Ridge. —7E **140**
Ridge Av. *N21* —9A **156**
Ridge Av. *Let* —5G **23**

Ridge Clo. *NW4* —9K **165**
Ridge Ct. *Lut* —8J **47**
Ridge Crest. *Enf* —3L **155**
Ridgedown. *Redb* —1H **107**
Ridgefield. *Wat* —1G **149**
Ridge Hill. *Lon C & Shenl* —1A **140**
Ridgehurst Av. *Wat* —7H **137**
Ridge La. *Wat* —1H **149**
Ridge Lea. *Hem H* —2J **123**
Ridgemont End. *Ger X* —5B **158**
Ridgemont Gdns. *Edgw* —4C **164**
Ridgemount. *Enf* —4N **155**
Ridgemount Gdns. *Enf* —5N **155**
Ridge Rd. *N21* —9A **156**
Ridge Rd. *Let* —5G **22**
Ridge St. *Wat* —2K **149**
Ridge, The. *Barn* —7M **153**
Ridge, The. *Let* —5G **23**
Ridgeview. *Lon C* —1N **139**
Ridge Vw. *Tring* —1A **102**
Ridgeview Clo. *Barn* —8K **153**
Ridgeway. *Berk* —1K **121**
Ridgeway. *Hpdn* —3N **87**
Ridge Way. *Hinx* —8G **4**
Ridgeway. *Kens* —8H **65**
Ridgeway. *L Had* —8L **57**
Ridge Way. *Rick* —9J **147**
Ridgeway. *Stev* —4M **51**
Ridgeway. *Wel G* —9N **91**
Ridgeway Av. *Barn* —8E **154**
Ridgeway Av. *Dunst* —7G **45**
Ridgeway Clo. *Che* —9F **120**
Ridgeway Clo. *Hem H* —7B **124**
Ridgeway Ct. *Pinn* —7B **162**
Ridgeway Dri. *Dunst* —8H **45**
Ridgeway Rd. *Che* —9E **120**
Ridgeways. *H'low* —6G **119**
Ridgeway, The. *E4* —9N **157**
Ridgeway, The. *N3* —7N **165**
Ridgeway, The. *NW7* —3G **164**
Ridgeway, The. *Chal P* —9A **158**
Ridgeway, The. *Cod* —7F **70**
Ridgeway, The. *Cuff* —1D **142**
Ridgeway, The. *Hert* —8L **93**
Ridgeway, The. *Hit* —4L **33**
Ridgeway, The. *Pot B & Enf*
  —7C **142**
Ridgeway, The. *Rad* —5D **150**
Ridgeway, The. *St Alb* —8H **109**
Ridgeway, The. *Stan* —6K **163**
Ridgeway, The. *Ware* —4G **95**
Ridgeway, The. *Wat* —1G **148**
Ridgewood Dri. *Hpdn* —4N **87**
Ridgewood Gdns. *Hpdn* —3N **87**
Ridgmont Rd. *St Alb* —2F **126**
Ridgway Rd. *Lut* —8H **47**
Ridings Av. *N21* —6N **155**
Ridings, The. *Barn* —9C **154**
Ridings, The. *Bis S* —4F **78**
Ridings, The. *Hert* —1M **113**
Ridings, The. *Lat* —9A **134**
Ridings, The. *Lut* —8E **46**
Ridings, The. *Mark* —1A **86**
Ridings, The. *Stev* —6A **52**
Ridler Rd. *Enf* —2C **156**
Ridlins End. *Stev* —7B **52**
Rigby Pl. *Enf* —1L **157**
Rigery Rd. *Ware* —2K **75**
Riley Rd. *Enf* —2G **157**
Ringlewell Clo. *Enf* —4F **156**
Ringmere Ct. *Lut* —6L **47**
  (off Telscombe Way)
Ringmer Pl. *N21* —7B **156**
Ringshall. —5L **83**
Ringshall Dri. *Berk* —7M **83**
Ringshall Rd. *Dagn* —5L **83**
Ringshall Rd. *Dunst* —4M **83**
Ringtale Pl. *Bald* —2A **24**
Ringway Rd. *Park* —9C **126**
Ringwood Rd. *Lut* —2F **46**
Ringwood Way. *N21* —9N **155**
Ripley Rd. *Enf* —3A **156**
Ripley Rd. *Lut* —8M **45**
Ripley Way. *Chesh* —3F **144**
Ripley Way. *Hem H* —1H **123**
Ripon Rd. *N9* —9F **156**
Ripon Rd. *Stev* —8M **35**
Ripon Way. *Borwd* —7D **152**
Ripon Way. *St Alb* —7L **109**
Risdens. *H'low* —9M **117**
Rise Cotts. *Ware* —5G **97**
Risedale Clo. *Hem H* —5A **124**
Risedale Hill. *Hem H* —5A **124**
Risedale Rd. *Hem H* —5A **124**
Rise, The. *NW7* —6F **164**

Rise, The. *Bald* —4L **23**
Rise, The. *Edgw* —5B **164**
Rise, The. *Els* —7N **151**
Rise, The. *Park* —7E **126**
Rising Hill Clo. *N'wd* —6E **160**
Risinghome Clo. *Bush* —9C **150**
Risingholme Rd. *Harr* —8F **162**
Risingholme Rd. *Harr* —9F **162**
Ritcroft Clo. *Hem H* —3D **124**
Ritcroft Dri. *Hem H* —3D **124**
Ritcroft St. *Hem H* —3D **124**
Ritz Ct. *Pot B* —4N **141**
Rivenhall End. *Wel G* —9B **92**
River Av. *Hod* —7M **115**
River Bank. *Let* —5G **22**
Riverbank. *Pic E* —7M **105**
Riverbanks Clo. *Hpdn* —3D **88**
River Clo. *Wal X* —7L **145**
River Ct. *Chap E* —3C **94**
River Ct. *Ickl* —7N **21**
River Ct. *Saw* —4N **99**
Riverdale Ct. *N21* —7B **156**
Riverdene. *Edgw* —3C **164**
Riverfield La. *Saw* —4G **99**
Riverford Clo. *Hpdn* —3C **88**
River Front. *Enf* —5C **156**
River Grn. *Bunt* —2J **39**
  (off Church St.)
River Hill. *Flam* —5D **86**
River Mead. *Hit* —9K **21**
River Meads. *Stan A* —2N **115**
Rivermill. *H'low* —4M **117**
Rivermill Ct. *R'ton* —6C **8**
  (off Kneesworth St.)
River Pk. *Hem H* —4K **123**
River Pk. Ind. Est. *Berk* —8L **103**
Riversend Rd. *Hem H* —5M **123**
Riversfield Rd. *Enf* —5C **156**
Rivershill. *Wat* S—5K **73**
Riverside. *Bis S* —1H **79**
Riverside. *Bunt* —3J **39**
Riverside. *Lon C* —9M **127**
Riverside. *Stans* —4N **59**
Riverside. *Welw* —2H **91**
Riverside Av. *Brox* —4L **133**
Riverside Bus. Pk. *Stans* —3N **59**
Riverside Clo. *K Lan* —2D **136**
Riverside Clo. *St Alb* —3F **126**
Riverside Cotts. *Stan A* —2N **115**
Riverside Ct. *E4* —8L **157**
Riverside Ct. *H'low* —9E **98**
Riverside Ct. *St Alb* —4F **126**
Riverside Dri. *Rick* —1N **159**
Riverside Gdns. *Berk* —9L **103**
Riverside Gdns. *Enf* —4A **156**
Riverside Ind. Est. *Enf* —8J **157**
Riverside Ind. Est. *Lon C* —9M **127**
Riverside M. *Brox* —5J **133**
Riverside M. *Ware* —6H **95**
Riverside Path. *Chesh* —2G **144**
Riverside Rd. *Lut* —4C **46**
Riverside Rd. *St Alb* —3F **126**
Riverside Rd. *Wat* —4H **149**
Riverside Wlk. *N12 & N20* —3N **165**
Riverside Wlk. *Barn* —8K **153**
  (in two parts)
Riverside Wlk. *Bis S* —1H **79**
  (off Riverside)
Riversmead. *Hod* —9L **115**
Riversmeet. *Hert* —1N **113**
River St. *Ware* —6J **95**
River Vw. *Enf* —6A **156**
River Vw. *Wal A* —6M **145**
  (off Powdermill La.)
River Vw. *Wel G* —5M **91**
River Way. *H'low* —1C **118**
River Way. *Lut* —4A **46**
River Way. *H'low* —1C **118**
Rivett Clo. *Bald* —2N **23**
Rivington Cres. *NW7* —7F **164**
Roan Wlk. *R'ton* —7E **8**
Roaring Meg Retail &
  Leisure Pk. *Stev* —6L **51**
Robbery Bottom La. *Welw* —8M **71**
Robb Rd. *Stan* —6H **163**
Robbs Clo. *Hem H* —9K **105**
Robe End. *Hem H* —9J **105**
Robert Allen Ct. *Lut* —2G **67**
  (off Langley St.)
Robert Av. *St Alb* —6C **126**
Robert Clo. *Pot B* —6L **141**
Robert Humbert Ho. *Let* —6G **22**
Robert Saunders Ct. *Let* —7E **22**
Roberts Clo. *Chesh* —3J **145**
Roberts La. *Chal P* —5D **158**
Robertson Clo. *Brox* —8J **133**

Robertson Rd. *Berk* —1A **122**
Roberts Rd. *NW7* —6L **165**
Roberts Rd. *Wat* —7L **149**
Roberts Way. *Hat* —2F **128**
Roberts Wood Dri. *Chal P* —5C **158**
Robertswood Lodge. *Ger X*
  —6C **158**
Robert Tebbutt Ct. *Hit* —3M **33**
Robert Wallace Clo. *Bis S* —8H **59**
Robeson Way. *Borwd* —3C **152**
Robina Clo. *N'wd* —8H **161**
Robin Clo. *NW7* —3E **164**
Robin Clo. *Stan A* —3N **115**
Robin Ct. *Hpdn* —3C **88**
Robin Hill. *Berk* —2N **121**
Robin Hood Dri. *Bush* —3A **150**
Robin Hood Dri. *Harr* —7G **162**
Robin Hood La. *Hat* —8G **111**
Robin Hood Mdw. *Hem H* —6B **106**
Robin Mead. *Wel G* —6N **91**
Robin Pl. *Wat* —5K **137**
Robins Clo. *Lon C* —9M **127**
Robinsfield. *Hem H* —2K **123**
Robins Nest Hill. *L Berk* —1H **131**
Robinson Av. *G Oak* —1N **143**
Robinson Clo. *Bis S* —3H **79**
Robinson Cres. *Bus H* —1D **162**
Robins Orchard. *Chal P* —6B **158**
Robins Rd. *Hem H* —4C **124**
Robins Way. *Hat* —3F **128**
Robinswood. *Lut* —4G **46**
Robin Wlk. *Let* —2E **22**
Robin Way. *Cuff* —1K **143**
Robson Clo. *Chal P* —5B **158**
Robson Clo. *Enf* —4N **155**
Robsons Clo. *Chesh* —2G **145**
Roch Av. *Edgw* —9N **163**
Rochdale Ct. *Lut* —2G **67**
  (off Albert Rd.)
Rochester Av. *Lut* —5L **47**
Rochester Clo. *Enf* —3C **156**
Rochester Dri. *Wat* —8L **137**
Rochester Rd. *N'wd* —9H **161**
Rochester Way. *Crox G* —6D **148**
Rochester Way. *R'ton* —5D **8**
Rochford Av. *Brox* —8J **133**
Rochford Clo. *Stans* —4N **59**
Rochford Dri. *Lut* —7N **47**
Rochford Rd. *Bis S* —8K **59**
Rockcliffe Av. *K Lan* —3C **136**
Rockfield Av. *Ware* —4H **95**
Rockingham Ga. *Bush* —8D **150**
Rockingham Way. *Stev* —6L **51**
Rocklands Dri. *Stan* —9J **163**
Rockleigh. *Hert* —9N **93**
Rockley Rd. *Lut* —2C **66**
Rock Rd. *R'ton* —5C **8**
Rockways. *Barn* —8F **152**
Rodeheath. *Lut* —6N **45**
Roden Clo. *H'low* —2H **119**
Rodgers Clo. *Els* —8L **151**
Rodings Row. *Barn* —6L **153**
  (off Leecroft Rd.)
Rodmell Slope. *N12* —5M **165**
Rodney Av. *St Alb* —4H **127**
Rodney Clo. *Lut* —6J **45**
Rodney Ct. *Barn* —5M **153**
Rodney Cres. *Hod* —6L **115**
Rodwell Pl. *Edgw* —6A **164**
Rodwell Yd. *Tring* —3M **101**
Roe. *NW9* —7F **164**
Roebuck Clo. *Hert* —9E **94**
Roebuck Clo. *Lut* —2C **66**
Roebuck Ct. *Stev* —8M **51**
Roebuck Ga. *Stev* —8M **51**
Roebuck Retail Pk. *Stev* —7L **51**
Roe Clo. *Stot* —7E **10**
Roedean Av. *Enf* —3G **156**
Roedean Clo. *Enf* —3G **156**
Roedean Clo. *Lut* —6M **47**
Roe End. —3L **85**
Roe End La. *Mark* —3H **85**
Roe Green. —3N **25**
Roe Grn. Cen. *Hat* —1F **128**
Roe Grn. Clo. *Hat* —1E **128**
Roe Grn. La. *Hat* —9F **110**
Roe Hill Clo. *Hat* —1F **128**
Roehyde. —2E **128**
Roehyde Way. *Hat* —2E **128**
Roestock. —5D **128**
Roestock Gdns. *Col H* —4E **128**
Roestock La. *Col H* —5D **128**
Rofant Rd. *N'wd* —6G **160**
Rogate Rd. *Lut* —4L **47**

Roger Bannister Sports
  Cen., The. —6D **162**
Roger's La. *Ans* —6D **28**
Rogers Ruff. *N'wd* —8E **160**
Rogers Wlk. *N12* —3N **165**
Rokewood M. *Ware* —5H **95**
Roland St. *St Alb* —2H **127**
Rolfe Clo. *Barn* —6D **154**
Rolleston Clo. *Ware* —4G **94**
Rollswood. *Wel G* —3L **111**
Rollswood Rd. *Welw* —9G **71**
Rollys La. *A'wl* —9M **5**
Roman Clo. *Hare* —8L **159**
Roman Ct. *H Reg* —5E **44**
Roman Gdns. *H Reg* —5E **44**
Roman Gdns. *K Lan* —3D **136**
Roman La. *Bald* —3M **23**
Roman M. *Hod* —7L **115**
Roman Ri. *Saw* —5F **98**
Roman Rd. *Bar C* —8F **18**
Roman Rd. *Lut* —6A **46**
Roman Rd. *Welw* —1J **91**
Roman Roundabout. *H'low*
  —2C **118**
Romans End. *St Alb* —4D **126**
Roman St. *Hod* —7L **115**
Roman Theatre. —2B **126**
Roman Va. *H'low* —1E **118**
Roman Wlk. *Rad* —9G **139**
Roman Way. *Enf* —7D **156**
Roman Way. *Mark* —1A **86**
Roman Way. *Puck* —6A **56**
Roman Way. *Welw* —1J **91**
Romany Clo. *Let* —5C **22**
Romany Ct. *Hem H* —1E **124**
Romeland. *Els* —8L **151**
Romeland. *St Alb* —2D **126**
Romeland. *Wal A* —6N **145**
Romeland Hill. *St Alb* —2D **126**
Romilly Dri. *Wat* —4N **161**
Romilly Dri. *Wat* —4N **161**
Ronald Ct. *Brick W* —2A **138**
Ronald Ct. *New Bar* —5A **154**
Ronart St. *W'stone* —9G **163**
Rondini Av. *Lut* —6D **46**
Ronsons Way. *St Alb* —7G **109**
Rookery, The. —9K **149**
Rookery, The. *Stans* —1N **59**
Rookery, The. *W'mll* —7K **39**
Rooke's All. *Hert* —1C **114**
Rookes Clo. *Let* —8H **23**
Rooks Clo. *Wel G* —1K **111**
Rooks Hill. *Loud* —6N **147**
Rooks Hill. *Wel G* —1J **111**
Rooks Nest La. *Ther* —6E **14**
Rook Tree Clo. *Stot* —6F **10**
Rook Tree La. *Stot* —5F **10**
Rookwood Dri. *Stev* —8A **52**
Rooky Yd. *Stev* —2J **51**
Roper's La. *Saf W* —2K **29**
Rosabell Rd. *H'low* —5E **118**
Rosary Ct. *Pot B* —3A **142**
Rosary Gdns. *Bush* —9F **150**
Roscoff Clo. *Edgw* —8C **164**
Rose Acre. *Redb* —9H **87**
Roseacre Gdns. *Wel G* —9C **92**
Roseacres. *Saw* —4F **98**
Roseberry Ct. *Wat* —3J **149**
  (in two parts)
Rosebery. *Bis S* —2L **79**
Rosebery Av. *Hpdn* —5A **88**
Rosebery M. *Ment* —4J **61**
Rosebery Rd. *Ast C* —1D **100**
Rosebery Rd. *Bush* —9C **150**
Rosebery Way. *Tring* —1N **101**
Rosebriar Wlk. *Wat* —9H **137**
Rose Cotts. *Brick* —3C **138**
Rose Ct. *Chesh* —9E **132**
Rose Ct. *Eat B* —2H **63**
Rose Ct. *St Alb* —9J **109**
Rosecroft Ct. *N'wd* —6E **160**
Rosecroft Dri. *Wat* —9G **136**
Rosecroft La. *Welw* —8N **71**
Rosedale. —1F **144**
Rosedale. *H Reg* —4H **45**
Rosedale. *Wel G* —5M **91**
Rosedale Av. *Chesh* —2D **144**
Rosedale Clo. *Brick W* —3N **137**
Rosedale Clo. *Lut* —2M **45**
Rosedale Clo. *Stan* —6J **163**
Rosedale Way. *Chesh* —9E **132**
Rose Garden Clo. *Edgw* —6M **163**
Rose Gdns. *Wat* —7J **149**
Roseheath. *Hem H* —2H **123**
Rosehill. *Berk* —1M **121**

Rosehill Clo. *Hod* —8K **115**
(in two parts)
Rosehill Ct. *Hem H* —4K **123**
Rosehill Gdns. *Ab L* —5E **136**
Roselands Av. *Hod* —6K **115**
Rose La. *Wheat* —5K **89**
Rose Lawn. *Bus H* —1D **162**
Rosemary Av. *N3* —9N **165**
Rosemary Av. *Enf* —3C **156**
Rosemary Clo. *H'low* —2E **118**
Rosemary Ct. *H End* —7B *162*
(off Avenue, The)
Rosemead. *Hal* —5D **100**
Rose Mead. *Pot B* —3B **142**
Rose Mdw. *Brau* —6B **40**
Rosemont Clo. *Let* —5E **22**
Rosemount. *H'low* —8L **117**
Roseneath Av. *N21* —9N **155**
Roseneath Wlk. *Enf* —6C **156**
Rosen's Wlk. *Edgw* —3B **164**
Rosetti Lodge. *R'ton* —5D **8**
Rose Va. *Hod* —8L **115**
Rose Wlk. *H Reg* —3H **45**
Rose Wlk. *R'ton* —6C **8**
Rose Wlk. *St Alb* —9K **109**
Rose Wlk., The. *Rad* —9J **139**
Rose Way. *Edgw* —4C **164**
Rose Wood Clo. *Lut* —7H **47**
Rosewood Ct. *Hem H* —1H **123**
Rosewood Dri. *Enf* —8M **143**
Roslyn Clo. *Brox* —3J **133**
Roslyn Way. *H Reg* —4D **44**
Ross Av. *NW7* —5L **165**
Ross Clo. *Harr* —7D **162**
Ross Clo. *Hat* —6H **111**
Ross Clo. *Lut* —2D **66**
Ross Ct. *Stev* —2A **52**
Ross Cres. *Wat* —8J **137**
Rossdale Dri. *N9* —8G **156**
Rossfold Rd. *Lut* —1N **45**
Rossgate. *Hem H* —9K **105**
Rosshaven Pl. *N'wd* —8H **161**
Rossington Av. *Borwd* —2M **151**
Rossington Clo. *Enf* —2F **156**
Rossiter Fields. *Barn* —8M **153**
Rosslyn Av. *E Barn* —8D **154**
Rosslyn Cres. *Lut* —4E **46**
Rosslyn Rd. *Wat* —5K **149**
Ross Way. *N'wd* —4H **161**
Rossway. *S End* —7D **66**
Rossway Dri. *Bush* —7D **150**
Rossway La. *Tring* —6E **102**
Rossway St. *Lut* —7E **66**
Roswell Clo. *Chesh* —3J **145**
Rothamsted Av. *Hpdn* —6A **88**
Rothamsted Ct. *Hpdn* —6B **88**
Rothamsted Estate. —7N **87**
Rother Clo. *Wat* —7L **137**
Rotherfield. *Lut* —6M **47**
Rotherfield Rd. *Enf* —1H **157**
Rotherham Av. *Lut* —3D **66**
Rotherwood. *Dunst* —8B **44**
Rothesay Ct. *Berk* —1L **121**
Rothesay Rd. *Lut* —1F **66**
Rothschild Av. *Ast C* —1D **100**
Rothschild Ct. *Berk* —7G **103**
Roughdown Av. *Hem H* —5K **123**
Roughdown Rd. *Hem H* —5L **123**
Roughdown Vs. Rd. *Hem H*
—5K **123**
Roughs, The. *N'wd* —3G **161**
Roughwood Clo. *Wat* —2G **148**
Roughwood Cft. *Chal G* —7A **146**
Roughwood La. *Chal G* —9B **146**
Roundabout Ho. *N'wd* —8J **161**
Roundabout La. *Welw* —8M **71**
Round Bush. —2E **150**
Roundcroft. *Chesh* —8D **132**
Roundfield Av. *Hpdn* —3E **88**
Round Green. —6H **47**
Roundhaye. *Puck* —6A **56**
Roundhedge Way. *Enf* —2L **155**
Roundhill Dri. *Enf* —6L **155**
Roundings, The. *Hert H* —5F **114**
Round Mead. *Stev* —6C **52**
Roundmoor Dri. *Chesh* —2J **145**
Roundway, The. *Wat* —8H **149**
Roundway. *Hpdn* —4N **87**
Round Wood. *K Lan* —9A **124**
Roundwood Clo. *Hit* —9C **22**
Roundwood Clo. *Welw* —8K **71**
Roundwood Dri. *Wel G* —8J **91**
Roundwood Gdns. *Hpdn* —5N **87**
Roundwood La. *Hpdn* —4K **87**
Roundwood Pk. *Hpdn* —4N **87**

Rounton Dri. *Wat* —2H **149**
Rousebarn La. *Chan X & Crox G*
(in two parts) —2B **148**
Rowan Clo. *Brick W* —4B **138**
Rowan Clo. *Lut* —1D **66**
Rowan Clo. *St Alb* —2M **127**
Rowan Clo. *Shenl* —6M **139**
Rowan Clo. *Stan* —6G **162**
Rowan Clo. *W'ton* —2A **36**
Rowan Cres. *Let* —4E **22**
Rowan Cres. *Stev* —2K **51**
Rowan Dri. *NW9* —9G **164**
Rowan Dri. *Brox* —7K **133**
Rowan Gro. *St I* —6A **34**
Rowans. *Wel G* —6N **91**
Rowans, The. *Bald* —4L **23**
Rowans, The. *Brox* —1J **133**
Rowans, The. *Chal P* —9A **158**
Rowans, The. *Hem H* —2K **123**
Rowantree Clo. *N21* —9B **156**
Rowantree Rd. *N21* —9B **156**
Rowantree R. *Enf* —4N **155**
Rowan Wlk. *Barn* —7A **154**
Rowan Wlk. *Hat* —3G **129**
Rowan Wlk. *Saw* —5G **99**
Rowan Way. *Hpdn* —7D **88**
Rowben Clo. *N20* —1N **165**
Rowcroft. *Hem H* —3H **123**
Rowel Fld. *Lut* —8L **47**
Rowington Clo. *Lut* —7N **47**
Rowland Pl. *N'wd* —7G **161**
Rowland Rd. *Stev* —5M **51**
Rowlands Av. *Pinn* —5B **162**
Rowlands Clo. *NW7* —7G **164**
Rowlands Clo. *Chesh* —3H **145**
Rowland Way. *Let* —5F **22**
Rowlatt Dri. *St Alb* —4B **126**
Rowley Clo. *Wat* —8N **149**
Rowley Ct. *Enf* —7C *156*
(off Wellington Rd.)
Rowley Gdns. *Chesh* —1H **145**
Rowley Green. —6F **152**
Rowley Grn. Rd. *Barn* —7F **152**
Rowley La. *Barn* —6E **152**
Rowley La. *Borwd* —3D **152**
Rowley's Rd. *Hert* —8D **94**
Rowley Wlk. *Hem H* —6E **106**
Row Mdw. Cotts. *Hem H* —7K **85**
Rowney Gdns. *Saw* —7E **98**
Rowney La. *Ware* —4F **97**
Rowney Wood. *Saw* —6E **98**
Rowsley Av. *NW4* —9J **165**
Rows, The. *H'low* —5N *117*
(off Stone Cross)
Royal Av. *Wal X* —6J **145**
Royal Ct. *Enf* —8C **156**
Royal Ct. *Hem H* —5A **124**
Royal Ct. *Tring* —1E **102**
Royal Epping Forest & Chingford
(Public) Golf Course. —8N **157**
Royale Wlk. *Dunst* —1F **64**
Royal Gunpowder Mills
Vis. Cen. —5M **145**
Royal Houses. *Bar C* —7E **18**
Royal Oak Clo. *Chipp* —6H **27**
Royal Oak Cotts. *Hem H* —9M *105*
(off High St.)
Royal Oak Gdns. *Bis S* —2G **79**
Royal Oak La. *Pir* —7E **20**
Royal Rd. *St Alb* —2J **127**
Royal Veterinary College.
(Bolton's Pk.). —2N **141**
Royal Veterinary College.
(Hawkshead Campus) —1K **141**
Royce Clo. *Brox* —3K **133**
Royce Clo. *Dunst* —1C **64**
Royce Gro. *Leav* —7H **137**
Royden Mill Leisure Pk. —5D **116**
Roydon. —5E **116**
Roydonbury Ind. Est. *H'low*
—6J **117**
Roydon Clo. *Lut* —5K **45**
Roydon Ct. *Hem H* —5C **106**
Roydon Hamlet. —9F **116**
Roydon Lodge Chalet Est.
Roy —5F **116**
Roydon Rd. *H'low* —5H **117**
Roydon Rd. *Stan A* —2A **116**
Royle Clo. *Chal P* —7C **158**
Roy Rd. *N'wd* —7H **161**
Royse Gro. *R'ton* —9D **8**
Royston. —7D **8**
Royston Cave. *R'ton* —7D **8**
Royston Clo. *Hert* —9N **93**
Royston Golf Course. —8N **7**

Royston Gro. *Pinn* —6B **162**
Royston Pk. Rd. *Pinn* —6A **162**
Royston Rd. *Bald* —2M **23**
Royston Rd. *B'wy* —7N **15**
Royston Rd. *Bar* —1C **16**
Royston Rd. *Bunt* —8H **27**
Royston Rd. *Lit* —4J **7**
Royston Rd. *St Alb* —3J **127**
Ruberoid Rd. *Enf* —5K **157**
Rubin Pl. *Enf* —1L **157**
Rucklers Lane. —8A **124**
Rucklers La. *K Lan* —1K **135**
Ruckles Clo. *Stev* —4L **51**
Rudd Clo. *Stev* —6A **52**
Ruddock Clo. *Edgw* —7C **164**
Ruddy Way. *NW7* —6F **164**
Rudham Gro. *Let* —8J **23**
Rudolph Rd. *Bush* —8B **150**
Rudyard Clo. *Lut* —6N **45**
Rudyard Gro. *NW7* —6C **164**
Rue de St Lawrence. *Wal A*
—7N **145**
Rueley Dell Rd. *Lil* —8M **31**
Rufford Clo. *Wat* —1H **149**
Rufforth Ct. *NW9* —8E *164*
(off Pageant Av.)
Rugby Av. *N9* —9D **156**
Rugby Way. *Crox G* —7D **148**
Rumballs Clo. *Hem H* —5C **124**
Rumballs Rd. *Hem H* —5C **124**
Rumbold Rd. *Hod* —6N **115**
Rumsley. *Wal X* —9E **132**
Runcie Clo. *St Alb* —7H **109**
Runcorn Cres. *Hem H* —7B **106**
Rundells. *H'low* —9C **118**
Rundells. *Let* —7K **23**
Runfold Av. *Lut* —4C **46**
Runham Clo. *Lut* —5L **45**
Runham Rd. *Hem H* —4A **124**
Runley Rd. *Lut* —9A **46**
Runnalow. *Let* —4D **22**
Runswick Ct. *Stev* —2G **51**
Runnymede Ct. *Lut* —3B **46**
Rupert Ho. *Wel G* —8B **92**
Ruscombe Dri. *Park* —8D **126**
Rushall Grn. *Lut* —7M **47**
Rushby Mead. *Let* —5G **22**
Rushby Pl. *Let* —6G **23**
Rushby Wlk. *Let* —5G **22**
Rush Clo. *Stan A* —2N **115**
Rushden. —7L **25**
Rushdene Av. *Barn* —9D **154**
Rushden Gdns. *NW7* —6J **165**
Rushden Rd. *S'don* —5M **25**
Rush Dri. *Wal A* —9N **145**
Rushendon Furlong. *Pit* —2C **82**
Rushen Dri. *Hert H* —3G **114**
Rushes Ct. *Bis S* —3J **79**
Rushes Mead. *H'low* —8A **118**
Rushey Hill. *Enf* —6L **155**
Rushfield. *Pot B* —5K **141**
Rushfield. *Saw* —5G **99**
Rushfield Rd. *Ware* —4K **95**
Rush Green. —9G **94**
(Hertford)
Rush Green. —5D **50**
(Stevenage)
Rushleigh Av. *Chesh* —4H **145**
Rushleigh Grn. *Bis S* —4F **78**
Rushmead Clo. *Edgw* —2B **164**
Rushmere La. *Orch*
—9L **121** & 1A **134**
Rushmoor Clo. *Rick* —2N **159**
Rushmoor Ct. *Wat* —8E **148**
Rushmore Clo. *Cad* —3A **66**
Rushton Av. *Wat* —8J **137**
Rushton Ct. *Chesh* —2H **145**
Rushton Gro. *H'low* —6F **118**
Ruskin Clo. *Chesh* —8C **132**
Ruskin Ct. *N21* —9L **155**
Ruskin La. *Hit* —3C **34**
Rusling End. *Lut* —1D **70**
Rusper Clo. *Stan* —4K **163**
Rusper Grn. *Lut* —6M **47**
Russell Av. *St Alb* —2E **126**
Russell Clo. *Amer* —3A **146**
Russell Clo. *Kens* —8H **65**
Russell Clo. *N'wd* —5E **160**
Russell Clo. *Stpl M* —3C **6**
Russell Clo. *Stev* —7A **52**
Russell Ct. *N14* —9L **155**
Russell Ct. *Brick W* —3B **138**
Russell Ct. *New Bar* —6B **154**
Russell Cres. *Wat* —8H **137**

Russellcroft Rd. *Wel G* —8J **91**
Russell End. *Stpl M* —3C **6**
Russell Gro. *NW7* —5E **164**
Russell La. *Wat* —9F **136**
Russell Mead. *Har W* —8G **163**
Russell Pl. *Hem H* —5L **123**
Russell Ri. *Lut* —2F **66**
Russell Rd. *Enf* —2D **156**
Russell Rd. *N'wd* —5E **160**
Russell's Ride. *Chesh* —4J **145**
Russell's Slip. *Hit* —4L **33**
Russell St. *Hert* —9A **94**
Russell Way. *Wat* —9K **149**
Russet Clo. *Chesh* —8C **132**
Russet Dri. *St Alb* —3K **127**
Russet Dri. *Shenl* —5M **139**
Russett Ho. *Wel G* —9C **92**
Russettings. *Pinn* —7A *162*
(off Westfield Pk.)
Russetts, The. *Chal P* —9A **158**
Russett Wood. *Wel G* —1C **112**
Rustle Ct. *H'low* —7E **118**
Ruston Gdns. *N14* —8F **154**
Rutherford Clo. *Borwd* —4C **152**
Rutherford Clo. *Stev* —3G **51**
Rutherford Way. *Bus H* —1E **162**
Ruthin Clo. *Lut* —3F **66**
Ruthven Av. *Wal X* —6H **145**
Rutland Ct. *Enf* —7F **156**
Rutland Ct. *Lut* —1J **67**
Rutland Cres. *Lut* —1J **67**
Rutland Gdns. *Hem H* —1B **124**
Rutland Path. *Lut* —1J **67**
Rutland Pl. *Bush* —1E **162**
Rutts, The. *Bush* —1E **162**
Ryall Clo. *Brick W* —2N **137**
Ryans Ct. *Lut* —8H **47**
Ryan Way. *Wat* —3L **149**
Rydal Clo. *NW4* —9K **165**
Rydal Ct. *Edgw* —5N **163**
Rydal Ct. *Leav* —5K **137**
Rydal Mt. *Pot B* —6L **141**
Rydal Way. *Enf* —8G **157**
Rydal Way. *Lut* —4B **46**
Ryder Av. *Ickl* —8L **21**
Ryder Clo. *Bov* —1D **134**
Ryder Clo. *Bush* —8C **150**
Ryder Clo. *Hert* —8F **94**
Ryders Av. *Col H* —2E **128**
Ryder Seed M. *St Alb* —3E **126**
Ryder Way. *Ickl* —8L **21**
Ryde, The. —6J **111**
Ryde, The. *Hat* —7J **111**
Rydinghurst Ho. *Ger X* —5B **158**
Rye Clo. *Hpdn* —3C **88**
Rye Clo. *Stev* —7M **35**
Ryecroft. *H'low* —6L **117**
Ryecroft. *Hat* —2F **128**
Ryecroft. *Stev* —2L **51**
Ryecroft Clo. *Hem H* —3E **124**
Ryecroft Ct. *St Alb* —2N **127**
Ryecroft Cres. *Barn* —7H **153**
Ryecroft Way. *Lut* —6J **47**
Ryefeld Clo. *Hod* —4N **115**
Ryefield. *Lut* —9C **30**
Ryefield Ct. *N'wd* —9J **161**
Ryefield Cres. *N'wd* —9J **161**
Ryefield Pde. *N'wd* —9J *161*
(off Joel St.)
Rye Gdns. *Bald* —2A **24**
Rye Hill. *Hpdn* —3C **88**
Rye Hill. *Lut* —8F *46*
(off Cromwell Hill)
Rye House Gatehouse. —6N **115**
Rye House Nature Reserve.
—5N **115**
Ryelands. *Wel G* —3M **111**
Rye Mead Cotts. *Hod* —6N **115**
Rye Meads. —4A **116**
Rye Meads Nature Reserve.
—4A **116**
Rye Park. —6M **115**
Rye Rd. *Hod* —6M **115**
Rye St. *Bis S* —9H **59**
Rye, The. *N14* —9J **155**
Rye Way. *Edgw* —6N **163**
Rylands Heath. *Lut* —7A **48**
Rymill Clo. *Bov* —1D **134**
Ryton Clo. *Lut* —1D **66**

Saberton Clo. *Redb* —2H **107**
Sacombe. —5D **74**
Sacombe Green. —4E **74**

Sacombe Grn. *Lut* —9D **30**
Sacombe Grn. Rd. *Sac* —4C **74**
Sacombe Pk. —6D **74**
Sacombe Pound. *Sac* —5C **74**
Sacombe Rd. *Hem H* —9J **105**
Sacombe Rd. *W'frd* —4N **93**
Sacombs Ash La. *Saw* —9A **78**
Saddlers Clo. *Ark* —7H **153**
Saddlers Clo. *Bald* —3L *23*
(off Hitchin St.)
Saddlers Clo. *Bis S* —3E **78**
Saddlers Clo. *Borwd* —7D **152**
Saddlers Clo. *Pinn* —6B **162**
Saddlers M. *Maze* —2A **86**
Saddlers Path. *Borwd* —7D *152*
(off Farriers Way)
Saddlers Pl. *R'ton* —6C **8**
Saddlers La. *Hem H* —1K **123**
Saddlers Mdw. *Stdn* —7B **56**
Saddlers Wlk. *K Lan* —2C **136**
Saddlescombe Way. *N12* —5N **165**
Sadleir Rd. *St Alb* —4F **126**
Sadler Clo. *Chesh* —7A **132**
Sadlers Mead. *H'low* —7C **118**
Sadlers Way. *Hert* —9M **93**
Sadlier Rd. *Stdn* —7A **56**
Saffron Clo. *Arl* —5A **10**
Saffron Clo. *Hod* —7K **115**
Saffron Clo. *Lut* —3F **46**
Saffron Green. —3G **152**
Saffron Hill. *Let* —5E **22**
Saffron La. *Hem H* —1K **123**
Saffron Mdw. *Stdn* —7B **56**
Saffron Ri. *Eat B* —2J **63**
Saffron St. *R'ton* —8F **8**
Saimel. *NW9* —7F *164*
(off Satchell Mead)
Sainfoin End. *Hem H* —9C **106**
St Agnells Ct. *Hem H* —7C **106**
St Agnells La. *Hem H* —6B **106**
St Agnes Ga. *Wend* —9A **100**
St Albans. —2E **126**
St Albans Cathedral. —2D **126**
St Albans City F.C. —1G **126**
St Albans Dri. *Stev* —9L **35**
St Albans Enterprise Cen.
Port W —7F **108**
St Albans Highway. *Pres* —3N **49**
St Albans Hill. *Hem H* —5A **124**
St Albans La. *Bedm* —8H **125**
St Albans Link. *Stev* —9L **35**
St Albans Retail Pk. *St Alb* —4E **126**
St Albans Rd. *Barn* —8H **141**
St Albans Rd. *Cod* —1E **90**
St Albans Rd. *Hpdn* —6C **88**
St Albans Rd. *Hem H* —4N **123**
St Albans Rd. *Redb* —2L **107**
St Albans Rd. *St Alb* —8G **109**
St Albans Rd. *S Mim* —4E **140**
St Albans Rd. *Wat* —4K **149**
St Albans Rd. E. *Hat* —8H **111**
St Albans Rd. W. *Hat* —8F **110**
(Comet Rd.)
St Albans Rd. W. *Hat* —9C **110**
(Hatfield Rd., in two parts)
St Albans Swimming Pool.
—4D **126**
St Aldates Ct. *Lut* —6D **46**
St Alphage Wlk. *Edgw* —9C **164**
St Alphege Rd. *N9* —9G **156**
St Andrew M. *Hert* —9A **94**
St Andrew's Av. *Hpdn* —6A **88**
St Andrews Clo. *S End* —7D **66**
St Andrew's Clo. *Stan* —9K **163**
St Andrews Ct. *Wat* —3K **149**
St Andrews Dri. *Stan* —8K **163**
St Andrews Dri. *Stev* —8M **35**
St Andrews Ho. *H'low* —4B *118*
(off Stow, The)
St Andrews La. *H Reg* —4F **44**
(in two parts)
St Andrews Mdw. *H'low* —7B **118**
St Andrews M. *Lut* —5C **46**
St Andrew's Pl. *Hit* —3N **33**
St Andrew's Rd. *N9* —9G **157**
St Andrew's Rd. *Enf* —5B **156**
St Andrew's Rd. *Hem H* —6N **123**
St Andrews Rd. *Wat* —3M **161**
St Andrews Ter. *Wat* —5L **161**
St Andrew St. *Hert* —9A **94**
St Andrews Wlk. *Cad* —7E **66**
St Anna Rd. *Barn* —7K **153**
St Anne's Clo. *Chesh* —1E **144**
St Anne's Clo. *Wat* —4L **161**
St Anne's Clo. *Wend* —9A **100**
St Annes Ct. *Hit* —2N **33**
St Anne's Pk. *Brox* —2L **133**

St Anne's Rd.—Saxeway Bus. Cen.

St Anne's Rd. Hit —2N 33
St Anne's Rd. Lon C —9L 127
St Ann's Ct. NW4 —9H 165
St Ann's La. Lut —1G 67
St Ann's Rd. Lut —1H 67
St Anthonys Av. Hem H —4D 124
St Audrey Grn. Wel G —1M 111
St Audreys Clo. Hat —3H 129
St Augusta Ct. St Alb —9E 108
St Augustine Av. Lut —6D 46
St Augustines Clo. Brox —2K 133
St Augustines Dri. Brox —2K 133
St Austell Clo. Edgw —9N 163
St Barnabas Ct. Har W —8D 162
St Barnabas Ct. Hem H —2C 124
St Bart's Clo. St Alb —3L 127
St Bernard's Clo. Lut —6E 46
St Bernard's Rd. St Alb —1F 126
St Brelades Pl. St Alb —7L 109
(off Harvest Ct.)
St Bride's Av. Edgw —8N 163
St Catherines Av. Lut —5D 46
St Catherines Ct. Bis S —1H 79
St Catherine's Rd. Brox —1L 133
St Christopher's Clo. Dunst —8J 45
St Christophers Ct. Chor —6G 146
St Clarendon Ct. Hpdn —3C 88
St Cross Ct. Hod —1L 133
St Cuthberts Gdns. Pinn —7A 162
St Cuthbert's Rd. Hod —5N 115
St David's Clo. Hem H —3F 124
St Davids Clo. Stev —7M 35
St David's Dri. Brox —1K 133
St David's Dri. Edgw —8N 163
St David's Way. H Reg —3G 44
(off Kent Rd.)
St Dominics Sq. Lut —5J 45
(off Tomlinson Av.)
St Dunstan's Rd. Hun —7G 96
St Edmunds. Berk —2N 121
St Edmund's Dri. Stan —8H 163
St Edmund's Rd. N9 —9E 156
St Edmunds Wlk. St Alb —3L 127
St Edmund's Way. H'low —2E 118
St Egberts Way. E4 —9N 157
St Elmo Ct. Hit —5N 33
St Ethelbert Av. Lut —5D 46
St Etheldreda's Dri. Hat —9J 111
St Evroul Ct. Ware —5H 95
(off Crib St.)
St Faith's Clo. Enf —3A 156
St Faiths Clo. Hit —1B 34
St Francis Clo. Bunt —4K 39
St Francis Clo. Pot B —7B 142
St Francis Clo. Wat —1K 161
St George's Dri. Wat —3N 161
St Georges End. Ans —5D 28
St George's Rd. Enf —2D 156
St George's Rd. Hem H —6M 123
St George's Rd. Wat —2K 149
St George's Sq. Lut —1G 66
St George's Way. Stev —4K 51
St Giles Av. S Mim —5H 141
St Giles Clo. Tot —2M 63
St Giles Ct. Enf —8G 144
St Giles Ho. New Bar —6B 154
St Giles Rd. Cod —7F 70
St Helens Clo. Wheat —7L 89
St Heliers Rd. St Alb —6J 109
St Ibbs. —8A 34
St Ippollitts. —7B 34
St Ives Clo. Lut —6D 46
St Ives Clo. Welw —4M 91
St James Cen. H'low —2C 118
St James Clo. Barn —6C 154
St James Clo. H Reg —5H 45
St James Ct. St Alb —3H 127
St James Rd. Chesh —1A 144
St James Rd. Hpdn —4C 88
St James Rd. Lut —6D 46
St James Rd. Wat —7K 149
St James's Clo. Pull —3A 18
St James's Ct. Hpdn —3C 88
St James Way. Bis S —3D 78
St John Clo. Lut —3D 66
St Johns. Puck —6B 56
St Johns Arts & Recreation Cen. —2E 118
St John's Av. H'low —2E 118
St Johns Cvn. Pk. Enf —1N 155
St Johns Clo. N14 —8H 155
St Johns Clo. Hem H —4L 123
St John's Clo. Pot B —6B 142
St Johns Clo. Welw —1J 91
St John's Ct. Hpdn —8D 88
St John's Ct. Hert —9B 94
St John's Ct. Lut —3E 66
St John's Ct. N'wd —8G 160
(off Murray Rd.)
St John's Ct. St Alb —9J 109
St John's Cres. Stans —2N 59
St Johns La. Gt Amw —9L 95
St John's La. Stans —2N 59
St John's Path. Hit —4N 33
St John's Rd. Arl —8A 10
St John's Rd. Hpdn —8D 88
St John's Rd. Hem H —4K 123
St John's Rd. Hit —5N 33
St John's Rd. Stans —2N 59
St John's Rd. Wat —4K 149
St John's St. Hert —9B 94
St John's Ter. Enf —1B 156
St Johns Wlk. H'low —2E 118
St John's Well Ct. Berk —9M 103
St John's Well La. Berk —9M 103
St Joseph's Clo. Lut —5C 46
St Joseph's Rd. N9 —9F 156
St Joseph's Rd. Wal X —6J 145
St Julians. —5E 126
St Julian's Rd. St Alb —4E 126
St Katharines Clo. Ickl —8L 21
St Katherine's Way. Berk —7K 103
St Kilda Rd. Lut —5J 45
St Laurence Dri. Brox —5J 133
St Lawrence Clo. Ab L —3G 137
St Lawrence Clo. Bov —9D 122
St Lawrence Clo. Edgw —7N 163
St Lawrences Av. Lut —5E 46
St Lawrence Way. Brick W —3A 138
St Leonard's Clo. Bush —6N 149
St Leonard's Clo. Hert —7C 94
St Leonards Ct. Sandr —5K 109
St Leonards Cres. Sandr —5K 109
St Leonard's Rd. Hert —7B 94
St Leonard's Way. Edl —7J 63
St Luke's Av. Enf —2B 156
St Lukes Clo. Lut —7A 46
St Magnus Ct. Hem H —4D 124
St Margaret's. —2E 104
(Great Gaddesden)
St Margarets. —2M 115
(Hoddesdon)
St Margarets. Stev —7M 51
St Margarets Av. Lut —5D 46
St Margaretsbury Ho. Stan A —2M 115
St Margaret's Clo. Berk —2A 122
St Margarets Clo. S'ley —4B 30
St Margarets Ct. Edgw —5B 164
St Margaret's Rd. Edgw —5B 164
St Margaret's Rd. Stan A —4L 115
St Margarets Way. Hem H —2E 124
St Marks Clo. Col H —4B 128
St Mark's Clo. Hit —1L 33
St Mark's Clo. New Bar —5A 154
St Marks Rd. Enf —8D 156
St Martin's Av. Lut —7H 47
St Martin's Clo. Enf —3F 156
St Martins Clo. Hpdn —3D 88
St Martins Clo. Wat —4L 161
St Martin's Rd. Kneb —3N 71
St Mary Magdalene's Chapel. (Remains of) —2G 120
St Mary's Av. N3 —9L 165
St Mary's Av. N'chu —8H 103
St Mary's Av. N'wd —5G 160
St Mary's Av. Stot —6F 10
St Mary's Chu. Path. Lut —1H 67
(off St Mary's Rd.)
St Mary's Clo. Ast —7D 52
St Marys Clo. Hem H —1M 123
St Mary's Clo. Let —9F 22
St Marys Clo. Pir —7E 20
St Mary's Clo. Redb —1J 107
St Mary's Clo. Wat —6K 149
(off Church St.)
St Marys Clo. Welw —2J 91
St Mary's Ct. Dunst —9E 44
St Mary's Ct. Hem H —1N 123
St Mary's Ct. Pot B —5A 142
St Marys Ct. Welw —3J 91
St Mary's Courtyard. Ware —5H 95
(off Church St.)
St Mary's Cres. NW4 —9H 165
St Mary's Dri. Stans —3N 59
St Mary's Ga. Dunst —9E 44
St Mary's Glebe. Edl —5J 63
St Mary's La. Hert —2L 113
St Mary's Pk. R'ton —7D 8
St Mary's Ri. B Grn —8E 48
St Mary's Rd. N9 —9F 156
St Mary's Rd. Barn —9E 154
St Mary's Rd. Chesh —2G 144
St Mary's Rd. Hem H —1N 123
St Mary's Rd. Lut —1H 67
St Mary's Rd. Stdn —7A 56
St Mary's Rd. Wat —6K 149
St Mary's St. Dunst —9E 44
St Mary's Vw. Wat —6L 149
(off King St.)
St Marys Wlk. St Alb —7J 109
St Mary's Way. Bald —5L 23
St Mary's Way. Chal P —9A 158
St Matthews Clo. Lut —9G 47
St Matthews Clo. Wat —8M 149
St Michaels. St Alb —2C 126
St Michael's Av. N9 —9G 157
St Michaels Av. Hem H —4D 124
St Michaels Av. H Reg —5D 44
St Michael's Clo. N3 —9M 165
St Michaels Clo. Hal —6B 100
St Michaels Clo. H'low —5A 118
St Michaels Clo. Hpdn —8E 88
St Michaels Ct. Stev —1A 52
St Michael's Cres. Lut —6E 46
St Michaels Dri. Wat —6K 137
St Michaels Ho. Wel G —1M 111
St Michael's Mt. Hit —2A 34
St Michael's Pde. Wat —2K 149
St Michael's Rd. Brox —2K 133
St Michaels Rd. Hit —2B 34
St Michael's St. St Alb —2C 126
St Michaels Vw. Hat —7H 111
St Michaels Way. Pot B —3A 142
St Mildreds Av. Lut —6E 46
St Mirren Ct. New Bar —7B 154
St Monicas Av. Lut —6D 46
St Neots Clo. Borwd —2A 152
St Nicholas Clo. Els —8L 151
St Nicholas Ct. Hpdn —4A 88
St Nicholas Fld. Ber —2D 42
St Nicholas Grn. H'low —5E 118
St Nicholas Houses. Ridg —8F 142
St Nicholas Mt. Hem H —2J 123
St Nicholas Pk. —7N 35
St Ninians Ct. Lut —9F 46
St Olam's Clo. Lut —3D 46
St Olives. Stot —6E 10
St Onge Pde. Enf —5B 156
(off Southbury Rd.)
St Pauls Clo. Hpdn —7E 88
St Pauls Ct. Chfd —6N 135
St Pauls Ct. Stev —8M 51
St Paul's Gdns. Lut —3G 66
St Pauls Pl. St Alb —2H 127
St Paul's Rd. Hem H —1N 123
St Paul's Rd. Lut —3G 66
St Paul's Walden. —8A 50
St Paul's Way. N3 —7N 165
St Pauls Way. Wal A —6N 145
St Pauls Way. Wat —4L 149
St Peter's Av. Arl —5A 10
St Peter's Clo. Barn —7H 153
St Peters Clo. Bus H —1E 162
St Peters Clo. Chal P —8B 158
St Peters Clo. Hat —8G 110
St Peters Clo. Mil E —1L 159
St Peter's Clo. St Alb —1E 126
St Peter's Ct. Chal P —8B 158
St Peters Grn. Hol —4J 21
St Peter's Hill. Tring —2M 101
St Peter's Rd. N9 —9F 156
St Peter's Rd. Dunst —9F 44
St Peters Rd. Lut —1D 66
St Peter's Rd. St Alb —2F 126
St Peter's St. St Alb —2E 126
St Peters Way. Chor —6E 146
St Raphaels Ct. St Alb —1F 126
(off Avenue Rd.)
St Ronan's Clo. Barn —2C 154
St Saviour's Cres. Lut —2F 66
St Saviours Vw. St Alb —1G 126
(off Lemsford Rd.)
St Stephens. —4D 126
St Stephen's Av. St Alb —4C 126
St Stephen's Clo. St Alb —5C 126
St Stephen's Ct. Enf —8C 156
(off Park Av.)
St Stephen's Hill. St Alb —4D 126
St Stephen's Rd. Barn —7K 153
St Stephens Rd. Enf —1H 157
St Thomas Ct. Pinn —8N 161
St Thomas Dri. Pinn —8N 161
St Thomas Pl. Wheat —7L 89
St Thomas Rd. N14 —9J 155
St Thomas's Rd. Lut —5H 47
St Vincent Dri. St Alb —5H 127
St Vincent Gdns. Lut —6N 45
St Vincent's Cotts. Wat —6K 149
(off Marlborough Rd.)
St Vincents Way. Pot B —7B 142
St Wilfrid's Clo. Barn —7D 154
St Wilfrid's Rd. New Bar —7D 154
St Winifreds Av. Lut —5E 46
St Yon Ct. St Alb —2M 127
Sakins Cft. H'low —9B 118
Salamander Quay. Hare —7K 159
Salcombe Gdns. NW7 —6J 165
Sale Dri. Clot C —2M 23
Salisbury Av. N3 —9M 165
Salisbury Av. Hpdn —5A 88
Salisbury Av. St Alb —1J 127
Salisbury Clo. Bis S —3H 79
Salisbury Clo. Pot B —5B 142
Salisbury Ct. Edgw —6A 164
Salisbury Ct. Enf —6B 156
(off London Rd.)
Salisbury Cres. Chesh —5H 145
Salisbury Gdns. Wel G —1M 111
Salisbury Ho. St Alb —3D 126
Salisbury Ho. Stan —6H 163
Salisbury Rd. Bald —2L 23
Salisbury Rd. Barn —5L 153
Salisbury Rd. Enf —1K 157
Salisbury Rd. Hpdn —4A 88
Salisbury Rd. Hod —6N 115
Salisbury Rd. Lut —2F 66
Salisbury Rd. Stev —8N 35
Salisbury Rd. Wat —2K 149
Salisbury Rd. Wel G —1M 111
Salisbury Sq. Hat —8J 111
Salisbury Sq. Hert —9B 94
(off Market Pl.)
Salix Ct. N3 —6N 165
Sallowsprings. Whip —6C 64
Sally Deards La. Old K —4H 71
Salmon Clo. Wel G —6N 91
Salmond Clo. Stan —6H 163
Salmon Mdw. Hem H —6N 123
Salmons Clo. Ware —3H 95
Salmons Rd. N9 —9E 156
Saltdean Clo. Lut —5M 47
Salters. Bis S —4E 78
Salter's Clo. Berk —8K 103
Salters Clo. Rick —1A 160
Salters Gdns. Wat —3J 149
Salters Way. Dunst —6C 44
Saltfield Cres. Lut —5M 45
Salusbury La. Offl —8D 32
Salwey Cres. Brox —2K 133
Samian Ga. St Alb —4A 126
Sampson Av. Barn —7K 153
Samsbrooke Ct. Enf —8C 156
Samuel Sq. St Alb —3E 126
(off Pageant Rd.)
Sancroft Rd. Harr —9G 163
Sanctuary Clo. Hare —7M 159
Sandalls Spring. Hem H —9J 105
Sandalwood Clo. Lut —2D 46
Sanday Clo. Hem H —4D 124
Sandbrook Clo. NW7 —6D 164
Sandbrook La. Wils —6H 81
Sandell Clo. Lut —7H 47
Sanderling Clo. Let —3E 22
Sanders Clo. Hem H —6B 124
Sanders Clo. Lon C —9L 127
Sanders La. NW7 —7J 165
(in three parts)
Sanders Rd. Hem H —6C 124
Sandfield Rd. St Alb —2H 127
Sandford Ct. New Bar —5A 154
Sandgate Rd. Lut —7N 45
Sandhurst Cen. Wat —3L 149
Sandhurst Ct. Hpdn —9E 88
Sandhurst Rd. N9 —8G 156
Sandhurst Rd. NW9 —9A 164
Sandifield. Hat —3H 129
Sandland Clo. Dunst —8D 44
Sand La. Sils —4C 18
Sandle Rd. Bis S —1J 79
Sandmere Clo. Hem H —3C 124
Sandon. —2A 26
Sandon Clo. Tring —2L 101
Sandon La. Bunt —6D 26
Sandon La. S'don & R'ton —2B 26
Sandon Rd. Chesh —3G 145
Sandover Clo. Hit —4B 34
Sandown Clo. Lut —2C 46
Sandown Ct. Stan —5K 163
Sandown Rd. Stev —9B 36
Sandown Rd. Wat —2L 149
Sandown Rd. Ind. Est. Wat —1L 14
Sandpit La. St Alb —1F 126
Sandpit Rd. Wel G —2L 111
Sandridge. —4K 109
Sandridgebury. —4H 109
Sandridgebury La. St Alb & Sandr —7F 10
Sandridge Clo. Hem H —5C 106
Sandridge Ct. St Alb —7L 109
(off Twyford Rd.)
Sandridge Ga. Bus. Cen. St Alb —7G 10
Sandridge Pk. Port W —6G 108
Sandridge Rd. St Alb —8G 109
Sandringham Av. H'low —6H 117
Sandringham Clo. Enf —4C 156
Sandringham Cres. St Alb —7H 10
Sandringham Dri. H Reg —5G 45
Sandringham Gdns. Bis S —3G 78
Sandringham Rd. Pot B —3A 142
Sandringham Rd. Wat —1L 149
Sandringham Way. Wal X —7G 14
Sand Rd. F'wck —1A 18
Sandwick Clo. NW7 —7G 165
Sandy Clo. Hert —9N 93
Sandycroft Rd. Amer —2A 146
Sandy Gro. Hit —4N 33
Sandy La. Bush —5D 150
Sandy La. N'wd —2H 161
Sandy Lodge. N'wd —2G 161
Sandy Lodge. Pinn —6B 162
Sandy Lodge Ct. N'wd —5G 160
Sandy Lodge Golf Course. —3F 16
Sandy Lodge La. N'wd —2F 160
Sandy Lodge Rd. Rick —2D 160
Sandy Lodge Way. N'wd —5F 160
Sandymount Av. Stan —5K 163
Sandy Ri. Chal P —8B 158
Sanfoine Clo. Hit —2C 34
Sanfoin Rd. Lut —5K 45
Santers La. Pot B —6L 141
Santingfield N. Lut —2D 66
Santingfield S. Lut —2D 66
Santway, The. Stan —5F 162
Sappers Clo. Saw —5H 99
Saracen Est. Hem I —9D 106
Saracen Ind. Area. Hem I —9C 106
Saracens Head. Hem H —1C 124
Saracens Rugby Football Club. —8G 15
Sarbir Ind. Est. H'low —9E 98
Sargents. Stdn —8C 56
Sarita Clo. Harr —9E 162
Sark Ho. Enf —2H 157
Sarnesfield Rd. Enf —6B 156
Sarratt. —9K 135
Sarratt Av. Hem H —6C 106
Sarratt Bottom. —1H 147
Sarratt Hall. —7J 135
Sarratt La. Loud —4L 147
Sarratt Rd. Sarr —1L 147
Sarum Pl. Hem H —7A 106
Sarum Rd. Lut —5A 46
Sassoon. NW9 —8F 164
Satchell Mead. NW9 —8F 164
Satinwood Ct. Hem H —4A 124
Saturn Way. Hem H —8B 106
Sauncey Av. Hpdn —4C 88
Sauncey Wood. Hpdn —3E 88
Sauncey Wood La. Hpdn —2F 88
Saunders Clo. Chesh —1H 145
Saunders Clo. Let —4J 23
Savernake Ct. Stan —6J 163
Savernake Rd. N9 —8E 156
Savill Clo. Chesh —7A 132
Saville Row. Enf —4H 157
Savoy Clo. Edgw —5A 164
Savoy Clo. Hare —9N 159
Savoy Pde. Enf —5C 156
Sawbridgeworth. —6G 98
Sawbridgeworth Rd. Hat H —4N 99
Sawbridgeworth Rd. L Hall —2J 99
(in two parts)
Sawells. Brox —3K 133
Sawpit La. Bis S —3F 42
Sawtry Clo. Lut —3C 46
Sawtry Way. Borwd —2A 152
Sawyers La. Els —3J 151
Sawyers La. S Mim —6K 141
Sawyers Way. Hem H —2B 124
Saxeway Bus. Cen. Chart —9C 120

ax Ho. *Let* —2E **22**
axon Av. *Stot* —4F **10**
axon Clo. *Dunst* —9B **44**
axon Clo. *Hpdn* —3D **88**
axon Clo. *Let* —2F **22**
axon Ct. *Borwd* —3M **151**
axon Cres. *Bar C* —7E **18**
axon Rd. *Lut* —7E **46**
axon Rd. *Welw* —4H **91**
axon Rd. *Wheat* —8L **89**
axon Way. *N14* —8J **155**
axon Way. *Bald* —2A **24**
axon Way. *Mel* —1J **9**
axon Way. *Wal A* —6N **145**
axted Clo. *Lut* —8M **47**
axon M. *Wat* —4J **149**
ayers Gdns. *Berk* —8L **103**
ayer Way. *Kneb* —4M **71**
ayesbury Av. *Saw* —4F **98**
ayesbury Rd. *Saw* —5G **98**
ayes Gdns. *Saw* —5H **99**
aywell Rd. *Lut* —7J **47**

cales Pk. —3G **29**
cammell Way. *Wat* —8H **149**
carborough Av. *Stev* —1G **51**
carborough Rd. *N9* —9G **156**
carlett Av. *Wend* —8D **100**
catterdells La. *Chfd* —3J **135**
cawsby Clo. *Dunst* —8B **44**
ceynes Link. *N12* —4N **165**
cholars Ct. *Col H* —5C **128**
cholar's Hill. *W'side* —3C **96**
cholars M. *Wel G* —7K **91**
cholars, The. *Wat* —6L **149**
   (off Lady's Clo.)
cholars Wlk. *Chal P* —6B **158**
cholars Wlk. *Hat* —3G **129**
chool Clo. *Ess* —8E **112**
chool Clo. *Stev* —6A **52**
choolfields. *Let* —6J **23**
chool Gdns. *Pott E* —8E **104**
chool La. *Ard* —7L **37**
chool La. *Ast* —7D **52**
chool La. *Bar* —3D **16**
chool La. *Brick W* —7A **138**
chool La. *Bush* —9C **150**
chool La. *Chal P* —9A **158**
chool La. *Childw* —3C **108**
chool La. *Eat B* —2J **63**
chool La. *Ess* —8E **112**
chool La. *H'low* —3A **118**
chool La. *Hat* —8J **111**
chool La. *H Lav* —8M **119**
chool La. *Lut* —5N **45**
chool La. *Offl* —7D **32**
chool La. *Pres* —3M **49**
chool La. *Tew* —6D **92**
chool La. *Wat S* —5K **73**
chool La. *Welw* —3H **91**
chool La. *W'ton* —1B **36**
chool Mead. *Ab L* —5G **136**
chool Rd. *Pott B* —3B **142**
chool Row. *Hem H* —3J **123**
chool, The. *Wils* —7J **81**
chool Wlk. *H Reg* —2G **44**
chool Wlk. *Let* —5H **23**
chool Wlk. *Lut* —2G **67**
chopwick Pl. *Els* —8L **151**
   (off St Nicholas Clo.)
chubert Rd. *Els* —8L **151**
cotfield Ct. *Lut* —6M **47**
cot Gro. *Pinn* —7M **161**
cotland Grn. Rd. *Enf* —7H **157**
cotland Grn. Rd. N. *Enf* —6H **157**
cotscraig. *Rad* —8H **139**
cots Hill. *Crox G* —8B **148**
cots Hill Clo. *Rick* —8B **148**
cotsmill La. *Crox G* —8A **148**
cott Av. *Stan A* —2M **115**
cott Clo. *R'ton* —4D **8**
cott Ct. *Dunst* —8F **44**
cott Rd. *Bis S* —2G **78**
cott Rd. *Lut* —2M **45**
cott Rd. *Stev* —3A **52**
cotts Clo. *Ware* —7H **95**
cott's Rd. *Ware* —7H **95**
cotts Vw. *Wel G* —1J **111**
cottswood Clo. *Bush* —4N **149**
cottswood Rd. *Bush* —4N **149**
cout Way. *NW7* —4D **164**
criveners Clo. *Hem H* —2A **124**
crubbitts Pk. Rd. *Rad* —8H **139**
crubbitts Sq. *Rad* —8H **139**
cyttels Ct. *Shil* —2A **20**
eabrook. *Lut* —6L **45**

Seabrook Rd. *K Lan* —9F **124**
Seacroft Gdns. *Wat* —3M **161**
Seaford Clo. *Lut* —6L **47**
Seaford Rd. *Enf* —6C **156**
Seaforth Dri. *Wal X* —7H **145**
Seaforth Gdns. *N21* —9L **155**
Seal Clo. *Leag* —6N **45**
Seaman Clo. *Park* —7E **126**
Seamons Clo. *Dunst* —2G **65**
Searches La. *Bedm* —9L **125**
Sears, The. *Dunst* —3F **62**
Seaton Rd. *Hem H* —5N **123**
Seaton Rd. *Lon C* —8L **127**
Seaton Rd. *Lut* —6B **46**
Seberghram Gro. *NW7* —7G **165**
Sebright Rd. *Barn* —4K **153**
Sebright Rd. *Hem H* —4K **123**
Sebright Rd. *Mark* —2A **86**
Secker Cres. *Harr* —8D **162**
Second Av. *Enf* —7D **156**
Second Av. *H'low* —6N **117**
Second Av. *Lut* —5J **23**
Second Av. *Wat* —8M **137**
Sedbury Clo. *Lut* —3C **46**
Sedcote Rd. *Enf* —7G **157**
Sedge Grn. *Naze* —9C **116**
Sedgwick Rd. *Lut* —2L **45**
Sedley Clo. *Enf* —2F **156**
Seebohm Clo. *Hit* —1K **33**
Seeleys. *H'low* —2E **118**
Seed Pl. *Hpdn* —4A **88**
Sefton Av. *NW7* —5D **164**
Sefton Av. *Harr* —9E **162**
Sefton Av. *St Alb* —1G **127**
Sefton Ct. *Enf* —4N **155**
   (in two parts)
Sefton Rd. *Stev* —9A **36**
Selbourne Rd. *Lut* —6B **46**
Selby Av. *St Alb* —2E **126**
Selden Hill. *Hem H* —3N **123**
Sele Mill. *Hert* —9N **93**
Sele Rd. *Hert* —9N **93**
Selina Clo. *Lut* —2M **45**
Sell Clo. *Chesh* —8N **131**
Sellers Clo. *Borwd* —3C **152**
Sellers Hall Clo. *N3* —7N **165**
Sells Rd. *Ware* —5K **95**
Selsey Dri. *Lut* —4L **47**
Selvage La. *NW7* —5D **164**
Selwood Dri. *Barn* —7K **153**
Selwyn Av. *Hat* —1D **128**
Selwyn Ct. *Edgw* —7B **164**
Selwyn Cres. *Hat* —9E **110**
Selwyn Dri. *Hat* —9D **110**
Semphill Rd. *Hem H* —5A **124**
Senate Pl. *Stev* —7A **36**
Sennen Rd. *Enf* —9D **156**
Sentis Ct. *N'wd* —6H **161**
September Way. *Stan* —6J **163**
Septimus Pl. *Enf* —7E **156**
Sequoia Clo. *Bus H* —1E **162**
Sequoia Pk. *Pinn* —6C **162**
Serby Av. *R'ton* —5C **8**
Sergehill La. *Bedm* —9H **125**
Serpentine Clo. *Stev* —8B **36**
Service Rd., The. *Pot B* —5N **141**
Seven Acres. *N'wd* —6K **161**
Sevenoaks Ct. *N'wd* —7E **160**
Severalls, The. *Lut* —6K **47**
Severn Dri. *Enf* —2E **156**
Severnmead. *Hem H* —8A **106**
Severnvale. *Lon C* —9N **127**
Severn Way. *Stev* —7M **35**
Severn Way. *Wat* —7L **137**
Sewardstone. —3N **157**
Sewardstone Gdns. *E4* —7M **157**
Sewardstone Rd. *E4* &
   Wal A —9M **157**
Sewardstone Rd. *Wal A* &
   E4 —7N **145**
Sewardstone St. *Wal A* —7N **145**
Sewell. —7A **44**
Sewell Clo. *St Alb* —1M **127**
Sewell Harris Clo. *H'low* —5B **118**
Sewell La. *Dunst* —7A **44**
Sewells. *Wel G* —5L **91**
Sexton Clo. *Chesh* —7N **131**
Seymour Av. *Lut* —3H **67**
Seymour Clo. *Pinn* —8A **162**
Seymour Ct. *N21* —8L **155**
Seymour Ct. *Hit* —2N **33**
Seymour Ct. *N'chu* —8J **103**
Seymour Ct. *Tring* —2M **101**
Seymour Cres. *Hem H* —2A **124**
Seymour M. *Saw* —8G **98**

Seymour Rd. *E4* —9M **157**
Seymour Rd. *N3* —7N **165**
Seymour Rd. *Lut* —3H **67**
Seymour Rd. *N'chu* —8J **103**
Seymour Rd. *St Alb* —8F **108**
Seymours. *H'low* —9J **117**
Shackledell. *Stev* —7M **51**
Shacklegate La. *Hit* —3M **69**
Shackleton Spring. *Stev* —6N **51**
Shackleton Way. *Ab L* —5J **137**
   (off Lysander Way)
Shadybush Clo. *Bush* —9D **150**
Shady La. *Wat* —4K **149**
Shafford Cotts. *St Alb* —8A **108**
Shaftenhoe End. —4E **16**
Shaftenhoe End Rd. *Bar* —3D **16**
Shaftesbury Av. *Enf* —4H **157**
Shaftesbury Av. *New Bar* —6B **154**
Shaftesbury Ct. *Crox G* —7E **148**
Shaftesbury Ct. *Stev* —5L **51**
Shaftesbury Ind. Cen. *Let* —4G **23**
Shaftesbury Quay. *Hert* —9B **94**
   (off Priory St.)
Shaftesbury Rd. *E4* —9N **157**
Shaftesbury Rd. *Lut* —9D **46**
Shaftesbury Rd. *Wat* —5L **149**
Shaftesbury Way. *K Lan* —1E **136**
Shaftesbury Way. *R'ton* —8E **8**
Shakespeare. *Hod* —4M **115**
Shakespeare Ct. *New Bar* —5A **154**
Shakespeare Ind. Est. *Wat* —2J **149**
Shakespeare Rd. *N3* —8N **165**
Shakespeare Rd. *NW7* —4F **164**
Shakespeare Rd. *Hpdn* —6C **88**
Shakespeare Rd. *Lut* —6L **45**
Shakespeare St. *Wat* —2K **149**
Shalcross Dri. *Chesh* —3K **145**
Shaldon Rd. *Edgw* —9N **163**
Shallcross Cres. *Hat* —3G **128**
Shambrook Rd. *Chesh* —7N **131**
Shamrock Way. *N14* —9G **155**
Shangani Rd. *Bis S* —3H **79**
Shanklin Clo. *Chesh* —2D **144**
Shanklin Clo. *Lut* —2C **46**
Shanklin Gdns. *Wat* —4L **161**
Shannon Clo. *L Ston* —1F **20**
Shantock Hall La. *Bov* —2B **134**
Shantock La. *Bov* —3A **134**
Sharmans Clo. *Welw* —3M **91**
Sharon Rd. *Enf* —4J **157**
Sharose Ct. *Mark* —2A **86**
Sharpcroft. *Hem H* —9N **105**
Sharpecroft. *H'low* —6M **117**
Sharpenhoe. —9A **18**
Sharpenhoe Rd. *Bar C* —9C **18**
Sharpenhoe Rd. *Bar C* & *Lut*
   —1A **30**
Sharpes La. *Hem H* —4E **122**
Sharples Grn. *Lut* —1D **46**
Sharps Way. *Hit* —1A **34**
Shawbridge. *H'low* —9M **117**
Shaw Clo. *Bus H* —2F **162**
Shaw Clo. *Chesh* —1G **144**
Shaw Green. —6J **25**
Shawgreen La. *Rush* —7J **25**
Shaw Rd. *Enf* —3H **157**
Shaw's Corner. —1A **90**
   (National Trust)
Shaws, The. *Wel G* —1B **112**
Shaw Wood La. *Bis S* —2C **58**
Sheafgreen La. *Stev* —4C **52**
Shearers, The. *Bis S* —4E **78**
Sheares Hoppit. *Hun* —6G **97**
Shearwater Clo. *Stev* —5C **52**
Sheepcot Dri. *Wat* —7L **137**
Sheepcote. *Wel G* —3N **111**
Sheepcote La. *Bis S* —7G **43**
Sheepcote La. *Wheat* —7M **89**
Sheepcote Rd. *Hem H* —2B **124**
Sheepcot La. *Wat* —6J **137**
   (in two parts)
Sheepcroft Hill. *Stev* —6C **52**
Sheephouse Rd. *Hem H* —4B **124**
Sheering. —7M **99**
Sheering Dri. *H'low* —3G **118**
Sheering Lwr. Rd. *H'low* &
   Saw —8H **99**
Sheering Mill La. *Saw* —5H **99**
Sheering Rd. *H'low* —2G **118**
Sheering Rd. *Hat H* —5N **99**
Sheethanger La. *Fel* —6K **123**
Shefton Ri. *N'wd* —7J **161**
Sheldon Clo. *Chesh* —8C **132**

Sheldon Clo. *H'low* —6G **118**
Sheldon Ct. *Barn* —6A **154**
Shelford Rd. *Barn* —8J **153**
Shelduck Clo. *NW9* —9E **164**
Shelley Clo. *Edgw* —4A **164**
Shelley Clo. *Hit* —3C **34**
Shelley Clo. *N'wd* —5H **161**
Shelley Clo. *R'ton* —4D **8**
Shelley Ct. *Hpdn* —6C **88**
Shelley M. *Hem H* —5L **123**
Shelly La. *Hare* —4K **159**
Shelton Way. *Lut* —6J **47**
Shendish Edge. *Hem H* —7B **124**
Shendish Golf Cen. —7N **123**
Shenfield Ct. *H'low* —9M **117**
Shenley. —6N **139**
Shenleybury. —4M **139**
Shenleybury. *Shenl* —3M **139**
Shenleybury Cotts. *Shenl* —4M **139**
Shenley Ct. *Hem H* —6D **106**
Shenley Hill. *Rad* —8J **139**
Shenley La. *Lon C* —7J **127**
Shenley Rd. *Borwd* —6A **152**
Shenley Rd. *Hem H* —5C **106**
Shenley Rd. *Rad* —7J **139**
Shenstone Hill. *Berk* —9B **104**
Shenval Ind. Est. *H'low* —2C **118**
Shenwood Ct. *Borwd* —1A **152**
Shephalbury Pk. —8N **51**
Shephall. —6N **51**
Shephall Grn. *Stev* —7N **51**
Shephall Grn La. *Stev* —7A **52**
Shephall La. *Stev* —8M **51**
Shephall Vw. *Stev* —4N **51**
Shephall Way. *Stev* —5A **52**
Shepherd Clo. *R'ton* —8E **8**
Shepherd Rd. *Lut* —5H **45**
Shepherds Clo. *Bis S* —4E **78**
Shepherds Ct. *Hert* —6A **94**
Shepherds Grn. *Hem H* —3H **123**
Shepherd's La. *Chor & Mill E*
   —8G **146**
Shepherds La. *Stev* —3F **50**
Shepherds M. *Hem H* —9M **21**
Shepherd's Rd. *Wat* —5H **149**
Shepherds Row. *Redb* —1K **107**
   (off High St.)
Shepherds Wlk. *Bus H* —2E **162**
Shepherds Way. *Brk P* —9B **130**
Shepherds Way. *Hpdn* —3M **87**
Shepherds Way. *Rick* —9L **147**
Shepley M. *Enf* —1L **157**
Sheppard Clo. *Enf* —3F **156**
Sheppards. *H'low* —9J **117**
Sheppards Clo. *St Alb* —8F **108**
Shepperton Clo. *Borwd* —3D **152**
Sheppey's La. *K Lan & Ab L*
   —2E **136**
Sherards Orchard. *H'low* —8L **117**
Sheraton Clo. *Els* —7N **151**
Sheraton M. *Wat* —6G **148**
Sherborne Av. *Enf* —4G **156**
Sherborne Av. *Lut* —3F **46**
Sherborne Cotts. *Wat* —7L **149**
   (off Muriel Av.)
Sherborne Gdns. *NW9* —9A **164**
Sherborne Pl. *N'wd* —6F **160**
Sherborne Way. *Crox G* —6D **148**
Sherbourne Clo. *Hem H* —3A **124**
Sherbourne Ho. *Wat* —8F **148**
Sherbourne Pl. *Stan* —6H **163**
Sherbrook Gdns. *N21* —9N **155**
Sherd Clo. *Lut* —2B **46**
Sheredes Dri. *Hod* —1K **133**
Sherfield Av. *Rick* —3N **159**
Sheridan Clo. *Hem H* —3L **123**
Sheridan Rd. *Lut* —7E **46**
Sheridan Rd. *Wat* —9M **149**
Sheridan Wlk. *Brox* —2J **133**
Sheriden Clo. *Dunst* —8E **44**
Sheriff Way. *Wat* —6J **137**
Sheringham Av. *N14* —7J **155**
Sheringham Av. *Stev* —9M **51**
Sheringham Clo. *Lut* —2E **46**
Sheringham Ct. *Enf* —5N **155**
Sherington Av. *Pinn* —7B **162**
Sherland Ct. *Rad* —9H **139**
   (off Dell, The)
Sherrards Mansion. *Wel G* —6H **91**
   (off Rectory Rd.)
Sherrards M. *Wel G* —6H **91**
Sherrardspark. —7J **91**
Sherrardspark Rd. *Wel G* —7J **91**
Sherrards Way. *Barn* —7N **153**

Sherwood. *Let* —3F **22**
Sherwood Av. *Pot B* —5L **141**
Sherwood Av. *St Alb* —8J **109**
Sherwood Ct. *Bis S* —1H **79**
Sherwood Ct. *Wat* —7H **137**
Sherwood Ho. *H'low* —8B **118**
Sherwood Rd. *Hem H* —7B **106**
Sherwood Rd. *NW4* —9J **165**
Sherwood Rd. *Lut* —7C **46**
Sherwoods Ri. *Hpdn* —7E **88**
Sherwoods Rd. *Wat* —9N **149**
Shetland Clo. *Borwd* —8D **152**
Shillington. —2A **20**
Shillington Rd. *Shil & L Ston*
   —2B **20**
Shillington Rd. *Shil & Pir* —5N **19**
Shillitoe Av. *Pot B* —5K **141**
Shingle Clo. *Lut* —1C **46**
Ship La. *Pit* —4B **82**
Shire Balk. *Bald* —8B **6**
Shire Clo. *Brox* —8K **133**
Shire Ct. *Hem H* —1C **124**
Shire La. *Chal P* —3E **158**
   (in three parts)
Shire La. *C'bry* —7K **101**
Shire La. *Chor* —1D **158**
   (Chalfont Rd.)
Shire La. *Chor* —7E **146**
   (Old Shire La.)
Shiremeade. *Borwd* —7N **151**
Shire Park. —7L **91**
Shires, The. *Lut* —8F **46**
Shires, The. *R'ton* —7E **8**
Shires, The. *Wat* —4K **137**
Shirley Clo. *Brox* —6K **133**
Shirley Clo. *Chesh* —2G **144**
Shirley Clo. *Stev* —1A **52**
Shirley Gro. *N9* —9G **157**
Shirley Rd. *Ab L* —5H **137**
Shirley Rd. *Enf* —6A **156**
Shirley Rd. *Lut* —9E **46**
Shirley Rd. *St Alb* —3G **126**
Shoelands Ct. *NW9* —9D **164**
Shoe La. *H'low* —7H **119**
Shooters Rd. *Enf* —3N **155**
Shootersway. —1J **121**
Shootersway. *Berk* —8F **102**
Shootersway La. *Berk* —2K **121**
Shootersway Pk. *Berk* —2K **121**
Shoplands. *Wel G* —5K **91**
Shoreham Clo. *Stev* —1G **50**
Shortcroft. *Bis S* —9M **59**
Shortcroft Ct. *Bar C* —9D **18**
Short Ga. *N12* —4M **165**
Shortgreen La. *Mee* —6J **29**
Shortlands Grn. *Wel G* —1M **111**
Shortlands Pl. *Bis S* —9N **59**
Short La. *Brick W* —2N **137**
Short La. *Stev* —5D **52**
Shortmead Dri. *Chesh* —4J **145**
Short Path. *H Reg* —3F **44**
Shothanger Way. *Bov* —7G **123**
Shottfield Clo. *Sandr* —4K **109**
Shott La. *Let* —5G **23**
Shrubbery Gdns. *N21* —9N **155**
Shrubbery Gro. *R'ton* —9D **8**
Shrubbery, The. *Hem H* —1H **123**
Shrub Hill Rd. *Hem H* —3J **123**
Shrublands. *Brk P* —8A **130**
Shrublands Av. *Berk* —1L **121**
Shrublands Rd. *Berk* —9L **103**
Shrublands, The. *Pot B* —6L **141**
Shrubs Rd. *B Hth* —6B **160**
Shugars Grn. *Tring* —2N **101**
Shurland Av. *Barn* —8C **154**
Sibley Av. *Hpdn* —8E **88**
Sibley Clo. *Lut* —6K **47**
Sibthorpe Rd. *N Mym* —6K **129**
Siccut Rd. *L Wym* —6E **34**
Sicklefield Clo. *Chesh* —8D **132**
Siddons Rd. *Stev* —3B **52**
Sidford Clo. *Hem H* —2J **123**
Sidings, The. *Brox* —4K **133**
Sidings, The. *Hat* —1E **128**
Sidings, The. *Hem H* —2N **123**
Sidmouth Clo. *Wat* —2K **161**
Sidney Ter. *Bis S* —2H **79**
Sidney Ter. *Wend* —9A **100**
Silam Rd. *Stev* —4L **51**
Silecroft Rd. *Lut* —9J **47**
Silk Ho. *NW9* —9D **164**
Silkin Ct. *Stev* —5C **52**
Silkin Way. *Stev* —4K **51**
Silk Mill Ct. *Wat* —8K **149**
Silk Mill Rd. *Redb* —2K **107**

Silk Mill Rd. *Wat* —9K **149**
Silk Mill Way. *Tring* —1M **101**
Silkstream Pde. *Edgw* —8C **164**
Silkstream Rd. *Edgw* —8C **164**
Silsden Cres. *Chal G* —3A **158**
Silverbirch Av. *Stot* —4F **10**
Silver Chase Ct. *Enf* —2N **155**
Silver Clo. *Harr* —7E **162**
Silver Ct. *Hit* —2M **33**
Silverdale. *Enf* —6K **155**
Silverdale Rd. *Bush* —7N **149**
Silver Dell. *Wat* —9H **137**
Silverfield. *Brox* —4K **133**
Silver Hill. *Well E* —9C **140**
Silverston Way. *Stan* —6K **163**
Silver St. *Ans* —6D **28**
Silver St. *A'wl* —9M **5**
Silver St. *Enf* —5B **156**
Silver St. *G Oak* —3N **143**
Silver St. *G Mor* —1A **6**
Silver St. *Lit* —3H **7**
Silver St. *Lut* —1G **66**
Silver St. *Stans* —3M **59**
Silver St. *Wal A* —7N **145**
Silverthorn Dri. *Hem H* —6D **124**
Silver Trees. *Brick W* —3A **138**
Silverwood Clo. *N'wd* —8E **160**
Silvesters. *H'low* —8J **117**
Simmonds Ri. *Hem H* —4N **123**
Simon Ct. *Bush* —8B **150**
Simon Dean. *Bov* —9D **122**
Simon Peter Ct. *Enf* —4N **155**
Simplicity La. *H'low* —5F **118**
Simpson Clo. *N21* —7K **155**
Simpson Clo. *Lut* —7N **45**
Simpson Dri. *Bald* —3M **23**
Simpsons Clo. *Bald* —3M **23**
Sinclare Clo. *Enf* —3D **156**
Sinderby Clo. *Borwd* —3N **151**
Sinfield Clo. *Stev* —4N **51**
Singleton Scarp. *N12* —5N **165**
Singlets La. *Flam* —5D **86**
Sirdane Ho. *St Alb* —6J **109**
Sir Henry Floyd Ct. *Stan* —2J **163**
Sir Herbert Janes Village.
　　　　　　　　　　Lut —5N **45**
Sirius Rd. *N'wd* —5J **161**
Sir Joseph's Wlk. *Hpdn* —7B **88**
Sir Theodore's Way. *Wel G* —8K **91**
　(off Stonehills)
Sish Clo. *Stev* —3K **51**
　(in two parts)
Sish La. *Stev* —3K **51**
Siskin Clo. *Borwd* —6A **152**
Siskin Clo. *Bush* —6N **149**
Siskin Ho. *Wat* —8F **148**
Sisson Clo. *Stev* —7B **52**
Sittingbourne Av. *N21* —8B **156**
Sitwell Gro. *Stan* —5G **162**
Six Acres. *Hem H* —5C **124**
Six Hills Way. *Stev* —6J **51**
Sixth Av. *Let* —5J **23**
Sixth Av. *Wat* —8M **137**
Skegness Rd. *Stev* —1G **51**
Skegsbury La. *Kim* —7G **68**
Skelton Clo. *Lut* —9D **30**
Sketty Rd. *Enf* —5D **156**
Ski Cen. —4B **124**
Skidmore Way. *Rick* —1A **160**
Skillen Lodge. *Pinn* —8M **161**
Skimpans Clo. *N Mym* —6K **129**
Skimpot La. *Lut* —8L **45**
Skimpot Rd. *Dunst* —8K **45**
Skinners St. *Bis S* —4E **78**
Skipton Clo. *Stev* —9M **51**
Skua Clo. *Lut* —4K **45**
Skylark Corner. *Stev* —6C **52**
Skylark Pl. *R'ton* —5E **8**
Skys Wood Rd. *St Alb* —7J **109**
Slacksbury Hatch. *H'low* —6L **117**
Slade Ct. *New Bar* —5A **154**
Slade Ct. *Rad* —8H **139**
Slade Oak La. *Ger X* —9E **158**
Slades Clo. *Enf* —5M **155**
Slades Gdns. *Enf* —4M **155**
Slades Hill. *Enf* —5M **155**
Slades Ri. *Enf* —5M **155**
Slapton. —2A **62**
Slapton La. *N'all* —3C **62**
Slatter. *NW9* —7F **164**
Sleaford Grn. *Wat* —3M **161**
Sleapcross Gdns. *Smal* —3B **128**

Sleapshyde. —3B **128**
Sleaps Hyde. *Stev* —8B **52**
Sleapshyde La. *Smal* —3B **128**
Sleddale. *Hem H* —8A **106**
Sleets End. *Hem H* —9L **105**
Slickett's La. *Edl* —5K **63**
Slimmons Dri. *St Alb* —7H **109**
Slipe La. *Brox* —6K **133**
　(in two parts)
Slip End. —6E **66**
Slipe, The. *Ched* —9M **61**
Slip La. *Old K* —3H **71**
Slippershill. *Hem H* —1N **123**
Sloan Ct. *Stev* —3M **51**
Sloansway. *Wel G* —6M **91**
Slough Rd. *A Grn* —1B **98**
Slowmans Clo. *Park* —1D **138**
Slype, The. *Hpdn & Wheat* —1G **89**
Small Acre. *Hem H* —2J **123**
Smallcroft. *Wel G* —8A **92**
Smallford. —2B **128**
Smallford La. *Smal* —3B **128**
Smallwood Clo. *Wheat* —8M **89**
Smarts Grn. *Chesh* —8D **132**
Smeaton Rd. *Enf* —1L **157**
Smithcombe Clo. *Bar C* —8E **18**
Smithfield. *Hem H* —9N **105**
Smiths Cotts. *L Hall* —6N **43**
Smith's End. —3C **16**
Smith's End La. *Bar* —3C **16**
Smiths La. *Chesh* —8B **132**
Smiths La. Mall. Lut —1G **67**
　(off Arndale Cen.)
Smith Sq. Lut —1G **67**
　(off Arndale Cen.)
Smith St. *Wat* —6L **149**
Smithy, The. *L Had* —7L **57**
Smug Oak. —3C **138**
Smug Oak Bus. Cen. *Brick W*
　　　　　　　　　—2C **138**
Smug Oak La. *Brick W* —3C **138**
Snailswell. —6M **21**
Snailswell La. *Ickl* —6M **21**
Snakes La. *Barn* —5G **155**
Snaresbrook Dri. *Stan* —4L **163**
Snatchup. *Redb* —1J **107**
Snells Mead. *Bunt* —3K **39**
Snipe, The. *W'ton* —1A **36**
Snowdrop Clo. *Bis S* —2E **78**
Snow End. —6D **28**
Snowford Clo. *Lut* —2C **46**
Snowhill Cotts. *Ash G* —6K **121**
Snowley Pde. Bis S —8K **59**
　(off Manston Dri.)
Soham Rd. *Enf* —1K **157**
Solar Ct. *Wat* —7H **149**
Solar Way. *Enf* —9K **145**
Solesbridge Clo. *Chor* —5J **147**
Solesbridge Ct. *Chor* —5J **147**
Solesbridge La. *Chor* —5J **147**
Sollershott E. *Let* —7F **22**
Sollershott Hall. *Let* —7F **22**
Sollershott W. *Let* —7E **22**
Solna Rd. *N21* —9B **156**
Solomon's Hill. *Rick* —9N **147**
Solway. *Hem H* —9B **106**
Solway Rd. N. *Lut* —5C **46**
Solway Rd. S. *Lut* —6C **46**
Somaford Gro. *Barn* —8C **154**
Somerby Clo. *Brox* —3L **133**
Somercoates Clo. *Barn* —5D **154**
Someries. —3M **67**
Someries Arch. *Lut* —3L **67**
Someries Rd. *Hpdn* —3D **88**
Someries Rd. *Hem H* —9J **105**
Somersby Clo. *Lut* —3G **66**
Somerset Av. *Lut* —7J **47**
Somerset Rd. *Enf* —2L **157**
Somerset Rd. *New Bar* —7A **154**
Somersham. *Wel G* —9C **92**
Somers Rd. *N Mym* —6J **129**
Somers Sq. *N Mym* —5J **129**
Somers Way. *Bush* —9D **150**
Sonia Clo. *Wat* —9J **149**
Sonia Ct. *Edgw* —7N **163**
Sonnets, The. *Hem H* —1L **123**
Sootfield Green. —1K **49**
Soothouse Spring. *Port W* —7G **108**
Soper M. *Enf* —2L **157**
Soper Sq. *H'low* —5E **118**
Sopers Rd. *Cuff* —2L **143**
Sopwell. —5F **126**
Sopwell La. *St Alb* —3E **126**
Sopwith. *NW9* —7F **164**
Sorrel Clo. *Lut* —1C **46**

Sorrel Clo. *R'ton* —8F **8**
Sorrel Gth. *Hit* —4A **34**
Sotheron Rd. *Wat* —5L **149**
Souberie Av. *Let* —6F **22**
Souldern St. *Wat* —7K **149**
South Acre. *NW9* —9F **164**
Southacre Way. *Pinn* —8L **161**
Southall Clo. *Ware* —5H **95**
Southampton Gdns. *Lut* —9A **30**
South App. *N'wd* —3F **160**
South Av. *E4* —9M **157**
S. Bank Rd. *Berk* —8K **103**
South Barnet. —9F **154**
South Bedfordshire Golf Course.
　　　　　　　　　—9F **30**
Southbourne Av. *NW9* —9C **164**
Southbourne Ct. *NW9* —9C **164**
Southbrook. *Saw* —6G **99**
Southbrook Dri. *Chesh* —1H **145**
Southbury Av. *Enf* —6E **156**
Southbury Rd. *Enf* —5C **156**
Southcliffe Dri. *Chal P* —5B **158**
South Clo. *Bald* —4M **23**
South Clo. *Barn* —5M **153**
South Clo. *R'ton* —6B **8**
South Clo. *St Alb* —7C **126**
South Comn. *Redb* —1K **107**
S. Cottage Dri. *Chor* —7J **147**
S. Cottage Gdns. *Chor* —7J **147**
South Dene. *NW7* —3A **164**
South Dene. *Hem H* —7K **85**
Southdown Ct. *Hat* —3G **129**
Southdown Ho. *Hpdn* —7C **88**
Southdown Ind. Est. *Hpdn* —8D **88**
Southdown Rd. *Hpdn* —6C **88**
Southdown Rd. *Hat* —3G **128**
S. Drift Way. *Lut* —2D **66**
South Dri. *Cuff* —3K **143**
Southend Clo. *Stev* —2K **51**
S. End La. *N'all* —4E **62**
Southern Av. *Henl* —1J **21**
Southern Green. —7M **25**
Southern Lodge. *H'low* —9M **117**
Southern Ri. *E Hyde* —8A **68**
　(in two parts)
Southern Ter. *Hod* —5M **115**
Southern Way. *H'low* —9K **117**
Southern Way. *Let* —2E **22**
Southern Way. *Stud* —3F **84**
Southernwood Clo. *Hem H*
　　　　　　　　　—1C **124**
Southerton Way. *Shenl* —6M **139**
Southfield. *Barn* —8K **153**
Southfield. *Brau* —2C **56**
Southfield. *Wel G* —2K **111**
Southfield Av. *Wat* —2L **149**
Southfield Rd. *Enf* —8F **156**
Southfield Rd. *Hod* —7L **115**
Southfield Rd. *Wal X* —5J **145**
Southfields. *NW4* —9H **165**
Southfields. *Let* —2F **22**
Southfields. *Stdn* —7B **56**
Southfields Rd. *Dunst* —2G **64**
Southfield Way. *St Alb* —8L **109**
Southgate. —9J **155**
South Ga. *H'low* —6N **117**
Southgate. *Stev* —5K **51**
Southgate Cir. *N14* —9J **155**
Southgate Ho. *Chesh* —3J **145**
Southgate Ind. Est. *N14* —9J **155**
Southgate Pot B —6B **142**
South Grn. *NW9* —8E **164**
South Hatfield. —2F **128**
South Herts Golf Course. —9N **153**
South Hill. *N'wd* —8G **160**
South Hill Clo. *Hit* —4A **34**
S. Hill Rd. *Hem H* —2M **123**
South Ley. *Wel G* —3L **111**
S. Ley Ct. *Wel G* —3L **111**
S. Lodge Cres. *Enf* —6J **155**
　(in two parts)
S. Lodge Dri. *N14* —6J **155**
South Mead. *NW9* —8E **164**
Southmead Cres. *Chesh* —3J **145**
Southmill Rd. *Bis S* —2J **79**
Southmill Trad. Cen. *Bis S* —2J **79**
South Mimms. —5G **141**
S. Ordnance Rd. *Enf* —2L **157**
Southover. *N12* —3N **165**
South Oxhey. —4M **161**
South Pde. *Edgw* —9A **164**
South Pde. *Wal A* —6N **145**

S. Park Av. *Chor* —7J **147**
S. Park Gdns. *Berk* —9M **103**
South Pl. *Enf* —7G **157**
South Pl. *H'low* —2C **118**
South Pl. *Hit* —2L **33**
South Riding. *Brick W* —3A **138**
South Rd. *N9* —9E **156**
South Rd. *Bald* —4M **23**
South Rd. *Bis S* —2J **79**
South Rd. *Chor* —7F **146**
South Rd. *Edgw* —8B **164**
South Rd. *H'low* —3C **118**
South Rd. *Lut* —2F **66**
South Rd. *Puck* —7A **56**
Southsea Av. *Wat* —6J **149**
Southsea Dri. *Stev* —1H **51**
South St. *Bis S* —1H **79**
South St. *Enf* —7G **157**
South St. *Hert* —9B **94**
South St. *Lit* —3H **7**
South St. *Stan* —2N **115**
South St. Commercial Cen. *Bis S*
　　　　　　　　　—2H **79**
South Vw. *Let* —6F **22**
Southview Clo. *Chesh* —8C **132**
Southview Rd. *Hpdn* —4D **88**
S. View Rd. *Pinn* —6K **161**
S. View Vs. *Berk* —2B **122**
Southwark Clo. *Stev* —9A **36**
Southwark Ho. Borwd —4A **152**
　(off Stratfield Rd.)
Southway. *N20* —2N **165**
South Way. *Ab L* —6F **136**
South Way. *Hat* —4F **128**
S. Weald Dri. *Wal A* —6N **145**
Southwold Clo. *Stev* —3G **50**
Southwold Rd. *Wat* —1L **149**
Southwood Rd. *Dunst* —2H **65**
Sovereign Bus. Cen. *Enf* —5K **157**
Sovereign Ct. *H'low* —9L **117**
Sovereign Ct. *Wat* —6J **149**
Sovereign M. *Barn* —5E **154**
Sovereign Pk. *Hem I* —9D **106**
Sowerby Av. *Lut* —6L **47**
Spandow Ct. *Lut* —2F **66**
　(off Elizabeth St.)
Sparhawke. *Let* —2G **22**
Sparrow Clo. *Lut* —5K **45**
Sparrow Dri. *Stev* —5C **52**
Sparrows Herne. *Bush* —9C **150**
Sparrows Way. *Bush* —9D **150**
Sparrowswick Ride. *St Alb*
　　　　　　　　　—6D **108**
Spayne Clo. *Lut* —1D **46**
Spear Clo. *Lut* —3A **46**
Speedwell Clo. *Hem H* —3H **123**
Speedwell Clo. *Lut* —1C **46**
Speke Clo. *Stev* —4C **52**
Spellbrook. —8H **79**
Spellbrook. *Hit* —2L **33**
Spellbrook La. E. *Spel* —8H **79**
Spellbrook La. W. *Saw* —9F **78**
Spencer Av. *Chesh* —8C **132**
Spencer Clo. *N3* —9N **165**
Spencer Clo. *Stans* —3N **59**
Spencer Ga. *St Alb* —9F **108**
Spencer M. *St Alb* —1G **126**
Spencer Pl. *Sandr* —4K **109**
Spencer Rd. *Harr* —9F **162**
Spencer Rd. *Lut* —8E **46**
Spencers Cft. *H'low* —8D **118**
Spencersgreen. —7J **101**
Spencer St. *Hert* —8C **94**
Spencer St. *St Alb* —2E **126**
Spencer Wlk. *Rick* —7M **147**
Spencer Way. *Hem H* —8K **105**
Spenser Clo. *R'ton* —4D **8**
Spenser Rd. *Hpdn* —6D **88**
Sperberry Hill. *St I* —8B **34**
Speyhawk Pl. *Pot B* —2B **142**
Speyside. *N14* —8H **155**
Sphere Ind. Est., The.
　　　　　　　　　St Alb —3H **127**
Spicer Ct. *Enf* —5C **156**
Spicersfield. *Chesh* —9E **132**
Spicers La. *H'low* —2E **118**
Spicer St. *St Alb* —2D **126**
Spilsby Clo. *NW9* —8E **164**
Spindle Berry Clo. *Welw* —9N **71**
Spinney Clo. *Hit* —4B **34**
Spinney Ct. *Hert* —9E **94**
Spinney Ct. *Saw* —6G **99**
Spinney Cres. *Dunst* —9C **44**
Spinney La. *Welw* —6K **71**
Spinney Rd. *Lut* —2N **45**

Spinneys Dri. *St Alb* —4C **126**
Spinney, The. *N21* —9M **155**
Spinney, The. *Bald* —4L **23**
Spinney, The. *Barn* —4A **154**
Spinney, The. *Berk* —2K **121**
Spinney, The. *Brox* —1K **133**
Spinney, The. *Chesh* —3F **144**
Spinney, The. *Hpdn* —4N **87**
Spinney, The. *Hert* —9D **94**
Spinney, The. *Pot B* —4C **142**
Spinney, The. *Stan* —4M **163**
Spinney, The. *Stans* —4N **59**
Spinney, The. *Stev* —2C **52**
Spinney, The. *Wat* —3J **149**
Spinney, The. *Wel G* —1L **111**
Spinning Wheel Mead. *H'low*
　　　　　　　　　—9C **11**
Spire Grn. Cen. *H'low* —7H **117**
Spires Shop. Cen., The. *Barn*
　　　　　　　　　—5L **15**
Spitalbrook. —1L **133**
Spittlesea Rd. *Lut* —2L **67**
Spoondell. *Dunst* —1C **64**
Spooners Dri. *Park* —9D **126**
Sports Cen. —2B **34**
　(Hitchin)
Sports Cen. —3J **67**
　(Luton)
Spratts La. *Kens* —6H **65**
Spring Bank. *N21* —8L **155**
Spring Clo. *Barn* —7K **153**
Spring Clo. *Borwd* —3A **152**
Spring Clo. *Hare* —8N **159**
Spring Clo. *Lat* —9A **134**
Spring Cotts. *Brox* —6J **133**
Spring Ct. *Rad* —8H **139**
Spring Crofts. *Bush* —7B **150**
Spring Dri. *Stev* —9N **51**
Springfield. *Bus H* —1E **162**
Springfield. *Dun* —1E **4**
Springfield Clo. *N12* —5N **165**
Springfield Clo. *Crox G* —7D **148**
Springfield Clo. *Pot B* —4D **142**
Springfield Clo. *Stan* —3H **163**
Springfield Ct. *Bis S* —9G **58**
Springfield Cres. *Hpdn* —3B **88**
Springfield Ho. *Wel G* —2J **111**
Spring Fld. Rd. *Berk* —7K **103**
Springfield Rd. *Chesh* —5J **145**
Springfield Rd. *Eat B* —3A **64**
Springfield Rd. *Hem H* —1B **124**
Springfield Rd. *Let* —3E **46**
Springfield Rd. *St Alb* —3H **127**
Springfield Rd. *Smal* —2B **128**
Springfield Rd. *Wat* —6K **137**
Springfields. *Brox* —1K **133**
Springfields. New Bar —7A **154**
　(off Somerset Rd.)
Springfields. *Wel G* —2H **111**
Spring Gdns. *Wat* —8L **137**
Spring Glen. *Hat* —1F **128**
Springhall Ct. *Saw* —5G **98**
Springhall La. *Saw* —6G **98**
Springhall Rd. *Saw* —5G **98**
Springhead. *A'wl* —9M **5**
Spring Hills. *H'low* —5K **117**
Spring Lake. *Stan* —4J **163**
Spring La. *Bass* —1N **7**
Spring La. *Cot* —5A **38**
Spring La. *Hem H* —9J **105**
Springle La. *Hail* —3K **115**
Spring M. *Saw* —5G **98**
Spring Pl. *N3* —9N **165**
Spring Pl. *Lut* —2F **66**
Spring Rd. *Hpdn* —3J **87**
Spring Rd. *Let* —5E **22**
Springshott. *Let* —6E **22**
Springs, The. *Brox* —7J **133**
Springs, The. *Hert* —8D **94**
Spring Vw. Rd. *Ware* —7G **94**
Spring Villa Rd. *Edgw* —7A **164**
Spring Wlk. *Brox* —4G **133**
Spring Way. *Hem H* —9D **106**
Springwell Av. *Mil E* —2K **159**
Springwell Ct. *Mil E* —2K **159**
Springwell La. *Rick & Hare*
　　　　　　　　　—3K **15?**
Springwood. *Chesh* —8E **132**
Springwood Clo. *Hare* —8N **159**
Springwood Cres. *Edgw* —2B **164**
Springwood Rd. Lut —3F **46**
　(off Ringwood Rd.)
Springwood Wlk. *St Alb* —8L **109**
Spruce Way. *Park* —9C **126**
Spur Clo. *Ab L* —6F **136**

Spurcroft—Strawmead

Spurcroft. Lut —9E 30
Spur Rd. Edgw —4M 163
Spurrs Clo. Hit —3B 34
Spur, The. Chesh —1H 145
Spur, The. Stev —5L 51
Square St. H'low —5E 118
Square, The. Brau —2C 56
Square, The. Brox —5J 133
Square, The. Chipp —6H 27
Square, The. Dunst —9E 44
Square, The. Hem H —2N 123
Square, The. M Hud —5J 77
Square, The. Pott E —7E 104 (off Front, The)
Square, The. Redb —9H 87
Square, The. Saw —5G 99
Square, The. Ugley —7N 43
Square, The. Wat —1K 149
Squires Clo. Bis S —9E 58
Squires Ct. Hod —9L 115
Squires La. N3 —9N 165
Squires Ride. Hem H —5B 106
Squirrel Chase. Hem H —1H 123
Squirrels Clo. Bis S —9H 59
Squirrels, The. Bush —8E 150
Squirrels, The. Hert —9E 94
Squirrels, The. Wel G —1B 112
Stablebridge Rd. Ast C —2E 100
Stable Cotts. Ware —7A 58
Stable Ct. St Alb —9F 108
Stable End Cotts. Tring —5C 102
Stable M. N'thaw —1C 142
Stable Rd. Hal —7C 100
Stables, The. Saw —3K 99
Stacey Ct. Bis S —2H 79 (off Apton Rd.)
Stackfield. H'low —3C 118
Stacklands. Wel G —2H 111
Staddles. L Hall —8K 79
Stadium Ind. Est. Lut —8K 45
Stadium Way. H'low —5J 117
Stafford Clo. N14 —7H 155
Stafford Clo. Chesh —2F 144
Stafford Ct. Brox —2L 133
Stafford Dri. Brox —2L 133
Stafford Ho. Bis S —3H 79 (off Havers La.)
Stafford Ho. Brox —2L 133
Stafford Rd. Harr —7D 162
Staffords. H'low —2G 118
Stag Clo. Edgw —9B 164
Stagg Hill. Barn —9D 142
Stag Grn. Av. Hat —7J 111
Stag La. Berk —9M 103
Stag La. Chor —8F 146
Stag La. Edgw & NW9 —9B 164
Stainer Rd. Borwd —3L 151
Stainers. Bis S —3E 78
Staines Green. —2J 113
Staines Sq. Dunst —1F 64
Stains Clo. Chesh —1J 145
Stainton Rd. Enf —3G 157
Staion Ter. Park —8E 126
Stake Piece Rd. R'ton —8C 8
Stakers Ct. Hpdn —6C 88
Stamford Av. R'ton —6D 8
Stamford Clo. Harr —7F 162
Stamford Clo. Pot B —5C 142
Stamford Ct. R'ton —6D 8
Stamford Rd. Wat —4K 149
Stamford Yd. R'ton —7C 8
Stanborough. —2H 111
Stanborough Av. Borwd —1A 152
Stanborough Clo. Borwd —2A 152
Stanborough Clo. Wel G —1J 111
Stanborough Grn. Wel G —2J 111
Stanborough La. Wel G —3H 111
Stanborough M. Wel G —2K 111
Stanborough Pk. Wat —8K 137
Stanborough Rd. Wel G —3H 111
Stanbury Av. Wat —1G 148
Standalone Farm Cen. —3D 22
Standard Rd. Enf —2J 157
Standfield. Ab L —4G 136
Standhill Clo. Hit —4N 33
Standhill Rd. Hit —4N 33
Standon. —8C 56
Standon Ct. Stdn —8C 56
Standon Green End. —4J 75
Standon Hill. Puck —7N 55
Standon Rd. L Had —6H 57
Standring Ri. Hem H —5L 123
Stane Clo. Bis S —8H 59
Stane Fld. Let —8H 23
Stanelow Cres. Stdn —7A 56
Stane St. Bald —2N 23
Stanford Rd. Lut —7J 47
Stangate Cres. Borwd —7D 152
Stangate Gdns. Stan —4J 163
Stangate Lodge. N21 —9L 155
Stanhope Av. N3 —9M 165
Stanhope Av. Harr —8E 162
Stanhope Clo. Wend —7A 100
Stanhope Gdns. NW7 —5F 164
Stanhope Rd. Barn —8J 153
Stanhope Rd. St Alb —2G 126
Stanhope Rd. Wal X —6J 145
Stanier Ri. Berk —7K 103
Stanley Av. St Alb —7B 126
Stanley Clo. Pull —3A 18
Stanley Dri. Hat —2H 129
Stanley Gdns. Borwd —3M 151
Stanley Gdns. Tring —3L 101
Stanley Livingstone Ct. Lut —2F 66 (off Stanley St.)
Stanley Maude Ho. Ger X —4B 158 (off Micholls Av.)
Stanley Rd. Enf —5C 156
Stanley Rd. Hert —9C 94
Stanley Rd. N'wd —8J 161
Stanley Rd. Stev —1A 52
Stanley Rd. S'ley —5C 30
Stanley Rd. Wat —6L 149
Stanley St. Lut —2F 66
Stanley Wlk. Lut —2F 66 (off Stanley St., in two parts)
Stanmore. —5J 163
Stanmore Chase. St Alb —3L 127
Stanmore Cres. Lut —5B 46
Stanmore Golf Course. —7H 163
Stanmore Hill. Stan —3H 163
Stanmore Lodge. Stan —4J 163
Stanmore Pk. Stan —5J 163
Stanmore Rd. Stev —2K 51
Stanmore Rd. Wat —3K 149
Stanmount Rd. St Alb —7B 126
Stannington Path. Borwd —3A 152
Stanstead Abbots. —2A 116
Stanstead Dri. Hod —6M 115
Stanstead Rd. Hert —8E 94
Stanstead Rd. Hod —7M 115
Stanstead Rd. Stan A —9G 94
Stanstead Hill. M Hud —7K 77
Stansted Mountfitchet. —3N 59
Stansted Rd. Bchgr —6L 59
Stansted Rd. Bis S —1J 79
Stansted Wildlife Pk. —9N 43
Stanton Clo. St Alb —7L 109
Stanton Rd. Lut —8M 45
Stantons. H'low —5L 117
Stanway Gdns. Edgw —5C 164
Staplefield Clo. Pinn —7N 161
Stapleford. —1M 93
Stapleford. Wel G —9C 92
Stapleford Rd. Lut —5K 47
Stapleton Clo. Pot B —4D 142
Stapleton Rd. Borwd —2A 152
Staple Tye. H'low —9M 117
Staple Tye Shop. Cen. H'low —9N 117
Stapley Rd. St Alb —1E 126
Stapylton Rd. Barn —5L 153
Star Holme Ct. Ware —6J 95
Starkey Clo. Chesh —7A 132
Starlight Way. St Alb —4K 127
Starling Clo. Pinn —9L 161
Starling La. Cuff —1L 143
Starling Pl. Wat —5L 137
Star St. Ware —6J 95
Startop's End. —6L 81
Startop's End & Marshworth Nature Reserve. —7L 81
Startpoint. Lut —1E 66
Statham Clo. Lut —9D 30
Station App. N12 —4N 165
Station App. Chor —6G 146
Station App. H'low —1E 118
Station App. Hpdn —6C 88
Station App. Hem H —5K 123
Station App. High Bar —6B 154
Station App. Hit —2A 34
Station App. Kneb —3M 71
Station App. L Chal —3A 146
Station App. N'wd —7G 161
Station App. Rad —8H 139
Station App. Wal X —7J 145
Station App. Wat —3M 161
Station App. Wend —9A 100
Station Clo. N3 —8N 165
Station Clo. N12 —4N 165
Station Clo. Brk P —8L 129
Station Clo. Pot B —4M 141
Station Cotts. Brox —2L 133
Station Footpath. K Lan —3D 136 (in two parts)
Station M. Pot B —4N 141
Station Pde. N14 —9J 155
Station Pde. Barn —6F 154
Station Pde. Edgw —7M 163
Station Pde. Harr —9H 163
Station Pde. Let —5F 22 (off Station Rd.)
Station Pde. N'wd —7G 161
Station Pl. Let —5F 22
Station Rd. E4 —9N 157
Station Rd. N3 —8N 165
Station Rd. N21 —9N 155
Station Rd. NW7 —6E 164
Station Rd. Arl —8A 10
Station Rd. Barn —7A 154
Station Rd. Berk —9A 104
Station Rd. Bis S —1H 79
Station Rd. Borwd —6A 152
Station Rd. Brau —5A 56
Station Rd. Brick W —4B 138
Station Rd. Brk P —6J 129
Station Rd. Brox —2K 133
Station Rd. Bunt —3J 39
Station Rd. Ched —8L 61
Station Rd. Cuff —2L 143
Station Rd. Dunst —9G 44
Station Rd. Edgw —6A 164
Station Rd. H'low —2E 118
Station Rd. Hpdn —6C 88
Station Rd. Hem H —4L 123
Station Rd. I'hoe —2C 82
Station Rd. K Lan —2D 136
Station Rd. Kneb —3M 71
Station Rd. Leag —4A 46
Station Rd. Let —5F 22
Station Rd. Let G —3F 112
Station Rd. Long M —3F 80
Station Rd. L Ston —1F 20
Station Rd. Lut —9G 46
Station Rd. M Hud —7H 77
Station Rd. Odsey —2M 23
Station Rd. Puck —6A 56
Station Rd. Rad —8H 139
Station Rd. Rick —9N 147
Station Rd. Saw —4G 98
Station Rd. Smal —1B 128
Station Rd. Stan A —2N 115
Station Rd. Stans —3N 59
Station Rd. Stpl M —5C 6
Station Rd. Tring —2N 101
Station Rd. Wal A —7L 145
Station Rd. Ware —6H 95
Station Rd. Wat —4K 149
Station Rd. Wat S —5J 73
Station Rd. Welw —4L 91
Station Rd. Wheat —6L 89
Station Ter. Hit —2A 34
Station Way. Let —5E 22
Station Way. St Alb —2G 126
Station Yd. Smal —2B 128
Staveley Rd. Dunst —2E 64
Staveley Rd. Lut —8M 45
Steeplands. Bush —9C 150
Steeple Morden. —3C 6
Steeple Vw. Bis S —9G 59
Sten Clo. Enf —1L 157
Stephens Clo. Lut —6J 47
Stephens Gdns. Lut —7J 47
Stephenson Clo. R'ton —6B 8
Stephenson Way. Wat —6M 149
Stephens Way. Redb —1J 107
Stephyns Chambers. Hem H —3N 123
Stepnells. Mars —6M 81
Steppingstones. Dunst —9C 44
Sterling Av. Edgw —4N 163
Sterling Av. Wal X —7H 145
Sterling Ct. Stev —5K 51
Sterling Rd. Enf —3B 156
Stevenage. —4K 51
Stevenage Borough F.C. —7L 51
Stevenage Bus. & Ind. Pk. Stev —8B 36
Stevenage Cres. Borwd —3M 151
Stevenage Enterprise Cen. Stev —2H 51
Stevenage Golf Course. —8C 52
Stevenage Leisure Cen. —4K 51
Stevenage Leisure Pk. Stev —5J 51
Stevenage Mus. —4L 51
Stevenage Ri. Hem H —7B 106
Stevenage Rd. Hit —5N 33
Stevenage Rd. L Wym & Stev —6C 34
Stevenage Rd. St I —7B 34
Stevenage Rd. Stev & Kneb —9M 51
Stevenage Rd. Walk —1D 52
Stevenage Swimming Cen. —4K 51
Stevens Clo. Pot B —6K 141
Stevens Grn. Bus H —1D 162
Stevenson Clo. Barn —9C 154
Steward Clo. Chesh —3J 145
Stewards. —9N 117
Stewart Clark Ct. Dunst —8D 44
Stewart Clo. Ab L —5H 137
Stewart Rd. Hpdn —5C 88
Stewarts, The. Bis S —1G 79
Stewarts Way. Man —8H 43
Steynings Way. N12 —5N 165
Stile Cft. H'low —8C 118
Stilton Path. Borwd —2A 152
Stipers Clo. Dunst —3H 65
Stipers Hill. —3G 65
Stirling Clo. Hit —3C 34
Stirling Clo. Stev —1C 72
Stirling Corner. —8E 152
Stirling Corner. Borwd —8D 152
Stirling Ho. Borwd —6C 152
Stirling Rd. Harr —9G 162
Stirling Way. Ab L —5J 137
Stirling Way. Borwd —8D 152
Stirling Way. Wel G —9D 92
Stoat Clo. Hert —9E 94
Stobarts Clo. Kneb —2M 71
Stock Bank. R'ton —3N 15
Stockbreach Clo. Hat —8G 110
Stockbreach Rd. Hat —8G 110
Stockens Dell. Kneb —4M 71
Stockens Grn. Kneb —4M 71
Stockers Farm Rd. Rick —3N 159
Stocker's Lake. —3L 159 (Nature Reserve)
Stockfield Av. Hod —6L 115
Stockholm Way. Lut —1A 46
Stocking La. B'frd —9M 113
Stocking La. Nuth —1F 28
Stocking La. Offl —6D 32
Stocking Pelham. —3A 42
Stockings La. L Berk —7J 113
Stockingstone Rd. Lut —6F 46
Stockingswater La. Enf —4K 157
Stockmen Fld. Bis S —3E 78
Stockport Rd. Herons —9F 146
Stocks Hotel & Country Club. (Golf Course) —8F 82
Stocks Mdw. Hem H —1C 124
Stocks Rd. Ald —6G 82
Stockton Clo. New Bar —6B 154
Stockton Gdns. NW7 —3E 164
Stockwell Clo. Chesh —1E 144
Stockwell La. Chesh —1E 144 (in two parts)
Stockwood Country Pk. —4E 66
Stockwood Ct. Lut —2F 66 (off Stockwood Cres.)
Stockwood Craft Mus. —4F 66
Stockwood Cres. Lut —2F 66
Stockwood Pk. Golf Course. —5F 66
Stone Bank. Wel G —9K 91
Stonecroft. Kneb —3M 71
Stonecroft Clo. Barn —6B 153
Stone Cross. H'low —5N 117
Stonecross. St Alb —1F 126
Stonecross Clo. St Alb —1F 126
Stonecross La. Hare S —3A 40
Stone Cross Rd. Hat —7H 111
Stonegrove. —4M 163
Stonegrove. Edgw —4M 163
Stone Gro. Ct. Edgw —5N 163
Stonegrove Gdns. Edgw —5N 163
Stone Hall Cotts. L Hall —2N 99
Stone Hall Rd. N21 —9L 155
Stonehill Ct. E4 —9M 157
Stonehills. Wel G —8K 91
Stonehorse Rd. Enf —7G 157
Stonelea Rd. Hem H —4B 124
Stoneleigh. Saw —4F 98
Stoneleigh Av. Enf —2F 156
Stoneleigh Clo. Lut —2D 46
Stoneleigh Clo. Wal X —6H 145
Stoneleigh Dri. Hod —5M 115
Stoneley. Let —2F 22
Stonemason Clo. Hpdn —4C 88
Stonemead. Wel G —4K 91
Stones All. Wat —6K 149
Stonesdale. Lut —5M 45
Stoneways Clo. Lut —3N 45
Stoney Clo. N'chu —8K 103
Stoney Comn. Stans —4N 59
Stoney Comn. Rd. Stans —4M 59
Stoney Cft. Ald —1G 103
Stoneycroft. Hem H —2K 123
Stoneycroft. Wel G —8N 91
Stoneyfield Dri. Stans —3N 59
Stoneyfields Gdns. Edgw —4C 164
Stoneyfields La. Edgw —5C 164
Stoneygate Rd. Lut —7N 45
Stoney La. Bov —9E 122
Stoney La. Chfd —3H 135
Stoney La. Hem H —5D 122
Stoney Pl. Stans —4N 59
Stonnells Clo. Let —3F 22
Stony Cft. Stev —3L 51
Stonycroft Clo. Enf —4J 157
Stony Hills. Ware —1A 94
Stony La. Lat —2B 146
Stony La. Lut & K Wal —8B 48
Stony Wood. H'low —7N 117
Stookslade. W'grv —5A 60
Stopsley. —5J 47
Stopsley Common. —3G 47
Stopsley Mobile Home Pk. Lut —5H 47
Stopsley Way. Lut —6J 47
Storehouse La. Hit —4N 33
Storey St. Hem H —6N 123
Storksmead Rd. Edgw —7E 164
Stormont Rd. Hit —1N 33
Stornoway. Hem H —4D 124
Stortford Hall Ind. Pk. Bis S —1K 79
Stortford Hall Pk. Bis S —9K 59
Stortford Hall Rd. Bis S —9K 59
Stortford Rd. Hat H —3N 99
Stortford Rd. Hod —7M 115
Stortford Rd. L Had —7M 57
Stortford Rd. Stdn —7C 56
Stort Lodge. Bis S —9F 58
Stort Mill. H'low —9D 98
Stort Rd. Bis S —2H 79
Stort Tower. H'low —4B 118
Stort Valley Ind. Pk. Bis S —7J 59
Stotfold. —6F 10
Stotfold Green. —4F 10
Stotfold Rd. Arl —4A 10
Stotfold Rd. Bald —4H 11
Stotfold Rd. Let —4C 22
Stow, The. H'low —4B 118
Stoxmead. Harr —8E 162
Strafford Clo. Pot B —5N 141
Strafford Ct. Kneb —3N 71
Strafford Ga. Pot B —5N 141
Strafford Rd. Barn —5L 153
Strandburgh Pl. Hem H —4D 124
Strangers Way. Lut —5M 45
Strangeways. Wat —9G 137
Stratfield Dri. Brox —1J 133
Stratfield Pk. Clo. N21 —9N 155
Stratfield Rd. Borwd —5A 152
Stratford Ct. Wat —3K 149
Stratford Rd. Lut —8D 46
Stratford Rd. Wat —4J 149
Stratford Way. Brick W —2A 138
Stratford Way. Hem H —5L 123
Stratford Way. Wat —4H 149
Strathmore Av. Hit —1M 33
Strathmore Av. Lut —3G 67
Strathmore Ct. Hit —1N 33
Strathmore Gdns. N3 —8N 165
Strathmore Gdns. Edgw —9B 164
Strathmore Rd. W'wll —2M 69
Strathmore Wlk. Lut —2H 67
Stratton Av. Enf —1B 156
Stratton Bus. Pk. Big —2A 4
Stratton Clo. Edgw —6N 163
Stratton Ct. Pinn —7A 162 (off Devonshire Rd.)
Stratton Gdns. Lut —5F 46
Stratton Pk. Big —1A 4 (in two parts)
Stratton Pk. Dri. Big —1A 4
Stratton Pl. Tring —2M 101
Strawberry Fld. Hat —3G 129
Strawberry Fld. Lut —2A 46
Strawberry Fields. Ware —5F 94
Strawfields. Wel G —8A 92
Strawmead. Hat —7H 111

A-Z Hertfordshire 213

Strawplaiters Clo. *Wool G* —6N **71**
Straw Plait W. *Arl* —8A **10**
Strayfield Rd. *Enf* —9M **143**
Stream La. *Edgw* —5B **164**
Streamside Ct. *Tring* —9N **81**
  (off Morefields)
Streatfield Rd. *Harr* —9L **163**
Streatley. —4C 30
Streatley Rd. *S'dn* —6A **30**
Street, The. *Ber* —3D **42**
Street, The. *Brau* —2C **56**
Street, The. *Chfd* —4K **135**
Street, The. *Fur P* —5J **41**
Street, The. *Haul* —6D **54**
Street, The. *Man* —7H **43**
Street, The. *Srng* —7K **99**
Street, The. *Wlgtn* —3H **25**
Stretton Way. *Borwd* —2M **151**
Stringers La. *Ast* —8D **52**
Stripling Way. *Wat* —8J **149**
Stroma Clo. *Hem H* —4E **124**
Stronnell Clo. *Lut* —6J **47**
Stronsay Clo. *Hem H* —4E **124**
Stuart Ct. *Els* —8L **151**
Stuart Dri. *Hit* —3B **34**
Stuart Dri. *R'ton* —5D **8**
Stuart Pl. *Lut* —1F **66**
Stuart Rd. *Bar C* —7E **18**
Stuart Rd. *E Barn* —9D **154**
Stuart Rd. *Harr* —9G **163**
Stuart Rd. *Welw* —4H **91**
Stuarts Clo. *Hem H* —4N **123**
Stuart St. *Dunst* —8D **44**
Stuart St. *Lut* —1F **66**
Stuart St. Pas. *Lut* —1F **66**
Stuart Way. *Chesh* —4F **144**
Stubbings Hall La. *Wal A* —1N **145**
Stubbs Clo. *H Reg* —4G **45**
Stud Grn. *Wat* —5J **137**
Studham. —3E 84
Studham La. *Dagn* —2A **84**
Studham La. *Kens* —8D **64**
Studios, The. *Bush* —8B **150**
Studio Way. *Borwd* —4C **152**
Studlands Ri. *R'ton* —7E **8**
Stud La. *Childw* —3C **108**
Studley Rd. *Lut* —8F **46**
Sturgeon Rd. *Hit* —9B **22**
Sturgeon's Way. *Hit* —9B **22**
Sturla Clo. *Hert* —8N **93**
Sturlas Way. *Wal X* —6H **145**
Sturmer Clo. *St Alb* —3K **127**
Sturrock Way. *Hit* —4C **34**
Stylecroft Rd. *Chal G* —2A **158**
Stylemans La. *L Hall* —3K **79**
Styles Clo. *Lut* —7L **47**
Such Clo. *Let* —4H **23**
Sudbury Rd. *Lut* —3L **45**
Suez Rd. *Enf* —6J **157**
Suffolk Clo. *Borwd* —7D **152**
Suffolk Clo. *Lon C* —7K **127**
Suffolk Clo. *Lut* —6K **45**
Suffolk Rd. *Dunst* —2J **65**
Suffolk Rd. *Enf* —7F **156**
Suffolk Rd. *Pot B* —5L **141**
Suffolk Rd. *R'ton* —7E **8**
Sugar La. *Hem H* —4E **122**
Sugden Ct. *Dunst* —9D **44**
Sulgrave Cres. *Tring* —1A **102**
Sullivan Cres. *Hare* —9N **159**
Sullivan Way. *Els* —8K **151**
Summer Ct. *Hem H* —9N **105**
Summer Dale. *Wel G* —5K **91**
Summerfield. *Hat* —3G **129**
Summerfield Clo. *Lon C* —8K **127**
Summerfield Ct. *Stot* —6E **10**
Summerfield Rd. *Lut* —9B **46**
Summerfield Rd. *Wat* —8J **137**
Summer Gro. *Els* —8L **151**
Summer Hill. *Els* —7A **152**
Summerhill Ct. *St Alb* —1G **126**
  (off Avenue Rd)
Summerhill Gro. *Enf* —8C **156**
Summerhouse La. *A'ham* —4D **150**
Summerhouse La. *Hare* —7K **159**
  (in two parts)
Summerhouse Way. *Ab L* —3H **137**
Summerleys. *Edl* —4J **63**
Summer Pl. *Wat* —8H **149**
Summersland Rd. *St Alb* —7K **109**
Summers Rd. *Lut* —8L **47**
Summer St. *S End* —6E **66**
Summers Way. *Lon C* —9M **127**
Summerswood La. *Borwd* —7E **140**
Summer Wlk. *Mark* —2A **86**

Summit Cen. *Pot B* —3L **141**
Summit Clo. *Edgw* —7A **164**
Summit Rd. *Pot B* —3L **141**
Sumners. —9K 117
Sumners Leisure Cen. —9K 117
Sumpter Yd. *St Alb* —3E **126**
Sunbower Av. *Dunst* —6B **44**
Sunbury Av. *NW7* —5D **164**
Sunbury Ct. *Barn* —6A **154**
Sunbury Gdns. *NW7* —5D **164**
Suncote Av. *Dunst* —6B **44**
Suncote Clo. *Dunst* —7B **44**
Sunderland Av. *St Alb* —1H **127**
Sunderland Gro. *Leav* —7H **137**
Sundew Rd. *Hem H* —3H **123**
Sundon La. *H Reg* —4F **44**
Sundon Park. —2M 45
Sundon Pk. Pde. *Lut* —2M **45**
Sundon Pk. Rd. *Lut* —1L **45**
Sundon Rd. *Chal* —1J **45**
Sundon Rd. *H Reg & Chal* —4F **44**
Sundon Rd. *S'ley* —5B **30**
Sundown Av. *Dunst* —1G **64**
Sun Hill. *R'ton* —8C **8**
Sun La. *Hpdn* —4B **88**
Sunmead Rd. *Hem H* —9N **105**
Sunningdale. *Bis S* —2G **78**
Sunningdale. *Lut* —6H **47**
Sunningdale Clo. *Stan* —6H **163**
Sunningdale Clo. *Lut* —6H **47**
Sunningdale Lodge. *Edgw* —5N **163**
  (off Stonegrove)
Sunningdale M. *Wel G* —5L **91**
Sunningfields Cres. *NW4* —9H **165**
Sunningfields Rd. *NW4* —9H **165**
Sunny Bank. *Ched* —5K **61**
Sunnybank Rd. *Pot B* —6N **141**
Sunny Brook Clo. *Ast C* —9C **80**
Sunny Cft. *H'low* —9B **118**
Sunnydale Gdns. *NW7* —6D **164**
Sunnydell. *St Alb* —8C **126**
Sunnyfield. *NW7* —4F **164**
Sunnyfield. *Hat* —6K **111**
Sunny Gdns. Pde. *NW4* —9H **165**
Sunny Gdns. Rd. *NW4* —9H **165**
Sunny Hill. *NW4* —9H **165**
Sunny Hill. *Bunt* —3K **39**
  (in two parts)
Sunny Hill Pk. —9H 165
Sunnyhill Rd. *Hem H* —2L **123**
Sunnyhill Rd. *W Hyd* —6G **159**
Sunnymead Orchard. *A'wl* —1F **12**
Sunnymede Av. *Che* —9J **121**
Sunny Rd., The. *Enf* —3H **157**
Sunnyside. —5A 34
Sunnyside. *Stans* —3N **59**
Sunnyside Dri. *E4* —9N **157**
Sunnyside Rd. *Hit* —5A **34**
Sunridge Av. *Lut* —7G **47**
Sunrise Cres. *Hem H* —5A **124**
Sunrise Vw. *NW7* —6F **164**
Sunset Av. *E4* —9M **157**
Sunset Dri. *Lut* —6H **47**
Sunset Vw. *Barn* —4L **153**
Sun St. *A'wl* —9M **5**
Sun St. *Bald* —3L **23**
Sun St. *Hit* —4M **33**
Sun St. *Saw* —6H **99**
Sun St. *Wal A* —6N **145**
Sun St. Ind. Units. *Saw* —6H **99**
Surrey Ct. *N3* —9L **165**
Surrey Pl. *Tring* —3M **101**
Surrey St. *Lut* —2G **67**
Sursham Ct. *Mark* —2A **86**
Susan Edwards Ho. *Ger X* —4B **158**
  (off Chesham La.)
Sussex Av. *Wat* —2A **86**
Sussex Clo. *Lut* —5J **45**
Sussex Pl. *Lut* —7M **47**
Sussex Ring. *N12* —5N **165**
Sussex Rd. *Wat* —1J **149**
Sussex Way. *Barn* —7G **154**
Sutcliffe Clo. *Bush* —6D **150**
Sutcliffe Clo. *Stev* —1N **51**
Sutherland Av. *Cuff* —1J **143**
Sutherland Clo. *Barn* —6L **153**
Sutherland Ct. *Wel G* —8M **91**
Sutherland Pl. *Lut* —3F **66**
Sutherland Rd. *N9* —9F **156**
Sutherland Rd. *Enf* —8H **157**
Sutherland Way. *Cuff* —1J **143**
Sutton Acres. *L Hall* —9M **79**
Sutton Clo. *Brox* —1J **133**
Sutton Clo. *Tring* —9N **81**

Sutton Cres. *Barn* —7K **153**
Sutton Gdns. *Lut* —3N **45**
Sutton Path. *Borwd* —5A **152**
Sutton Rd. *Dun* —1E **4**
Sutton Rd. *St Alb* —3J **127**
Sutton Rd. *Wat* —5L **149**
  (in two parts)
Swallow Clo. *Bush* —1D **162**
Swallow Clo. *Lut* —5K **45**
Swallow Clo. *Rick* —9M **147**
Swallow Ct. *Enf* —1G **157**
Swallow Ct. *Hert* —9A **94**
Swallow Ct. *Wel G* —9M **91**
Swallowdale La. *Hem I* —8C **106**
Swallow End. *Wel G* —9M **91**
Swallowfields. *Wel G* —9M **91**
  (in two parts)
Swallow Gdns. *Hat* —2G **129**
Swallow La. *St Alb* —5J **127**
Swallow Oaks. *Ab L* —4H **137**
Swallows. *H'low* —2E **118**
Swallows, The. *Wel G* —5M **91**
Swan & Pike Rd. *Enf* —2L **157**
Swan Clo. *Che* —9F **120**
Swan Clo. *I Ast* —7E **62**
Swan Clo. *Rick* —9N **147**
Swan Ct. *Bis S* —2H **79**
  (off South St.)
Swan Ct. *Dunst* —9E **44**
Swan Dri. *NW9* —9E **164**
Swanfield Rd. *Wal X* —6J **145**
Swangley's La. *Kneb* —3N **71**
Swanhill. *Wel G* —6N **91**
Swanland Rd. *N Mym* —7H **129**
Swanland Rd. *S Mim* —6H **141**
Swan La. *G Mor* —1A **6**
Swan La. *Hare S* —3A **40**
Swanley Bar. —2A 142
Swanley Bar La. *Pot B* —1A **142**
Swanley Cres. *Pot B* —2A **142**
Swan Mead. *Hem H* —7B **124**
Swan Mead. *Lut* —5K **45**
Swan M. *Wend* —9A **100**
Swannells Wood. *Stud* —3E **84**
Swann Rd. *Hal* —6B **100**
Swan Rd. *Wal X* —7J **145**
Swans Clo. *St Alb* —3M **127**
Swans Ct. *Wal X* —7J **145**
Swansea Rd. *Enf* —6G **156**
Swansons. *Edl* —5K **63**
Swanston Grange. *Lut* —7L **45**
Swanston Path. *Wat* —3L **161**
Swan St. *A'wl* —9M **5**
Swan Way. *Enf* —4H **157**
Swan Way. *Roy M* —5D **116**
Swasedale Rd. *Lut* —3B **46**
Swasedale Wlk. *Lut* —3B **46**
Sweet Briar. *Bis S* —2D **78**
Sweet Briar. *Wel G* —1N **111**
Sweetbriar Clo. *Hem H* —8K **105**
Sweyns Mead. *Stev* —2B **52**
Sweyns, The. *H'low* —8E **118**
Swift Clo. *Let* —3E **22**
Swift Clo. *R'ton* —4D **8**
Swift Clo. *Stan A* —3N **115**
Swiftfields. *Wel G* —8N **91**
Swifts Grn. Clo. *Lut* —4K **47**
Swifts Grn. Rd. *Lut* —4K **47**
Swillet, The. —8E 146
Swimming Pool. —9M 117
  (Kingsmoor)
Swinburne Av. *Hit* —1K **33**
Swinburne Clo. *R'ton* —4D **8**
Swingate. *Stev* —4K **51**
Swing Ga. La. *Berk* —3A **122**
Swinnell Clo. *Bass* —1A **8**
Swiss Av. *Wat* —6G **149**
Swiss Clo. *Wat* —5G **149**
Sword Clo. *Brox* —2H **133**
Sworder Clo. *Hit* —4M **33**
Sworders Yd. *Bis S* —1H **79**
  (off North St.)
Sycamore App. *Crox G* —7E **148**
Sycamore Av. *Hat* —1G **128**
Sycamore Clo. *Barn* —8C **154**
Sycamore Clo. *Bush* —4N **149**
Sycamore Clo. *Chesh* —8D **132**
Sycamore Clo. *Edgw* —4C **164**
Sycamore Clo. *Lut* —1M **45**
Sycamore Clo. *St I* —6A **34**
Sycamore Clo. *Wat* —8K **137**
Sycamore Dri. *Park* —9E **126**
Sycamore Dri. *Tring* —2N **101**
Sycamore Fld. *H'low* —9J **117**

Sycamore Ri. *Berk* —2A **122**
Sycamore Rd. *Crox G* —7E **148**
Sycamore Rd. *H Reg* —3F **44**
Sycamores, The. *Bald* —3L **23**
Sycamores, The. *Bis S* —2K **79**
Sycamores, The. *Hem H* —5J **123**
Sycamores, The. *Rad* —7J **139**
Sycamores, The. *St Alb* —3E **126**
Sydenham Av. *N21* —7L **155**
Sydney Rd. *Enf* —5B **156**
  (in two parts)
Sydney Rd. *Wat* —7G **149**
Sylam Clo. *Lut* —2A **46**
Sylvan Av. *N3* —9N **165**
Sylvan Av. *NW7* —6E **164**
Sylvan Clo. *Hem H* —3C **124**
Sylvan Ct. *N12* —3N **165**
Sylvandale. *Wel G* —1B **112**
Sylvia Av. *Pinn* —6N **161**
Symonds Ct. *Chesh* —1H **145**
Symonds Green. —2G 51
Symonds Grn. La. *Stev* —3G **50**
Symonds Grn. Rd. *Stev* —2G **51**
  (in two parts)
Symonds Hyde. —3B 110
Symonds Rd. *Hit* —2L **33**
Syon Ct. *St Alb* —3H **127**

Tabbs Clo. *Let* —4H **23**
Tabor Ct. *Let* —4D **22**
Tacitus Clo. *Stev* —1B **52**
Tagalie Pl. *Shenl* —5M **139**
Tagmore Green. —6J **71**
Tailors. *Bis S* —3D **78**
Talbot Av. *Wat* —9N **149**
Talbot Ct. *Hem H* —4N **123**
Talbot Rd. *Ast C* —1D **100**
Talbot Rd. *Harr* —9G **163**
Talbot Rd. *Hat* —6G **111**
Talbot Rd. *Lut* —8H **47**
Talbot Rd. *Rick* —1A **160**
Talbot St. *Hert* —9C **94**
Talbot St. *Hit* —2L **33**
Talbot Way. *Let* —2H **23**
Talisman St. *Hit* —3C **34**
Tallack Clo. *Harr* —7F **162**
Tallents Cres. *Hpdn* —4E **88**
Tallis Way. *Borwd* —3L **151**
Tall Trees. *R'ton* —7E **8**
Tall Trees. *St I* —6A **34**
Talman Gro. *Stan* —6L **163**
Tamar Clo. *Stev* —7N **35**
Tamar Grn. *Hem H* —6B **106**
Tamarisk Clo. *St Alb* —7E **108**
Tameton Clo. *Lut* —7A **48**
Tamworth Rd. *Hert* —8D **94**
Tancred Rd. *Lut* —5J **47**
Tanfield Clo. *Chesh* —9E **132**
Tanfield Grn. *Lut* —1N **47**
Tangle Tree Clo. *N3* —9N **165**
Tanglewood. *Welw* —9N **71**
Tanglewood Clo. *Stan* —2F **162**
Tangmere Way. *NW9* —9E **164**
Tankerfield Pl. *St Alb* —2D **126**
  (off Romeland Hill)
Tanners Clo. *St Alb* —1D **126**
Tanners Cres. *Hert* —2A **114**
Tanners Hill. *Ab L* —4H **137**
Tanners Way. *Hun* —6F **96**
Tanners Wood Clo. *Ab L* —5G **136**
Tanners Wood Ct. *Ab L* —5G **137**
Tanners Wood La. *Ab L* —5G **136**
Tannery Clo. *R'ton* —7C **8**
Tannery Drift. *R'ton* —6C **8**
Tannery, The. *Bunt* —3J **39**
Tannery Yd. *W'will* —1N **69**
Tannsfield Dri. *Hem H* —9B **106**
Tannsmore Clo. *Hem H* —9B **106**
Tansycroft. *Wel G* —8A **92**
Tanworth Clo. *N'wd* —6E **160**
Tanworth Gdns. *Pinn* —9K **161**
Tanyard La. *Welw* —8B **70**
Tanyard, The. *Bass* —1M **7**
Tany's Dell. *H'low* —3C **118**
Tapster St. *Barn* —5M **153**
Taransay. *Hem H* —4D **124**
Tarlings. *H'low* —3B **118**
Tarn Bank. *Enf* —7K **155**
Tarnside Clo. *Dunst* —2E **64**
Tarpan Way. *Brox* —8K **133**
Tarrant. *Stev* —9H **35**
Tarrant Dri. *Hpdn* —8E **88**
Taskers Row. *Edl* —4K **63**
Tassell Hall. *Redb* —9H **87**

Tate Gdns. *Bush* —9F **150**
Tate Ho. *Ger X* —5C **158**
Tate Rd. *Chal P* —5C **158**
Tates Way. *Stev* —8H **35**
Tatlers La. *Ast E* —4C **52**
Tatmorehills La. *Hit* —1K **49**
Tattershall Dri. *Hem H* —5D **106**
Tattle Hill. *Hert* —5K **93**
Tattlers Hill. *W'grv* —5A **60**
Tatton St. *H'low* —5E **118**
Tauber Clo. *Els* —6N **151**
Taunton Av. *Lut* —8K **47**
Taunton Dri. *Enf* —5M **155**
Taunton Way. *Stan* —9M **163**
Taverners. *Hem H* —9A **106**
Taverners Way. *Hod* —8L **115**
Tavistock Av. *St Alb* —5D **126**
Tavistock Clo. *Pot B* —4C **142**
Tavistock Clo. *St Alb* —6E **126**
Tavistock Cres. *Lut* —3G **66**
Tavistock Pl. *N14* —9G **155**
Tavistock Pl. *Dunst* —7D **44**
Tavistock Rd. *Edgw* —8A **164**
Tavistock Rd. *Wat* —3M **149**
Tavistock St. *Dunst* —7D **44**
Tavistock St. *Lut* —2G **66**
Tawneys Rd. *H'low* —8A **118**
Taylor Clo. *Hare* —8M **159**
Taylor Clo. *St Alb* —6H **109**
Taylor Cotts. *Ridge* —6F **140**
Taylors Av. *Hod* —9L **115**
Taylor's Hill. *Hit* —4N **33**
Taylors La. *Barn* —3M **153**
Taylorsmead. *NW7* —5G **164**
Taylor's Rd. *Stot* —4F **10**
Taylor St. *Lut* —9H **47**
Taylor Trad. Est. *Hert* —8F **94**
Tayside Dri. *Edgw* —3B **164**
Taywood Clo. *Stev* —7A **52**
Tea Green. —6C 48
Teal Dri. *N'wd* —7E **160**
Teal Ho. *Wat* —9N **137**
Teal Way. *Hem H* —7B **124**
Teasdale Clo. *R'ton* —4D **8**
Teasel Clo. *R'ton* —8E **8**
Tebworth Rd. *L Buz* —1A **44**
  (in two parts)
Tedder Rd. *Hal C* —9C **100**
Tedder Rd. *Hem H* —1C **124**
Tees Clo. *Stev* —7M **35**
Teesdale. *Hem H* —8A **106**
Teesdale. *Lut* —4M **45**
Tee Side. *Hert* —8F **94**
Teignmouth Clo. *Edgw* —9N **163**
Telford Av. *Stev* —3A **52**
Telford Clo. *Wat* —8M **137**
Telford Ct. *St Alb* —3F **126**
Telford Rd. *Lon C* —9K **127**
Telford Way. *Lut* —9F **46**
Telmere Ind. Est. *Lut* —2G **67**
  (off Albert Rd.)
Telscombe Way. *Lut* —6L **47**
Temperance St. *St Alb* —2D **126**
Tempest Av. *Pot B* —5C **142**
Templar Av. *Bald* —5M **23**
Templars Cres. *N3* —9N **165**
Templars Dri. *Harr* —6E **162**
Templars La. *Pres* —3L **49**
Temple Av. *N20* —9C **154**
Temple Bank. *H'low* —9D **98**
Temple Clo. *N3* —9M **165**
Temple Clo. *Chesh* —4E **144**
Temple Clo. *Hit* —6J **33**
Temple Clo. *Lut* —4G **47**
Temple Clo. *Wat* —4H **149**
Temple Ct. *Bald* —5M **23**
Temple Ct. *Hert* —6B **94**
Temple Ct. *Pot B* —4L **141**
Temple End. —6J 33
Temple Fields. —2C 118
Temple Fields. *Hert* —6B **94**
Templefields Enterprise Cen.
  H'low —3C **118**
Temple Gdns. *Let* —3J **23**
Temple Gdns. *Rick* —4D **160**
Temple Gro. *Enf* —4N **155**
Temple La. *Ton* —9C **74**
Temple Mead. *Hem H* —9N **105**
Temple Mead. *Roy* —6E **116**
Temple Mead Clo. *Stan* —6J **163**
Templepan La. *Chan X* —1A **148**
Temple Pde. *Barn* —9C **154**
  (off Netherlands Rd.)
Temple Vw. *St Alb* —9D **108**
Templewood. *Wel G* —6K **91**

Tempsford—Trevellance Way

Tempsford. Wel G —9C 92
Tempsford Av. Borwd —6D 152
Tempsford Clo. Enf —5A 156
Temsford Clo. Harr —9D 162
Tenby Av. Harr —9J 163
Tenby Dri. Lut —6B 46
Tenby M. Lut —6A 46
Tenby Rd. Edgw —8N 163
Tenby Rd. Enf —6G 156
Tendring Rd. H'low —8M 117
(in two parts)
Tene, The. Bald —3M 23
Tennand Clo. Chesh —8D 132
Tennis Cotts. Berk —9N 103
Tennison Av. Borwd —7B 152
Tenniswood Rd. Enf —3C 156
Tennyson Av. Hit —4C 34
Tennyson Av. H Reg —5G 44
Tennyson Clo. Enf —7H 157
Tennyson Clo. R'ton —4E 8
Tennyson Rd. NW7 —5G 164
Tennyson Rd. Hpdn —4B 88
Tennyson Rd. Lut —4G 66
Tennyson Rd. St Alb —8B 126
Tenterden Clo. NW4 —9K 165
Tenterden Dri. NW4 —9K 165
Tenterfield Ho. Welw —3J 91
Tenth Av. Lut —2M 45
Tenzing Gro. Lut —2E 66
Tenzing Rd. Hem H —2C 124
Teresa Gdns. Wal X —7G 145
Terminal Ho. Stan —5L 163
Terminus St. H'low —5N 117
Terrace Gdns. Wat —4K 149
Terrace, The. N3 —9M 165
Terrace, The. Ess —8D 112
Terrace, The. Redb —1J 107
(off Vaughan Mead)
Terrace, The. Tring —3M 101
(off Akeman St.)
Tethys Rd. Hem H —8B 106
Tewin. —5D 92
Tewin Clo. St Alb —7K 109
Tewin Clo. Tew —2B 92
Tewin Ct. Wel G —8M 91
Tewin Hill. Tew —4D 92
Tewin Rd. Hem H —2E 124
Tewin Rd. Wel G —8M 91
Tewin Water. Welw —4M 91
Tewin Wood. —2C 92
Tewkesbury Gdns. NW9 —9B 164
Teynham Av. Enf —8B 156
Thackeray Clo. R'ton —4D 8
Thames Av. Hem H —6B 106
Thames Ct. Lut —6D 46
Thamesdale. Lon C —9N 127
Thames Ind. Est. Dunst —9E 44
Thatcham Ct. N20 —9B 154
Thatcham Gdns. N20 —9B 154
Thatch Clo. Lut —5J 45
Thatchers Cft. Hem H —7A 106
Thatchers End. Hit —2D 34
Thatchers, The. Bis S —3E 78
Thaxted Clo. Lut —7A 48
Thaynesfield. Pot B —4C 142
Theatre. —1G 66
(off Library Rd.)
Thelby Clo. Lut —3B 46
Thele Av. Stan A —2A 116
Theleway Clo. Hod —5M 115
Thellusson Way. Rick —1J 159
Thelusson Ct. Rad —8H 139
Theobald Cres. Harr —8D 162
Theobalds Clo. Cuff —3L 143
Theobalds La. Wal X —5E 144
(in three parts)
Theobalds Pk. Rd. Enf —8N 143
Theobalds Rd. Cuff —3K 143
Theobald St. Rad & Borwd —9J 139
Theobold Bus. Cen. Hit —8A 22
Therfield. —5D 14
Therfield Heath Nature
Reserve. —8A 8
Therfield Rd. Odsey & R'ton —4J 13
Therfield Rd. St Alb —7E 108
Therfield Wlk. H Reg —3H 45
Thetford Gdns. Lut —3G 46
Thieves La. Hert —8L 93
(in two parts)
Thieves' La. Ware —8G 94
Third Av. Enf —7D 156
Third Av. H'low —7J 117
Third Av. Let —4J 23
Third Av. Lut —2M 45
Third Av. Wat —8M 137
Thirleby Rd. Edgw —8D 164
Thirlestane. St Alb —1G 126
Thirlestone Rd. Lut —8N 45
Thirlmere. Stev —8B 36
Thirlmere Dri. St Alb —4J 127
Thirlmere Gdns. N'wd —5D 160
Thirsk Rd. Borwd —1A 152
Thirston Path. Borwd —4A 152
Thistle Clo. Hem H —3H 123
Thistlecroft. Hem H —3L 123
Thistlecroft Gdns. Stan —8L 163
Thistle Gro. Wel G —3B 112
Thistle Rd. Lut —1H 67
Thistles, The. Hem H —1L 123
Thistley Cres. R Grn —1N 43
Thistley La. Gos —8N 33
Thomas Ct. N'chu —8K 103
Thomas Heskin Ct. Bis S —1J 79
Thomas Rochford Way.
Chesh —8K 133
Thomas Sparrow Ho. Wheat
—7K 89
Thomas Watson Cottage Homes.
(off Leecroft Rd.) Barn —6L 153
Thomas Way. R'ton —4D 8
Thompsons Clo. Chesh —2D 144
Thompsons Clo. Hpdn —6B 88
Thompson's Mdw. G Mor —1A 6
Thompson Way. Rick —1K 159
Thomson Rd. Harr —9F 162
Thorley. —6F 78
Thorley Cen., The. Bis S —4F 78
Thorley High. Thor —6H 79
Thorley Hill. Bis S —3H 79
Thorley Houses. —3D 78
Thorley La. Bis S —5H 79
(Bishop's Stortford)
Thorley La. Bis S —4E 78
(Thorley)
Thorley La. Bis S —3D 78
(Thorley Houses, in two parts)
Thorley Pk. Rd. Bis S —4H 79
Thorley Pl. Cotts. Bis S —4F 78
Thorley Street. —5H 79
Thornage Clo. Lut —2F 46
Thorn Av. Bus H —1D 162
Thorn Bank. Edgw —6A 164
Thornbera Clo. Bis S —4H 79
Thornbera Gdns. Bis S —4G 79
Thornbera Rd. Bis S —4G 79
Thornbury. Dunst —7J 45
Thornbury. Hpdn —6E 88
Thornbury Clo. Hod —4M 115
Thornbury Clo. Stev —9N 51
Thornbury Ct. H Reg —2F 44
Thornbury Gdns. Borwd —6C 152
Thorncroft. Hem H —4D 124
Thorndyke Ct. Pinn —6A 162
Thorne Clo. Hem H —4L 123
Thorneycroft Dri. Enf —1L 157
Thornfield Av. NW7 —8L 165
Thornfield Ct. NW7 —8L 165
Thornfield Pde. NW7 —7L 165
(off Holders Hill Rd.)
Thornfield Rd. Bis S —9G 59
Thorn Gro. Bis S —2K 79
Thornhill Clo. H Reg —2G 44
Thornhill Rd. Lut —8B 46
Thornhill Rd. N'wd —4E 160
Thorn Ho. Borwd —4C 152
(off Elstree Way)
Thorn Rd. H Reg —4A 44
Thornton Cres. Wend —9A 100
Thorntondale. Lut —4M 45
Thornton Gro. Pinn —6B 162
Thornton Rd. Barn —5L 153
Thornton Rd. Pot B —3B 142
Thornton St. Hert —9B 94
Thornton St. St Alb —1D 126
Thorntree Dri. Tring —2L 101
Thorn Vw. Rd. H Reg —4E 44
Thorpe Ct. Enf —5N 155
Thorpe Cres. Wat —9L 149
Thorpefield Clo. St Alb —8L 109
Thorpe Rd. St Alb —3E 126
Thrales Clo. Lut —2A 46
(in three parts)
Thrales End La. Hpdn —2M 87
Three Cherry Trees Cvn. Pk.
Hem H —7D 106
Three Cherry Trees La.
Hem I —7D 106
Three Clo. La. Berk —1N 121
Three Closes. Pir —7E 20
Three Corners. Hem H —4C 124
Three Horseshoes Rd. H'low
—8L 117
Three Houses La. Cod —5C 70
Three Stiles. B'tn —5K 53
Three Valleys Way. Bush —7M 149
Thremhall Av. L Hall —9N 59
Thresher Clo. Bis S —3E 78
Thresher Clo. Lut —5J 45
Threshers Bush. —7K 119
Thricknells Clo. Lut —2A 46
Thrift Farm La. Borwd —4C 152
Thrimley La. Farnh —3D 58
(in two parts)
Thristers Clo. Let —8H 23
Throcking. —1D 38
Throcking La. Bunt —9F 26
Throcking Rd. Cot —2B 38
Throstle Pl. Wat —5L 137
Thrums. Wat —1K 149
Thrush Av. Hat —2G 128
Thrush Grn. Rick —9M 147
Thrush La. Cuff —1K 143
Thumbswood. Wel G —3N 111
Thumpers. Hem H —9A 106
Thundercourt. Ware —5H 95
Thunderfield Grove Nature
Reserve. —6D 132
Thunder Hall. Ware —5H 95
(off Wadesmill Rd.)
Thundridge. —9H 75
Thundridge Bus. Pk. Ware —9H 75
Thundridge Clo. Wel G —1A 112
Thurgood Rd. Hod —6L 115
Thurlow Clo. Lut —5J 45
Thurlow Clo. Stev —8K 35
Thurnall Av. R'ton —8D 8
Thurnall Clo. Bald —3M 23
Thyme Clo. Lut —2G 46
Tibbet Clo. Dunst —2G 64
Tibbles Clo. Wat —8N 137
Tibbs Hill Rd. Ab L —3H 137
Tiberius Rd. Lut —3B 46
Tichborne. Map C —5G 159
Tickenhall Dri. H'low —7F 118
Tilbury Mead. H'low —8C 118
Tilecroft. Wel G —5K 91
Tilegate Green. —8N 119
Tilegate Rd. H'low —8B 118
Tilegate Rd. Ong —9L 119
Tilehouse Clo. Borwd —5N 151
Tilehouse La. W Hyd & Den
—8H 159
Tilehouse St. Hit —4M 33
Tilekiln Clo. Chesh —2D 144
Tile Kiln Clo. Hem H —3D 124
Tile Kiln Cres. Hem H —3D 124
Tile Kiln La. Hem H —3C 124
Tilgate. Lut —6M 47
Tillers Link. Stev —7N 51
Tillingham Way. N12 —4N 165
Tillotson Rd. Harr —7C 162
Tillwicks Rd. H'low —7B 118
Tilsworth Wlk. St Alb —6K 109
Timbercroft. Wel G —6M 91
Timberdene. NW4 —9K 165
Timberlands Cvn. Site. Lut —8E 66
Timber Orchard. W'frd —5M 93
Timber Ridge. Loud —6N 147
Timbers Ct. Hpdn —5A 88
Times Clo. Hit —9L 21
Timplings Row. Hem H —9L 105
Timworth Clo. Lut —8M 47
Tingeys Clo. Redb —1J 107
Tingeys Top La. Enf —9M 143
Tinkers La. Wig —8E 102
Tinsley Clo. Lut —3D 66
Tintagel Clo. Hem H —6N 105
Tintagel Clo. Lut —5D 46
Tintagel Dri. Stan —4L 163
Tintern Av. NW9 —9B 164
Tintern Clo. Hpdn —3L 87
Tintern Clo. Stev —1N 71
Tintern Gdns. N14 —9K 155
Tinwell M. Borwd —7D 152
Tippendell La. St Alb —7B 126
Tippet Ct. Stev —6K 51
Tippetts Clo. Enf —3A 156
Tipplehill Rd. Al G —6B 66
Tiptree Dri. Enf —6B 156
Tiree Clo. Hem H —4D 124
Titan Ct. Lut —8B 46
Titan Rd. Hem H —8B 106
Titchfield Rd. Enf —1J 157
Tithe Barn Clo. St Alb —5D 126
Tithe Clo. NW7 —8G 164
Tithe Clo. Cod —7F 70
Tithe Farm. —3E 44
Tithe Farm Rd. H Reg —3E 44
Tithelands. H'low —9J 117
Tithe Meadow. Wat —9F 148
Tithe Wlk. NW7 —8G 164
Titian Av. Bus H —9F 150
Titmore Ct. Hit —8E 34
Titmore Green. —8E 34
Titmus Clo. Stev —3L 51
Titmus Rd. Hal —7D 100
Tiverton Ct. Hpdn —9F 88
Tiverton Rd. Edgw —9N 163
Tiverton Rd. Pot B —4C 142
Toby Ct. N9 —9G 156
(off Tramway Av.)
Toddbrook. H'low —7L 117
Toddington Rd. Lut —3L 45
Todd's Green. —8G 34
Todhunter Ter. Barn —6N 153
Toland Clo. Lut —8M 45
Tolcarne Dri. Pinn —9J 161
Tollgate Clo. Chor —6J 147
Tollgate Rd. Col H & N Mym
—5D 128
Tollgate Rd. Wal X —8H 145
Tollpit End. Hem H —8K 105
Tollsworth Way. Puck —6A 56
Tolmers Av. Cuff —1K 143
Tolmers Gdns. Cuff —2K 143
Tolmers M. New S —7K 131
Tolmers Pk. New S —7K 131
Tolmers Rd. Cuff —8J 131
(in two parts)
Tolpits Clo. Wat —7H 149
Tolpits La. Wat —1E 160
Tolpits La. Cvn. Site. Wat —9G 149
Tom Hill Clo. Ald —1H 103
Tomkins Clo. Borwd —3M 151
Tomlins Clo. Bar —3C 16
Tomlinson Av. Lut —5H 45
Toms Cft. Hem H —3A 124
Toms Fld. Hat —1E 128
Toms Hill. Ald —2H 103
Tom's Hill. Chan X —9A 136
Toms Hill Rd. Ald —1H 103
Tom's La. K Lan —2D 136
Tonwell. —9C 74
Tooke Clo. Pinn —8N 161
Toorack Rd. Harr —9E 162
Tooveys Mill Clo. K Lan —2C 136
Top Ho. Ri. E4 —9N 157
Topland Rd. Chal P —7A 158
Topstreet Way. Hpdn —7D 88
Torbridge Clo. Edgw —7M 163
Tornay Ct. Slap —2B 62
Torquay Cres. Stev —2H 51
Torquay Dri. Lut —5N 45
Torridge Wlk. Hem H —6B 106
Torrington Dri. Pot B —4C 142
Torrington Rd. Berk —1M 121
Tortoiseshell Way. Berk —8K 103
Torwood Clo. Berk —1K 121
Torworth Rd. Borwd —3N 151
Tot La. Bis S —6M 59
Totteridge. —1M 165
Totteridge Comn. N20 —2G 165
Totteridge Grn. N20 —2N 165
Totteridge La. N20 —2N 165
Totteridge Rd. Enf —1H 157
Totteridge Village. N20 —1L 165
Totternhoe. —1N 63
Totternhoe Knolls Nature
Reserve. —1M 63
Totternhoe Rd. Dunst —1B 64
Totternhoe Rd. Eat B —2H 63
Totton M. Redb —1K 107
Totts La. Walk —9G 37
Toulmin Dri. St Alb —7D 108
Tourist Info. Cen. —1H 79
(Bishop's Stortford)
Tourist Info. Cen. —5K 51
(Stevenage)
Tourist Info. Cen. —9G 46
(Luton)
Tovey Av. Hod —6L 115
Tovey Clo. Lon C —8L 127
Tower Cen., The. Hod —8L 115
Tower Clo. Berk —2L 121
Tower Clo. Hert H —4G 114
(off London Rd.)
Tower Clo. L Wym —7F 34
Tower Ct. Lut —8J 47
Tower Hill. —3J 135
Tower Hill. Chfd —2H 135
Tower Hill. M Hud —6J 77
Tower Hill La. Sandr —1N 109
Tower Rd. Cod —6E 70
Tower Rd. Lut —9J 47
Tower Rd. Ware —5J 95
Towers Rd. Hem H —1A 124
Towers Rd. Pinn —8N 161
Towers Rd. Stev —5K 51
Towers, The. Stev —5K 51
Tower St. Hert —7A 94
Tower Vw. W'wll —2L 69
Tower Way. Lut —9J 47
Towgar Ct. N20 —9B 154
Town Cen. Hat —8G 111
Towne Rd. R'ton —8D 8
Town Farm. L Buz —9M 61
Town Farm. Wheat —7L 89
Town Farm Clo. G Mor —1A 6
Town Farm Cres. Stdn —7C 56
Town Fld. Rick —9M 147
Town Fields. Hat —8G 111
Town Gardens. —4L 51
Town Hall Arc. Berk —1N 121
(off High St.)
Town La. B'tn —5J 53
Townley. Let —7K 23
Townmead Rd. Wal A —7N 145
Town Mill M. Hert —9A 94
(off Mill Bri.)
Town Pk. —4N 117
Townsend. —9E 108
Townsend. Hem H —9N 105
Townsend Av. St Alb —1F 126
Townsend Cen., The. H Reg —5E 44
Townsend Clo. B'wy —9N 15
Townsend Clo. Hpdn —6A 88
Townsend Dri. St Alb —8E 108
Townsend Farm Rd. H Reg —6E 44
Townsend Ind. Est. H Reg —6E 44
Townsend La. Hpdn —6N 87
Townsend Rd. Hpdn —5B 88
Townsend Ter. H Reg —5D 44
Townsend Way. N'wd —7H 161
Townshend St. Hert —9C 94
Townside. Edl —5K 63
Townsley Clo. Lut —2G 66
Town Sq. Stev —4K 51
Town, The. Enf —5B 156
Tracey Ct. Lut —2G 66
(off Hibbert St.)
Tracy Ct. Stan —7K 163
Tracyes Rd. H'low —8D 118
Trafalgar Av. Brox —3K 133
Trafalgar Trad. Est. Enf —6J 157
Trafford Clo. Shenl —5M 139
Trafford Clo. Stev —9L 35
Traherne Clo. Hit —5N 33
Trajan Ga. Stev —9C 36
Tramway Av. N9 —9F 156
Tranmere Rd. N9 —9D 156
Trap Rd. G Mor —1B 6
Trapstyle Rd. Ware —5E 94
Travellers Clo. N Mym —5J 129
Travellers La. Hat —1G 129
Travellers La. N Mym —4J 129
Treacle La. Rush —8L 25
Treacy Clo. Bus H —2D 162
Trebellan Dri. Hem H —1B 124
Treehanger Clo. Tring —2N 101
Tree Tops. Ger X —5B 158
Treetops. Welw —9L 71
Treetops Clo. N'wd —5F 160
Trefoil Clo. Lut —5J 45
Trefusis Wlk. Wat —3G 149
Tregelles Rd. Hod —5L 115
Tregenna Clo. N14 —7H 155
Tremaine Gro. Hem H —7A 106
Trenchard Av. Hal C —8C 100
Trenchard Clo. NW9 —8E 164
Trenchard Clo. Stan —6H 163
Trent Clo. Shenl —5M 139
Trent Clo. Stev —1L 51
Trent Gdns. N14 —8G 154
Trent Pk. (Country Pk.) —3G 154
Trent Pk. Golf Course. —5H 155
Trent Rd. Lut —6C 46
Trentwood Side. Enf —5L 155
Tresco Rd. Berk —9K 103
Trescott Clo. Lut —7N 47
Tresilian Av. N21 —7L 155
Tresilian Sq. Hem H —6C 106
Tretawn Gdns. NW7 —4E 164
Tretawn Pk. NW7 —4E 164
Trevalga Way. Hem H —7A 106
Trevellance Way. Wat —6M 137

Trevelyan Way. *Berk* —8M **103**
Trevera Ct. *Enf* —7J **157**
Trevera Ct. *Hod* —7L **115**
Trevera Ct. *Wal X* —6J **145**
(off Eleanor Rd.)
Treves Clo. *N21* —7L **155**
Trevor Clo. *E Barn* —8C **154**
Trevor Clo. *Harr* —7G **163**
Trevor Gdns. *Edgw* —8D **164**
Trevor Rd. *Edgw* —8D **164**
Trevor Rd. *Hit* —2A **34**
Trevose Way. *Wat* —3L **161**
Trewenna Dri. *Pot B* —5C **142**
Triangle Pas. *Barn* —6B **154**
Triangle, The. *H on M* —4N **33**
Trident Av. *Hat* —8E **110**
Trident Dri. *H Reg* —3G **45**
Trident Ind. Est. *Hod* —8N **115**
Trident Rd. *Wat* —7H **137**
Triggs Way. *C'hoe* —6N **47**
Trigg Ter. *Stev* —3L **51**
Trimley Clo. *Lut* —4L **45**
Trims Green. —9E **78**
Trinder Rd. *Barn* —7J **153**
Tring. —3M **101**
Tring By-Pass. *Tring* —3J **101**
Tringford. —9N **81**
Tring Ford Rd. *T'frd* —7L **81**
Tring Hill. *Ast C & Tring* —3G **100**
Tring Ho. *Wat* —9G **149**
Tring Pk. —4N **101**
Tring Rd. *Dunst* —8K **63**
Tring Rd. *I'hoe & Edl* —3D **82**
Tring Rd. *Long M* —3G **81**
Tring Rd. *N'chu* —7H **103**
Tring Rd. *Wend* —9B **100**
Tring Rd. *Wils* —6H **81**
Tring Rd. *W'grv* —6B **60**
Tring Wharf. —9N **81**
Trinity Av. *Enf* —8D **156**
Trinity Clo. *Bis S* —2H **79**
Trinity Clo. *N'wd* —6G **160**
Trinity Ct. *Enf* —4A **156**
Trinity Ct. *Hert* —7A **94**
Trinity Gro. *Hert* —8A **94**
Trinity Hall Clo. *Wat* —5L **149**
Trinity Ho. *Wal X* —5J **145**
Trinity La. *Wal X* —5J **145**
Trinity M. *Hem H* —3F **124**
Trinity Pl. *Stev* —3K **51**
Trinity Rd. *Hert* H —3G **114**
Trinity Rd. *Lut* —4C **46**
Trinity Rd. *Stev* —3J **51**
Trinity Rd. *Stot* —5F **10**
Trinity Rd. *Ware* —5J **95**
Trinity St. *Bis S* —2H **79**
Trinity St. *Enf* —4A **156**
Trinity Wlk. *Hem H* —3F **124**
Trinity Wlk. *Hert H* —3G **114**
Trinity Way. *Bis S* —2H **79**
Tripton Rd. *H'low* —7A **118**
Tristram Rd. *Hit* —9A **22**
Triton Way. *Hem H* —9B **106**
Trojan Ter. *Saw* —4G **99**
Troon Gdns. *Lut* —3G **46**
Trooper Rd. *Ald* —1G **103**
Trotters Bottom. *Barn* —1G **152**
Trotter's Gap. *Stan A* —2B **116**
Trotters Rd. *H'low* —9C **118**
Trout Ri. *Loud* —5L **147**
Troutstream Way. *Loud* —6K **147**
Trouvere Pk. *Hem H* —9L **105**
Trowbridge Gdns. *Lut* —7G **47**
Trowley. *Flam* —6D **86**
Trowley Bottom. —7D **86**
Trowley Bottom. *Flam* —7D **86**
Trowley Heights. *Flam* —5D **86**
Trowley Hill Rd. *Flam* —7D **86**
Trowley Ri. *Ab L* —4G **137**
Truemans Rd. *Hit* —9L **21**
Truman Clo. *Edgw* —7B **164**
Trumper Rd. *Stev* —9L **35**
Trumpington Dri. *St Alb* —5E **126**
Truncalls. *Lut* —3F **66**
(off Sutherland Pl.)
Trundlers Way. *Bush* —1F **162**
Truro Ct. *Stev* —8M **35**
Truro Gdns. *Lut* —4D **46**
Truro Ho. *Pinn* —7A **162**
Trust Ind Est. *Hit* —8A **22**
Trust Rd. *Wal X* —7J **145**
Tucker's Row. *Bis S* —2H **79**
Tucker St. *Wat* —7L **149**
Tudor Av. *Chesh* —4E **144**
Tudor Av. *Wat* —2M **149**

Tudor Clo. *NW7* —6G **165**
Tudor Clo. *Bar C* —7E **18**
Tudor Clo. *Chesh* —4F **144**
Tudor Clo. *Hat* —3F **128**
Tudor Clo. *Hun* —7G **96**
Tudor Clo. *Stev* —9J **35**
Tudor Ct. *Bass* —1B **8**
Tudor Ct. *Borwd* —4M **151**
Tudor Ct. *Dunst* —1G **64**
(off London Rd.)
Tudor Ct. *Dunst* —8D **44**
(off Park St.)
Tudor Ct. *Hit* —4L **33**
Tudor Ct. *Mil E* —1K **159**
Tudor Ct. *Saw* —4G **98**
Tudor Cres. *Enf* —3A **156**
Tudor Dri. *H Reg* —5H **45**
Tudor Dri. *Wat* —2M **149**
Tudor Enterprise Pk. *Harr* —9E **162**
Tudor Gdns. *Harr* —9E **162**
Tudor Heights. *Hert* —7N **93**
Tudor Ho. *Pinn* —9L **161**
(off Pinner Hill Rd.)
Tudor Mnr. Gdns. *Wat* —5M **137**
Tudor Orchard. *N'chu* —8J **103**
Tudor Pde. *Rick* —9K **147**
Tudor Pk. Golf Course. —4B **154**
Tudor Ri. *Brox* —3J **133**
Tudor Rd. *N9* —9F **156**
Tudor Rd. *Barn* —5N **153**
Tudor Rd. *Harr* —9E **162**
Tudor Rd. *Lut* —7D **46**
Tudor Rd. *Pinn* —9L **161**
Tudor Rd. *St Alb* —7F **108**
Tudor Rd. *Welw* —4H **91**
Tudor Rd. *Wheat* —7M **89**
Tudor Vs. *Chesh* —2C **144**
(in two parts)
Tudor Wlk. *Wat* —1M **149**
Tudor Way. *N14* —9J **155**
Tudor Way. *Hert* —9M **93**
Tudor Way. *Mil E & Rick* —1K **159**
Tudor Way. *Wal A* —6N **145**
Tudor Well Clo. *Stan* —5J **163**
Tuffnell Ct. *Chesh* —1H **145**
(off Coopers Wlk.)
Tuffnells Way. *Hpdn* —3M **87**
Tumbler Rd. *H'low* —7C **118**
Tunfield Rd. *Hod* —5M **115**
Tunnel Wood Clo. *Wat* —1H **149**
Tunnel Wood Rd. *Wat* —1H **149**
Tunnmeade. *H'low* —5C **118**
Turf La. *G'ley* —6H **35**
Turin Rd. *N9* —9G **157**
Turkey Street. —1G **156**
Turkey St. *Enf* —9E **144**
(in two parts)
Turmore Dale. *Wel G* —1J **111**
Turnberry Clo. *NW4* —9K **165**
Turnberry Ct. *Wat* —3L **161**
Turnberry Dri. *Brick W* —3N **137**
Turner Clo. *H Reg* —4G **44**
Turner Clo. *Stev* —8J **35**
Turner Rd. *Bush* —6D **150**
Turner Rd. *Edgw* —9M **163**
Turners Clo. *B'fld* —3H **93**
Turners Clo. *Hpdn* —3D **88**
Turners Cres. *Bis S* —4E **78**
Turner's Hill. *Chesh* —2H **145**
Turners Hill. *Hem H* —3A **124**
Turners Rd. N. *Lut* —7J **47**
Turners Rd. S. *Lut* —7J **47**
Turners Wood Dri. *Chal G* —3A **158**
Turneys Orchard. *Chor* —7G **146**
Turnford. —8J **133**
Turnford Cotts. *Turn* —8K **133**
Turnford Pl. *Turn* —8J **133**
Turnford Vs. *Turn* —8K **133**
Turnors. *H'low* —6M **117**
Turnpike Clo. *Dunst* —2F **64**
Turnpike Dri. *Lut* —9E **30**
Turnpike Grn. *Hem H* —7B **106**
Turnpike La. *Ickl* —8L **21**
Turnstone Clo. *NW9* —9E **164**
Turnstones, The. *Wat* —9N **137**
Turpin Clo. *Enf* —1L **157**
Turpins Chase. *Welw* —9M **71**
Turpins Clo. *Hert* —9L **93**
Turpin's Ride. *R'ton* —8D **8**
Turpins Ride. *Welw* —9M **71**
Turpin's Ri. *Stev* —8M **51**
Turpin's Way. *Bald* —4M **23**
Turvey Clo. *Ast C* —1D **100**
Tussauds Clo. *Crox G* —7C **148**
Tuthill Ct. *Ther* —5C **14**

Tuxford Clo. *Borwd* —2M **151**
Tweed Clo. *Berk* —9M **103**
Tweedy Clo. *Enf* —7D **156**
Twelve Acres. *Wel G* —2L **111**
Twelve Leys. *W'grv* —5A **60**
Twickenham Gdns. *Harr* —7F **162**
Twigden Ct. *Lut* —4A **46**
Twineham Grn. *N12* —4N **165**
Twin Foxes. *Wool G* —6N **71**
Twinn Rd. *NW7* —6L **165**
Twinwoods. *Stev* —5M **51**
Twist, The. *Wig* —4B **102**
Twitchell La. *Ast C* —1D **100**
Twitchell, The. *Bald* —3M **23**
(in two parts)
Twitchell, The. *Shil* —3N **19**
Twitchell, The. *Stev* —2K **51**
Two Acres. *Wel G* —2M **111**
Two Beeches. *Hem H* —6B **106**
Two Dells La. *Ash G* —6K **121**
Two Gates La. *Bell* —6B **120**
Two Oaks Dri. *Welw* —1B **92**
Two Waters. —5N **123**
Two Waters Rd. *Hem H* —4M **123**
Two Waters Way. *Hem H* —6M **123**
Twyford Bury La. *Bis S* —4J **79**
Twyford Bus. Cen., The. *Bis S* —4J **79**
Twyford Clo. *Bis S* —3J **79**
Twyford Dri. *Lut* —7M **47**
Twyford Gdns. *Bis S* —4H **79**
Twyford Mill. *L Hall* —5J **79**
Twyford Rd. *Bis S* —3J **79**
Twyford Rd. *St Alb* —7K **109**
Twysdens Ter. *N Mym* —6J **129**
Tyberry Rd. *Enf* —5F **156**
Tyburn La. *Pull* —3A **18**
Tye End. *Stev* —9A **52**
Tye Green. —8B **118**
Tye Grn. *H'low* —8A **118**
Tye Grn. Village. *H'low* —9B **118**
Tyfield Clo. *Chesh* —3G **145**
Tykeswater La. *Els* —4K **151**
Tylers. *Hpdn* —6E **88**
Tylers Causeway. —4J **131**
Tylers Causeway. *New S* —5G **130**
Tylers Clo. *Bunt* —3H **39**
Tylers Clo. *K Lan* —1A **136**
Tylersfield. *Ab L* —4H **137**
Tylers Mead. *Lut* —4G **47**
Tylers Way. *Wat* —5D **150**
Tylers Wood. *Welw* —2B **92**
Tylney Cft. *H'low* —8L **117**
(in two parts)
Tynedale. *Lon C* —9N **127**
Tynemouth Dri. *Enf* —2E **156**
Typleden Clo. *Hem H* —9N **105**
Tysea Clo. *H'low* —9B **118**
Tysea Rd. *H'low* —9B **118**
Tysoe Av. *Enf* —9K **145**
Tythe M. *Edl* —5J **63**
Tythe Rd. *Lut* —3M **45**
Tyttenhanger. —5M **127**
Tyttenhanger Grn. *Tyngr* —5L **127**

Uckfield Rd. *Enf* —1H **157**
Ufford Clo. *Harr* —7C **162**
Ufford Rd. *Harr* —7C **162**
Ugley. —5N **43**
Ullswater Clo. *Stev* —8B **36**
Ullswater Rd. *Dunst* —2E **64**
Ullswater Rd. *Hem H* —4E **124**
Ulverston Rd. *Dunst* —2D **64**
Underacre Clo. *Hem H* —1C **124**
Underhill. —7N **153**
Underhill. *Barn* —7N **153**
Underhill Ct. *Barn* —7N **153**
Underwood Clo. *Lut* —9B **30**
Underwood Rd. *Stev* —8J **35**
Union Chapel Ho. *Lut* —2G **66**
(off Castle St.)
Union Grn. *Hem H* —1N **123**
Union St. *Barn* —5L **153**
Union St. *Dunst* —9D **44**
Union St. *Lut* —2G **66**
Union Ter. *Bunt* —3J **39**
Unity Rd. *Enf* —1G **157**
University Clo. *NW7* —7F **164**
University Clo. *Bush* —6B **150**
University of Hertfordshire.
—2F **128**
Unwin Clo. *Let* —7E **22**
Unwin Pl. *Stev* —6B **52**
Unwin Rd. *Stev* —6B **52**

Upcroft Av. *Edgw* —5C **164**
Updale Clo. *Pot B* —6L **141**
Up End. *Saf W* —2J **29**
Uphill Dri. *NW7* —5E **164**
Uphill Gro. *NW7* —4E **164**
Uphill Rd. *NW7* —4E **164**
Upland Dri. *Brk P* —7A **130**
Uplands. *Brau* —3C **56**
Uplands. *Crox G* —8B **148**
Uplands. *Lut* —1N **45**
Uplands. *Stev* —1C **52**
Uplands. *Ware* —5K **95**
Uplands. *Wel G* —5J **91**
Uplands Av. *Hit* —4B **34**
Uplands Ct. *N21* —9M **155**
(off Green, The)
Uplands Ct. *Lut* —3G **66**
Uplands Pk. Rd. *Enf* —4M **155**
Uplands, The. *Brick W* —3N **137**
Uplands, The. *Hpdn* —2B **108**
Uplands Way. *N21* —7M **155**
Uppend. —9D **42**
Up. Ashlyns Rd. *Berk* —2M **121**
Up. Barn. *Hem H* —5B **124**
Up. Belmont Rd. *Che* —9F **120**
Up. Bourne End La. *Hem H*
—7A **122**
Up. Bourne End La. *Hem H*
—5E **122**
Up. Cavendish Av. *N3* —9N **165**
Up. Clabdens. *Ware* —5K **95**
Up. Crackney La. *Ware* —1F **96**
Up. Culver Rd. *St Alb* —9F **108**
Up. Dagnall St. *St Alb* —2E **126**
Upper Dunsley. —3A **102**
Upperfield Rd. *Wel G* —2M **111**
Up. George St. *Lut* —1F **66**
Upper Green. —9M **17**
Upper Green. *Tew* —4C **92**
Up. Green Rd. *Tew* —4D **92**
Up. Hall Pk. *Berk* —2A **122**
Up. Heath Rd. *St Alb* —9G **108**
Up. Highway. *Ab L* —5E **136**
Upper Hitch. *Wat* —1N **161**
Up. Hook. *H'low* —8B **118**
Up. Icknield Way. *Ast C* —8B **100**
Up. Icknield Way. *Bul & Pit* —7A **82**
Up. King St. *R'ton* —7D **8**
Up. Lattimore Rd. *St Alb* —2F **126**
Up. Marlborough Rd. *St Alb*
—2F **126**
Up. Marsh La. *Hod* —9L **115**
Up. Maylins. *Let* —2G **23**
Upper Mealines. *H'low* —9C **118**
Up. Paddock Rd. *Wat* —8N **149**
Upper Pk. *H'low* —5L **117**
Upper Sales. *Hem H* —3J **123**
Upper Sean. *Stev* —6N **51**
Up. Shot. *Wel G* —8N **91**
Upper Shott. *Chesh* —8D **132**
Up. Station Rd. *Rad* —8H **139**
Upper Stondon. —1F **20**
Upperstone Clo. *Stot* —6F **10**
Up. Stonyfield. *H'low* —6L **117**
Upper Tail. *Wat* —3N **161**
Up. Tilehouse St. *Hit* —3M **33**
Up. Wingbury Courtyard
Bus. Cen. *W'grv* —3C **60**
Uppingham Av. *Stan* —8J **163**
Upton Av. *St Alb* —1E **126**
Upton Clo. *Lut* —3F **46**
Upton Clo. *Park* —7E **126**
Upton End. —1A **20**
Upton End Rd. *Shil* —1N **19**
Upton Lodge Clo. *Bush* —9D **150**
Upton Rd. *Wat* —5K **149**
Upway. *Chal P* —8C **158**
Upwell Rd. *Lut* —7K **47**
Upwick Green. —4A **58**
Uranus Rd. *Hem H* —9B **106**
Urban Rd. *Bis S* —1K **79**
Uvedale Rd. *Enf* —7B **156**
Uxbridge Rd. *Harr & Stan* —7D **162**
Uxbridge Rd. *Mil E & Rick* —3J **159**
Uxbridge Rd. *Pinn* —9L **161**

Vache La. *Chal G* —2A **158**
Vadis Clo. *Lut* —2A **46**
Vale Av. *Borwd* —7B **152**
Vale Clo. *Chal P* —8A **158**
Vale Clo. *Hpdn* —3M **87**
Vale Cotts. *Ware* —4H **55**
Vale Ct. *New Bar* —6A **154**

Vale Ct. *Wheat* —8L **89**
Vale Dri. *Barn* —6M **153**
Vale Ind. Est. *Wat* —9D **148**
Valence Dri. *Chesh* —1E **144**
Valence End. *Dunst* —2G **64**
Valencia Rd. *Stan* —4K **163**
Valency Clo. *N'wd* —4H **161**
Valentine Way. *Chal G* —3A **158**
Valerian Way. *Stev* —9C **36**
Valerie Clo. *St Alb* —2J **127**
Vale Rd. *Bush* —7N **149**
Vale Rd. *Che* —9G **121**
Valeside. *Hert* —1M **113**
Valeside Ct. *Barn* —6A **154**
Vale, The. *N14* —9J **155**
Vale, The. *Chal P* —8A **158**
Vallance Pl. *Hpdn* —8D **88**
Vallans Clo. *Ware* —4H **95**
Vallansgate. *Stev* —8A **52**
Valley Clo. *Hert* —1B **114**
Valley Clo. *Kens* —6B **42**
Valley Clo. *Pinn* —9K **161**
Valley Clo. *Stud* —3E **84**
Valley Clo. *Wal A* —5N **145**
Valley Clo. *Ware* —5F **94**
Valley Fields Cres. *Enf* —4M **155**
Valley Grn. *Hem H* —5D **106**
Valley Grn., The. *Wel G* —8J **91**
Valley La. *Mark* —6M **85**
Valleylink Est. *Enf* —8J **157**
Valley Pk. *Wat* —9E **148**
Valley Ri. *R'ton* —7E **8**
Valley Ri. *Wat* —6K **137**
Valley Ri. *Wheat* —5G **88**
Valley Rd. *Cod* —7F **70**
Valley Rd. *Let* —4C **22**
Valley Rd. *N'chu* —8K **103**
Valley Rd. *Rick* —7K **147**
Valley Rd. *St Alb* —7F **108**
Valley Rd. *Stud* —3E **84**
Valley Rd. *Wel G* —9H **91**
Valley Side. *E4* —9L **157**
Valleyside. *Hem H* —2J **123**
Valley, The. *W'wll* —1M **69**
Valley Vw. *Barn* —8L **153**
Valley Vw. *G Oak* —1A **144**
Valley Wlk. *Crox G* —7E **148**
Valley Way. *Stev* —7M **51**
Valpy Clo. *Wig* —5B **102**
Vanbrugh Dri. *H Reg* —4G **45**
Vancouver Mans. *Edgw* —8B **164**
Vancouver Rd. *Edgw* —8B **164**
Vanda Cres. *St Alb* —3G **127**
Vanguard. *NW9* —7E **164**
Vantage Rd. *Ware* —6G **99**
Vantorts Clo. *Saw* —5G **99**
Vantorts Rd. *Saw* —6G **99**
Vardon Rd. *Stev* —1L **51**
Varna Clo. *Lut* —6C **46**
Varney Clo. *Chesh* —9E **132**
Varney Clo. *Hem H* —2J **123**
Varney Rd. *Hem H* —2J **123**
Vaughan Mead. *Redb* —1J **107**
Vaughan Rd. *Hpdn* —6C **88**
Vaughan Rd. *Stot* —6E **10**
Vauxhall Rd. *Hem H* —2C **124**
Vauxhall Rd. *Lut* —3K **67**
Vauxhall Way. *Lut* —6J **47**
Vega Cres. *N'wd* —5H **161**
Vega Rd. *Bush* —9D **150**
Veitch Rd. *Wal A* —7N **145**
Velizy Av. *H'low* —5N **117**
Velizy Roundabout. *H'low* —5N **117**
Velour Ct. *Lut* —8H **47**
(off Charles St.)
Venetia Rd. *Lut* —5J **47**
Venetia Rd. Footpath. *Lut* —5J **47**
(off Hitchin Rd.)
Ventnor Av. *Stan* —8J **163**
Ventnor Dri. *N20* —3N **165**
Ventnor Gdns. *Lut* —2B **46**
Ventura Pk. *Col S* —2G **138**
Venue, The. —4C **152**
Venus Hill. —4D **134**
Venus Hill. *Bov* —4D **134**
Vera Av. *N21* —7M **155**
Vera Ct. *Wat* —9M **149**
Vera La. *Welw* —3A **92**
Verdure Clo. *Wat* —5N **137**
Verey Rd. *Wood E* —7F **44**
Veritys. *Hat* —9G **110**
Verity Way. *Stev* —9N **35**
Ver Meadows Cvn. Site.
Redb —1L **107**
Vermont Clo. *Enf* —6N **155**

Verney Clo.—Watermill La.

erney Clo. *Berk* —9K **103**
erney Clo. *Tring* —1A **102**
ernon Av. *Enf* —9J **145**
ernon Clo. *St Alb* —3E **126**
ernon Ct. *Bis S* —4G **79**
ernon Ct. *Stan* —8J **163**
ernon Cres. *Barn* —8F **154**
ernon Dri. *Hare* —8M **159**
ernon Dri. *Stan* —8H **163**
ernon Pl. *Dunst* —8E **44**
ernon Rd. *Bush* —7N **149**
ernon Rd. *Lut* —9E **46**
eronica Ho. *Wel G* —2A **112**
er Rd. *Redb* —9L **87**
er Rd. *St Alb* —2D **126**
erulam Clo. *Wel G* —9M **91**
erulam Gdns. *Lut* —3B **46**
erulam Golf Course. —4G 127
erulam Ind. Est. *St Alb* —4G **126**
erulam Pas. *Wat* —4K **149**
erulam Rd. *Hit* —2N **33**
erulam Rd. *St Alb* —1C **126**
erwood Dri. *Barn* —5E **154**
erwood Rd. *Harr* —9D **162**
espers Clo. *Lut* —7K **45**
esta Av. *St Alb* —5D **126**
esta Rd. *Hem H* —9B **106**
estry Clo. *Lut* —1F **66**
eysey Clo. *Hem H* —4L **123**
iaduct Cotts. *E Hyde* —8N **67**
iaduct Rd. *Ware* —6J **95**
iaduct Way. *Wel G* —6M **91**
ian Av. *Enf* —8J **145**
icarage Causeway. *Hert H* —2F **114**
icarage Clo. *Arl* —4A **10**
icarage Clo. *Bis S* —1H **79**
icarage Clo. *Hem H* —4M **123**
icarage Clo. *N'thaw* —3E **142**
icarage Clo. *St Alb* —5D **126**
icarage Clo. *Shil* —3N **19**
icarage Clo. *Stdn* —7B **56**
icarage Clo. *Wend* —9A **100**
icarage Gdns. *Flam* —6D **86**
icarage Gdns. *Mars* —5M **81**
icarage Gdns. *Pott E* —7E **104**
icarage La. *Ber* —2D **42**
icarage La. *Bov* —8E **122**
icarage La. *I'hoe* —2D **82**
icarage La. *K Lan* —2B **136**
icarage La. *Ugley* —5N **43**
icarage La. *W'frd* —4M **93**
icarage Rd. *Bunt* —2J **39**
icarage Rd. *H Reg* —4E **44**
icarage Rd. *Mars* —5L **81**
icarage Rd. *Pit* —3B **82**
icarage Rd. *Pott E* —7D **104**
icarage Rd. *Ware* —6J **95**
icarage Rd. *Wat* —8J **149**
icarage Rd. *Wig* —5B **102**
icarage Rd. Precinct. Wat (off Vicarage Rd.) —6K ***149***
icarage St. *Lut* —1H **67**
icarage Wood. *H'low* —5B **118**
icars Clo. *Enf* —4C **156**
icars Moor La. *N21* —9M **155**
icerons Pl. *Bis S* —4F **78**
iceroy Ct. *Dunst* —9F **44**
ictoria Av. *N3* —8M **165**
ictoria Av. *Barn* —6C **154**
ictoria Clo. *Barn* —6C **154**
ictoria Clo. *Rick* —9N **147**
ictoria Clo. *Stev* —2K **51**
ictoria Ct. *Wat* —5L **149**
ictoria Cres. *R'ton* —6D **8**
ictoria Dri. *Stot* —7G **10**
ictoria Ga. *H'low* —6E **118**
ictoria Ho. *Edgw* —6B **164**
ictoria Ho. Ger X —4B ***158*** *(off Micholls Av.)*
ictoria La. *Barn* —6M **153**
ictoria M. *Bayf* —5M **113**
ictoria Pas. *Wat* —6K **149**
ictoria Pl. *Dunst* —9D **44**
ictoria Pl. *Hem H* —2N **123**
ictoria Rd. *NW7* —5F **164**
ictoria Rd. *Barn* —6C **154**
ictoria Rd. *Berk* —2A **122**
ictoria Rd. *Bush* —1C **162**
ictoria Rd. *Hpdn* —6C **88**
ictoria Rd. *Wal A* —7N **145**
ictoria Rd. *Wat* —2K **149**
ictoria St. *Dunst* —8D **44**
ictoria St. *Lut* —2G **66**
ictoria St. *St Alb* —2E **126**
Victoria Way. *Hit* —2L **33**
Victor Smith Ct. *Brick W* —4B **138**
Victors Way. *Barn* —5M **153**
Victory Ct. *R'ton* —8E **8**
Victory Rd. *Berk* —9L **103**
Victory Rd. *Wend* —9A **100**
View Point. *Stev* —4G **51**
View Rd. *Pot B* —5B **142**
Viga Rd. *N21* —8M **155**
Vigors Cft. *Hat* —1F **128**
Villa Ct. *Lut* —9F **46**
Village Arc. *E4* —9N **157**
Village Cen. *Hem H* —3E **124**
Village Clo. *Hod* —6A **116**
Village Ct. St Alb —7L ***109*** *(off Twyford Rd.)*
Village M. *Bov* —9D **122**
Village Pk. Clo. *Enf* —8C **156**
Village Rd. *N3* —9L **165**
Village Rd. *Enf* —7C **156**
Village St. *Hit* —8F **50**
Village, The. *L Hall* —8K **79**
Village Way. *Amer* —4A **146**
Village Way. *A'wl* —1F **12**
Villa Rd. *Lut* —9F **46**
Villiers Clo. *Lut* —6N **45**
Villiers Cres. *St Alb* —8L **109**
Villiers Rd. *Wat* —8N **149**
Villiers St. *Hert* —9C **94**
Villiers-Sur-Marne Av. *Bis S* —2F **78**
Vincent. *Let* —7J **23**
Vincent Clo. *Barn* —5A **154**
Vincent Clo. *Chesh* —1J **145**
Vincent Ct. *N'wd* —8H **161**
Vincent Ct. *Stev* —1H **51**
Vincent Rd. *Lut* —4N **45**
Vincenzo Clo. *N Mym* —5J **129**
Vine Clo. *Wel G* —7L **91**
Vine Gro. *Gil* —1A **118**
Vineries Bank. *NW7* —5H **165**
Vineries, The. *N14* —8H **155**
Vineries, The. *Enf* —5C **156**
Vines Av. *N3* —8N **165**
Vines, The. *Stot* —6E **10**
Vinetrees. *Wend* —9A **100**
Vineyard Av. *NW7* —7L **165**
Vineyard Gro. *N3* —8N **165**
Vineyard Hill. *N'thaw* —2F **142**
Vineyards Rd. *N'thaw* —3E **142**
Vineyard, The. *Ware* —5L **95**
Vinters Av. *Stev* —4M **51**
Violet Av. *Enf* —2B **156**
Violets La. *Fur P* —3L **41**
Violet Way. *Loud* —6M **147**
Virgil Dri. *Brox* —5K **133**
Virginia Clo. *Lut* —6H **47**
Viscount Clo. *Lut* —4C **46**
Viscount Ct. Lut —8F ***46*** *(off Knights Fld.)*
Vista Av. *Enf* —4H **157**
Vivian Clo. *Wat* —1J **161**
Vivian Gdns. *Wat* —1J **161**
Vixen Dri. *Hert* —9E **94**
Vulcan Ga. *Enf* —4M **155**
Vyse Clo. *Barn* —6J **153**

Wacketts. *Chesh* —9E **132**
Waddesdon Clo. *Lut* —7M **47**
Waddington Clo. *Enf* —6C **156**
Waddington Rd. *St Alb* —2E **126**
Wade Ho. *Enf* —7B **156**
Wades Gro. *N21* —9M **155**
Wades Hill. *N21* —8M **155**
Wadesmill. —8H 75
Wadesmill Rd. *Hert & Chap E* —6A **94**
Wadesmill Rd. *Ware* —4G **95**
Wades, The. *Hat* —3G **128**
Wade, The. *Wel G* —3M **111**
Wadham Rd. *Ab L* —4H **137**
Wadhurst Av. *Lut* —5E **46**
Wadley Clo. *Hem H* —3B **124**
Wadnall Way. *Kneb* —4M **71**
Wadsworth Clo. *Enf* —7H **157**
Waggoners Yd. Ware —5H ***95*** *(off Baldock St.)*
Waggon M. *N14* —9H **155**
Waggon Rd. *Barn* —1B **154**
Wagon Rd. *Barn* —9N **141**
Wagon Way. *Loud* —5M **147**
Wagtail Clo. *NW9* —9E **164**
Wain Clo. *Pot B* —2A **142**
Wainwright St. *Bis S* —3E **78**
Wakefields Wlk. *Chesh* —4J **145**
Walcot Av. *Lut* —7J **47**
Walcot Rd. *Enf* —4K **157**
Waldeck Rd. *Lut* —9E **46**
Waldegrave Pk. *Hpdn* —6E **88**
Walden Ct. *Bis S* —9M **59**
Walden End. *Stev* —5L **51**
Walden Pl. *Wel G* —7K **91**
Walden Rd. *Wel G* —7K **91**
Walden Way. *NW7* —6K **165**
Waleran Clo. *Stan* —5G **163**
Waleys Clo. *Lut* —1A **46**
Walfield Av. *N20* —9A **154**
Walfords Clo. *H'low* —3E **118**
Walgrave Rd. *Dunst* —7J **45**
Walkern. —9G 36
Walkern Rd. *B'tn* —6F **52**
Walkern Rd. *Stev* —2J **51** (in two parts)
Walkers Clo. *Hpdn* —8D **88**
Walkers Ct. Bald —3M ***23*** *(off High St.)*
Walkers Rd. *Hpdn* —8C **88**
Walkley Rd. *H Reg* —5E **44**
Walk, The. *Pot B* —5N **141**
Wallace Dri. *Eat B* —2J **63**
Wallace M. *Eat B* —2J **63**
Wallace Way. *Hit* —9A **22**
Waller Av. *Lut* —7B **46**
Waller Dri. *N'wd* —9J **161**
Waller's Clo. *Gt Chi* —2J **17**
Waller St. Mall. Lut —1G ***66*** *(off Arndale Cen.)*
Wallers Way. *Hod* —5M **115**
Wallfield All. *Hert* —1A **114**
Wallfields. *Hert* —1A **114**
Wallingford Wlk. *St Alb* —5E **126**
Wallington. —3H 25
Wallington Rd. *Bald* —3N **23**
Walmar Clo. *Barn* —3C **154**
Walmington Fold. *N12* —6N **165**
Walnut Av. *Bald* —4N **23**
Walnut Clo. *Hit* —4A **34**
Walnut Clo. *Lut* —5K **47**
Walnut Clo. *M Hud* —6J **77**
Walnut Clo. *Park* —9C **126**
Walnut Clo. *R'ton* —7D **8**
Walnut Clo. *Stot* —6F **10**
Walnut Cotts. Saw —4G ***99*** *(off Station Rd.)*
Walnut Ct. *Wel G* —3L **111**
Walnut Ct. *Wheat* —7L **89**
Walnut Dri. *Bis S* —5F **78**
Walnut Grn. *Bush* —4A **150**
Walnut Gro. *Enf* —7B **156**
Walnut Gro. *Hem H* —2N **123**
Walnut Gro. *Wel G* —3L **111**
Walnut Ho. *Wel G* —3L **111**
Walnut Tree Av. *Saw* —3G **98**
Walnut Tree Clo. *Chesh* —4H **145**
Walnut Tree Clo. *Hod* —8L **115**
Walnut Tree Clo. *Stev* —5C **52**
Walnut Tree Cres. *Saw* —4G **99**
Walnuttree Green. —5B 58
Walnut Tree La. *Farnh* —5G **58**
Walnut Tree Rd. *Pir* —8E **20**
Walnut Tree Wlk. *Gt Amw* —8H **95**
Walnut Way. *Ickl* —7M **21**
Walpole Clo. *Pinn* —6B **162**
Walpole Ct. *Stev* —1B **72**
Walpole Way. *Barn* —7J **153**
Walsham Clo. *Stev* —1B **72**
Walsh Clo. *Hit* —3L **33**
Walshford Way. *Borwd* —2A **152**
Walsingham Clo. *Hat* —8F **110**
Walsingham Clo. *Lut* —2F **46**
Walsingham Rd. *Enf* —6B **156**
Walsingham Way. *Lon C* —9K **127**
Walsworth. —1B 34
Walsworth Rd. *Hit* —3N **33**
Walter Rothschild Zoological Mus., The. —3M 101 (Natural History Mus.)
Walters Clo. *Chesh* —7N **131**
Walters Rd. *Enf* —6G **157**
Walter Wlk. *Edgw* —6C **164**
Waltham Abbey. —6N 145
Waltham Abbey Church. —6N 145 (Remains of)
Waltham Ct. Lut —6L ***47*** *(off Cowdray Clo.)*
Waltham Cross. —7J 145
Waltham Dri. *Edgw* —9A **164**
Waltham Gdns. *Enf* —9G **145**
Waltham Ga. *Chesh* —8K **133**
Waltham Point. *Wal A* —8N **145**
Waltham Rd. *Hit* —4N **33**
Waltham Way. *E4* —9L **157**
Walton Ct. *Hod* —6M **115**
Walton Ct. *New Bar* —7B **154**
Walton Gdns. *Wal A* —6M **145**
Walton Rd. *Bush* —6M **149**
Walton Rd. *Hod* —6M **115**
Walton Rd. *Ware* —7H **95**
Walton St. *Enf* —3B **156**
Walton St. *St Alb* —9G **108**
Walverns Clo. *Wat* —8L **149**
Wanden Green. —3E 68
Wandon Clo. *Lut* —5L **47**
Wandon End. —8B 48
Wansbeck Clo. *Stev* —7N **35**
Wansbeck Ct. Enf —5N ***155*** *(off Waverley Rd.)*
Wansford Pk. *Borwd* —6D **152**
Warburton Clo. *Harr* —6E **162**
Ward Clo. *Chesh* —9E **132**
Ward Clo. *Ware* —5G **94**
Ward Cres. *Bis S* —2G **78**
Wardell Clo. *NW7* —7E **164**
Wardell Fld. *NW9* —8E **164**
Warden Hill. —1E 46
Warden Hill Clo. *Lut* —1E **46**
Warden Hill Gdns. *Lut* —1E **46**
Warden Hill Rd. *Lut* —1E **46**
Ward Hatch. *H'low* —3C **118**
Wardlow Ct. *Lut* —7F **46**
Wardown Cres. *Lut* —7G **46**
Wardown Pk. —7F 46
Wardown Swimming & Leisure Cen. —7F 46
Wards La. *Els* —4G **151**
Wards Wood La. *Lut* —8J **31**
Ware. —6H 95
Wareham's La. *Hert* —1A **114**
Ware Mus. —6H 95
Warenford Way. *Borwd* —3A **152**
Ware Park. —6D 94
Ware Pk. Rd. *Hert* —7B **94**
Ware Rd. *Gt Amw & Hail* —3L **115**
Ware Rd. *Hert* —9C **94**
Ware Rd. *Hod* —4L **115**
Ware Rd. *Ton* —9C **74**
Ware Rd. *Wat S* —6K **73**
Ware Rd. *Wid* —3G **96**
Wareside. —3B 96
Wareside. *Hem H* —5C **106**
Wareside Clo. *Wel G* —1A **112**
Warham Rd. *Harr* —9G **162**
Warlow Clo. *Enf* —1L **157**
Warmark Rd. *Hem H* —9H **105**
Warminster Clo. *Lut* —8A **48**
Warneford Av. *Hal* —9C **100**
Warneford Pl. *Wat* —8N **149**
Warner Rd. *Ware* —7H **95**
Warners Av. *Hod* —1K **133**
Warners Clo. *Stev* —6A **52**
Warners End. —1H 123
Warners End Rd. *Hem H* —2K **123**
Warren Clo. *N9* —9H **157**
Warren Clo. *Hat* —6H **111**
Warren Clo. *Let* —4D **22**
Warren Ct. *R'ton* —8D **8**
Warren Ct. *Wat* —3K **137**
Warren Cres. *N9* —9D **156**
Warren Dale. *Wel G* —6K **91**
Warren Dri., The. *Lut* —7K **67**
Warrenfield Clo. *Chesh* —4E **144**
Warren Fields. *Stan* —4K **163**
Warrengate La. *S Mim* —4J **141**
Warrengate Rd. *N Mym* —8H **129**
Warren Grn. *Hat* —6H **111**
Warren Gro. *Borwd* —6D **152**
Warren La. *Clot* —4A **24**
Warren La. *Cot* —3N **37**
Warren La. *Stan* —2H **163**
Warren Pk. Rd. *Hert* —8A **94**
Warren Pl. Hert —9B ***94*** *(off Railway St.)*
Warren Rd. *Bus H* —1D **162**
Warren Rd. *Clot* —6D **24**
Warren Rd. *Lut* —9B **46**
Warren Rd. *St Alb* —6D **126**
Warren's Green. —4C 36
Warrensgreen La. *W'ton* —5B **36**
Warrens Shawe La. *Edgw* —2B **164**
Warren Ter. *Hert* —7B **94**
Warren, The. *Chal P* —7C **158**
Warren, The. *Hpdn* —1B **108**
Warren, The. *K Lan* —2B **136**
Warren, The. *Rad* —6H **139**
Warren, The. *R'ton* —8D **8**
Warren Way. *NW7* —6L **165**
Warren Way. *Welw* —4L **91**
Warren Wood. —4C 130
Warren Wood Ind. Est. *Stap* —1L **93**
Warrenwood M. *Hat* —4C **130**
Warton Grn. *Lut* —7N **47**
Warwick Av. *Cuff* —9J **131**
Warwick Av. *Edgw* —3B **164**
Warwick Clo. *Ast C* —1D **100**
Warwick Clo. *Barn* —7C **154**
Warwick Clo. *Bus H* —9F **150**
Warwick Clo. *Cuff* —9J **131**
Warwick Clo. *Hert* —2A **114**
Warwick Ct. Lut —9D ***46*** *(off Warwick Rd.)*
Warwick Ct. New Bar —7A ***154*** *(off Station Rd.)*
Warwick Dri. *Chesh* —1H **145**
Warwick Gdns. *Barn* —2M **153**
Warwick Pde. *Harr* —9J **163**
Warwick Pl. *Borwd* —5D **152**
Warwick Rd. *Barn* —6A **154**
Warwick Rd. *Bis S* —2J **79**
Warwick Rd. *Borwd* —5D **152**
Warwick Rd. *Enf* —1K **157**
Warwick Rd. *St Alb* —9G **108**
Warwick Rd. *Stev* —3B **52**
Warwick Rd. E. *Lut* —9D **46**
Warwick Rd. W. *Lut* —9D **46**
Warwick Way. *Crox G* —6E **148**
Washall Green. —1M 41
Washbrook Clo. *Bar C* —1E **30**
Washbrook La. *Pir* —6D **20**
Washington Av. *Hem H* —6N **105**
Washington Meads. *Stans* —3N **59**
Wash La. *S Mim* —6H **141**
Wash, The. *Hert* —9B **94**
Watchlytes. *Wel G* —9B **92**
Watchmead. *Wel G* —8N **91**
Waterbeach. *Wel G* —8C **92**
Watercress Clo. *Stev* —4C **52**
Watercress Rd. *Chesh* —8B **132**
Waterdale. —3M 137
Waterdale. —4M 137
Waterdale. *Brick* —3N **137**
Waterdale. *Hert* —2A **114**
Waterdell La. *St I* —7N **33**
Water Dri. *Rick* —1A **160**
Water End. —8H 129 (Hatfield)
Water End. —5J 105 (Hemel Hempstead)
Waterend. —7C 90 (Welwyn Garden City)
Waterend La. *Redb* —1K **107**
Waterend La. *Wheat & Welw* —7C **90**
Water End Moor. *Wat E* —5J **105**
Water End Rd. *Pott E* —8E **104**
Waterfield. *Chor* —9F **146**
Waterfield. *Wel G* —8A **92**
Waterfields Way. *Wat* —6M **149**
Waterford. —5M 93
Waterford Comn. *W'frd* —5N **93**
Waterford Grn. *Wel G* —9A **92**
Waterfront, The. *Els* —8J **151**
Water Gdns. *Stan* —6J **163**
Watergate, The. *Wat* —2M **161**
Waterhouse Moor. *H'low* —7B **118**
Waterhouse St. *Hem H* —2M **123**
Waterhouse, The. *Hem H* —3M **123**
Water La. *N9* —9F **156**
Water La. *Bar* —5F **16**
Water La. *Berk* —1N **121**
Water La. *Bis S* —9H **59**
Water La. *Bov* —2D **134**
Water La. *Hert* —1A **114**
Water La. *Hit* —1N **33**
Water La. *K Lan* —2D **136**
Water La. *Lon C* —1L **139**
Water La. *Mel* —1J **9**
Water La. *Roy* —9H **117**
Water La. *Stans* —3N **59**
Water La. *Wat* —6L **149**
Waterloo La. *Hol* —5H **21**
Waterlow M. *L Wym* —7E **34**
Waterlow Rd. *Dunst* —8D **44**
Waterman Clo. *Wat* —8K **149**
Watermark Way. *Fox P* —9D **94**
Watermead Rd. *Lut* —3B **46**
Watermill Bus. Cen. *Enf* —4K **157**
Watermill Ind. Est. *Bunt* —4J **39**
Watermill La. *Hert* —6B **94**

Water Row. *Ware* —6H **95**
Watersfield Way. *Edgw* —7L **163**
Waterside. *Berk* —1A **122**
Waterside. *Eat B* —4K **63**
Waterside. *K Lan* —2C **136**
Waterside. *Lon C* —9M **127**
　(in two parts)
Waterside. *Rad* —7J **139**
Waterside. *Stans* —3N **59**
Waterside. *Wel G* —7N **91**
Waterside Clo. *K Lan* —2D **136**
Waterside Ind. Est. *Hare* —9A **116**
Waterside M. *Hare* —6K **159**
Waterside Pl. *Saw* —5J **99**
Waterslade Grn. *Lut* —3D **46**
Watersmeet. *H'low* —9L **117**
Watersplash Ct. *Lon C* —9N **127**
Waterways Bus. Cen. *Enf* —2K **157**
Waterwick Hill. *Lang L* —3L **29**
Waterworks Cotts. *Brox* —4J **133**
Watery La. *Bis S* —9E **42**
Watery La. *Hat* —1E **128**
Watery La. *Mars* —6L **81**
Watery La. *St Alb & Hpdn* —5G **86**
Watery La. *Turn* —7J **133**
Watford. —6K 149
Watford Arches Retail Pk.
　Wat —7M **149**
Watford By-Pass. *Edgw* —4B **164**
Watford By-Pass. *Stan* —9J **151**
Watford Enterprise Cen.
　Wat —8G **148**
Watford F.C. & Saracens
　R.U.F.C. —7K 149
Watford Fld. Rd. *Wat* —7L **149**
Watford Heath. —1M 161
Watford Heath. *Wat* —9M **149**
Watford Heath Farm. *Wat* —9N **149**
Watford Metro Cen. *Wat* —9E **148**
Watford Rd. *Crox G* —8C **148**
Watford Rd. *Els* —8J **151**
Watford Rd. *K Lan* —3C **136**
Watford Rd. *N'wd* —7H **161**
Watford Rd. *Rad* —9F **138**
Watford Rd. *St Alb* —9B **126**
Watford Sports & Leisure
　Cen. —6L 137
Watford Way. *NW7 & NW4*
　—4E **164**
Watkins Ct. *N'wd* —8H **161**
Watkins Ri. *Pot B* —5A **142**
Watling. —7D 164
Watling Av. *Edgw* —8C **164**
Watling Clo. *Hem H* —7A **106**
Watling Ct. *Dunst* —7D **44**
Watling Ct. *Els* —8L **151**
Watling Ct. *H Reg* —5E **44**
Watling Farm Clo. *Stan* —1K **163**
Watling Knoll. *Rad* —6G **139**
Watling Mans. *Bar* —8J **139**
Watling Pl. *H Reg* —5E **44**
Watling Pl. *Dunst* —3A **44**
Watling St. *Els* —4K **151**
Watling St. *Kens* —4K **65**
Watling St. *Mark* —1A **86**
Watling St. *Rad & Els* —4G **138**
Watling St. *St Alb* —4D **126**
Watling St. Cvn. Pk. *Park* —7D **126**
Watlington Rd. *H'low* —2F **118**
Watling Vw. *St Alb* —5D **126**
Watson Av. *St Alb* —8G **108**
Watson's Wlk. *St Alb* —3F **126**
Watton At Stone. —5K 73
Watton Rd. *D'wth* —7D **72**
Watton Rd. *Kneb & Stev* —3N **71**
Watton Rd. *Ware* —5G **94**
Watts Clo. *L Had* —7M **57**
Watts Yd. *Man* —8J **43**
Wauluds Bank Dri. *Lut* —1N **45**
Wavell Clo. *Chesh* —9J **133**
Wavell Ho. *St Alb* —4J **127**
Waveney. *Hem H* —6B **106**
Waveney Rd. *Hpdn* —4D **88**
Waverley Clo. *Stev* —9N **51**
Waverley Ct. *Enf* —5A **156**
Waverley Gdns. *N'wd* —8J **161**
Waverley Gro. *N3* —7M **165**
Waverley Ind. Est. *Harr* —9E **162**
Waverley Lodge. St Alb —9E **108**
　(off Falmouth St.)
Waverley Rd. *Enf* —5N **155**
Waverley Rd. *St Alb* —9D **108**
Waxwell Clo. *Pinn* —9M **161**
Waxwell Farm Ho. *Pinn* —9M **161**
Waxwell La. *Pinn* —9M **161**

Wayfarers Pk. *Berk* —1K **121**
Wayletts Dri. *Bis S* —1K **79**
Wayre St. *H'low* —2E **118**
Wayre, The. *H'low* —2E **118**
Waysbrook. *Let* —7H **23**
Wayside. *Chfd* —3L **135**
Wayside. *Dunst* —3G **64**
Wayside. *Pot B* —6C **142**
Wayside. *Shenl* —6L **139**
Wayside Av. *Bush* —8E **150**
Wayside Clo. *N14* —8H **155**
Wayside Ct. *Brick W* —3A **138**
Wayside, The. *Hem H* —3E **124**
Waysmeet. *Let* —7H **23**
Waytemore Castle. —9J 59
Waytemore Rd. *Bis S* —2G **78**
Weald La. *Harr* —9E **162**
Weald Ri. *Harr* —7G **162**
Wealdstone. —9F 162
Wealdwood Gdns. *Pinn* —6C **162**
Weall Grn. *Wat* —5K **137**
Weardale Gdns. *Enf* —3B **156**
Weatherby. *Dunst* —9B **44**
Weatherby Rd. *Lut* —7N **45**
Weavers Rd. *Tring* —2K **101**
Weaver St. *Bis S* —4E **78**
Weavers Way. *Bald* —3N **23**
Webb Clo. *Let* —6J **23**
Webber Clo. *Els* —8L **151**
Webb Ri. *Stev* —2M **51**
Wedgewood Clo. *N'wd* —7E **160**
Wedgewood Dri. *H'low* —7G **118**
Wedgewood Rd. *Hit* —3B **34**
Wedgewood Rd. *Lut* —5J **45**
Wedgwood Ct. *Stev* —8B **36**
Wedgwood Ga. Ind. Est. *Stev*
　—8A **36**
Wedgwood Pk. *Stev* —8B **36**
Wedgwood Way. *Stev* —9A **36**
Wedhey. *H'low* —6M **117**
Wedmore Rd. *Hit* —4A **34**
Wedon Way. *Byg* —8B **12**
Weighton Rd. *Harr* —8E **162**
Welbeck Clo. *Borwd* —5A **152**
Welbeck Ri. *Hpdn* —9E **88**
Welbeck Rd. *Barn* —8D **154**
Welbeck Rd. *Lut* —9G **47**
Welbury Av. *Lut* —2E **46**
Welch Pl. *Pinn* —8K **161**
Welclose St. *St Alb* —2D **126**
Welcote Dri. *N'wd* —6F **160**
Weldon Clo. *Lut* —8N **47**
Weldon Ct. *N21* —7L **155**
Welham Clo. *N Mym* —6J **129**
Welham Ct. N Mym —6J **129**
　(off Dixons Hill Rd.)
Welham Green. —6J 129
Welham Mnr. *N Mym* —6J **129**
Welkin Grn. *Hem H* —1E **124**
Wellands. *Hat* —7G **111**
Well App. *Barn* —7J **153**
Wellbrook M. *Tring* —2N **101**
Wellbury Ter. *Hem H* —2E **124**
Well Cft. *Hem H* —1L **123**
Wellcroft. *I'hoe* —2D **82**
Wellcroft Clo. *Wel G* —2N **111**
Wellcroft Rd. *Wel G* —1N **111**
Well End. —2D 152
Well End Rd. *Borwd* —1C **152**
Wellen Ri. *Hem H* —5A **124**
Wellers Gro. *Chesh* —1E **144**
Wellesley Av. *N'wd* —5H **161**
Wellesley Cres. *Pot B* —6L **141**
Wellesley Pk. M. *Enf* —4N **155**
Wellfield Av. *Lut* —1M **45**
Wellfield Clo. *Hat* —8G **111**
Wellfield Ct. *Stev* —9A **36**
Wellfield Rd. *Hat* —7G **110**
Well Gth. *Wel G* —1L **111**
Wellgate Rd. *Lut* —7N **45**
Well Grn. *B'fld* —3H **93**
Well Gro. *N20* —9B **154**
Well Head. —3A 64
Well Head Rd. *Tot* —1N **63**
Wellhouse Clo. *Lut* —1C **66**
Wellhouse La. *Barn* —6J **153**
Wellingham Av. *Hit* —1L **33**
Wellington Av. *Pinn* —8A **162**
Wellington Clo. *Wat* —3A **162**
Wellington Cotts. *Lut* —1H **75**
Wellington Ct. Lut —2F **66**
　(off Wellington St.)
Wellington Ct. Pinn —8A **162**
　(off Wellington Rd.)
Wellington Dri. *Wel G* —9B **92**

Wellington Ho. *Wat* —4L **149**
　(off Exeter Clo.)
Wellington Pl. *Brox* —5G **133**
Wellington Rd. *Enf* —7C **156**
Wellington Rd. *Harr* —9F **162**
Wellington Rd. *Lon C* —8L **127**
Wellington Rd. *Pinn* —8A **162**
Wellington Rd. *St Alb* —3J **127**
Wellington Rd. *Stev* —4B **52**
Wellington Rd. *Wat* —4K **149**
Wellington St. *Hert* —8N **93**
Wellington St. *Lut* —2F **66**
Wellington Ter. *Dunst* —9F **44**
Well La. *H'low* —5K **117**
　(in two parts)
Well La. *L Buz* —1G **60**
Wellpond Green. —8F 56
Well Rd. *Barn* —7J **153**
Well Rd. *N'thaw* —1D **142**
Well Row. *B'frd* —8L **113**
Wells Clo. *Chesh* —7A **132**
Wells Clo. *Hpdn* —3N **87**
Wells Clo. *St Alb* —1D **126**
Wellside Clo. *Barn* —6J **153**
Wellstead Av. *N9* —9H **157**
Wells, The. *N14* —9J **155**
Wellstones. *Wat* —5K **149**
Wellswood Clo. *Hem H* —1D **124**
Wells Yd. Ware —6H **95**
　(off High St.)
Wells Yd. *Wat* —5K **149**
Welsummer Way. *Chesh* —1H **145**
Weltech Cen. *Wel G* —9N **91**
Weltmore Rd. *Lut* —3B **46**
Welwyn. —2J 91
Welwyn By-Pass Rd. *Welw* —4J **91**
Welwyn Ct. *Hem H* —7B **106**
Welwyn Garden City. —8K 91
Welwyn Garden City Golf
　Course. —8H 91
Welwyn Hall Gdns. *Welw* —2J **91**
Welwyn Hatfield Sports Cen.
　—2K 111
Welwyn Heath. —8M 71
Welwyn Rd. *Hert* —8K **93**
Welwyn Roman Baths. —2J 91
Wemborough Rd. *Stan* —8J **163**
Wendover. —9A 100
Wendover By-Pass. *Wend* —9A **100**
Wendover Clo. *Hpdn* —6E **88**
Wendover Clo. *St Alb* —6K **109**
Wendover Ct. *Welw* —2J **91**
Wendover Dri. *Welw* —2J **91**
Wendover Ho. Wat —9G **149**
　(off Cheniers Way)
Wendover Way. *Bush* —8D **150**
Wendover Way. *Lut* —6H **47**
Wendy Clo. *Enf* —8D **156**
Wengeo La. *Ware* —5F **94**
　(in two parts)
Wenham Ct. *Walk* —1G **52**
Wenlock Rd. *Edgw* —7B **164**
Wenlock St. *Lut* —9G **46**
Wensley Clo. *Hpdn* —9E **88**
Wensleydale. *Hem H* —8B **106**
Wensleydale. *Lut* —8G **46**
Wensum Rd. *Stev* —7M **35**
Wensum Way. *Rick* —1N **159**
Wenta Bus. Cen. *Wat* —1M **149**
Wentbridge Path. *Borwd* —2A **152**
Wentworth Av. *N3* —7N **165**
Wentworth Av. *Els* —7N **151**
Wentworth Av. *Lut* —3M **45**
Wentworth Clo. *N3* —7N **165**
Wentworth Clo. *Pot B* —4N **141**
Wentworth Clo. *Wat* —2H **149**
Wentworth Cotts. *Brox* —4J **133**
Wentworth Dri. *Bis S* —2F **78**
Wentworth Pk. *N3* —7N **165**
Wentworth Pl. *Stan* —6J **163**
Wentworth Rd. *Barn* —5K **153**
Wentworth Rd. *Herts* —3A **114**
Wenwell Clo. *Ast C* —2F **100**
Wesley Av. *Hert* —1B **114**
Wesley Clo. *Arl* —8A **10**
Wesley Clo. *G Oak* —1A **144**
Wesley Pl. Mark —2A **86**
　(off Albert St.)
Wesley Rd. *Mark* —2A **86**
Wessex Ct. *Barn* —6K **153**
Wessex Dri. *Pinn* —7N **161**
Westall Clo. *Hert* —1A **114**
West All. *Hit* —3M **33**
Westall M. *Hert* —1A **114**
West Av. *N3* —6N **165**

West Av. *Bald* —3L **23**
West Av. *St Alb* —7C **126**
West Bank. *Enf* —4A **156**
Westbere Dri. *Stan* —5L **163**
Westbourne M. *St Alb* —2E **126**
Westbourne Mobile
　Home Pk. *Lut* —4B **46**
Westbourne Rd. *Lut* —8D **46**
Westbrook. *H'low* —9N **117**
Westbrook Clo. *Barn* —5C **154**
Westbrook Clo. *Stpl M* —5C **6**
Westbrook Ct. *Hit* —5N **33**
Westbrook Cres. *Cockf* —5C **154**
Westbrook Sq. *Barn* —5C **154**
West Burrowfield. *Wel G* —2K **111**
Westbury Clo. *Hit* —2L **33**
Westbury Clo. *H Reg* —6E **44**
Westbury Gdns. *Lut* —6E **46**
Westbury Gro. *N12* —6N **165**
Westbury Pl. *Let* —6E **22**
Westbury Ri. *H'low* —7F **118**
Westbury Rd. *N12* —6N **165**
Westbury Rd. *Chesh* —3H **145**
Westbury Rd. *N'wd* —4G **160**
Westbury Rd. *Wat* —7K **149**
Westbush Clo. *Hod* —5K **115**
West Chantry. *Harr* —8C **162**
Westchester Dri. *NW4* —9K **165**
West Clo. *Barn* —7H **153**
West Clo. *Cockf* —6F **154**
West Clo. *Hit* —1B **34**
West Clo. *Hod* —6L **115**
West Clo. *Stev* —4M **51**
Westcombe Dri. *Barn* —7N **153**
West Comn. *Hpdn* —7C **88**
　(in two parts)
West Comn. *Redb* —2J **107**
West Comn. Clo. *Hpdn* —1C **108**
West Comn. Gro. *Hpdn* —9C **88**
West Comn. Way. *Hpdn* —1B **108**
Westcott. *Wel G* —8C **92**
West Ct. *R'ton* —7C **8**
West Ct. *Saw* —4G **98**
Westcroft. *Tring* —3M **101**
Westcroft Clo. *Enf* —2G **157**
Westcroft Ct. *Brox* —1L **133**
Westdean La. *Chart* —9A **120**
Westdown Gdns. *Dunst* —1C **64**
West Dri. *Arl* —8A **10**
West Dri. *Harr* —6E **162**
West Dri. *Wat* —9K **137**
West Dri. Gdns. *Harr* —6E **162**
Westell Clo. *Bald* —3N **23**
West End. —9B 112
West End. *A'wl* —1B **12**
W. End La. *Barn* —6K **153**
W. End La. *Ess* —8D **112**
W. End La. *Pinn* —9M **161**
W. End Rd. *Brox* —4C **132**
W. End Rd. *L Buz* —9L **61**
Westerdale. *Hem H* —8A **106**
Westerdale. *Lut* —5L **45**
Western Av. *Henl* —1J **21**
Western Clo. *Let* —2E **22**
Western Ct. *N3* —6N **165**
Western Mans. New Bar —7A **154**
　(off Gt. North Rd.)
Western Pde. *New Bar* —7N **153**
Western Rd. *Lut* —2F **66**
Western Rd. *Tring* —3L **101**
Western Ter. *Hod* —5N **115**
Western Way. *Barn* —8N **153**
Western Way. *Dunst* —8H **45**
Western Way. *Let* —3E **22**
Westfield. *H'low* —7A **118**
Westfield. *Hat* —5M **129**
Westfield. *Wel G* —8N **91**
Westfield Av. *Hpdn* —4B **88**
Westfield Av. *Wat* —2M **149**
Westfield Clo. *Bis S* —9G **58**
Westfield Clo. *Enf* —5J **157**
Westfield Clo. *Hit* —3L **33**
Westfield Clo. *Wal X* —4K **145**
Westfield Ct. *St Alb* —8L **109**
Westfield Dri. *Hpdn* —3C **88**
Westfield Ho. *H'low* —8N **117**
Westfield La. *Hit* —3L **33**
Westfield Pk. *Pinn* —7A **162**
Westfield Pl. *Hpdn* —3C **88**
Westfield Rd. *NW7* —3D **164**
Westfield Rd. *Berk* —8J **103**
Westfield Rd. *Bis S* —9G **58**
Westfield Rd. *Dunst* —9C **44**
Westfield Rd. *Hpdn* —4B **88**

Westfield Rd. *Hert* —7A **94**
Westfield Rd. *Hod* —7K **115**
Westfield Rd. *Pit* —4A **82**
Westfields. *St Alb* —4B **126**
Westfield Wlk. *Wal X* —4K **145**
Westgate Ct. *Wal X* —8H **145**
Westgate Shop. Cen. *Stev* —4K **51**
West Hertfordshire Crematorium.
　Wat —4M **137**
West Herts College. —1M 123
West Herts Golf Course. —4E 148
West Hill. *Dunst* —3E **64**
West Hill. *Hit* —3L **33**
W. Hill Rd. *Hod* —7K **115**
W. Hill Rd. *Lut* —3G **66**
W. Hill Way. *N20* —1N **165**
Westholm. *Let* —3F **22**
West Hyde. —9L 67
　(Luton)
West Hyde. —7H 159
　(Rickmansworth)
W. Hyde La. *Chal P* —7C **158**
Westland Clo. *Leav* —7H **137**
Westland Dri. *Brk P* —9L **129**
Westland Green. —9H 57
Westland Rd. *Kneb* —3M **71**
Westland Rd. *Wat* —4K **149**
West La. *Offl* —8D **32**
West La. *Pir* —6E **20**
Westlea. *Lut* —5M **45**
Westlea Av. *Wat* —1N **149**
Westlea Clo. *Brox* —5K **133**
Westlea Rd. *Brox* —5K **133**
Westlecote Gdns. *Lut* —5F **46**
Westleigh Gdns. *Edgw* —8A **164**
West Leith. —5K 101
West Leith. *W Lth* —4K **101**
Westlington Clo. *NW7* —6M **165**
Westly Wood. *Wel G* —8N **91**
West Mead. *Wel G* —3A **102**
Westmeade Clo. *Chesh* —2F **144**
Westmere Dri. *NW7* —3D **164**
Westmill. —7K 39
　(Buntingford)
Westmill. —9K 21
　(Hitchin)
Westmill La. *Hit* —9K **21**
W. Mill Lawns. *Hit* —1L **33**
Westmill Rd. *Hit* —9K **21**
Westmill Rd. *Ware* —3E **94**
Westminster Ct. *Chesh* —6L **145**
Westminster Ct. *Hpdn* —8D **88**
Westminster Ct. *St Alb* —4D **126**
Westminster Gdns. *H Reg* —3F **44**
Westminster Ho. *Har W* —7G **162**
Westminster Ho. Wat —4L **149**
　(off Hallam Clo.)
Westminster Lodge. —4D 126
Westmoor Gdns. *Enf* —4H **157**
Westmoor Rd. *Enf* —4H **157**
Westmorland Av. *Lut* —4B **46**
Weston. —1A 36
Weston Av. *R'ton* —6C **8**
Weston Clo. *Pot B* —5M **141**
Weston Dri. *Stan* —8J **163**
Westonia Ct. *Enf* —9H **145**
Weston Rd. *Ast C* —2A **100**
Weston Rd. *Enf* —4B **156**
Weston Rd. *Stev* —1L **51**
　(in three parts)
Weston Way. *Bald* —3L **23**
West Pde. *Dunst* —9D **44**
West Pas. Tring —3M **101**
　(off Albert St.)
Westpole Av. *Barn* —6F **154**
Westray. *Hem H* —4E **124**
West Reach. *Stev* —7M **51**
Westridge Clo. *Hem H* —2J **123**
West Riding. *Brick W* —3A **138**
West Riding. *Tew* —2C **92**
West Rd. *Barn* —9F **154**
West Rd. *Berk* —6K **103**
West Rd. *Bis S* —2G **79**
West Rd. *H'low* —2C **118**
West Rd. *Saw* —4D **98**
West Rd. *Stans* —4N **59**
Westron Gdns. *Tring* —2N **101**
West Side. *NW4* —9H **165**
West Side. *Hem H* —7B **124**
West Side. *Turn* —7J **133**
West Sq. *H'low* —5M **117**
West St. *Dunst* —1C **64**
West St. *Hert* —1A **114**

West St. *Lil* —9M **31**
West St. *Ware* —6H **95**
West St. *Wat* —4K **149**
W. Valley Rd. *Hem H* —7M **123**
West Vw. *Hat* —7G **110**
West Vw. *Let* —7D **22**
W. View Ct. *Els* —8L **151**
Westview Cres. *N9* —9C **156**
W. View Gdns. *Els* —8L **151**
Westview Ri. *Hem H* —1N **123**
W. View Rd. *St Alb* —1E **126**
West Wlk. *E Barn* —9F **154**
West Wlk. *H'low* —6M **117**
West Watford. —6J **149**
West Way. *Edgw* —6B **164**
West Way. *Hpdn* —5D **88**
Westway. *Lut* —5L **47**
West Way. *Rick* —1L **159**
West Ways. *N'wd* —9J **161**
Westwick Clo. *Hem H* —3F **124**
Westwick Pl. *Wat* —7L **137**
Westwick Row. *Hem H* —2F **124**
West Wing. *N'chu* —7H **103**
Westwood Av. *Hit* —4A **34**
Westwood Clo. *Amer* —3A **146**
Westwood Clo. *Pot B* —3N **141**
Westwood Dri. *Amer* —3A **146**
West Wood Pk. —2A **146**
Wetheral Dri. *Stan* —8J **163**
Wetherby Clo. *Stev* —1B **52**
Wetherby Rd. *Borwd* —3M **151**
Wetherby Rd. *Enf* —3A **156**
Wetherfield. *Stans* —2M **59**
Wetherly Clo. *H'low* —2H **119**
Wetherne Link. *Lut* —4M **45**
Wexham Clo. *Lut* —1A **46**
Weybourne Clo. *Hpdn* —5E **88**
Weybourne Dri. *Lut* —2E **46**
Weymouth Av. *NW7* —5E **164**
Weymouth St. *Hem H* —6N **123**
Weymouth Wlk. *Stan* —6H **163**
Weyver Ct. *St Alb* —1F **126**
  (off Avenue Rd.)
Whaley Rd. *Pot B* —6B **142**
Wharf Clo. *Wend* —9A **100**
Wharfdale. *Lut* —4M **45**
Wharfedale. *Hem H* —8A **106**
Wharf La. *Dud* —5F **102**
Wharf La. *Rick* —1A **160**
Wharf Rd. *Bis S* —2H **79**
Wharf Rd. *Brox* —5K **133**
  (in two parts)
Wharf Rd. *Enf* —8J **157**
Wharf Rd. *Hem H* —4L **123**
Wharf Rd. *Wend* —9A **100**
Wharf Rd. Ind. Est. *Enf* —8J **157**
Wharley Hook. *H'low* —9B **118**
Wheatbarn. *Wel G* —8A **92**
Wheat Clo. *Sandr* —7H **105**
Wheatcotes. *D'wth* —7B **72**
Wheat Cft. *Bis S* —4G **78**
Wheatcroft. *Chesh* —1F **144**
Wheatfield. *Hat* —8H **111**
Wheatfield. *Hem H* —9N **105**
Wheatfield Av. *Hpdn* —1B **108**
Wheatfield Ct. *Lut* —5H **45**
Wheatfield Cres. *R'ton* —7E **8**
Wheatfield Rd. *Hpdn* —1A **108**
Wheatfield Rd. *Lut* —5H **45**
Wheatfields. *Enf* —3J **157**
Wheatfields. *H'low* —9E **98**
Wheathampstead. —6L **89**
Wheathampstead Rd. *Hpdn &*
  (in two parts) *Wheat* —7E **88**
Wheat Hill. *Let* —4E **22**
Wheatlands. *Stev* —2B **52**
Wheatley Clo. *NW4* —9G **165**
Wheatley Clo. *Saw* —6E **98**
Wheatley Clo. *Wel G* —2N **111**
Wheatley Rd. *Wel G* —1N **111**
Wheatleys. *St Alb* —9K **109**
Wheatley Way. *Chal P* —6B **158**
Wheatlock Mead. *Redb* —1J **107**
Wheatsheaf Dri. *Ware* —4F **94**
Wheatsheaf Rd. *Hun* —6G **97**
Wheelers La. *Hem H* —4A **124**
Wheelers Orchard. *Chal P*
  —6B **158**
Wheelwright Clo. *Bush* —8C **150**
Wheel Wright Clo. *Shil* —2A **20**
Wheelwrights Clo. *Bis S* —4E **78**
Whelpley Hill. —8A **122**
Whelpley Hill Pk. *Whel* —8A **122**
Whempstead. —1N **73**
Whempstead La. *Ware* —2M **73**

Whempstead Rd. *B'tn & Ware*
  —6L **53**
Whetstone Clo. *Welw* —8L **71**
Whetstone Ct. *Welw* —8L **71**
Whieldon Grange. *H'low* —7G **118**
Whinbush Gro. *Hit* —2N **33**
Whinbush Rd. *Hit* —3N **33**
Whinnett's Way. *Pull* —2A **18**
Whippendell Hill. *Ab L* —3M **135**
Whippendell Rd. *Wat* —7G **148**
Whipperley Ct. *Lut* —3E **66**
Whipperley Ring. *Lut* —2C **66**
Whipperley Way. *Lut* —2D **66**
Whipsnade. —8D **64**
Whipsnade Mobile Home Pk.
  Whip —7C **64**
**Whipsnade Park Golf
  Course.** —2B **84**
Whipsnade Park Zoo. —9D **64**
Whipsnade Rd. *Kens* —1C **64**
Whisper Wood. *Loud* —5L **147**
Whisperwood Clo. *Harr* —8F **162**
Whistler Gdns. *NW9* —9A **164**
Whitby Gdns. *NW9* —9A **164**
Whitby Rd. *Lut* —8E **46**
Whitchurch Av. *Edgw* —7N **163**
Whitchurch Clo. *Edgw* —6N **163**
Whitchurch Clo. *Lut* —7M **47**
Whitchurch Gdns. *Edgw* —6N **163**
Whitchurch La. *Edgw* —7N **163**
Whitchurch Pde. *Edgw* —7A **164**
White Acre. *NW9* —9E **164**
Whitebarns. *Fur P* —5K **41**
Whitebarns La. *Fur P* —6K **41**
Whitebeam Clo. *Shenl* —6N **139**
Whitebeam Clo. *Wal X* —8C **132**
Whitebeams. *Hat* —3G **129**
White Beams. *Park* —1D **138**
Whitebear. *Stans* —1N **59**
Whitebroom Rd. *Hem H* —9H **105**
Whitchurch Gdns. *Let* —8J **23**
White Craig Clo. *Pinn* —5B **162**
White Cres. *Hal* —7C **100**
Whitecroft. *St Alb* —5J **127**
Whitecroft Rd. *Lut* —9J **47**
White Crofts. *Stot* —5E **10**
Whitefield Av. *Lut* —2M **45**
Whitefield Ho. *Hat* —7J **111**
Whitefields Rd. *Chesh* —1G **144**
Whitefriars Av. *Harr* —9F **162**
Whitefriars Dri. *Harr* —9E **162**
Whitefriars Trad. Est. *Harr* —9E **162**
Whitegale Clo. *Hit* —4A **34**
Whitegate Gdns. *Harr* —7G **162**
Whitegates Clo. *Crox G* —6C **148**
Whitehall College. —8G **58**
Whitehall Est. *H'low* —7H **117**
Whitehall La. *Bis S* —8H **59**
Whitehall Rd. *Bis S* —8G **59**
Whitehall Rd. *K Wal* —4G **49**
Whitehall Village. *Bis S* —8G **59**
Whitehands Clo. *Hod* —8K **115**
White Hart Clo. *Bunt* —2J **39**
White Hart Dri. *Hem H* —3B **124**
White Hart Rd. *Hem H* —3C **124**
Whitehaven. *Chesh* —1C **144**
Whitehaven. *Lut* —9B **30**
White Hedge Dri. *St Alb* —1D **126**
Whitehicks. *Let* —2G **22**
Whitehill. —4G **91**
White Hill. *B Hth* —6C **160**
White Hill. *Berk* —6N **121**
  (Ashley Green)
Whitehill. *Berk* —9A **104**
  (Berkhamstead)
White Hill. *Cro* —7H **37**
White Hill. *Flam* —7D **86**
White Hill. *Hem H* —3J **123**
White Hill. *Welw* —5G **91**
Whitehill Av. *Lut* —3F **66**
Whitehill Clo. *Hit* —5A **34**
Whitehill Cotts. *Welw* —4G **91**
Whitehill Ct. *Berk* —9A **104**
Whitehill Golf Course. —2E **74**
White Hill Rd. *Bar C* —8E **18**
Whitehill Rd. *Hit* —4A **34**
White Horse La. *Lon C* —8L **127**
Whitehorse La. *Wool G* —7A **72**
Whitehorse St. *Bald* —3M **23**
Whitehorse Va. *Lut* —9A **30**
Whitehouse Av. *Borwd* —5B **152**
White Ho. Clo. *Chal P* —7B **158**
Whitehouse Clo. *H Reg* —5E **44**
White Ho. Clo. *Wat S* —5K **73**
Whitehouse Ct. *B'wy* —8A **16**

Whitehouse La. *Bedm* —8K **125**
Whitehouse La. *Enf* —3A **156**
White Ho., The. *Chesh* —1H **145**
Whitehurst Av. *Hit* —1N **33**
Whitelands Av. *Chor* —5E **146**
Whiteleaf Rd. *Hem H* —5M **123**
Whiteley Clo. *D End* —1C **74**
Whiteley La. *Bkld* —4G **26**
White Lion Ho. *Hat* —8H **111**
  (off Wellfield Rd.)
White Lion Retail Pk. *Dunst* —8F **44**
White Lion Sq. *Hat* —8G **111**
  (off Robin Hood La.)
White Lion St. *Hem H* —6N **123**
White Orchards. *N20* —9M **153**
White Orchards. *Stan* —5H **163**
White Post Fld. *Saw* —5F **98**
White Rose Trad. Est. Barn
  —7C **154**
White Shack La. *Chan X* —1B **148**
Whitesmead Rd. *Stev* —2K **51**
Whitestone Wlk. *Hem H* —8K **105**
White Stubbs La. *B'frd &*
  Brox —2K **131**
Whitethorn. *Wel G* —1A **112**
Whitethorn Gdns. *Enf* —7B **156**
Whitethorn La. *Let* —8G **22**
Whitethorn Way. *Lut* —2C **66**
Whitewaites. *H'low* —6A **118**
Whiteway. *Let* —7J **23**
Whitewaybottom La. *Lut &*
  Kim —2F **68**
Whiteway, The. *Stev* —2B **52**
Whitewebbs Golf Course. —9B **144**
Whitewebbs La. *Enf* —8C **144**
**Whitewebbs Mus. of Transport
  & Industry, The.** —8N **143**
Whitewebbs Pk. —9A **144**
Whitewebbs Rd. *Enf* —8N **143**
Whitewood Rd. *Berk* —1L **121**
Whit Hern Ct. *Chesh* —3G **144**
Whitfield Way. *Mil E* —1J **159**
Whitings Clo. *Hpdn* —3E **88**
Whitings Rd. *Barn* —7J **153**
Whiting Way. *Mel* —1J **9**
Whitlars Dri. *K Lan* —1B **136**
Whitley Clo. *Ab L* —5J **137**
Whitley Ct. *Hod* —6M **115**
Whitley Rd. *Hod* —6M **115**
Whitmores Wood. *Hem H* —1D **124**
Whitney Dri. *Stev* —9J **35**
Whitney Wood. *Stev* —9J **35**
Whittingham Clo. *Lut* —8A **48**
Whittingstall Rd. *Hem H* —6M **115**
Whittington La. *Stev* —5L **51**
Whittington Way. *Bis S* —5G **79**
Whittlesea Clo. *Harr* —7D **162**
Whittlesea Path. *Harr* —8D **162**
Whittlesea Rd. *Harr* —7D **162**
Whitwell. —1M **69**
Whitwell Clo. *Lut* —1D **46**
Whitwell Rd. *Wat* —8M **137**
Whitwell Rd. *W'will* —1N **69**
Whitworth Rd. *Stev* —7A **36**
Whomerley Rd. *Stev* —5L **51**
Whydale Rd. *R'ton* —8E **8**
Whytingham Rd. *Tring* —2A **102**
Wick Av. *Wheat* —7L **89**
Wicken Fields. *Ware* —4G **95**
Wickets End. *Shenl* —6M **139**
Wickets, The. *Lut* —8F **46**
Wickfield Clo. *Wool G* —6N **71**
  (in two parts)
Wickham Clo. *Enf* —5F **156**
Wickham Clo. *Hare* —8N **159**
Wickham Rd. *Harr* —9E **162**
Wickhams Wharf. *Ware* —6J **95**
Wickham Way. *Puck* —6B **56**
Wick Hill. *Kens* —8J **65**
Wicklands Rd. *Hun* —7G **97**
Wickliffe Av. *N3* —9L **165**
Wickmere Clo. *Lut* —2E **46**
Wick Rd. *Wig* —6A **102**
Wickstead Av. *Lut* —6A **46**
Wick, The. *Hert* —6N **93**
Wick, The. *Kim* —7L **69**
Wickwood St. *St Alb* —9J **109**
Widbury Gdns. *Ware* —6K **95**
Widbury Hill. *Ware* —6K **95**
Widford. —3G **97**
Widford Rd. *M Hud & Wid* —9H **77**
Widford Rd. *Wel G* —9A **92**
Widford Rd. *Wid* —5G **96**

Widford Ter. *Hem H* —5C **106**
Widgeon Way. *Wat* —1N **149**
Widmore Clo. *Asher* —8C **120**
Widmore Cotts. *Hem H* —8H **85**
Widmore Dri. *Hem H* —9C **106**
Wieland Rd. *N'wd* —7J **161**
Wiggenhall Rd. *Wat* —7K **149**
Wiggenhall Rd. Goods Yd.
  Wat —8K **149**
Wiggington Bottom. *Wig* —6B **102**
Wiggins Mead. *NW9* —7F **164**
Wigginton. —5B **102**
Wigginton Bottom. —6B **102**
Wigmore La. *Lut* —5K **47**
Wigmore Pk. Cen. —8N **47**
Wigmore Pk. Cen. *Lut* —8N **47**
Wigmores N. *Wel G* —9J **91**
Wigmores S. *Wel G* —9K **91**
Wigram Way. *Stev* —5A **52**
Wigton Gdns. *Stan* —8M **163**
Wilbrahams Almshouses.
  Barn —4M **153**
Wilbury Clo. *Let* —4C **22**
Wilbury Dri. *Dunst* —7H **45**
Wilbury Hills Rd. *Let* —5C **22**
Wilbury Rd. *Let* —4D **22**
Wilbury Way. *Hit* —8A **22**
Wilcon Way. *Wat* —7M **137**
Wilcot Av. *Wat* —9N **149**
Wilcot Clo. *Wat* —9N **149**
Wilcox Clo. *Borwd* —3C **152**
Wildacres. *N'wd* —4M **161**
Wild Cherry Dri. *Lut* —3F **66**
Wildcroft Gdns. *Edgw* —6L **163**
Wilderness, The. *Berk* —1N **121**
  (off Church La.)
Wildhill. —3C **130**
Wildhill Rd. *Hat* —5L **129**
Wild Marsh Ct. *Enf* —1J **157**
  (off Manly Dixon Dri.)
Wild Oaks Clo. *N'wd* —6H **161**
Wildwood. *N'wd* —6F **160**
Wildwood Av. *Brick W* —3A **138**
Wildwood Ct. *Chor* —6J **147**
Wildwood La. *Stev* —5M **51**
Wilford Clo. *Enf* —5B **156**
Wilford Clo. *N'wd* —7F **160**
Wilga Rd. *Welw* —2G **91**
Wilkins Green. —1C **128**
Wilkin's Grn. La. *Smal* —1C **128**
Wilkins Grn Ter. *Smal* —2B **128**
Wilkins Gro. *Wel G* —1K **111**
Wilkinson Clo. *Chesh* —8A **132**
Wilkinson Way. *Hem H* —6B **124**
Willenhall Av. *New Bar* —8B **154**
Willenhall Clo. *Lut* —2C **46**
Willenhall Ct. *New Bar* —8B **154**
William Allen Ho. *Edgw* —7N **163**
William Ct. *Hem H* —6N **123**
William Covell Clo. *Enf* —2L **155**
William Pl. *Stev* —6N **51**
Williamson St. *Lut* —1G **66**
  (off Manchester St.)
Williamson Way. *NW7* —6L **165**
Williamson Way. *Rick* —1K **159**
William St. *Berk* —1A **122**
William St. *Bush* —5M **149**
William St. *Lut* —8G **46**
William St. *Mark* —2A **86**
William Sutton Ct. *Lut* —4K **47**
Williams Way. *Rad* —8J **139**
Willian. —9G **23**
Willian Chu. Rd. *W'ian* —9G **23**
Willian Rd. *Hit & W'ian* —1C **34**
Willian Way. *Bald* —5L **23**
Willian Way. *Let* —7G **22**
Willinghall Clo. *Wal A* —5N **145**
Willis's La. *Saf W* —1M **43**
  (in two parts)
Williton Rd. *Lut* —7K **47**
Willoughby Clo. *Brox* —3J **133**
Willoughby Ct. *Lon C* —8L **127**
Willoughby La. *Mee* —6K **29**
Willoughby Rd. *Hpdn* —3C **88**
Willoughby Way. *Hit* —4A **34**
Willoughy Clo. *Dunst* —1F **64**
Willowbrook. *Wend* —7A **100**
Willow Clo. *Bis S* —9G **58**
Willow Clo. *Chesh* —8C **132**
Willow Clo. *Gt Hor* —2D **40**
Willow Clo. *Reed* —7H **15**
Willow Corner. *B'frd* —8L **113**
Willow Ct. *Edgw* —4M **163**
Willow Ct. *Harr* —8G **163**
Willow Ct. *Lut* —4A **46**

Willow Cres. *St Alb* —2K **127**
Willow Dene. *Bus H* —9F **150**
Willowdene. *Chesh* —9J **133**
Willow Dene. *Pinn* —9M **161**
Willowdene Ct. *N20* —9B **154**
  (off High Rd.)
Willow Dri. *Barn* —6L **153**
Willow Edge. *K Lan* —2C **136**
Willow End. *N20* —2N **165**
Willow End. *N'wd* —6J **161**
Willowfield. *H'low* —8N **117**
Willowgate Trad. Est. *Lut* —1L **45**
Willow Grn. *NW9* —8E **164**
Willow Grn. *Borwd* —7D **152**
Willow Gro. *Wel G* —4K **91**
Willow La. *Hit* —4L **33**
Willow La. *St I* —8B **34**
Willow La. *Wat* —7J **149**
Willowmead. *Hert* —1M **113**
Willow Mead. *Saw* —6G **98**
Willow Pl. *H'wd* —9H **119**
Willow Rd. *Enf* —5C **156**
Willows Clo. *Pinn* —9L **161**
Willowside. *Lon C* —9M **127**
Willowside Ct. *Enf* —5N **155**
Willowside Way. *R'ton* —5C **8**
Willows La. *Wat E* —5J **105**
Willows Link. *Stev* —9N **51**
Willow Springs. *Bis S* —9F **58**
Willows, The. —5N **41**
Willows, The. *Borwd* —3A **152**
Willows, The. *Bunt* —2H **39**
Willows, The. *Edl* —5K **63**
Willows, The. *Hem H* —9D **106**
Willows, The. *Hit* —5A **34**
Willows, The. *Rick* —5N **159**
Willows, The. *St Alb* —6J **127**
Willows, The. *Stev* —8N **51**
Willows, The. *Wat* —9N **149**
Willow St. *E4* —9N **157**
Willow, The. *Stan A* —2M **115**
Willow Tree Clo. *Hit* —9M **21**
Willow Wlk. *N21* —8L **155**
Willow Wlk. *Welw* —8J **71**
Willow Way. *N3* —7N **165**
Willow Way. *Hpdn* —3D **88**
Willow Way. *Hat* —3F **128**
Willow Way. *Hem H* —9L **105**
Willow Way. *H Reg* —3G **44**
  (off Kent Rd.)
Willow Way. *Lut* —4A **46**
Willow Way. *Pot B* —6A **142**
Willow Way. *Rad* —9F **138**
Willow Way. *St Alb* —9B **126**
Wills Gro. *NW7* —5G **164**
  (in two parts)
Wilmott Rd. *Bass* —1N **7**
Wilsden Av. *Lut* —2E **66**
Wilshere Av. *St Alb* —4D **126**
Wilshere Cres. *Hit* —2C **34**
Wilsmere Dri. *Har W* —7F **162**
Wilson Clo. *Bis S* —3J **79**
Wilson Clo. *Stev* —9K **35**
Wilsons La. *A'wl* —9L **5**
Wilson St. *N21* —9M **155**
Wilstone. —6H **81**
Wilstone Bridge. —6J **81**
Wilstone Dri. *St Alb* —6K **109**
Wilstone Green. —7J **81**
**Wilstone Reservoir Nature
  Reserve.** —8H **81**
Wilton Clo. *Bis S* —1K **79**
Wilton Ct. *Wat* —5L **149**
  (off Estcourt Rd.)
Wilton Cres. *Hert* —3A **114**
Wilton Rd. *Cockf* —6E **154**
  (in two parts)
Wilton Rd. *Hit* —1M **33**
Wilton Way. *Hert* —3A **114**
Wiltron Ho. *Stev* —3H **51**
Wiltshire Clo. *NW7* —5F **164**
Wiltshire Rd. *Stev* —5N **51**
Wimborne Clo. *Saw* —5F **98**
Wimborne Dri. *NW9* —9A **164**
Wimborne Gro. *Wat* —1G **149**
Wimborne Rd. *Lut* —9D **46**
Wimple Rd. *Lut* —7K **45**
Winch Clo. *Cod* —8F **70**
Winchdells. *Hem H* —5C **124**
Winchester Clo. *Bis S* —4F **78**
Winchester Clo. *Enf* —7C **156**
Winchester Clo. *Stev* —8N **35**
Winchester Gdns. *Lut* —9A **30**
Winchester Ho. *St Alb* —3D **126**

Winchester Rd.—Wordsworth Rd.

Winchester Rd. N9 —9D 156
Winchester Rd. N'wd —9H 161
Winchester Way. Crox G —7D 148
Winchfield Way. Rick —9M 147
Winch Hill. —9C 48
Winchmore Hill. —9M 155
Winchmore Hill Rd. N14 & N21 —9J 155
Winchmore Vs. N21 —9L 155 (off Winchmore Hill Rd.)
Winch St. Lut —8H 47
Windermere Av. N3 —9N 165
Windermere Av. St Alb —4J 127
Windermere Clo. Chor —7G 146
Windermere Clo. Dunst —1E 64
Windermere Clo. Hem H —3E 124
Windermere Clo. Stev —8C 36
Windermere Ct. Wat —4J 149
Windermere Cres. Lut —4B 46
Windermere Hall. Edgw —5N 163
Windermere Ho. New Bar —6A 154
Windhill. Bis S —2G 78 (in two parts)
Windhill. Wel G —8N 91
Windhill Fields. Bis S —1G 78
Windhill Old Rd. Bis S —1G 79
Winding Hill. M Hud —4K 77
Winding Shot. Hem H —1K 123
Winding Shott. B'fld —3H 93
Windmill Av. St Alb —7K 109
Windmill Clo. B'wy —7N 15
Windmill Clo. I'hoe —2D 82
Windmill Cotts. Ware —1H 95
Windmill Dri. Crox G —8B 148
Windmill Fld. Ware —7H 95
Windmill Fields. H'low —2H 119
Windmill Gdns. Enf —5M 155
Windmill Hill. Bunt —4K 39
Windmill Hill. Chfd —5J 135
Windmill Hill. Enf —5N 155
Windmill Hill. Hit —3N 33
Windmill Hill. K Lan —5J 135 (in two parts)
Windmill Hill. Man —6G 43
Windmill La. Barn —8F 152
Windmill La. Bus H —1F 162
Windmill La. Chesh —3J 145
Windmill La. Hit —5J 33
Windmill Rd. B Grn —6E 48
Windmill Rd. Chal P —7A 158
Windmill Rd. Hem H —2A 124
Windmill Rd. Lut —1H 67
Windmill Rd. Mark & Pep —1B 86
Windmills. D End —9C 54
Windmill St. Bus H —1F 162
Windmill Trad. Est. Lut —1J 67
Windmill Way. M Hud —7H 77
Windmill Way. Tring —2L 101
Windmore Av. Pot B —4J 141
Windridge Clo. St Alb —4B 126
Windrush Clo. Stev —7N 35
Winds End Clo. Hem H —9C 106
Windsor Av. Edgw —4B 164
Windsor Clo. N3 —9L 165
Windsor Clo. Borwd —3A 152
Windsor Clo. Bov —1D 134
Windsor Clo. Chesh —3E 144
Windsor Clo. Hem H —4A 124
Windsor Clo. N'wd —9J 161
Windsor Clo. Stev —1A 72
Windsor Clo. Welw —4H 91
Windsor Ct. N14 —9H 155
Windsor Ct. K Lan —2C 136
Windsor Ct. Lut —2F 66
Windsor Ct. St Alb —3H 127
Windsor Dri. Barn —8E 154
Windsor Dri. Hert —9L 93
Windsor Dri. H Reg —4G 44
Windsor Gdns. Bis S —1E 78
Windsor Ind. Est. Ware —8F 94
Windsor Pde. Bar C —7E 18
Windsor Rd. N3 —9L 165
Windsor Rd. Barn —8K 153
Windsor Rd. Bar C —7E 18
Windsor Rd. Enf —9H 145
Windsor Rd. Harr —8D 162
Windsor Rd. Pit —4A 82
Windsor Rd. R'ton —7F 8
Windsor Rd. Wat —2L 149
Windsor Rd. Welw —4H 91
Windsor St. Lut —2F 66
Windsor Wlk. Lut —2F 66
Windsor Way. Mil E —1K 159
Windward Clo. Enf —8H 145
Windy Ri. D End —1D 74
Winfields Mobile Home Pk. Wat —3C 150
Winfield St. Dunst —8E 44
Winford Dri. Brox —4K 133
Wingate Bus. Cen. N Mym —5J 129
Wingate Ct. Lut —7B 46 (off Wingate Rd.)
Wingate Gdns. Welw —2H 91
Wingate Ho. Lut —7B 46
Wingate Rd. Dunst —8H 45
Wingate Rd. Lut —7B 46
Wingate Way. St Alb —3H 127
Wingfield. —1A 44
Wingfield Ct. Wat —8E 148
Wingrave. —5A 60
Wingrave Rd. Gub —4J 81
Wingrave Rd. Tring —1N 101
Wingrove. E4 —9L 157
Winifred Rd. Hem H —6N 123
Winifred Ter. Enf —9D 156
Winkers Clo. Chal P —8C 158
Winkers La. Chal P —8C 158
Winkfield Clo. Lut —8L 45
Winkwell. —4G 123
Winkwell N. Vw. Hem H —4G 122
Winnington Rd. Enf —2G 156
Winscombe Way. Stan —5H 163
Winsdon Ct. Lut —2F 66 (off Winsdon Rd.)
Winsdon Hill. —1E 66
Winsdon Path. Lut —2F 66 (off Russell St.)
Winsdon Rd. Lut —2F 66
Winslow Clo. Lut —5E 46
Winslow Rd. W'grv —4A 60
Winsmoor Ct. Enf —5N 155
Winston Churchill Way. Wal X —6G 145
Winston Clo. Harr —6G 162
Winston Clo. Hit —3L 33
Winston Ct. Harr —7C 162
Winston Gdns. Berk —1K 121
Winston Way. Pot B —6N 141
Winstre Rd. Borwd —3A 152
Winterscroft Rd. Hod —7K 115
Winters La. Walk —9H 37
Winterstoke Gdns. NW7 —5G 164
Winton App. Crox G —7E 148
Winton Clo. N9 —9H 157
Winton Clo. Let —3K 23
Winton Clo. Lut —3F 46
Winton Cres. Crox G —7D 148
Winton Dri. Chesh —2J 145
Winton Dri. Crox G —8D 148
Winton Gdns. Edgw —7N 163
Winton Rd. Ware —6K 95
Winton Ter. St Alb —3F 126 (off Old London Rd.)
Wisden Ct. Stev —9M 35
Wisden Rd. Stev —9M 35
Wise La. NW7 —5G 164
Wiseman Clo. Lut —2G 46
Wisemans Gdns. Saw —6E 98
Wise's La. N Mym —9J 129
Wisteria Clo. NW7 —6F 164
Wistlea Cres. Col H —4B 128
Wistow Rd. Lut —3C 46
Witchford. Wel G —9C 92
Withers Mead. NW9 —8F 164
Withy Clo. Lut —4L 45
Withy Pl. Park —1D 138
Witney Clo. Pinn —6A 162
Witneys, The. L Hall —8K 79
Witter Av. Ickl —7M 21
Wivelsfield. Eat B —2J 63
Wiveton Clo. Lut —2F 46
Woburn Av. Bis S —1E 78
Woburn Clo. Bush —8D 150
Woburn Clo. Stev —1B 72
Woburn Ct. Lut —4N 45 (off Vincent Rd.)
Wodecroft Rd. Lut —3D 46
Wodson Pk. Leisure Cen. —3H 95
Wolfsburg Ct. Lut —4M 45 (off Hockwell Ring)
Wolmer Clo. Edgw —4A 164
Wolmer Gdns. Edgw —3A 164
Wolseley Rd. Harr —9F 162
Wolsey Av. Chesh —2D 144
Wolsey Bus. Pk. Wat —9F 148
Wolsey Gro. Edgw —7D 164
Wolsey Ho. K Lan —2C 136
Wolsey Rd. Enf —4F 156
Wolsey Rd. Hem H —3N 123
Wolsey Rd. N'wd —2E 160
Wolstonbury. N12 —5N 165
Wolston Clo. Lut —1E 66
Wolverton Rd. Stan —6J 163
Wolverton Way. N14 —7H 155
Wolvescroft. Wool G —6N 71
Wolvesmere. Wool G —6N 71
Woodacre Dri. Welw —8N 71
Woodall Rd. Enf —8H 157
Woodbank Dri. Chal G —3A 158
Woodberry Way. E4 —9N 157
Woodbine Clo. H'low —8M 117
Woodbine Gro. Enf —2B 156
Woodbridge Clo. Lut —5A 46
Woodbury Hill. Lut —7G 47
Woodbury Hill Path. Lut —7G 46
Wood Clo. Hat —9H 111
Wood Clo. Kens —7H 65
Woodcock Hill. —5A 160
Woodcock Hill. Berk —9J 103
Woodcock Hill. Borwd —8B 152
Woodcock Hill. Rick —5A 160
Woodcockhill. Sandr —5L 109
Woodcock Rd. Lut —1C 66
Woodcock Rd. Stev —7C 52
Wood Comn. Hat —6H 111
Woodcote Av. NW7 —6J 165
Woodcote Clo. Chesh —3G 145
Woodcote Clo. Enf —8G 157
Woodcote Ho. Hit —3N 33 (off Queen St.)
Woodcote Lawns. Che —9E 120
Wood Cres. Hem H —3N 123
Woodcroft. H'low —8M 117
Woodcroft. Hit —4M 33 (off Wratten Rd. E.)
Woodcroft Av. NW7 —6E 164
Woodcroft Av. Stan —8H 163
Woodcroft Av. Stan A —2A 116
Woodcroft Rd. Che —9H 121
Wood Dri. Stev —7A 52
Wood End. —2B 54
Wood End. Park —1D 138
Wood End Clo. Hem H —1E 124
Woodend Gdns. Enf —6K 155
Wood End Hill. Hpdn —4M 87
Wood End La. St Alb —8N 85
Wood End Rd. Hpdn —4M 87
Woodfall Av. Barn —7M 153
Wood Farm Rd. Hem H —2A 124
Woodfield Av. N'wd —4G 161
Woodfield Clo. Enf —6C 156
Woodfield Clo. Stans —3N 59
Woodfield Dri. E Barn —7F 154
Woodfield Dri. Hem H —4F 124
Woodfield Gdns. Hem H —4F 124
Woodfield Ga. Dunst —2H 65
Woodfield La. Hat —5C 130
Woodfield Ri. Bush —9E 150
Woodfield Rd. Rad —9H 139
Woodfield Rd. Stev —9J 35
Woodfield Rd. Wel G —9M 91
Woodfields. Stans —3N 59
Woodfields. Wat —6L 149 (off George St.)
Woodfield Ter. Hare —9L 159
Woodfield Ter. Stans —3N 59
Woodfield Way. St Alb —8K 109
Woodford Cres. Pinn —9K 161
Woodforde Clo. A'wl —9N 5
Woodford Rd. Dunst —8H 45
Woodford Rd. Wat —4L 149
Woodgate. Wat —6K 137
Woodgate Av. N'thaw —6G 142
Woodgate Cres. N'wd —6J 161
Woodgrange Av. Enf —8E 156
Woodgrange Ct. Hod —9L 115
Woodgrange Gdns. Enf —8E 156
Woodgrange Ter. Enf —8E 156
Wood Grn. Clo. Lut —4K 47
Wood Grn. Rd. Lut —4K 47
Wood Grn. Way. Chesh —4J 145
Woodhall. —2L 111
Woodhall Av. Pinn —8N 161
Woodhall Clo. Hert —7A 94
Woodhall Ct. Wel G —1L 111
Woodhall Dri. Pinn —8M 161
Woodhall Ga. Pinn —7M 161
Woodhall Gro. Bis S —2F 78
Woodhall Ho. Wel G —2M 111
Woodhall La. Hem H —1A 124
Woodhall La. Shenl —8M 139
Woodhall La. Wat —3M 161
Woodhall La. Wel G —1L 111
Woodhall Pk. —6N 73
Woodhall Rd. Pinn —7M 161
Woodham Way. Stan A —2N 115
Woodhill. —5B 130
Woodhill. H'low —9A 118
Woodhouse Eaves. N'wd —5J 161
Woodhouse La. Bis S —3D 132
Woodhurst. Let —3F 22
Woodhurst Av. Wat —7M 137
Wooding Gro. H'low —6L 117
Woodland Av. Hem H —3L 123
Woodland Av. Lut —7D 46
Woodland Clo. Hem H —3L 123
Woodland Clo. Tring —4L 101
Woodland Dri. St Alb —1K 127
Woodland Dri. Wat —3H 149
Woodland La. Chor —5G 147
Woodland Mt. Hert —9D 94
Woodland Pl. Chor —6J 147
Woodland Pl. Hem H —3L 123
Woodland Ri. Stud —9E 64
Woodland Ri. Wel G —7J 91
Woodland Rd. E4 —9N 157
Woodland Rd. Hert H —3F 114
Woodland Rd. Map C —5G 159
Woodlands. Bis S —9L 59
Woodlands. Brk P —8A 130
Woodlands. Cad —5A 66
Woodlands. Hpdn —4N 87
Woodlands. Park —9D 126
Woodlands. Rad —7H 139
Woodlands. R'ton —7E 8
Woodlands Av. Berk —2A 122
Woodlands Av. H Reg —5F 44
Woodlands Clo. Borwd —6B 152
Woodlands Clo. Hod —9L 115
Woodlands Dri. Hod —1L 133
Woodlands Dri. K Lan —1E 136
Woodlands Dri. Stan —6G 162
Woodlands Mead. W'ton —2A 36
Woodlands Rd. N9 —9G 156
Woodlands Rd. Bush —7N 149
Woodlands Rd. Enf —2B 156
Woodlands Rd. Hert —9D 94
Woodlands Rd. Nash M —9C 124
Woodlands Rd. Thun —1H 95
Woodlands, The. N14 —9G 155
Woodlands, The. Stan —5J 163
Woodland Way. NW7 —6E 164
Woodland Way. Bald —5M 23
Woodland Way. Bedm —9H 125
Woodland Way. G Oak —1N 143
Woodland Way. Stev —8M 51
Woodland Way. Welw —9M 71
Wood La. Bchgr —7N 59
Wood La. Hit —9B 20
Wood La. Mee —5K 29
Wood La. Par I —3N 123
Wood La. Stan —3H 163
Wood La. Ware —5L 95
Wood La. End. Hem H —1C 124
Woodlea. St Alb —7B 126
Woodlea Gro. N'wd —6F 160
Woodley Rd. Ware —5K 95
Woodleys. H'low —5C 118
Woodman Rd. Hem H —4A 124
Woodmans Yd. Wat —6M 149
Woodmer Clo. Shil —1N 19
Woodmere. Lut —9C 30
Woodmere Av. Wat —2M 149
Woodmere Ct. N14 —9G 155
Woodmer End. —1N 19
Woodmill M. Hod —6M 115
Woodpecker Clo. N9 —8F 156
Woodpecker Clo. Bis S —2E 78
Woodpecker Clo. Bush —1D 162
Woodpecker Clo. Harr —8G 163
Woodpecker Clo. Hat —3F 128
Woodredon Clo. Roy —7E 116
Wood Ride. Barn —3C 154
Woodridge Clo. Enf —3M 155
Woodridge Way. N'wd —6G 160
Woodridings Av. Pinn —8A 162
Woodridings Clo. Pinn —7A 162
Woods Av. Hat —9G 111
Woods Clo. Kens —7H 65
Woodshots Mdw. Wat —7F 148
Woodside. —3N 129 (Hatfield)
Woodside. —5D 66 (Luton)
Woodside. —5K 137 (Watford)
Woodside. Bchgr —9M 59
Woodside. Chesh —4E 144
Woodside. Eat B —2J 63
Woodside. Els —6M 151
Woodside. Hert H —4G 114
Woodside. R Grn —1N 43
Woodside. Wat —9J 137
Woodside Animal Farm. —6C 66
Woodside Arena. —6L 137
Woodside Clo. Chal P —9B 158
Woodside Clo. Stan —5J 163
Woodside Gdns. Hit —3N 33
Woodside Grange. N12 —4N 165
Woodside Grange Rd. N12 —4N 165
Woodside Green. —3A 130 (Hatfield)
Woodside Green. —7N 79 (Little Hallingbury)
Woodside Hill. Chal P —9B 158
Woodside Ho. Wel G —8J 91
Woodside Ind. Est. H Reg —6G 45
Woodside Ind. Pk. Let —4H 23
Woodside La. Hat —3M 129
Woodside Leisure Pk. Wat —6K 137
Woodside Open Air Theatre. —3N 33
Woodside Park. —4N 165
Woodside Pk. Homes. Lut —5D 66
Woodside Pk. Ind. Est. H Reg —6F 44
Woodside Pk. Rd. N12 —4N 165
Woodside Rd. Ab L & Wat —4J 137
Woodside Rd. Brick W —3A 138
Woodside Rd. N'wd —7H 161
Woodside Rd. Welw —4M 91
Woodside Rd. Wood —4D 66
Woods Pl. Tring —3M 101
Woodstead Gro. Edgw —6M 163
Woods, The. N'wd —5J 161
Woods, The. Rad —7J 139
Woodstock. Kneb —5M 71
Woodstock Clo. Hert H —2F 114
Woodstock Clo. Stan —9M 163
Woodstock Cres. N9 —8F 156
Woodstock Rd. Brox —1J 133
Woodstock Rd. Bus H —9F 150
Woodstock Rd. N. St Alb —9J 109
Woodstock Rd. S. St Alb —2J 127
Wood St. Barn —6K 153
Wood St. Dunst —9F 44
Wood St. Lut —2H 67
Woodtree Clo. NW4 —9K 165
Wood Va. Hat —9H 111
Woodvale Pk. St Alb —2J 127
Wood Vw. Cuff —9K 131
Wood Vw. Hem H —9L 105
Woodville Ct. Wat —4J 149
Woodville Pl. Hert —7N 93
Woodville Rd. Barn —5A 154
Wood Wlk. Rick —4H 147
Woodward Gdns. Stan —7G 163
Woodwards. H'low —8M 117
Woodwaye. Wat —9L 149
Woodwicks. Map C —5G 159
Woolgrove Ct. Hit —1B 34
Woolgrove Rd. Hit —1A 34
Woollam Cres. St Alb —7D 108
Woollams. Redb —2J 107 (off Vaughan Mead)
Woollard St. Wal A —7N 145
Woollensbrook. —6J 115
Woollerton Cres. Wend —9B 100
Woolmans Clo. Brox —4K 133
Woolmer Clo. Borwd —2A 152
Woolmerdine Ct. Bush —5M 149
Woolmer Dri. Hem H —2E 124
Woolmer Green. —6N 71
Woolmers La. Let G —4G 112
Woolners Way. Stev —3J 51
Woolpack Clo. Dunst —1F 64
Woolsgrove Ct. R'ton —8E 8
Woolston Av. Let —7G 22
Wootton Clo. Lut —2D 46
Wootton Dri. Hem H —6B 106
Wootton Gro. N3 —8N 165
Worboys Ct. G Mor —1A 6
Worcester Ct. N12 —5N 165
Worcester Ct. St Alb —3H 127
Worcester Cres. NW7 —3E 164
Worcester Ho. Borwd —4A 152 (off Stratfield Rd.)
Worcester Rd. Hat —8F 110
Worcesters Av. Enf —2E 156
Wordsworth Clo. R'ton —4D 8
Wordsworth Ct. Hat —8G 110
Wordsworth Rd. Hpdn —4B 88
Wordsworth Rd. Lut —7K 45

orkers Rd. *H'low & H Lav*
—7K **119**
orks Rd. *Let* —4H **23**
orld's End. —5L **155**
orld's End La. *N21 & Enf*
—7L **155**
orley Rd. *St Alb* —1E **126**
ormley. —5J **133**
ormleybury. —5H **133**
ormley Ct. *Brox* —6K **133**
ormley Lodge Clo. *Brox* —5J **133**
ormley West End. —4C **132**
ormley Wood Nature Reserve.
—4N **131**
orsdell Way. *Hit* —3B **34**
orsted La. *Hare S* —3B **40**
ortham Rd. *R'ton* —9E **8**
ortham Way. *Stev* —7A **52**
orthington Rd. *Dunst* —9C **44**
raglings, The. *Bis S* —3K **79**
ratten Clo. *Hit* —4M **33**
ratten Rd. E. *Hit* —4M **33**
ratten Rd. W. *Hit* —4L **33**
rayfields. *Stot* —5H **11**
raysbury Clo. *Lut* —6N **45**
renbrook Rd. *Bis S* —3H **79**
ren Clo. *Kim* —7J **69**
ren Clo. *Lut* —3L **47**
ren Clo. *Stev* —3A **52**
ren Cres. *Bush* —1D **162**
rensfield. *Hem H* —2K **123**
rens, The. *H'low* —6L **117**
ren Wlk. *Edl* —4J **63**
ren Wood. *Wel G* —8A **92**
restlers Clo. *Hat* —7J **111**
rest Pk. Gardens. —1G **18**
rexham Ter. *R'ton* —6D **8**
right Clo. *Wheat* —8L **89**
right's Bldgs. *Wat* —4K **149**
(off Langley Rd.)

Wrights Ct. *H'low* —8E **118**
Wright's Green. —9M 79
Wright's Grn. La. *L Hall* —9L **79**
Wrights Mdw. *Walk* —1G **52**
Wrights Orchard. *Ast* —7D **52**
Writtle Ho. *NW9* —9F **164**
Wrotham Pk. —9M **141**
Wrotham Rd. *Barn* —4L **153**
Wroxham Av. *Hem H* —4N **123**
Wroxham Gdns. *Enf* —8N **143**
Wroxham Gdns. *Pot B* —4K **141**
Wroxham Way. *Hpdn* —4D **88**
Wulfrath Way. *Ware* —4G **94**
Wulstan Pk. *Pot B* —5C **142**
Wulwards Clo. *Lut* —2D **66**
Wulwards Ct. *Lut* —2D **66**
Wyatt Clo. *Bus H* —9E **150**
Wyatt's Clo. *Chor* —5K **147**
Wyatt's Rd. *Chor* —6J **147**
Wyburn Av. *Barn* —4M **153**
Wychdell. *Stev* —9B **52**
Wych Elm. *H'low* —5M **117**
Wych Elm La. *Welw* —5L **71**
Wych Elms. *Park* —1C **138**
Wycherley Cres. *New Bar*
—8A **154**
Wychford Dri. *Saw* —6E **98**
Wychwood Av. *Edgw* —6L **163**
Wychwood Av. *Lut* —6G **46**
Wychwood Clo. *Edgw* —6L **163**
Wychwood Way. *N'wd* —7H **161**
Wycklond Clo. *Stot* —6E **10**
Wycliffe Clo. *Lut* —3E **46**
Wycliffe Ct. *Ab L* —5G **137**
Wycombe Pl. St Alb —8J **109**
(off Wycombe Way)
Wycombe Way. *Lut* —1E **46**
Wycombe Way. *St Alb* —8J **109**
Wyddial. —7L **27**

Wyddial Grn. *Wel G* —9A **92**
Wyddial Rd. *Bunt* —2J **39**
Wyedale. *Lon C* —9N **127**
Wye, The. *Hem H* —6C **106**
Wykeham Ri. *N20* —1L **165**
Wyken Clo. *Lut* —2C **46**
Wykeridge Clo. *Che* —9F **120**
Wyldwood Clo. *H'low* —9E **98**
Wyllyotts Clo. *Pot B* —5M **141**
Wyllyotts La. *Pot B* —5M **141**
Wyllyotts Pl. *Pot B* —5M **141**
Wylo Dri. *Barn* —8G **152**
Wymondley Clo. *Hit* —3A **34**
Wymondley Rd. *Gt Wym &*
W'ian —2F **34**
Wymondley Rd. *Hit* —4A **34**
Wynches Farm Dri. *St Alb*
—2L **127**
Wynchgate. *N14 & N21* —9J **155**
Wynchgate. *Harr* —7F **162**
Wynchlands Cres. *St Alb*
—2L **127**
Wynd Arc., The. Let —5F **22**
(off Openshaw Way)
Wyndcroft Clo. *Enf* —5N **155**
Wyndham Rd. *Lut* —7M **45**
Wyndhams End. *Wel G* —4M **111**
Wynd, The. *Let* —5F **22**
Wynlie Gdns. *Pinn* —9K **161**
Wynn Clo. *Bald* —2N **23**
Wynyard Clo. *Sarr* —9K **135**
Wyre Gro. *Edgw* —3B **164**
Wyrley Dell. *Let* —8G **23**
Wysells Ct. *Let* —4D **22**
Wyton. *Wel G* —9C **92**
Wyvern Clo. *Lut* —6A **46**

Yardley. *Let* —7H **23**
Yardley Av. *Pit* —3A **82**

Yardley Clo. *E4* —7M **157**
Yardley Ct. *Hpdn* —6C **88**
Yardley La. *E4* —7M **157**
Yarmouth Rd. *Stev* —2G **51**
Yarmouth Rd. *Wat* —2L **149**
Yately Clo. *Lut* —2F **46**
Yearling Clo. *Gt Amw* —8K **95**
Yeatman Ho. *Wat* —9J **137**
Yeats Clo. *R'ton* —4D **8**
Ye Corner. *Wat* —8M **149**
Yeomanry Dri. *Bald* —2N **23**
Yeomans Av. *Hpdn* —4M **87**
Yeomans Clo. *Thor* —2F **78**
Yeomans Ct. *Hem H* —5C **106**
Yeomans Ct. Hert —9C **94**
(off Ware Rd.)
Yeomans Dri. *Ast* —7D **52**
Yeomans Ride. *Hem H*
—5C **106**
Yeomans Way. *Enf* —4G **156**
Yeovil Ct. *Lut* —7K **47**
Yeovil Rd. *Lut* —7K **47**
Yew Clo. *Chesh* —9C **132**
Yew Gro. *Wel G* —1B **112**
Yewlands. *Hod* —9L **115**
Yewlands. *Saw* —6G **99**
Yews Av. *Enf* —9F **144**
Yewstone Ct. *Wat* —5J **149**
Yew St. *H Reg* —2G **44**
Yew Tree Clo. *N21* —9M **155**
Yew Tree Clo. *Eat B* —3K **63**
Yew Tree Clo. *I'hoe* —2C **82**
Yew Tree Ct. *Els* —8L **151**
Yew Tree Ct. *Hem H*
—4K **123**
Yew Tree Dri. *Bov* —1E **134**
Yewtree End. *Park* —9D **126**
Yew Tree Pl. *Bis S* —9H **59**
Yew Wlk. *Hod* —9L **115**
York Av. *Stan* —8J **163**

York Clo. *Bar C* —7F **18**
York Clo. *K Lan* —2C **136**
York Cres. *Borwd* —4D **152**
Yorke Clo. *Ast C* —1D **100**
Yorke Ga. *Wat* —4J **149**
Yorke Rd. *Crox G* —8C **148**
Yorkes. *H'low* —9B **118**
York Ga. *N14* —9K **155**
York Ho. Borwd —4A **152**
(off Canterbury Rd.)
York Ho. *Enf* —3B **156**
York Ho. *St Alb* —3D **126**
York Rd. *N21* —9B **156**
York Rd. *Hit* —2M **33**
York Rd. *New Bar* —7B **154**
York Rd. *N'wd* —9J **161**
York Rd. *St Alb* —1G **126**
York Rd. *Stev* —9M **35**
York Rd. *Wal X* —6J **145**
York Rd. *Wat* —7L **149**
York St. *Lut* —9H **47**
York Ter. *Enf* —2A **156**
York Way. *Borwd* —4D **152**
York Way. *Hem H* —3A **124**
York Way. *R'ton* —6B **8**
York Way. *Wat* —9M **137**
York Way. *Welw* —4J **91**
Youngfield Rd. *Hem H* —1J **123**
Youngmans Clo. *Enf* —3A **156**
Youngsbury. —8L **75**
Youngsbury La. *Wad* —8H **75**
Youngs Ri. *Wel G* —9J **91**
Yule Clo. *Brick W* —3A **138**

Zambesi Rd. *Bis S* —3H **79**

HOSPITALS and HOSPICES
covered by this atlas
with their map square reference

N.B. Where Hospitals and Hospices are not named on the map,
the reference given is for the road in which they are situated.

BARNET HOSPITAL —6K **153**
Wellhouse La.
BARNET
Hertfordshire
EN5 3DJ
Tel: 020 82164000

BISHOPS WOOD BMI HOSPITAL —5D **160**
Rickmansworth Rd.
NORTHWOOD
Middlesex
HA6 2JW
Tel: 01923 835814

BUSHEY BUPA HOSPITAL —9G **150**
Heathbourne Rd.
Bushey Heath
BUSHEY
Hertfordshire
WD23 1RD
Tel: 020 89509090

CHALFONTS & GERRARDS CROSS HOSPITAL, The.
—8A **158**
Hampden Rd.,
Chalfont St Peter
GERRARDS CROSS
Buckinghamshire
SL9 9DR
Tel: 01753 883821

CHASE FARM HOSPITAL —2M **155**
127 Ridgeway, The
ENFIELD
Middlesex
EN2 8JL
Tel: 020 83666600

CHESHUNT COMMUNITY HOSPITAL —4J **145**
King Arthur Ct.
Cheshunt
WALTHAM CROSS
Hertfordshire
EN8 8XN
Tel: 01992 622157

COLINDALE HOSPITAL —9E **164**
Colindale Av.
LONDON
NW9 5HG
Tel: 020 89522381

DANESBURY HOME (HOSPITAL) —3H **91**
School La.
WELWYN
Hertfordshire
AL6 9SB
Tel: 01707 365300

DEBENHAM HOUSE —4B **158**
Chesham La., Chalfont St Peter
GERRARDS CROSS
Buckinghamshire
SL9 0RJ
Tel: 01494 871588

EDGWARE COMMUNITY HOSPITAL —7B **164**
Burnt Oak B'way
EDGWARE
Middlesex
HA8 0AD
Tel: 020 89522381

FARLEY HILL DAY HOSPITAL —2D **66**
Whipperley Ring
LUTON
LU1 5QY
Tel: 01582 708222

GARDEN HOSPITAL, THE —9J **165**
46-50 Sunny Gdns. Rd.
LONDON
NW4 1RP
Tel: 020 84574500

GARDEN HOUSE HOSPICE —6H **23**
Gillison Clo.
LETCHWORTH
Hertfordshire
SG6 1QU
Tel: 01462 679540

HAREFIELD HOSPITAL —8M **159**
Hill End Rd., Harefield
UXBRIDGE
Middlesex
UB9 6JH
Tel: 01895 823737

HARPENDEN BUPA HOSPITAL —3B **88**
Ambrose La.
HARPENDEN
Hertfordshire
AL5 4BP
Tel: 01582 763191

HARPENDEN MEMORIAL HOSPITAL —5C **88**
Carlton Rd.
HARPENDEN
Hertfordshire
AL5 4TA
Tel: 01582 760196

HARPERBURY HOSPITAL —4K **139**
Harper La., Shenley
RADLETT
Hertfordshire
WD7 9HQ
Tel: 01923 854861

HEMEL HEMPSTEAD GENERAL HOSPITAL —3N **123**
Hillfield Rd.
HEMEL HEMPSTEAD
Hertfordshire
HP2 4AD
Tel: 01442 213141

HERTFORD COUNTY HOSPITAL —9K **95**
North Rd., HERTFORD
SG14 1LP
Tel: 01707 328111

HERTS & ESSEX HOSPTAL —2L **79**
Haymeads La.
BISHOP'S STORTFORD
Hertfordshire
CM23 5JH
Tel: 01279 655191

HITCHIN HOSPITAL —2L **33**
Talbot St., HITCHIN
Hertfordshire
SG5 2QU
Tel: 01438 781380

HOSPICE OF ST FRANCIS —1L **121**
27 Shrublands Rd.
BERKHAMSTED
Hertfordshire
HP4 3HX
Tel: 01442 862960

ISABEL HOSPICE —2A **112**
Hall Gro.
WELWYN GARDEN CITY
Hertfordshire
AL7 4PH
Tel: 01707 334222

KEECH COTTAGE CHILDREN'S HOSPICE —9C **30**
Bramingham La., LUTON
LU3 3NT
Tel: 01582 492339

KING'S OAK BMI HOSPITAL, THE —2M **155**
Ridgeway, The, ENFIELD
Middlesex
EN2 8SD
Tel: 020 83709500

KNEESWORTH HOUSE HOSPITAL —1C **8**
Old North Rd., Bassingbourn
ROYSTON
Hertfordshire
SG8 5JP
Tel: 01763 255700

LISTER HOSPITAL —8H **35**
Coreys Mill La.
STEVENAGE
Hertfordshire
SG1 4AB
Tel: 01438 314333

LUTON & DUNSTABLE HOSPITAL —7M **45**
Lewsey Rd., LUTON
LU4 0DZ
Tel: 01582 491122

MEADOWS, THE, E.M.I UNIT —2N **151**
Castleford Clo.
BOREHAMWOOD
Hertfordshire
WD6 4AL
Tel: 020 89534954

MICHAEL SOBELL HOUSE (HOSPICE) —6D **160**
Mount Vernon Hospital, Rickmansworth Rd.
NORTHWOOD
Middlesex
HA6 2RN
Tel: 01923 844302

MOUNT VERNON HOSPITAL —6D **160**
Rickmansworth Rd.
NORTHWOOD
Middlesex
HA6 2RN
Tel: 01923 826111

NATIONAL SOCIETY FOR EPILEPSY, THE —5B **158**
Chesham La., Chalfont St Peter
GERRARDS CROSS
Buckinghamshire
SL9 0RJ
Tel: 01494 601300

RTH LONDON NUFFIELD HOSPITAL, THE —4M **155**
avell Dri.
NFIELD
Middlesex
N2 7PR
el: 020 83662122

RTHWOOD & PINNER COMMUNITY HOSPITAL
—8J **161**
inner Rd.
ORTHWOOD
Middlesex
A6 1DE
el: 01923 824182

SQUE HOSPICE —9C **30**
ramingham La.
UTON
U3 3NT
el: 01582 492339

ACE HOSPICE, THE —5J **149**
eace Dri.
VATFORD
VD1 3AD
el: 01923 330330

NEHILL HOSPITAL —3B **34**
enslow La.
ITCHIN
ertfordshire
G4 9QZ
el: 01462 422822

TTERS BAR COMMUNITY HOSPITAL —7B **142**
arnet Rd.
OTTERS BAR
ertfordshire
N6 2RY
el: 01707 653286

PRINCESS ALEXANDRA HOSPITAL, THE —5M **117**
Hamstel Rd., HARLOW
Essex
CM20 1QX
Tel: 01279 444455

PROSPECT HOUSE, E.M.I. UNIT —5J **149**
Peace Dri., off Cassiobury Dri.
WATFORD
WD1 3XE
Tel: 01923 693900

QUEEN ELIZABETH II HOSPITAL —4N **111**
Howlands
WELWYN GARDEN CITY
Hertfordshire
AL7 4HQ
Tel: 01707 328111

QUEEN VICTORIA MEMORIAL HOSPITAL —3H **91**
73 School La.
WELWYN
Hertfordshire
AL6 9PW
Tel: 01707 365291

RIVERS HOSPITAL, THE —6E **98**
High Wych Rd.
SAWBRIDGEWORTH
Hertfordshire
CM21 0HH
Tel: 01279 600282

ROYAL NATIONAL ORTHOPAEDIC HOSPITAL —2J **163**
Brockley Hill
STANMORE
Middlesex
HA7 4LP
Tel: 020 89542300

ROYSTON & DISTRICT HOSPITAL —9D **8**
London Rd.
ROYSTON
Hertfordshire
SG8 9EN
Tel: 01763 242134

ST ALBANS CITY HOSPITAL —9D **108**
Waverley Rd.
ST ALBANS
Hertfordshire
AL3 5PN
Tel: 01727 866122

ST MARY'S DAY HOSPITAL —1F **66**
Vestry Clo.
LUTON
LU1 1AR
Tel: 01582 721261

WATFORD GENERAL HOSPITAL —7K **149**
60 Vicarage Rd.
WATFORD
WD18 0HB
Tel: 01923 244366

WESTERN HOUSE HOSPITAL —5H **95**
Collett Rd.
WARE
Hertfordshire
SG12 7LZ
Tel: 01920 468954

RAIL & LONDON UNDERGROUND STATIONS

with their map square reference

Albans Abbey Station. Rail —4E **126**
Apsley Station. Rail —7A **124**
Ashwell & Morden Station. Rail —2J **13**

Bayford Station. Rail —9N **113**
Berkhamsted Station. Rail —9N **103**
Bishop's Stortford Station. Rail —2J **79**
Bricket Wood Station. Rail —3B **138**
Brimsdown Station. Rail —4J **157**
Brookmans Park Station. Rail —9L **129**
Broxbourne Station. Rail —2L **133**
Burnt Oak Station. Tube —8C **164**
Bush Hill Park Station. Rail —8D **156**
Bushey Station. Rail —8M **149**

Canons Park Station. Tube —7M **163**
Carpenders Park Station. Rail —3M **161**
Chalfont & Latimer Station. Rail —3A **146**
Cheddington Station. Rail —6M **61**
Cheshunt Station. Rail —3K **145**
Chorleywood Station. Rail & Tube —6G **146**
Cockfosters Station. Tube —6F **154**
Colindale Station. Tube —9E **164**
Crews Hill Station. Rail —7L **143**
Croxley Green Station. Rail —7F **148**
Croxley Station. Tube —8D **148**
Cuffley Station. Rail —2L **143**

Edgware Station. Tube —6B **164**
Elstree & Borehamwood Station. Rail —6A **152**
Enfield Chase Station. Rail —5A **156**
Enfield Lock Station. Rail —1J **157**
Enfield Town Station. Rail —5C **156**

Finchley Central Station. Tube —8N **165**

Garston Station. Rail —8N **137**
Gordon Hill Station. Rail —3N **155**

Grange Park Station. Rail —7N **155**

Hadley Wood Station. Rail —2B **154**
Harlow Mill Station. Rail —1E **118**
Harlow Town Station. Rail —3N **117**
Harpenden Station. Rail —6C **88**
Hatch End Station. Rail —7B **162**
Hatfield Station. Rail —8J **111**
Headstone Lane Station. Rail —8C **162**
Hemel Hempstead Station. Rail —5K **123**
Hertford East Station. Rail —9C **94**
Hertford North Station. Rail —9N **93**
High Barnet Station. Tube —6N **153**
Hitchin Station. Rail —3A **34**
How Wood Station. Rail —1D **138**

Kings Langley Station. Rail —3E **136**
Knebworth Station. Rail —3M **71**

Leagrave Station. Rail —5A **46**
Letchworth Station. Rail —5F **22**
Luton Airport Parkway Station. Rail —2K **67**
Luton Station. Rail —9G **47**

Mill Hill Broadway Station. Rail —6E **164**
Mill Hill East Station. Tube —7L **165**
Moor Park Station. Tube —3F **160**

New Barnet Station. Rail —7C **154**
Northwood Hills Station. Tube —9J **161**
Northwood Station. Tube —7G **160**

Oakleigh Park Station. Rail —9C **154**
Oakwood Station. Tube —7H **155**

Park Street Station. Rail —8E **126**

Ponders End Station. Rail —7J **157**
Potters Bar Station. Rail —5M **141**

Radlett Station. Rail —8H **139**
Rickmansworth Station. Rail & Tube —9N **147**
Roydon Station. Rail —5E **116**
Royston Station. Rail —6C **8**
Rye House Station. Rail —6N **115**

St Albans Abbey Station. Rail —2E **126**
St Albans Station. Rail —2G **126**
Sawbridgeworth Station. Rail —4H **99**
Southbury Station. Rail —6F **156**
Stanmore Station. Tube —4L **163**
Stansted Mountfitchet Station. Rail —3N **59**
Stevenage Station. Rail —4J **51**

Theobalds Grove Station. Rail —5H **145**
Tring Station. Rail —1E **102**
Turkey Street Station. Rail —1G **156**

Waltham Cross Station. Rail —7K **145**
Ware Station. Rail —7J **95**
Watford High Street Station. Rail —6L **149**
Watford Junction Station. Rail —4L **149**
Watford North Station. Rail —1L **149**
Watford Stadium Station. Rail —8J **149**
Watford Station. Tube —5H **149**
Watford West Station. Rail —7H **149**
Watton at Stone Station. Rail —5J **73**
Welham Green Station. Rail —5J **129**
Welwyn Garden City Station. Rail —1K **111**
Welwyn North Station. Rail —4M **91**
Wendover Station. Rail —9A **100**
West Finchley Station. Rail —6N **165**
Winchmore Hill Station. Rail —9N **155**
Woodside Park Station. Tube —4N **165**